新思潮文档

总主编 金惠敏

现代性中国

主编 张颐武

河南大学出版社

图书在版编目（CIP）数据

现代性中国/张颐武主编. —开封：河南大学出版社，2005.3
（新思潮文档/金惠敏主编）
ISBN 7-81091-336-0

Ⅰ.现… Ⅱ.张… Ⅲ.现代主义-研究-中国 Ⅳ.B2

中国版本图书馆 CIP 数据核字（2005）第 024895 号

出 版 人：王刘纯
责任编辑：袁喜生
责任校对：史　静
责任印制：王　慧
装帧设计：张　胜

出　　版	河南大学出版社
	地址：河南省开封市明伦街 85 号　　邮编：475001
	电话：0378-2864669（事业部）　　0378-2825001（营销部）
	网址：www.hupress.com　　E-mail：bangong@hupress.com
经　　销	河南省新华书店
排　　版	河南第一新华印刷厂
印　　刷	河南第一新华印刷厂
版　　次	2005 年 5 月第 1 版　　印　次　2005 年 5 月第 1 次印刷
开　　本	650mm×960mm　1/16　　印　张　28.25
字　　数	430 千字
印　　数	1—3000 册

ISBN 7-81091-336-0/B·114　　　定　价：48.00 元

（本书如有印装质量问题请与河南大学出版社营销部联系调换）

目 录

金惠敏	总序	（1）
张颐武	导言	（1）
黄　平	解读"现代性"	（1）
陈燕谷	现代性：未完成的和不确定的	（10）
刘　康	全球化"悖论"与现代性"歧途"	（13）
张　法	现代性与全球文化四方面	（21）
汪　晖	我们如何成为"现代的"？	（30）
高瑞泉	论"进步"及其历史	
	——对现代性核心观念的反省	（36）
张　法　张颐武　王一川	从"现代性"到"中华性"	
	——新知识型的探寻	（46）
王德威	被压抑的现代性	
	——晚清小说的重新评价	（67）
旷新年	现代文学发生中的现代性问题	（100）
周　宪	现代性的张力	
	——现代主义的一种解读	（108）
钱中文	文学理论现代性问题	（123）
吴晓东	中国现代文学中的审美主义与现代性问题	（146）
金惠敏	尼采与中国的现代性	（160）
李　杨	毛泽东文艺思想与现代性	（178）
张颐武	对"现代性"的追问	
	——90年代文学的一个趋向	（196）
王泽龙	中国现代文学的历史分期与现代性特征	（206）

伍方斐	现代性:跨世纪中国文学展望的一个文化视角 ……………………………………………………… (217)
刘慧英	女权/女性主义
	——重估现代性的基本视角 ……………… (226)
王一川	现代性文学:中国文学的新传统
	——兼谈中国现代文学与文学研究 ……… (232)
於可训	中国当代文学的现代性问题论纲 …………… (247)
吴秀明	转型期文学叙事现代性的递嬗演进及特征 … (259)
余 虹	"五四"新文学理论的双重现代性追求 …… (274)
乐黛云	鲁迅的《破恶声论》及其现代性 …………… (302)
张钊贻	鲁迅与尼采反"现代性"的契合 …………… (312)
张旭东	后现代主义与中国现代性 …………………… (321)
陈晓明	后现代:精英与大众的混战 ………………… (332)
李欧梵	现代性的构建:流行出版业的作用与意义 … (337)
高远东	"现代"如何"拿来"
	——以中国文学现代性的确立途径为讨论中心 ……………………………………………………… (359)
杨春时	文学的现代性与中国现代文学 ……………… (368)
何言宏	突围与限禁
	——"文革"后文学现代性话语的历史起源研究之一 ……………………………………………… (377)
郭齐勇	现代性与传统的思考 ………………………… (392)
涂险峰	当代文学批评中的"现代性终结"话语质疑 … (404)
刘海斌	论"现代性"在现代文学研究中的阐释有限性 ……………………………………………………… (417)
何家栋	后现代派如何挪用现代性话语
	——评"经济民主"和"文化民主" ………… (421)

金惠敏

总　　序

　　20世纪90年代以前我们曾经自信地划出了一个相对于"文革"的"新时期",那确乎是群情激扬、光辉灿烂的峥嵘岁月。不过今天从思想史或者思想创新的角度看,"新时期"之"新"似乎仅具有拨乱"返"正的意义,是严格字面意义上的"文艺复兴",它远承"五四"精神,近接50年代的"百花齐放、百家争鸣",其关注的主题如人道主义、人性论、主体性、异化、马克思手稿、美的本质、现实主义等等,均是大半个世纪以来时而低抑、时而高亢的老话题。而且,"左"、"右"对垒,阵线分明。"右"者坚信只要冲破"左"的禁锢,前景就是一片光明;而"左"者则认定,"右"将毫无疑问地导致动乱、无序和资本主义复辟。那时的"思想解放"其实只有两条路好走:要么解放,要么就仍然禁锢着。这种水火不容的思想对抗从另一个意义上说就是单纯而幼稚、激情而盲目,远称不上理性而深刻的"思想解放"。

　　进入90年代,思想界急剧分化,乱云飞渡,思潮翻涌。当我们感觉"新时期"这个概念已经无法表述我们当前的思想状况时,思想的"新时期"才真正到来。思维创新的佳境不是二元对立、非此即彼,它总是晦暗不明,难分难解,相互渗透,多种可能性并存。具体说,90年代的思想界不再是明朗的"左"与"右",它呈现出思想作为一种精神活动的原生态,即使那些看起来不共戴天的学说如现代性与后现代性、自由主义与新左派也不再能够划出个左右来,更兼以无从捉对厮杀的新儒家、全球化、知识分子、文化研究、身体注视、媒介哲学,等等。一个问题甚至可能是以其他所有的问题为其语境。

但是如果将思想还原为现实,那么可以说所有这一切都是现代化运动及其当前的全球化与古老中国相遇的产物。对于西方世界来说,其思想界的主要议题是如何让传统发扬光大,如在伽达默尔哲学解释学就是让传统自己说话,而在中国则除了这层任务之外,更加之以如何与西方这个"他者"相对话。"传统"与"他者"可能就是当今最大的哲学问题。

将这些 90 年代以来的思想文本归档整理,决不意味着它们已经成熟或者完成使命。应该承认,这些思想还嫌稚嫩,更谈不上形成什么定论。但是,它们是我们走过或达到的一个个里程碑,是当今中国知识界的思想实录,更蕴涵着无限的发展契机。如果我们还想继续前进的话,那么这些文本作为历史资料的参照意义甚或其作为思想地图的指示作用将都是不言而喻的。

知我者,罪我者,我们一概表示感谢。

惶惶然,谨此为序。

2003 年 8 月 29 日
北京花园村

张颐武

导　　言

一

20世纪90年代中国思想的一个关键性的问题是有关"现代性"引发的探讨和分歧。如果梳理90年代中国思想，"现代性"毫无疑问是其中的核心，由对于"现代性"问题的不同立场和看法，真正挑起了中国思想的转型和演变，形成了90年代思想和80年代思想的区别，也形成了90年代独特的文化氛围和精神状况。

我们可以把这种"共识"称之为"新时期共识"。这一共识起源于1978年的"实践是检验真理的唯一标准"的大讨论，在这次大讨论中形成了以"改革开放"为主导的新的国家结构，也出现了与这个新国家结构密切相关的新的知识分子群体。当时的中国一方面期望摆脱传统的社会主义现代化模式，进行"改革"；另一方面，则希望向西方敞开大门，走向世界，进行"开放"。当时的知识分子在共同的反"左"，对于"五四"以来和新中国成立以来的历史进行反思之时，在中国社会中发挥了主要的作用，他们以批判传统社会主义的局限为中心，在"知识"领域中完成了新国家结构的意识形态工程。他们建构了两个方向的"共识"，而这种"新时期共识"也一度成为国家的主流意识形态。首先，经历了"大跃进"、"文革"等一系列社会主义现代化的挫折之后，中国知识分子对于引入资本主义的现代化经验，以达到经济成长和发展有一致的"共识"。这可以称为"发展共识"。多数知识分子认为，经济发展乃是社会进步的中心标志。李泽厚就提出："现代化又确乎是西方先开始的，现代大工业生产,蒸汽机、电器、化工、计算机……以及生产它们的各种科技工艺、经营管理制度等等,不都是西方来的吗?在这个最根本的方面——发展现代大工业生产方面,现代化也就是西方化。"①作为现代化的西方化是经济发展的前提,是这一"发展共识"的中心。第二,这里形成了一个"个人共识"。这个"共识"乃是基于对于"五四"以来中国历史的"救亡压倒启蒙"的描述。许多知识分子认为以"民族国家"为主体的,以救亡为中心的"现代性"话语导致了"文革"的悲剧。而在"新时期",个人主体的发展,个人解放应该成为文化的中心。李泽厚对此有非常简略的描述:"'五四'运动是两个运动而不是一个运动。这两方面在性质上是有所不同的,启蒙是反封建,救亡是反对帝国主义。民族的危亡局势和越来越激烈的现实斗争,改变了启蒙与救亡相平行的局面,政治救亡的主题全面压倒了思想启蒙的主题。所以,'五四'的启蒙工作基本上没有做。建国后也忽视了启蒙方面的问题,忽视了对封建主义的批判。我们中国在经历了半殖民地半封建社会之后,紧接着就号称进入了社会主义,实际上,社会的经济结构和人的文化心理结构没有受到过资本主义的民主主义和个人主义的冲击,封建主义仍然顽固地存在于人们的思想、观念意识和无意识的深层。""我认为,反封建仍然是现在的主题。"②这里,中国的社会主义历史往往被阐释为封建主义对于个人的压抑。而再度启蒙则意味着对于个人主体的热切肯定,而对于"民族国家"的价值则相当忽视,也就是在启蒙/救亡的二元对立中强调启蒙的关键性。

"新时期共识"就是以"发展共识"和"个人共识"构成的一套话语,它所坚持的是现代性的普遍性,是以在欧美发展的现代性作为它的标准模式。这种对于"普遍性"的追求成为这一共识的关键。它成为"新时期"文化和"知识"的基础,也成为当时知识分子和国家之间的相对一致的前提,他们为"改革开放"提供了合法性的基

---

① 《漫说"西体中用"》,《李泽厚集》,黑龙江教育出版社1988年9月第1版第353页。对于此问题的详细讨论可参见拙作《从现代性到后现代性》,广西教育出版社1997年11月第1版第4—9页。

② 《走自己的路》,(台北)风云时代出版公司1990年8月初版第288页。

础,而新的国家结构则为他们提供了舞台,使他们成为社会的中心。正像李泽厚所表述的:"中国现代知识分子,如同古代的士大夫一样,确实起到了引领时代步伐的先锋者的作用。由于没有一个强大的资产阶级,这一点就更加突出。中外古今在他们的心灵上思想上的错综交织融会冲突,是中国近现代史的深层逻辑,至今仍然如此。"①"新时期共识"的存在保证了知识分子的话语中心的位置,也提供了一种一致的"现代性"想像的策略。当时对于"左"的批判并不是知识分子内部的争议,而是与新国家结构共生的,知识分子共同一致的对于旧的意识形态的否定。虽然知识分子内部也有许多分歧,但它们都不足以动摇这个"新时期共识"。而当时中国的经济通过对于原有资源的再分配,使得几乎所有人不同程度上受益,社会的各种利益集团和阶层的生活水平和利益都得到了程度不同的发展。社会对于经济增长和社会变化及全球化的期望几乎是一致的,这也为这一"共识"提供了合法性。而"新时期共识"也成为海外和中国学术界"阐释中国"的知识基础。这一"共识"其实就是中国"现代性"的一套知识框架和文化制度的投射。这种"现代性"的话语既是"五四"以来中国"现代性"历史的合法性的延伸,又是"新时期"中国思想情势的必然结果。因此,"新时期"的"现代性"正是以这样的形态展开的。它通过两个方向显示自身。它一方面将计划经济时代的"现代性"理解为一种"封建"传统,通过这样的诠释将计划经济时代的文化和经济问题转变为一个传统与现代的冲突的问题;另一方面,则将"新时期"确立为"五四"的直接继承者,而跨过了现代历史的其他时期。

进入 90 年代,世界和中国的状况发生了巨大的变化。具有讽刺意味的是,"新时期共识"追求的目标仿佛就要实现,但它本身又受到了巨大的冲击,历史根本没有按照预想的道路前行。在"冷战后"的新的世界格局和全球化的浪潮之中,中国的状况成为世界的焦点。中国 90 年代的文化经验无疑具有"特殊重要"的意义。在这个"后新时期"中,中国经历的全球化和市场化的进程是极其深刻的,它改变了中国的形象,导致了高速的经济成长,也产生了一系列复杂的新问题。中国以一种特殊的"发展"方式在 90 年代完

---

① 《中国现代思想史论》,东方出版社 1987 年第 1 版第 344 页。

全改变了自己的面貌。一方面是政治性的象征系统维持不变,以作为社会避免急剧变化过程中的混乱的策略,随着苏联、东欧的雪崩式瓦解和10年来俄罗斯的持续危机以及国际竞争的激化,民众的国家认同也有所凝聚;另一方面,中国的日常生活经验的几乎所有方面都发生了根本性的变化。国家对于社会的自上而下的"纵"向的直接控制和管理已经极大削弱,国家直接控制的工业资源已经不到30%,传统的"单位"体制已经越来越弱化,跨国企业和民间资本已经占据了中国社会的主要经济舞台。而在越来越市场化的社会舆论和大众文化的主导下的所谓"公共空间"也已经迅速形成。人们的生活经验已经不可能处于国家的全面控制中,这种全面控制的基础早已瓦解,而是明显地处于一种"横"向的联系之中,市民社会以一种独特的形态开始形成,而随着大量移民的出现及互联网的发展和国际投资的剧烈增长,中国的全球化达到了前所未有的程度。中国已经成为全球资本主义生产和消费的整个过程的关键性的环节,开始发挥重要的作用。中国从80年代开始的"改革开放",其实在90年代初叶已经开始有了自己更为清晰的图景。中国的大量的劳动力和整个社会开始加入全球化的进程,这也深刻地改变了世界历史。

目前,中国在全球化进程之中无疑早已不再是一个国家全能的社会,而是一个社会的"横"向的关系和国家的政治象征及"纵"向管理交错的复杂的社会。与此同时,阶层和地域的利益差距已经加大,一部分人和一部分地域的所得往往和另外一些人和地域的所失相联系。这使得我们难以承受复杂的社会和文化矛盾,不同的利益和不同价值之间的冲突也会产生许多问题。全球化也冲击了社会,将一些人抛到了历史之外,生活直接面临困难。贫富分化、腐败、地域分化、环境问题等等都深刻地损害了社群的活力,也使得公共生活面临威胁。但中国加入全球化的历史进程在20世纪90年代已经开始越来越明显。中国生活的几乎所有环节开始进入全球化的进程。中国在90年代的"后新时期"开始超出了中国"现代性"所规定的历史范畴。

实际上,90年代的"后新时期"的一个明显标志就是"新时期共识"面临着挑战,从有关"人文精神"的讨论到有关"后现代"、"后殖民"的讨论都涉及了对于"新时期共识"的反思。① 它的有效性已经受到了质疑,知识分子一方面已经开始"边缘化",不再处于社会结构的中心,而开始出现了大众文化主导的新的结构;另一方面,知识分子内部也开始出现一系列根本的分歧,这些分歧正在扩展。对于"新时期共识"的反思来自两个方面。首先,"新时期共识"必须回应和说明 90 年代以来中国为何在"个人共识"没有充分展开的情况下(当然这里的实际情况也非常复杂,在基层民主、民间文化空间的营造方面也有相当进展),经济和社会生活取得了巨大发展的问题。"个人共识"也无法回答"冷战后"全球化过程中,民族国家的利益争夺和本土化的趋向仍然异常活跃和强势的问题。西方式的普遍性显然没有办法解决这一问题。其次,"新时期共识"面对着"发展"带来的贫富分化、下岗、腐败、跨国竞争的不平等,等等,这使得发展带来的财富公平分享的问题也被提了出来。有关"发展共识"中,经济发展能够解决一切问题的表述受到冲击。"普遍性"在这里也成为问题。于是,如何对于中国当下的现状进行"阐释中国"的工作,如何寻找一个不同的知识框架,乃是有关中国的知识生产的一个最大的挑战。如何处理全球化带来的对于"中国"阐释的巨大焦虑,是无法回避的。90 年代的中国思想就是在这样的历史背景下展开的。

二

徐静蕾的电影《我和爸爸》在 2003 年的冬天上映。这部电影让人惊异地发现当年曾经叱咤风云的王朔式的"顽主"今天已经衰老,已经成了今天文化的多余之物。在 20 世纪 80 年代的后期和 90 年代,王朔小说中的那种典型的人物——"顽主"曾经激发过广泛的关切。他们在当时社会转型中从计划经济的体制中游离了出来,最早感受到自由的风气,对于传统的秩序有一种玩世不恭的叛逆性,他们并不按照当时的价值行事,而是在边缘处以一种强调自我、快乐和嘲讽的调子展示自己的存在。王朔的小说其实是表现

---

① 有关这两次讨论的情况可参见拙作《从现代性到后现代性》,广西教育出版社 1997 年 11 月第 1 版第 141—164 页。

这一类人物的最为有力的文本。对于这类人物来说,在中国全球化和市场化发展的"前期",他们一面是传统的秩序否定的对象,另一面却有难以抗拒的吸引力。看似在社会边缘,其实却异常引人注目,是社会的焦点。按照王蒙的一篇著名文章中的描述,他们乃是"躲避崇高"的。他们冲击了原有的计划经济的价值和行为方式,以一种特立独行的方式凸现新时代的到来,一种新的生活方式的先驱者的形象通过"顽主"的表现凸现了出来。它显示了全球化和市场化"前期"社会对于自由的理解。他们是在旧的结构开始解体,而新的全球资本主义的文化逻辑还未建立时的社会状态的表征。这就是90年代的"后新时期"文化的特殊的表征。

经过了大约十多年的时间,我们看到徐静蕾的电影《我和爸爸》时,突然发现当年叱咤风云的"顽主"已经变成了今天的"爸爸"。虽然还有当年叛逆者的影子,却已经垂垂老矣,变成了渴望温情的角色,他们的孩子竟也长大成人。虽然仍然另类,却似乎已经从时代的焦点上退了下来。这里当然展示了一个另类的父亲和女儿的相濡以沫的情感,却让我们看到了"顽主"的衰老和没落。父亲的"顽主"生活是在少女小鱼的眼中出现的,所以难免产生冲突,但父女间的感情却也通过这位父亲独特的沟通方式和泰然自若的表达慢慢建立起来,直到父女互相理解。但无论如何,当年曾经如此感染过年轻人的"顽主"生活却已经变成了女儿小鱼眼中的怪异。这种怪异当年曾经由于冲击了传统的价值和秩序而受到赞美,如今在电影中却难免变得难以理解。过去的"顽主"自由自在的生活对于少女小鱼的吸引力仍在,但它却难以支撑当下的日常生活。爸爸和朋友的放纵自在的生活被小鱼质疑的同时,却也面临着自我的挑战。中国在新世纪成为跨国资本投入的新中心,中国的全球化和市场化已经进入了新的阶段。中国开始作为世界强者之一的参与世界事务的要求也已经取得了进展。中国的"中等收入者"的定位是进入全球化和市场化的新一波发展,于是并不要求"顽主"式的叛逆和嘲讽,反而需要循规蹈矩的"白领"。这里的"老顽主"一面仍然保持着自己的生活方式,一面却发现自己的那个黄金时代正在迅速逝去。新的秩序今天已经越来越明确化,已经建构了自己的一整套"成功"的话语。"顽主"们所提供的生活方式和风格显示了在全球化和市场化的"前期"的20世纪90年代是一种前卫和时髦,但和"新世纪文化"还有巨大的差异。其实,近年来王朔的沉寂和像梁左这样的人物的故去都喻示了我们曾经置身其中的20世纪90年代的"后新时期"已经逝去。只有像冯小刚这样异常灵活和敏锐地抓住新一波全球化进程的人物仍然处于文化的中心。但他的"贺岁片"也已经从过去的表现"顽主"式人物的《甲方乙方》和《不见不散》转向了表现新的世纪里中产阶级成功人士的家庭危机的《手机》。"顽主"的消失明明白白地喻示了"后新时期"的90年代已经转向了一个"新世纪文化"的时代。

其实,这个已经逝去的20世纪90年代的"后新时期"对于中国的文学和文化来说具有高度重要的意义,对于90年代"后新时期"文化站在新的世纪的反思应该开始。从今天的角度观察90年代的"后新时期"的文学和文化史,我们可以重新发现其历史的关键的价值。从90年代直到今天,对于90年代文学和文化的评价一直是较低的。许多人认为90年代的"后新时期"消费主义的大众文化冲击了高雅的文学。文学的衰落和高雅文化的衰落导致了文化的危机。人们普遍认为90年代的文学的"高端"部分在市场化和全球化的冲击之下产生了危机,就是始终对于90年代有较为积极评价的人也难免在这些问题上充满困惑。90年代的"后新时期"在知识分子内部出现的原有的"新时期共识"的破裂,出现的有关"人文精神"和"后现代"、"后殖民"等等问题的激烈的讨论其实是对于90年代的"后新时期"出现的两个文化要素的困惑和焦虑的结果。这两个文化要素,一个是消费主义的发展带来的日常生活价值的改变,另一个是大众文化的崛起带来的高雅文化的危机。

这两者都对在整个20世纪中国知识分子一直信仰的"现代性"的话语和文化制度造成了威胁。于是,对于90年代文化的激烈的抨击变成了许多知识分子的难以回避的激情选择。"人文精神的失落"的呼喊其实正是这一激情选择的标志。当时其实进行了一场高雅的"文学"对似乎"低俗"的"文化"的冲突或战争。"文学"一反它在整个"五四"以来"新文化"中的中心地位和支配性角色,不再能够指导整个文化,而是似乎要从整个文化中分离出来,成为它的对立面。于是,所谓"抵抗投降"的话语无疑是文化冲突的表征。在这里,王朔成了"文学"与"文化"的冲突的焦点。王朔曾经是一个文学人物,在80年代后期的创作已经引发关注。90

年代以后,他对于"现代性"话语的蔑视和以大众文化的"英雄"角色出现,更使得他的"顽主"形象遭到了异常严厉的抨击。"文学"在向大众文化宣战的同时,它自己的内部也迅速地分裂。一面是一批和市场与消费文化相关联的作家的崛起,另一面是"文学"内部对消费和大众文化彻底"否定"的派别和表明"理解"的派别(当时在"文学"内部并没有支持和肯定大众文化的潮流,而"理解"是当时论战的一种声音)的争议愈演愈烈。对于王蒙的《躲避崇高》的批评就是"文学"内部分裂的标志。作为 80 年代的"新时期"最具有代表性的作家和"文学"的主要的发言人的王蒙当时受到的批评显示了"文学"内部分裂的程度。当时争论的焦点在于是否市场化带来了人的堕落和民族的堕落。"否定"派认为这种堕落已经发展得异常严重,而另一派则对于大众文化和消费有更多的理解。一部分知识分子强调日常生活的"世俗化"和"消费"时代给中国带来了异常巨大的危机。他们要进行一场"抵抗投降"的崇高的圣战以捍卫"现代性"话语的神圣性。他们决心对抗性地面对全球化和市场化带来的社会后果,认为这种消费的浪潮和中国加入全球化的浪潮会导致危险。他们试图在中国语境中彰显自身的对抗性的形象。他们对于消费文化和中国的日常生活的改变抱有极度悲观的态度,认为经济的发展的负面效果会导致人的"堕落"。这并不是"五四""现代性"的思路,而是一种在捍卫"现代性"的旗帜下的一种背离和偏移。他们对于"个人"的激情肯定其实也导向了一种对于"个人"的理解的偏执。"理解"派则试图理解新的时代。在对于批评理论和中国文化现实的阐释中对于"消费"和中国的爆发性的经济增长做了相对平和的分析。在理解消费和中国人改善生活的愿望的同时也试图进一步阐释文学的"边缘化"问题和大众文化的崛起。这种思路也力图超越"现代性"话语的局限,在对于"后现代"和"后殖民"的理论阐发中找到新的文化图景的描述。

但从今天的"新世纪文化"的立场观察 90 年代的"后新时期",我们可以看到当年想象的民族的堕落和"人文精神"的失落的恐怖的景观并未出现。我们可以看到的是,90 年代,和消费与大众文化一同崛起的还有中国本身。经过了 90 年代的经济的高速增长,21 世纪的"新新中国"的"和平崛起"已经成为历史的景观。这些变化都体现在文化的转变之中。这种转变可以用《新周刊》2003

年10月1日那一期的表述来形容。这一期《新周刊》的主题是"新新中国"。编辑有这样一个表述让我有所触动:"对于'中国'来说,'新中国'这个词语一直表明着政治上的新,政体的更新;如今在生活方式、文化时尚形态上有着全新的方向与发展可能,'新新中国'冒升而出。"这个"新新中国"的描述的确抓住了问题的核心。中国的历史发生的改变可以说在日常生活层面和全球层面上都前所未有。90年代以来全球和中国的一系列变化到新世纪已经由朦胧而日渐清晰。中国作为全球生产和资本投入的中心的崛起和美国主导的世界秩序的日益形成几乎是同步的过程。中国开始告别现代以来的"弱者"形象,逐渐成为强者的一员。新的秩序目前并没有使中国面临灾难和痛苦,而是获得了前所未有的发展的机遇。这里中国内部当然还有许多问题,但伴随着新世纪的来临,中国的两个进程已经完全进入了实现的阶段:首先,中国的告别贫困,高速的"脱贫困化"正是今天中国的全球形象的焦点;其次,中国开始在全球发挥的历史作用已经能够和全部20世纪的中国历史划开界限,中国的"脱第三世界化"也日见明显。这两个进程正在改变整个世界。而这种改变强烈地需要新的文化想象。这里具有讽刺意味的是,和消费与大众文化一起在中国崛起的还有这个国家和它的人民。当中国的人民大胆地追求消费的满足和大众文化提供的新的想象和生活方式的表征之后,他们争取更好的生活的世俗的梦想居然为中国人一百年的民族梦想的实现准备了条件。"五四"先驱者通过"现代性"提出的"强国"的梦想,并没有在"现代性"作为文化的中心的时代中实现,竟然是以一种"后新时期"的和"现代性"的话语相分离的形态实现的,"五四""现代性"提供的宏伟的、乌托邦的"中国梦"却是在90年代以来的具体而世俗的"中国梦想"的追求中实现的。"五四"的先驱者并不像西方的知识分子,他们对于自己民族的承诺乃是最关键的承诺。所以,对于中国的"和平崛起"的肯定当然应该是中国的"现代性"的理想的核心,而这个核心的实现却是在一种消费和大众文化的独特语境中实现的。这似乎是一个先驱者的目标和具体实现这一目标的方式之间分离的结果。

从今天看来,当年的无论是"否定"派还是"理解"派其实都没有能够深入地了解消费和大众文化在中国语境中的特殊的价值和意义。90年代"后新时期"不仅仅是市场和消费追求爆发的时期,而且是中国的"和平崛起"的最关键的"前期",其历史意义是非常巨大的。消费和大众文化在人们都可以认知的消极面之外,起码有一些积极的价值和意义值得了解。这种意义集中在三个方面:

首先,大众文化具有强烈的个体性的意识,它将个人改变命运的努力首先视为个人选择的结果,而不是社会结构的限定,个人有为自己的选择负责的能力,也有自我争取的可能。这就与"五四"以来将个人的命运放置于社会结构中的限定性的选择完全不同,显示了脱离"现代性"话语的强烈的逆反性的倾向。这种倾向提出了对于个人自我发展的可能。这和新时期文化中的"个性解放思潮"也有极大的差异。新时期的个性解放是强烈要求社会结构的改变,而"后新时期"的大众文化则只是为个人的选择提供想像。这恰恰将个人从结构中超离出来,将他们转化为新的全球化和市场化中的劳动力,成功地参与了全球资本主义的生产到消费的整个链条,为中国的发展和崛起准备了历史的具体的可能性。这实际上是以一种不同的方式实现了"五四"时代现代性提供的梦想,只是这里的方式是"五四"先驱者们不可想象的。

其次,"后新时期"大众文化提供了一个以消费为中心的对于未来的想象。这种想象一方面延续了现代性对于物质生活的承诺,另一方面,却扬弃了现代性有关"理想社会"的宏伟构想。将社会目标降低到日常生活满足的具体而微的选择中,对于美好生活的理想趋于世俗化和平凡化,这当然放弃了现代性理想的乌托邦色彩,提出了不同的选择。在世俗生活中发现一种具体而微的对于未来的承诺和期待。这种理想的变化的前提是对"五四"共识的超越。但这却最终构成了对于"五四"理想的"中国"崛起的期望的实现。

第三,"后新时期"大众文化以娱乐和消闲为美学的原则。这直接承继了"鸳鸯蝴蝶派"的传统,将现代性感时忧国的传统加以搁置,大众文化充分展示了消费文化的合法性。消费文化的意义和价值在这里得到了充分的彰显,却使得个人在追求日常生活满足的同时改变了历史和全球结构。

从这三个方面看,大众文化的合法性和消费的合法性已经体现了出来,它们也参与了中国"和平崛起"的历史进程。它们当然还存在严重的问题和缺陷,对于这些问题和缺陷的批判和否定仍然是具有很高价值的,但它的积极意义也是难以否定的。

而与此同时,"现代性"的问题和90年代以来一直面对的挑战其实是如何与自己的时代和自己的人民进行对话和交流的危机。它在分析和反思历史,在追求高雅理想过程中的成就不应该否定,但面临的困难也不能不正视。"现代性"在90年代以来的困难,在今天可能已经越来越严重了。当"现代性"无法面对时代,无法给予时代以新的理解和思考,大众文化对于它的替代,并在中国的想象中处于越来越关键的位置也是必然的。这不是说大众文化不应该批判和反思,而是说对于大众文化的批判和反思应该更加深入地以新的视角来进行。我们的文学必须超越"五四"先驱者规定的"现代性"的话语,必须要在新的中国"和平崛起"的历史语境中提供新的想象,必须和新时代对话和沟通。没有这种新的改变,文学不会有活力;没有面对新世纪的勇气,我们也不可能真正继承"五四"先驱者的创造精神。想想当年先驱者对于传统文学的反思和批判的勇气和面对新时代的灵活性,我们就会知道,对于他们的盲目的崇拜和片面的理解,其实是对于他们的基本精神的最大的背离。让我们有勇气和智慧和自己的时代一起超越先驱者的辉煌,创造自己的新空间。

当然,大众文化的崛起仅仅是90年代文化告别"现代性"的一个方面。但从这个方向的分析我们也可以看出历史运行的轨迹。

三

这部文选就是力图反映90年代的"后新时期"的文化对于"现代性"反思的成果。这里一面是对于当时历史"氛围"的投射,一面是对于当时的知识状况的投射。我的编选就是从这两个方向试图对于当时的历史氛围有所探索。我们并不试图给历史一个全面的描述,而只是试图将历史的不少散点投射在这本书中。通过这本书,我们将再度和已经逝去的90年代对话。应该说,我们的思考刚刚开始。

黄 平

解读现代性

大约 25 年以前,一位在剑桥任教的年轻社会学讲师发表了《资本主义与现代社会理论》。从那以后,社会学界的人们开始关注安东尼·吉登斯这个名字。等我 80 年代后期赶到英国去求学的时候,他的书籍早已在各门社会学课程的指定参考书目中赫赫在目了。在吉登斯众多的出版物中,我比较偏爱《现代性之后果》这本小书,这倒不是因为它篇幅小读起来容易些,而是它所涉及的问题,正是生活在现代社会的人们面临的不可回避的难题,而它对问题的阐发,对包括我们这些正处在向现代社会艰难地"转型"的(更时髦的说法是"接轨")人而言也颇有启发性。

今天,我们正在敲响新世纪的大门,有许多人已经对现代性提出了挑战,社会科学家必须对此作出回答。所谓"现代性",吉登斯指的是 17 世纪以来出现于欧洲的社会生活方式与组织方式,其影响随之向世界各地蔓延,在世界范围内产生了巨大的影响。在吉登斯看来,现代性的第一个特征是它使我们中的大多数人都陷入了大量我们没有完全理解的事件,其大部分似乎都在我们的控制之外。但是为了分析这种状况是怎样形成的,仅仅发明一些像"后现代"这样的新概念是不够的,相反,我们必须重新审视现代性本身的特质。到目前为止,在社会科学中人们对现代性的理解却是极为肤浅的。

吉登斯分析现代性的一个关键之点在于,他认为现代性的出现并非像许多社会理论所解释的那样,是历史随着某一既定的发展线索内部自身演进的结果,相反,非延续性或者说断裂性是现代性的基本特征。现代性带来的生活形态以前所未有的方式,把我们抛离了所有可知的社会秩序的轨道。当然很明显在传统和现代之间也存在着延续。但是,几个世纪以来,在现代性的影响下出现的变迁是如此具有戏剧性和普遍性,以至于从试图解释它们的早期的知识系谱中我们只能获得非常有限的帮助。

为什么现代性的断裂特性并未受到足够的重视?吉登斯认为,主要原因是长期存在的社会进化论对人们的影响。即使是那些强调变革之重要性的社会理论,也把人类历史看作有那么一个总方向,并且历史的发展受着一般动力性原则的支配。根据社会进化论的观点,人们可以按照"事件主线"来描绘历史,这条主线把杂乱无章的人类事件强行划入一幅似乎显得井然有序的图画之中:历史以弱小、孤立的狩猎和采植文化发端,经历了种植业和畜牧业的发展,产生出了农业社会,最后以现代社会在西方的出现为其顶点。批判社会进化论,意味着不能把历史看成是一个统一体,其中存在着体现制度及其变迁的某些统一性原则。这当然并非意味着世界万物都处于混乱之中,人们并不能任意书写完全独特的"历史"。吉登斯很喜欢马克思的一句名言:"人们自己创造自己的历史,但是他们并不能随心所欲地创造。"然而,吉登斯强调,历史又确实是人们自己的有目的的活动创造的。

与过往的历史断裂的现代性社会有什么特征呢?《现代性之后果》讲到了三点:第一,现代性所导致的变迁的绝对速度,其激烈程度是以前的变迁无可比拟的。第二,断裂体现在变迁的范围上,在全球的各个角落都开始与其他地区发生相互联系时,社会变迁的浪潮实际上席卷了整个地球。第三,现代制度的固有本性。在前现代时期,某些现代社会形式(如民族—国家的政治体系)全无雏形,其他的事物(如现代城市)则与前在的社会秩序只有一种似是而非的连续性。

吉登斯主张,我们不但没有超越现代性或进入后现代时期,而且正在经历现代性的一个激烈变迁阶段。欧洲和西方霸权的逐渐衰落,只是一个方面,另一方面则是现代组织制度在世界范围内的不断扩张。自19世纪后半期以来,"西方的衰落"成了一些学者重点关注的话题。现代文明据此被简单地看成是各种文明中的一种区域性定位的文明,它也有所谓青春时期、成熟时期和老年时期,当它被其他文明所取代之时,全球权力的区域性分布就开始发生变化。但是,根据吉登斯提出的"断裂"之说,现代性不只是各种文明中的一种。西方对世界其他地区正在减弱的控制并不是当初诞生于西方的现代制度逐渐减弱其冲击力的结果,恰恰相反,是这些制度全球性扩展的结果。经济、政治、军事和意识形态力量曾经给予西方列强至高无上的权力,而今天,如此明显地区别西方国家和其他国家似乎正在成为过去。应该把这个过程看成现代性的全球化过程,而非现代文明的衰落过程。

现代性是一种双重现象。现代社会的发展,及其在全世界范围的扩张,为人类创造了数不胜数的享受生活的机会。但是,现代性更有一个极大的阴暗面,这在本世纪变得尤其明显。从总体上说,社会学的缔造者们极为重视现代性所提供的"机会"方面。马克思和迪尔凯姆都把现代社会看作是一个问题与麻烦层出不穷的时代,但是他们又都认为由现代性带来的受益可能性超过了它的负面效应。韦伯在这三个社会学思想奠基者中显得最为悲观,他把现代世界看成是一个自相矛盾的世界,人们在其中要取得物质的进步,必须以摧残个体创造性和自主性的官僚制度的扩张为代价。但是他也没有预见到,现代性将表现出的更为黑暗的东西具有多么普遍的涵盖面。无疑,这三位大师都认为现代工业的工作对人有不良的后果,它强迫许多人臣服于愚蠢的纪律和重复的劳动。但是他们都没有预见到,"生产力"的发展具有大规模地毁灭物质生态环境的潜力。例如,没有一个经典社会学的创始人对"战争的工业化"现象给予过系统性的关注,他们更不可能预言原子弹的发明及其可能的后果。

在吉登斯看来,(现代)社会的所谓秩序问题,实际上是"时—空伸延"的问题,亦即将时间与空间组织起来从而连接在场与缺场的条件是如何不同于(或者说,"时—空伸延"程度如何高于)各种传统社会形式的,现代社会的种种制度是怎样在时间与空间中定位并因此形成现代性的整体特征的。

所有前现代的文化都有其计算时间的方法。那时,至少对大多数人来说,构成日常生活基础的时间总是与空间位置联系在一起的,而且通常是不精确和变化不定的。这种情形一直持续到机械钟的发明和广大社会成员开始使用为止。吉登斯把这看作是对时间从空间中分离出来具有决定性意义的事件,其使机械中测量时间的一致性与时间在社会组织中的一致性相适应。这个转换与现代性的扩张相重合,它的主要表征之一是日历在世界范围内的标准化。这样,公元 2000 年的来临就成了一个全球性的事件。

就时—空的伸延与分离程度而言,现代社会不仅使时间与空间相分离,而且也使空间与场所相脱离。从邮件通信到电话电报,从计算机到互联网络,在场的东西的直接作用越来越为在时间—空间意义上缺场的东西所取代。吉登斯认为,时间—空间的这种伸延与分离,是理解现代性的关键之一。由于时间—空间的伸延和分离,"脱出"现象便产生了。所谓脱出,指的是从相互作用的地域性的关联和从对时间和空间的无限的跨越而被重建的关系之中把社会关系"提取出来"。他区分了两种脱出类型,一是象征符号,二是专家系统。

象征符号指的是一套抽象的中介系统,其典型形态之一就是货币。社会学家齐美尔(G. Simmel)早就论述过货币这种特殊的象征符号(又称"多才多艺的妓女")在社会互动中的作用。任何一个使用货币的人都依赖这种假设,他或她从未谋面的其他人也承认它们的价值。但这不仅仅是信任货币这种抽象符号本身,更重要的是信任那些同他或她做交易的未曾谋面的人。货币信任包含着比计算将来可能发生的事件的可靠性更多的东西。但吉登斯认为,包含在现代制度中的信任模式,是建立在对它们的"知识基础"的模糊和不完全理解之上的。例如,人们对货币的信任,常常大大忽略了它的快速贬值的可能性。

专家系统指的是技术职能或职业性的专家评判体系,它组成了我们生活在其中的物质和社会环境的博大范围。综合专家知识于其中的这些体系每天都影响着我们行动的许多方面。仅仅坐在家中,你就被包含进了你所信赖的一系列专家体系之中:你几乎不了解建筑师和建筑工人设计和建筑房屋时使用的知识规则,只不过是"信赖"他们的工作,信任他们所使用的专门知识的可靠性。这样,你对到住宅楼上去并不特别地担心,虽然从原则上说房屋结构随时可能倒塌。

抽象体系(象征符号和专家系统)在日常生活中提供了大量前

现代秩序所缺乏的安全。每当一个人从银行取款或存钱,打开一盏灯或水龙头,寄一封信或者打一个电话,她或他无疑都承认安全、协作的广泛性。在大多数时候,这种使每日的活动都啮合进抽象体系的理所当然的方式都成了效率的证据。我们信任象征符号或专家体系,是建立在人是无知的原则基础之上的。

也许在20世纪末期,我们才刚刚开始意识到这种前景是多么深深地令人不安。在一个通过象征符号和专家系统构成的现代世界中,我们似乎无处不在,但我们永远不敢肯定知识的任何一种特定形式将不会被修正。所以,吉登斯申言,关于"社会生活的知识越多,越可以更好地控制我们的命运"的说法,是不可取的。

我们应该怎样去分析现代世界的"可怕的外貌"? 吉登斯称之为风险强度的东西是我们今天生活在其中的环境可怕的外貌的基本要素。吉登斯提到了与现代性相关的风险:首先是全球化风险。例如,原子战争的爆发,还包括一些看来是偶然事件的东西(例如全球劳动分工的变化),这些事件由于量的增长而影响着几乎生活在这个星球上的每个人。风险中的"知识鸿沟"是不可能被宗教或巫术改变而成为"必然之道"的。而且,就遵循专家原则的后果来看,没有一个专家体系真正能成为"无所不包的"。如果脱出机制能够提供目前生活中的广泛安全,那么其被制造出来的大量的新风险真正会令人望而生畏:原子战争,生态灾难,不可遏制的人口爆炸,全球经济的崩溃和其他可能出现的全球性灾难对每一个人都提供了一种令人不安的危险前景。有人甚至说这种全球性的风险不管富人和穷人之间的区别,也不论世界各个地区之间的区别。"切尔诺贝利无处不在":风险的全球性强度超越了所有社会和经济差别,享有特权的人和无特权人之间的分界线正日益淡化。当然,即使在现代性的条件下,许多风险在上流社会的人和下流社会的人之间的分布还是有区别的。例如,与营养水平和易感染疾病相关的风险,对有特权和无特权的人来说,是不一样的。

全球风险关系到风险环境在世界范围的扩张,而不只是风险的强度和数量。所有脱出机制都使具体的个人和团体失去对事物的控制。这样的全球性机制越多,这种现象也就越普遍。与全球性脱出机制所提供的高度安全相反,新的风险又产生了:资源和机构将再也不受具体地域的直接控制,因此就不可能由地方上的人们将其用来应付不期而遇的偶发事件。

更重要的是,现代社会普遍存在的一种麻木的感觉,或者几乎是一种厌烦的感觉。现在认识到存在着许多风险这样的事实已在人们中广泛地蔓延开来了,甚至这种麻木的概念已经成了某种司空见惯的事。由于它是如此令人耳熟能详,于是它成了一种我们姑妄听之的应答祈祷。那些整天都在担心可能爆发核战争的人很容易被看成是庸人自扰,因为人们很难荒谬地相信某个人不断地而且有意识地以这种方式焦虑着战争的爆发。这种观点使人们在日复一日的日常生活中变得麻木起来,甚至一个在公众集会上收集这些话题的人也容易被看成是歇斯底里和笨拙可笑。

但是,只要核战争没有真正爆发,产生"原子之冬"的前提就仍然存在着。在现代社会中,严重风险不会消失,在乐观的情况下它们可能被降低到最低程度。假定所有现存的核武器被销毁了,没有类似毁坏力的武器被发明出来,而且没有相同的社会化性质的灾难或骚乱逼近,一种全球性危险将仍然存在。因为,如果不能根除相关的技术知识,原子武器就完全可能被重新制造出来。此外,任何主要的技术发明都可能彻底扰乱全球发展的总体方向。

根据韦伯的设想,理性的结合越来越牢固,把我们束缚在官僚程序毫无特色的牢笼之中。根据马克思和他的追随者——不管他们是否把自己看作是马克思主义者——的描绘,现代性整个就是一个恶魔。马克思可能比他的所有同时期人都更清醒,他觉察到现代性的后果有着什么样的破坏作用,而且也知道无论如何它都不会逆转。同时,对于马克思来说,现代性是哈贝马斯称之为一个"未完成的工程"的东西。

那么,作为整体的人类,我们究竟可以在什么范围内利用不可抗拒的力量,或者至少以一种降低危险和增大现代性给予我们的机会的方式来引导现代性这个未完成的工程?为什么我们现在生活在这样一个失去控制的世界中,这个世界与启蒙思想家期望的大相径庭?为什么大师们的"至理名言"的推广普及并没有创造出一个我们所期望和能控制的世界?

第一种原因可以用设计错误来表述。现代性与抽象体系是不可分离的,后者为跨越空间和时间的社会关系的脱出奠定了基础,既扩展了社会化了的自然,也扩展了社会领域本身,也许这当中存在着太多的设计错误。第二个原因是我们所说的操作失误。任何一种抽象体系,不论它设计得如何尽善尽美,人们假设它应该如何运作,可是由于操作人员的失误,它都可能无效或者产生负效用。只要人类存在,失误的风险就必然存在。

引起现代性飘忽不定的最重要因素是:未预期的后果。设计错误和操作者的失误显然也是未预期后果,但是这个范畴还意味着更多的东西。不论一个体系设计得多完善,也不管它的操作者多么有效率,一般说来在人类活动运作范围内,对有目的的后果不可能料事如神,原因在于我们生活其中的世界(社会的体系和活动)所具有的无比复杂性。在现代性条件下,就输入关于其性质和作用的新知识而言,社会领域从来就没有构成一个稳定的环境。新知识(概念,理论,发现)不只是更清楚地描绘了社会领域,而且也改变了它的性质,使其走向新的方向。这种现象影响到社会化了的自然,同样也影响到制度本身。

所以,吉登斯认为,作为人类整体,我们只能在某种程度上驾驭那种似乎是不可控制的力量:一个马力巨大又失去控制,里面充满紧张、矛盾、你冲我突的引擎,它咆哮着试图摆脱我们的控制,而且甚至能够把它自己也撕得粉碎。这种难以驾驭的力量压垮了那些敢于正面抵抗它的人。但是,由于它好像有着固定的路径,当它突然掉头,在我们不能预测的方向上飘忽不定时,机会也就在催促我们上路了。旅行决不是完全令人扫兴和毫无益处的,它常常令人兴奋异常,并充满希望。但是,只要现代制度持续下去,我们就永远不可能完全控制旅行的路径或速度,也不可能完全感到安全,因为路径的领域充满着具有严重后果的风险,尽管我们用自己的活动创造和再创造了社会生活,我们仍然不能完全驾驭它。

吉登斯认为,对现代社会的把握,不应该提出诸如其究竟是资本主义的,工业化的,还是合理化的这样的问题。这些都只是现代社会的一个维度。根据资本主义的扩张的性质,资本主义的经济生活只在少数几个方面局限于特殊的社会体系。从它产生的早期,资本主义在规模上就是国际性的。资本主义能够成为一种"社会",仅仅因为它是一个民族—国家。没有一个前现代国家(包括称盛多时的罗马或中华帝国)能够具有哪怕是类似于民族—国家中发展出来的行政集权化的能力。

这种行政集权化同样也依赖于完全超越于那些传统文明的特性的监督能力的发展。而且,随着现代性的兴起,与资本主义和工业化一道,监督构成了相关的制度性的又一个维度。监督涉及到政治领域中对人的行为的管辖——尽管它作为行政权力基础的重要性决不只限于这个领域。监督也许是直接的,如福柯讨论的监狱、学校、医院等。但吉登斯认为,更重要的是建立在对信息的控制基础之上的间接监督。

除此之外,现代社会还有另一个制度性维度:对暴力手段的控制。军事力量始终是前现代文明的一个主要的特点。然而在那些文明中,政治中心从来就不能长久地保障得到稳固的军事支持,而且在自己的领土内,明显缺乏对暴力手段实行垄断控制的保证。对现代国家来说,在地域明确的边界之内对暴力手段实行成功的垄断就非同一般了。于是工业化也就逐渐渗入到军事组织和武器的使用过程之中。"战争的工业化"急剧地改变了战争的性质,使我们进入了一个"总体战争"的时期和原子弹时代。工业化、资本主义、国家对信息的控制和对社会的监督,以及对暴力手段的支配和战争本身的工业化,构成了现代社会的四个基本维度。它们缠绕在一起,共同编织了现代社会的总貌。

与上述工业化、资本主义、监督、暴力手段四个维度相对应,全球化表现为国际分工、资本主义世界经济系统、民族—国家体系和世界军事秩序四个方面。从现实的可能性上说,现代性及其全球化并不能保证这四个维度总是处在某种"有序状态";相反,现代性的具有严重后果的风险,可以是生态的灾难性破坏、经济秩序的崩溃、极权的增长和核战争的爆发。正是因为如此,才有了意义深远的生态运动、劳工运动、民主运动与和平运动,这些社会运动为我们显露了可能的未来的曙光,它追求着人与自然协调的体系、社会化的经济组织形式、协调的全球秩序和对战争的超越。

现代性正在以前所未有的速度全球化。全球化究竟是什么?我们怎样才能更精确地理解这种现象?如前所说,吉登斯认为,全球化主要与时间—空间的伸延过程有关。全球化可以被理解为世界范围内社会关系的增强,这些关系以这样一种方式把相距遥远的地方连接了起来:本地发生的事情实际上是由发生在许多英里以外的事情建构而成的,并且反之亦然。地域的变化与跨越时空的社会连接物的侧面延伸一样都是全球化的一个组成部分。因此,今天无论是谁在世界的什么地方研究城市问题,都会意识到发生在本地的或邻近的事情可能会受到某些遥远的不确切的距离之外的因素(如世界货币和商品市场)的影响。通过一个复杂的全球经济网络,东亚的一个城市日益增长的繁荣很可能与非洲某个地区的贫困相联系,后者的劳动力和产品在国际市场没有竞争力。全球化的社会关系的发展有可能削弱与民族—国家相联系的民族感情,但也可能增强更为地方化的民族情绪。在加速全球化的条件下,民族情感变得"对生活的大问题来说太小,对生活的小问题来说又太大"。(丹尼尔·贝尔语)

《现代性之后果》只是吉登斯一系列有关现代性的著作中的第一本,继它之后,吉登斯又连续出版了《现代性与自我认同》、《隐私关系的转变》、《在左与右的背后》等,从宏观制度的层面进到微观个人的层面,一层一层地剥开现代性的外衣。在我整装待发即将踏上回国的路程的时候,觉得应该多多少少把他的一些著作和观念介绍到国内来,于是专门去征求他的意见从何着手比较合适。很有趣的是,他自己也把《现代性之后果》作为与《社会建构》并列的首推书目。现在,这本篇幅很小的书总算是翻译出来了,在校阅译稿的过程中,写下了以上文字,姑且算是一种有选择的介绍吧。但愿该书的中文译稿不久即能和读者见面,那时,这样的介绍也就成为多余的了。

原载《读书》1996年第6期

陈燕谷

现代性:未完成的和不确定的

现在回想起来,电视连续剧《渴望》的播映真是一个应当纪念的事件,或者再抬高一把,我们不妨把它看作是中国现代史发生根本转折的一个表征。这一喜剧性事件的发生,意味着中国现代史的一个时代,也就是令人精疲力竭的社会动员时代,正式宣告结束;以及另一个时代,我们不妨戏称为"后动员时代",令人欣慰地到来。希腊学者 Jusdanis 写过一本书叫做《迟到的现代性》,所谓的"后动员时代"就是渴望已久而又姗姗来迟的现代化终于降临的时代。

《渴望》之成为时代转折的表征,是因为"文化"在中国社会中的使命发生了某种根本的改观,以往的社会动员力量现在要么变成使人轻松愉快的消费品,要么变成"发展"的障碍(例如,"玩深沉"即属此类)。对这后一种情况当然有必要予以合理的抑制,因为"后动员时代"是安居乐业而不是想入非非的时代,是循规蹈矩而不是标新立异的时代,或者用一个理论隐喻来说,是经济基础而不是上层建筑的时代。这个时代必须不断地进行心理上的"清场",才能保证现代化欢快的节奏不致受到无谓的干扰。

"把失去的时间补回来"这句话隐含着这样一个意思:即以往的时间都被浪费了(包括浪费在文化上的虚热闹);这句话还隐含着一层更深的意思是:如果不是虚耗光阴的话,我们的现代化也许早就完成了。但是,这种懊丧不仅是对前人的误解(因为前人和我们同样渴望现代化),而且完全忘记了中国在卷入现代世界体系时具体的条件,中国的现代性和这些条件有着密切的关系。我们是否可以不一般地谈论现代性,而是具体地谈论中国的现代性?

在当前有关现代性的文献中，现代性 Modernity 基本上都是单数名词，Jusdanis 的贡献是把它变成复数名词 modernities。这并不是说我们在谈论现代性时是在谈论一些截然不同的东西，而是说在不同的时间、不同的地理空间和不同的社会文化条件下，现代性会呈现出不同的面貌，问题的关键是你是在现代世界体系的什么位置上同现代性发生关系的。

实际上，现代世界体系的外缘地带长期将主要精力纠缠于上层建筑，是有其不得已的苦衷的。因为在这里现代性不仅是迟到的，即不仅在时间上要比中心地区晚，而且它的经济基础/上层建筑的关系同中心地区相比较是颠倒的。换言之，处于现代世界体系外缘地带的现代性不仅是迟到的现代性，而且是颠倒的现代性。如果说康有为是资产阶级改良主义者，孙中山是资产阶级革命家，那么这里的"资产阶级"一词究竟是什么意思呢？按照历史唯物主义的观点，他们作为中国资产阶级的政治代表，其经济基础何在？这个经济基础是已然事实，还是一个构想中的规划？也就是说，在欧洲和北美，资本主义是一个从内部缓慢生长起来的（当然离不开与世界其他地区的交换和互动）从经济基础到上层建筑的进程；当非欧洲世界迫于帝国主义的压力争取在自己的国家发展同样的资本主义时，它们实际上是只能从上层建筑开始的。这些地区的"资产阶级"革命家或改良主义者从外部接受了资本主义模式，但在他们自己的国家里却没有相应的经济基础，他们必须首先在思想和政治领域争取发展资本主义的条件，但这资本主义经济仍然是一个有待实现的目标，一个未来的理想。在整个非西方世界，资本主义经济基础都要用未来时来表述。

为了使这个未来时变成现在时，某种形式的社会总动员是必不可少的，不论在什么地方，这样的社会动员总是离不开文化与意识形态的。中国的独特之处在于把这种动员演变为一场现代性的文化革命。所以当中国人开始为"文化"感到懊悔的时候，我们就可以合理地把它解读为"后动员时代"到来的征候。这似乎预示着颠倒的现代性终于又颠倒过来了。然而，在我看来，这种"后动员时代"的忏悔是完全没有必要的。不仅因为社会动员是必不可少的，而且因为中国的现代性在全世界的现代性事业中具有特殊意义。现代中国是在现代性的边界上建构自己的现代性的，在这个位置上中国启蒙思想家可以看到欧洲启蒙思想家所看不到或不愿意看到的东西,即欧洲启蒙主义的限度。萨米尔·阿明认为,资本主义第一次在世界范围内创造出对于普遍主义的客观需要,但是西方现代性面临着一个它无法克服的实际矛盾:即无法让它的欧洲中心主义维度和它的普遍主义抱负协调一致。置身于现代性的边界就会清晰地意识到:如果现代性不适用于我,它怎么会是普遍的呢?它能够一方面把我排除在外,同时仍然保持其普遍性吗?中国以及整个第三世界,不能在坚持自己的独特性和模仿西方之间进行选择。它不仅能够为现代性作出自己的贡献,而且对现代性负有特殊的责任。换句话说,离开第三世界的贡献,现代性就无法证明更不可能实现其普遍性。这不仅仅是说人人都有权利谈论现代性,而是说那些处于现代性的时间性和空间性边界上的人从一开始就不得不面对现代性的基本矛盾,而这些矛盾在现代性的中心不是看不到就是认为无足轻重,他们在追寻现代性的同时不得不批判现代性。从这个角度来看,由于他们的存在,现代性不仅是一个哈贝马斯所说的未完成的规划,而且是一个不确定的规划,一个需要不断地批判并且不断进行修正的规划。

原载《读书》1997年第10期

刘　康

全球化"悖论"与现代性"歧途"

《大趋势》的作者 J. 奈斯比特不久前出了一本"未来学"新著，名为《全球化悖论》(*Global Paradox*)。台湾已有中文译本问世，国内还未听说出版。到底是国情不同。奈氏的《大趋势》与托夫勒的《第三次浪潮》曾在中国出名了一阵子。不过在美国，奈、托二公的名气不过尔尔。《悖论》虽属畅销书之列，却远比不上新近由前足球—影视双栖黑人明星 O. J. 辛普森写的书《我要告诉你》来的轰动。辛普森去年六月被控谋杀其白人妻子与她的"奸夫"，由传媒大肆渲染。近期开庭审理，成为美国国内压倒一切的头号新闻。辛的书纯属自我辩白，但将给他带来数百万美元的收入。其合作者美其名曰"补贴讼费"云云。此乃题外话。

《悖论》一书通俗易懂，全无学究之气。所述论题，正是当前学术界争论不休的"全球化"问题。其主要论点为："世界经济越大，其小角色的戏越重。"意思是说全球经济一体化的过程日益加快，但其组成部分却不断趋于分离、变小。地方化、区域化、自治化的呼声越来越高，区域性经济、政治、文化的作用越来越强。从社会系统结构来讲如此，从经济单元结构来讲亦同——越来越多的中小型、区域性公司正成为全球化经济体系中的主宰。奈著分章叙述这一"大／小"悖论，要点是：(1)当代电子信息革命的作用；(2)旅游成为全球化工业的主导；(3)亚洲，特别是中国的经济崛起，使21世纪无可争议地成为"龙的世纪"，中国成为经济超强的日子屈指可数(由此可想见中文世界对奈氏新预言的热情)。通讯革命由"信息高速公路"、电子邮件将分散在世界各个角落的"小角色"们联网一片。在"家庭办公室"打开电脑，"新部落主义"的骑士们便可纵横驰骋,自由翱翔,打新式的电脑"高夫尔球"(Gopher,不是"高尔夫"Golf)。不过这种"高夫尔球"(即新式电子通讯网)打多了对健康有损无益,还需真的走出户外,坐上飞机,腾云驾雾,四海遨游一番。故有旅游业大盛之一说。如今风水轮转,东土朝圣取代西天取经,看来已成定局。且听奈公亲口道来:"如此景观我一生未见:一百英里延绵的建筑工地(沿深圳至新界的公路)一字排开。"(此为第五章"龙的世纪"的开场白)

要言之,奈氏"大舞台,小演员"的未来图景,以经济发展为主导,以科技革命为基点,画出好一幅"繁荣昌盛"的新世界风光。不过,这幅图画暗藏玄机。"未来学家"们一向是科技领先,以"非政治化"、"非意识形态化"为标榜。实际上,他们与学术界中的一派"终结论者",早在"高夫尔球"诞生之前就已联网结盟。"终结论"前有鼓吹"后工业化社会"的丹尼尔·贝尔,近有"意识形态终结"、"历史终结"的推销员福山等。当然,你要在奈斯比特的电子网络、悖论迷宫中,理出一条"终结论"线索,还得费一些周章。

所有"终结论"者,其实都是在强调这么一点:一切不同于资本主义现代化、西方现代性的思想、意识形态、政治体系、文化实验……均可以休矣。一切"歧途"均已穷途末路,到了悬崖勒马,改弦更张的时候。此为"悖论"之正题。反题者,即分离化、区域化、民族化、部落化、本土化、零散化、主体离心化……奈斯比特与此并无二致。在他看来,当前并无设置"后学话语"(后结构、后现代、后殖民等是也)、故弄玄虚的必要,大可用信息革命的内在逻辑来解释,用当代新潮白领阶级或电脑雅痞士的多元文化消闲趣味和需求来说明。

说实话,奈斯比特的宏论虽不算新鲜,却道出了当今世界已占支配地位的"现代性"共识。关键在于"悖论"的正题。只要承认了这个根本前提,对于反题一面,则可任意施展千般武艺,万种气功,任你说得天花乱坠,能指浮游,所指遁隐,一阳指点穴,行化功大法……

且慢。虽说今天的意识形态共识,已牢牢锁定了全球化"悖论"的正题,但仍有执迷不悟者,放着"现代性"康庄大道不走,偏要往"歧途"上去钻,去想,去说。如今在西方,"歧途者"之"歧",大概只有在"想"与"说"两方面。他们要从根本上动摇"现代性"的根基,也即"全球化悖论"的资本主义现代化全球性胜利的正题。"歧途"乃是我为英文词"alternative"的汉译,原文有"取舍"、"抉择"、"不同的选择"等含义。"歧途"乃是一贬义词,这里姑妄用之。用来形容一向被指为异端邪说(当然在某种特定阶段亦可成为神圣不可侵犯的金科玉律)的观点,也许不为过。况且"歧途"一词,后面也许会用得上其中文所含的确切意义。暂按下不表。

以"歧途"论者看,当今之世的所谓全球化悖论,乃是现代跨国资本主义的内在矛盾与奇特的文化逻辑。跨国资本主义的主要特征是零散、多极、多国式的生产方式取代了垄断资本主义的集中、集权式"福特主义"生产方式。在文化上,跨国资本主义的悖论更加突出。强调多元、民族、本土、离心、非西方、多极、多中心的文化意识,方能一面使消费者对跨国资本和商品产生具体的认同与归属,一面又使生产者"心怀全球,立足本土",为跨国资本主义的真正拥有者和消费者效力。(占人类人口百分之二三的超级跨国公司的董事和他们的社会基础——白领雅痞士们,却在消耗着全世界人类创造财富的百分之六十以上。这一事实,是不会从奈斯比特与控制、掌握了大部分现代信息传播媒体的跨国资本主义或后现代文化制作者们那里透露出来的。)

首先提出"世界系统"(World System)理论的华伦斯坦(I. Wallerstein),为资本主义全球化或"世界系统"算了一笔账,并且展望未来,得出了资本主义的历史性体系末日不远的结论。这当然不是新闻。华氏只是对这个庞大体系在今天的举止作了一番新的分析,而且着重于经济方面。他认为资本主义世界体系正面临着三大内在困境或危机:积累的危机、政治合法性的危机、地缘文化论的危机。积累乃是资本的灵魂。无限攫取利润导致追求垄断,而垄断又与竞争剧烈冲突——这个经典论断在华伦斯坦看来并未由于现代技术革命与开拓市场而根本变化。政治合法性危机在所难免。民族自决的"威尔逊主义"理论原意是在全球范围内重复资本主义核心国家内部协调、平衡阶级矛盾的做法,不料却引发了第三世界民族解放运动和非殖民化,加剧动摇了核心国家体系的凝聚力和合法性(这已涉及"全球悖论"的反题,即分离、本土、民族化、非殖民或后殖民倾向)。在离心、分裂、多元、自治的历史潮流中,另一个资本主义困境日益突出,即地缘文化观的困境。所谓地缘文化,无非是指当代种种反总体论、反普遍主义的种族—性别主义观念的兴盛。普遍主义原是以人类普遍平等、天赋人权的观念来遏制资本主义的"引擎"——个人主义的恶性泛滥。然而,种种新、后地缘文化的意识形态以民族、本土、性别的特殊性为诉求,严厉抨击普遍主义与启蒙理性,为个人主义重作乔装打扮。所作所为无非是加深了资本主义意识形态合法性危机,并未指出另一条蹊径(亦可为 alternative 的一种译法)。

华伦斯坦由资本主义内在(经济)矛盾而顺藤摸瓜,已抓到其文化逻辑的"命穴"。不过,华氏拳路泰半在政经领域里游刃有余,谈及文化与思想,就底气不足。其实,他所谓"政治合法性危机"、"地缘文化危机",无不关系到现今对西方社会科学的基本预设与主要范式、逻辑的重新检讨的"知识社会学"问题。资本主义全球化悖论与其在文化、知识界的现代性认识的历史局限同出一辙,互为表里。法兰克福学派以来对西方资本主义现代性所作的批判,主要是针对有关现代化的知识、意识形态以及文学艺术上的再现、表述。但文化与经济、政治相互影响,多元决定。虽然二者在现代化上的矛盾激化程度前所未有,但偏颇、忽略任何一方,只会把水越搅越浑。

近期参加了一个"全球化与文化"的会议,会中闻见颇能说明些问题。会议以文化为轴心,但议题却五花八门,如"跨国文化与消费主义"、"现代性与民族国家"、"全球化与文化研究"、"政治视野与历史的终结"等,不一而足。总之,主题是探讨在跨国资本主义的全球化市场或"世界体系"的条件下,如何寻求新的抉择(alternative)和新的视野(至少是在文化上的)。然而抉择难觅,歧途漫野。如我预感的那样,会议成为又一个"高举'否定辩证法'伟大旗帜",对现代性歧途、全球化悖论大加讨伐的批判会。语言学大师乔姆斯基近20年来不遗余力地批判、揭露西方统治集团(主要是美国)的反民主、反人权劣迹,堪称为美国的"民主卫士"。其道德力量、理性风范,绝不在沙哈罗夫、索尔仁尼琴等之下(当然以揭敌手之短为己任的西方舆论,是从不会将乔姆斯基与沙、索相提并论的)。这次大会乔姆斯基又一马当先,无情揭露西方舆论为掩盖跨国财团、统治阶级以经济手段掠夺、吞并全球财富的"阴谋"所设种种谎言。作为与赛义德齐名的"公共知识分子"(或"有机知识分子"),乔姆斯基的铿锵陈词,很能打动人心。不过,他的谴责与批判亦不免流于道德义愤。日裔文化理论家三好将夫(Masao Miyoshi)则寄希望于受跨国资本掠夺欺压日益深重的"第三世界",以对跨国资本主义全球化作经济、政治以至文化的反抗。不过他同时也认识到,所谓"第一世界"的知识制作、文化制作,与跨国资本全球性渗透相互推波助澜。因此,真正的"战场"乃是学术殿堂与文化、知识市场。尤其应当揭露的,是打着各种批判"现代性"旗号,却又掩盖、"遮蔽"跨国资本的实质的种种时髦理论与"话语"。

不过在严峻、尖锐的批判之中,又凸显了一个相当严重的问题,关系到真正的"话语"的差异、日程表的差异。在会上,李泽厚谈了中国"实用理性"和"传统的转换性创造"问题。李泽厚的主旨是"建设"。对于当代世界,尤其是尚未现代化的广大"第三世界",经济建设乃是当务之急,同时又绝不可偏颇文化、政治各领域的建设与制度创新。李泽厚的"话语"对于国人也许早就耳熟能详(对急于"超越"中国20世纪现代文化传统的人来说更是老生常谈)。但在一个标榜全球化(批判)和"差异"的语境中,李泽厚的"建设性话语"和日程表却的的确确表现出了令与会者震惊、尴尬的差异。他大讲"经济领先"和现代化建设的积极意义已令人厌烦,所谓"文化的融汇、凝聚力"(主要讲中国文化)对于早已坚信不移离心、分散、解构"真理"的多数听众,更是冒天下之大不韪,不啻是"文化帝国主义"、"西方中心主义"的翻版(!)。(会后开鸡尾酒会时,三好一副大感不解的样子,对我耳语:"那家伙在扯些什么?!")

但在我看来,李泽厚真正提出了"现代性的不同抉择"(alternative modernity)的话语和日程表。不少与会者,原不过是叶公好龙罢了。这段插曲,正反映了全球化悖论的又一面:一方面批判启蒙理性关于"总体"、"同一性"、"中心论"的"现代性神话",另一方面又不断地设置新的"分离"、"非中心"、"差异"的"后现代神话"。其结果,对于真实存在的现代性不同抉择视而不见,或偷梁换柱,以新的理论话语来遮蔽不同抉择的过程中所包容的巨大、复杂的历史的"问题框架"(problematic)。看来,这也许是带有"全球性"的一种倾向。譬如近年来不断升温的"东亚模式"、"儒学复兴",以及与之或有关或无关的各种"弘扬论"、本土、民族、国学论……跟上述"全球悖论"有无关联?小子不敢妄评,至于海外流行的诸种理论,则怪不得我放肆了。

其实"理论流行色"之荦荦大者,如后现代主义等,已受到很多批评。对后现代主义理论有深刻批判的大卫·哈维(David Harvey)在上述会上所发感慨,颇可为李泽厚的发言作一脚注:他认为当今理论界一提起"经济决定论",无不嗤之以鼻,孰不知后现代文化制作(包括莫测高深之"理论话语"制作在内),岂止是什么"经济最终决定"而已;其最先考虑,无不是如何以最佳广告行销而牟取最大利润!后学诸家之气,足则足矣,只是不知其真正的目标或日程表是什么。哈维问道:"日程表何在?"当然,也不是真的一无所有。如利奥塔,就主张摧毁各种现代性神话,如"民族国家"、"国民性"之类的"宏伟叙事",并由西印度群岛某个土著居民的口头传说"小叙事"取而代之。这颇像老子的"小国寡民",又似"治国如烹小鲜"。小则小矣,只是不伤了跨国资本的毫毛,而利翁的"小叙事"理论在学术市场上的行情也就不断看涨。至于"后现代"套用在中国或亚洲的头上是否得体,张汝伦先生近期对此已有精彩评说,我就不在此饶舌了。(参见《读书》1994年第12期张君《亚洲的后现代》文;此文亦可与《读书》第10期甘阳的《江村经济再认识》、第9期张承志的《真正的人是X》放在一起读)

对于"后殖民主义",还想再啰嗦两句。"后殖民主义批评"这两年在美国正大红大紫。其主要观点大多来自后结构主义(福柯的"权力/知识"论)、拉康精神分析/后结构论以及后现代主义反总体论等。其相异于诸家"反神话神话"处,乃是引进了"第三世界"或"后殖民文化"经验。于是,在种种"现代性话语"的头上,便可方便地再套上一顶"西方中心"、"后殖民"的大帽子,无论是"现代化"理论也好,马克思主义也罢,"民族解放"论或反殖民、反种族歧视论,无不在"西方中心"、"现代性"这顶洋法海和尚的金光罩下不得脱身。这金光罩原脱胎于后结构主义的"语言陷阱论":语言无所不在,无所不能,因而无法逃逸。(其潜台词不难揣测:若要脱身、逃逸,还得靠后结构、后殖民法师来念一通咒言)如果套在中国头上,似乎也未尝不"放之四海而皆准"。君不见,中国人近百年来,为"西化"、"中化"、"现代化",吵个没止没休;直到80年代的"文化反思",尚陷于"后殖民话语"、"宏伟叙事"之泥淖乎?

然而,"后殖民主义"理论所主张的,只是全球化悖论中之反题部分的变化：多极、离心、差异、分裂……至于其正题，即跨国资本主义全球化或资本主义现代性全球胜利这一点，在后殖民主义理论家们看来，恰好是不证自明的公理。但问题就出在这儿。只要不带偏见地回顾一下中国现代史，便知中国人所作的，其实是针对着悖论的正题，也即对西方资本主义现代性本身的挑战与重构。换句话说，中国现代史的主题（或"主旋律"？）乃是"革命建国"。"革命"与"现代化"两大主题或"问题构成"，是中国的"现代性的不同抉择"。此事说来话长。80年代文化反思轰轰烈烈，亦不过把"革命"与"现代化"两者间的张力、矛盾、冲突的话题刚刚打开。如今把中国"现代性的不同抉择"的话题用其他话题来置换、超越、遮蔽，则不知是走上"现代性康庄大道"，还是步入（资本主义）"现代性歧途"？（这里"歧途"一词，取其字面含义。）

"革命建国"的现代性不同抉择的核心思想是"人民创造历史"。这是一个反决定论的命题，从根基上动摇了资本主义现代性在知识上的决定论和目的论"启蒙理性"（亦包括了作为启蒙理性与现代性产物的经典马克思主义）。不过，毛泽东毕竟受到历史条件的局限，他反的只是经济决定论和历史阶段论、目的论（后者到50年代才形成，40年代提出"新民主主义论"时，毛泽东还在说必得经过资本主义发展的历史阶段）。后来毛泽东逐渐同意了意识形态、政治和文化决定论，发动了"文革"。这段历史错综复杂，用"后殖民主义"理论来套，恐怕多半是文不对题。（用毛泽东的文化理论反观"后殖民主义"，反倒会有意外的收获。）

且说各派"后学"拳路，均在"方法论"上讲究精到。如后殖民主义大师之一、印度裔理论家霍米·巴巴，除其文风青出于蓝而胜于蓝，比拉康、德里达更为晦涩之外，更擅长福柯式的谱系学和知识考古学。不过你细读巴巴，更不得不佩服他在生产种种"后殖民"知识时抹去其自身的历史与现实痕迹的功底。巴巴常常以印度殖民地文化经验来指称"第三世界"或"后殖民文化状态"，而对于跨国资本主义全球性渗透及其对文化、学术市场的"权力"、"控制"这一点，却缄口不谈。这也许是"后殖民主义"理论话语在美国学术市场上创出名牌的诀窍？果真如此，则离对资本主义现代性的严肃批判相距太远，而与奈斯比特、福山、亨廷顿等更为"家族相似"。

巴巴诸公"反西方中心"的激进主义外套本身,亦可作一番"谱系学"追踪。这套"权力/话语"理论,出自福柯福三爷。福三爷乃是法国著名的结构主义马克思主义思想家阿尔都塞的门生。阿尔都塞有"多元决定"、"问题框架"、"依症候阅读"、"结构性因果"等方法论创新,亦有经典马克思主义"经济最终决定论"基础。福三爷一股脑抛弃了阿尔都塞理论中的"马克思主义劳什子",但在方法论上的创见,似并未超过其师。这个故事再讲下去,也许更为有趣。阿尔都塞平生最佩服的人和事当属毛泽东和中国文化大革命,其脍炙人口的"多元决定论"受到《矛盾论》、《实践论》的决定影响。说来话更长,暂且打住。不过,忽然想到毛主席当年曾拿中国跟巴巴故乡——印度作过比较,话题便是现代性的不同抉择:

印度是属于英国一个帝国主义国家统治的殖民地,这一点和中国不同。……印度共产党没有积极参加他们国家的资产阶级革命,没有使无产阶级在民主革命中取得领导权。(苏联《政治经济学》读书笔记之三)

诚哉斯言!

原载《读书》1995 年第 7 期

张　法

现代性与全球文化四方面

一

现代性,这个当今世界学界的热题,人人都谈而又人言言殊,人言言殊而仍人人都谈。一方面现代性(modernity)与其相关词,现代(modern)、现代化(modernization)、现代主义(modernism)……构成了一个五光十色、众说纷纭、互相矛盾、扑朔迷离的学术八卦阵;另一方面,以现代性为核心的这组词又拥有一种超常的魔力,不仅能把文学艺术与文化相联结,也能把人文与科学、政治与社会、历史与理论融为一体,还能把西方文化与非西方文化相并置而展现一种全球化景观。由于有关现代性的言说充满了最大的复杂性和矛盾,如果把没有学术癖的读者和没有考证癖的学者拖入罗列观点堆砌材料的繁琐考证分析中,那真会烦死人了。我想既以现代性的言说为基础,又跳出已有的言说;既体会西方现代性论者的言内言外之意,又超越西方学者用以进行表述的西文的局限,力图从丰富、复杂、矛盾的现代性言说迷宫清理出它的内在意识中所欲表达的东西。首先,我建议读者先翻一翻卡林内斯库(Matei Calinescu)《现代性的五个方面》、库玛(Krisham Kumar)《现代社会的兴起:西方社会和政治发展诸方面》、利奥塔(J. Lyotard)《后现代状况:知识的报告》、哈贝马斯(Jurgen Habermas)《现代性:一个尚未完成的工程》,它们会使你粗略了解从"现代"一词开始越来越多地出现的词汇史和"现代性"作为一种理论出现的理论史。

二

西方人身在其中,对现代性劈头就讲,往往令中文世界中人不易领悟。这里,引证西典之前,先点一下现代性所由产生的一点世界史背景。

现代性首先与世界历史的演进相关。人类历史,大致可以分为三大阶段①:一,被称为轴心时代(公元前 500—200)以前的 100 多万年漫长岁月,各原始文化基本上以大致相同的文化形态分散地发展着,孕育和准备了轴心时代的到来。二,轴心时代,世界各地同时出现各具特色的文化模式:希腊、印度、中国、波斯、玛雅……这些文化各带异彩,按照自己的内在规律和外在际遇,在近两千年的岁月中,基本上分散地在世界各地演化发展。三,16 世纪资本主义在西方文化中兴起②,并向全球扩张,分散的世界史变成了统一的世界史。如果说,轴心时代以来的分散的世界史中各种文化构成丰富多彩的传统文化和古代社会,那么,统一的世界史具有"统一"力量并导向统一的文化就构成现代文化和现代社会。现代性,首先就是与分散世界史中的传统文化相对的导向统一世界史的现代文化的特性。现代,相对于传统,相对于古代。这种相对,在本质上,强调的是分散的世界史和统一的世界史的区别。牢记此点,对理解现代性非常重要。

三

在世界各大文化中,只有从西方文化中兴起的资本主义产生了把分散的世界史变成统一的世界史的力量,产生了从传统向现代的根本转变,因此学者们对现代性结构的考察是结合着它的起源一道进行的。

从史的起源讲,综合各家,可以认为:英国工业革命提供了经济层面的范例,法国和美国的政治革命提供了政治层面的范例,从德国开始的宗教改革和以法国为核心的启蒙运动提供了思想意识层面的基础,以伽利略、哥白尼、牛顿、达尔文为代表的学院性科技提供了理性思维和工具动力。

从论的结构上讲,不是这么好综合,只有请出三个不同领域的代表:对社会学家来说,现代性可分为经济、阶级分层、政治、文化、日常生活诸方面。社会学的特点就是讲得细,虽略繁琐但对细细体味有所帮助,因此罗列经济方面的特征如下:一,经济在速度和规模上空前增长;二,以农业为核心转为以工业为核心;三,生产中心集中在城市和城市群;四,机器代替人力畜力;五,技术创新渗入一切领域,包括社会领域;六,开放的自由竞争和劳动力市场;七,工厂和大企业的劳动集中化;八,商业、经理和工业资本在推动经济中的决定作用。阶级分层方面的特征有:一,资产占有和市场位置成为社会分层的主要因素;二,大量人口成为自由劳动力;三,资本在少数人手中集中,社会不平等突出;四,中产阶层的出现和扩大。政治方面的特征有:一,国家职能:规范生产合作,重分财富,保护经济主权,刺激国内外市场扩张;二,法规传播:规范国家和公民;三,公民权的增长,提供广阔的政治和公共范围;四,社会生活管理的理性化和非个人官僚机构的扩展。文化方面的特征有:一,市俗化进程,即神话、宗教、信仰、传统价值和习惯的重要性减弱,并由现实理性所替代;二,科技主角,即科技全面影响社会,特别是转化为实践效益;三,教育普及;四,大众文化出现,文学艺术进入商品市场。日常生活方面的特征有:一,工作领域和家庭领域分离并显著扩展;二,家庭中的隐私性增长,并与社区和社会控制无关;三,工作与消闲分离,后者扩大;四,日常生活商品化。长话短说,就是工业化、都市化、官僚化、个人化、民主化、理性化。对哲学家来说,现代性可以说得更简明,利奥塔用了三点:一,个人主体;二,民族国家;三,宏伟叙事。美学家从文学艺术现象谈现代性,与社会学家和哲学家就很不一样,卡林内斯库总结现代性的五个方面是:现代主义、先锋派、颓废派、媚俗风、后现代主义。

四

从社会、哲学、美学上关于现代性的三种有一定代表性的观点中,正好可以进入现代性时间和空间的演变和反映出现代性的丰富内容。社会学叙述集中在从现代社会特征讲现代性,它实际上初步地勾画出了与世界史上所有以前的和现存的文化不同的西方现代文化的特征。它既道出了西方文化自身在时间历时性上的传统与现代的区别,又从世界史的角度从空间共时性道出了现代的西方和尚未现代化的非西方诸文化的区别。特别是从后一种区别业已包含或可以拓展出三项相关内容:一,已经现代化了的西方;二,由西方的现代性兴起和全球扩张,形成了统一世界史;三,在统一的现代世界史上被动和主动走向现代化的非西方诸文化。

由此,可以进入关于"现代化"的讨论。

现代化概念,掉书袋的西方学者先要讲,主要在三个意义上被运用:一,指与自然相对的文化;二,指16世纪以来西方文化的演进,等同于现代性;三,指非西方国家在统一世界史形成后的现代性追求。卖弄完毕,就郑重强调:与现代性相关联的现代化理论主要是指第三义。它于20世纪50—60年代兴起。现代化理论使从西方文化中兴起和形成的现代性从西方文化扩展进入非西方文化,这一方面使现代性成了一个真正的全球性主题,另一方面在扩大现代性的同时又改变着现代性的内容。因为各非西方文化,特别是那些具有悠长深厚传统的文化,在本土传统的时空中进行的现代化,必然显出不同于西方文化的特殊性。由此出现了与西方现代性不尽相同的各非西方国家走向现代化中的现代性的多样性,俄国式现代性,日本式现代性,中国式现代性……

现代化是现代性从西方向全球的空间大扩展,也是现代性在内容上的变异和丰富。从这里已经产生并还在深化着有关现代性的一系列重大问题。现在暂且不忙进入这一极有意义又极为复杂的题域,只简单地提一下,作为以现代性为核心的统一的世界史的演进来说,最重要的现象,就是俄国十月革命的胜利,它标志着一个世界史变成了两个世界史:西方式的世界史和苏联式的世界史。这是两个在世界观、历史观、价值观上极不相同又相互对立的不同的世界史。现代性被罩在两极对立的强光之中。

言归主线,先看现代性的美学叙述中包含的问题。

五

卡林内斯库《现代性的五个方面》的第一方面是现代主义。现代性,如上所述,是指16世纪以来的造就统一世界史的西方文化,现代主义却是指从19世纪下半叶至20世纪上半叶的文艺美学潮流。这一词汇混缠现象并非为文艺所独占。在科学上,现代科学是指16世纪以来的以伽利略、牛顿为代表的作为西方现代精神重要一翼的西方科学,现代物理学却是指20世纪初以爱因斯坦为代表的反牛顿的科学革命。在哲学上,与16世纪以来的现代性相连的是以笛卡儿、洛克、黑格尔为代表的理性哲学,而现代哲学则主要是指从尼采、克尔凯郭尔、柏格森开端,以卡尔纳普、海德格尔、弗洛伊德、杜威为代表,在时间上与文艺现代主义基本重合的新哲学潮流。为了在概念上使现代文艺、现代物理学、现代哲学与16世纪以来的、与现代性紧密相连的文艺、物理学、哲学相区别,从古典主义到现实主义的文艺、从笛卡儿到黑格尔的哲学以及从伽利略到牛顿的物理学三者都变成了"古典"。这当然又造成了别处的混缠。黑格尔是古典,柏拉图也是古典;牛顿是古典,亚里士多德也是古典……这完全在于英语中没有"近代"一词。modern,既是现代,又是近代。黑格尔在英语中不得不陷入左右不是的窘境,不是在"古典"一词里与和现代性挨不着边的柏拉图们混淆,就是在"现代"一词里与把他作为炮轰对象的形形色色现代哲学混缠。跳出西文的局限,用中文来讲析,马上就可以清楚了。现代性在这里可以划分为两个阶段:从16世纪到19世纪的近代阶段和从19世纪末以后的现代阶段。两个阶段的特点相当明晰,在现代性的近代阶段,科学、哲学、文艺与新兴资本主义的政治、经济、军事一样,都具有一种西方独尊的对非西方的傲气。而现代性的现代阶段,现代物理学、现代哲学和现代主义文艺都有一种对非西方文化灵犀相通的情怀。(这使不少自作多情的东方人喜不自胜地认为:西方正在走向东方。)这一巧合应隐含着更深的历史"天命":现代主义以文学艺术的感悟象征了现代性的第一次转折。

如果说,现代性在西方的出现,显示了人类以勃勃生机和浩然正气领导了世界史从分散到统一的潮流,那么,现代主义诞生成长,却正是在一方面资本主义向全球的进军业已完成,另方面现代性带来的矛盾和问题日益显著之时,现代主义有了一种真正的全球眼光,有了一种真正的统一世界史的人类感受和人类思考。在现代性的现代阶段,把文艺上的先锋、颓废、媚俗作为现代性的三大方面,可以看作现代性对自身的一次反思性直观。另一方面,现代主义又显示了西方文化在全球化方面的一种质的"进步"。一个显著的实例是西方现代绘画所象征的一种全球化观念。在世界绘画史上,只有西方产生了焦点透视为核心的能够表现正确比例和色彩变化的绘画样式。当现代绘画冲出焦点透视的模式,用变形变色和打破时空的新样式来主导潮流的时候,在艺术形式上,它更接近各非西方文化的绘画原则。一些东方人沾沾自喜地断言:西方在走向东方。其实非洲人、美洲人又何尝不可以说,西方在走向他们。实际上西方绘画有自身的发展逻辑。但从全球化的大背景看,现代主义对古典的超越使得西方文化走向了一个更适合全球对话和全球汇通的位置。

六

　　卡林内斯库把后现代主义作为现代性的一个方面,呈出了世界学界至今仍争论不休的一个问题:后现代究竟是现代的一个特殊阶段,还是与现代有本质不同的另一事物?利奥塔把现代性概括为个人主体、民族国家、宏伟叙事,正是要通过对与这三大特征完全不同的后现代文化的揭示,来宣告一个与现代不同的后现代。

　　我不想在这里讨论是与不是的问题。就思维而言,要说异,像俗语所说,世界上没有两片相同的树叶;要讲同,如庄子所言,天地与一匹马无差别,万物与一手指相同一。关键看你怎么界定,为什么目的去界定。我更愿意从世界史的视点来看待这一问题。

　　如果说,一个与 100 多万年分散的世界史不同的统一的世界史的出现是讨论现代性的共同基础,那么,不妨把现代性定义为统一的世界史的本质。这样,近代、现代、后现代就可视为现代性的三个阶段。

　　在从 16 世纪到 19 世纪末的近代阶段,现代性兴起于西方,并通过从军事、经济、政治上征服美、非、澳、亚诸洲而完成了世界史的全球化。这时的现代性是以西方为中心而构成的统一的世界史,这是一个由西方和非西方相对的多面二元对立和等级高下的世界:西方/非西方,先进/落后,文明/野蛮,科学/迷信,理性/愚昧……以牛顿宇宙、达尔文生物进化论、黑格尔的绝对理念、新教伦理、大英帝国的海上力量为代表的近代阶段的现代性,呈现出了西方文化通过以西方的先进—文明—科学—理性去扩张、征服、占领落后—野蛮—迷信—愚昧的广大非西方地域,而走向主导统一世界史的席卷天下、并吞八荒的霸气。

在从 19 世纪末到 20 世纪 80 年代的现代阶段,随着整个世界被西方列强瓜分完毕而出现的西方与非西方的对立,随着苏联的诞生而呈现的两个世界史的对立,随着西方社会自身的演进而暴露出来的一系列带有人类性的根本问题,现代性表现了两大方面:一,西方文化自身对现代性的反思,主要通过对近代阶段现代性主要观念的批判而表现出来:现代物理学对牛顿的批判而呈现出的宇宙的新结构观;现代哲学对黑格尔的批判而呈现出的对历史、人类、社会、文化、人生、心理、思维、上帝的新思考;现代文艺对近代文化的反叛而呈现出的对个体生命、生活世界、情感心灵、感性审美的新表现。二,在全球一体化的大背景下,在两个世界史的高光照射和紧张拉力中,非西方如何走向现代化。这一阶段有两个重要的现象:一是通过对现代性的怀疑和否定来表现现代阶段的现代性。在西方,是通过对近代西方的批判来思考人类的现代性主题;在非西方,广大地区通过接受苏联式的世界史,用一种非现代性的话语,探索着自己的现代化道路。二是整个世界从非现代性话语回到现代性话语。西方世界以二战后的科技革命和经济起飞为背景,现代性成为一种谈论统一世界史的理论形态,非西方世界在经济和科技全球化的带动下,先后把现代化话语纳入自己民族振兴的理论结构之中。

不把后现代话语在个别学科出现的 20 世纪 60 年代,而把后现代话语整合为一种文化理论出现的 80 年代作为后现代阶段的开始,在科技上,信息革命以卫星电视和计算机网络改变了世界,社会主义地域的改革已预示了很快到来的两极世界和两个世界史的终结。一个崭新的全球化景观,以福柯、德里达、鲍德里亚、阿多诺、后期维特根斯坦、罗蒂、赛义德为代表的,以解构本体/结构/中心的唯一性和强调组合和定义的潜能/多样/丰富为特征的后现代思维,为冷战后的新的统一的世界史提供了新的思维方式。一些学者论说后现代与现代质的不同,是为了区分两个在很多重要方面——政治、经济、文化、审美、心理、思维——显出不同的世界构成,另一些学者论说后现代与现代的同质,是体会到二者同是面对的统一世界史以来的人类课题。

从统一世界史立论,把现代性视为进入统一世界史后的全球化特性,近代、现代、后现代就是现代性的三面。

七

把近代、现代、后现代作为现代性的三面,是以西方文化为视点而构成的,或者说,是现代性在西方文化中的演进。如果放眼世界,现代性还有一面,这就是前面讲过的非西方国家的现代化。在统一世界史的背景中,非西方国家的现代化基本上表现为对已经现代化了的西方国家的追赶。这里,一个统一世界史中的有趣问题呈现了出来:西方国家从近代、现代到后现代,不断地推进、深化、反思着现代性,而非西方国家的现代化追赶面对着一个不断变化的西方。一方面,近代、现代、后现代,构成西方现代性的一种展开的丰富多彩;另方面,现代化在形形色色的非西方国家中呈出了五彩斑斓的实践。说起来,现代性无非四面:近代、现代、后现代、现代化。然而,在一个统一的世界史里,在西方与非西方的互动中,现代性由这四面盛开了它的丰富性、复杂性、多样性。

也许,这就是人人都谈现代性而又各讲一套,各讲一套而又人人都讲的一个原因。

然而,对中国学人来说,更有兴趣的,是以现代性四面为一理论参考框架,去探讨 1840 年以来中国现代性复杂和丰富的特色。

八

把现代性在西方文化中的演进分为近代、现代、后现代三面,仅是一种逻辑的方便,这三面既有断裂的一面,又有继承的一面,还有互渗的一面。这里最重要的是现代性在世界主流文化中所显出的复杂性和未定性,由此又产生了非西方国家在现代化过程中学习、借鉴和体悟现代性时的复杂性。

注释:

① 这里以雅斯贝尔斯的"轴心时代"理论为主,又参照其他史家理论。西方

史家一般把有文字记载以后称为历史(history),有文字前称为史前史(prehistory),这里按中国习惯都称为史。

② 关于现代性的兴起时间,有三种说法:一,16—17世纪;二,17世纪;三,大革命时代。它们都以某种重要的社会性转折为标志。

原载《文艺研究》1999年第5期

汪 晖

我们如何成为"现代的"?

1985年,我初到北京念书,向唐弢先生请教的第一个问题是:我们说现代文学是现代的,那么怎样解释"现代"或者文学的"现代性"? 唐先生说,这是很复杂的问题,很难一言蔽之。因为"现代"概念似乎不是一个时间概念,或者不仅是一个时间概念。他提到现代文学原先仅指"新文学"。因此现代文学的概念与"新"的概念是一脉相承的。他举例说,在他主编三卷本《中国现代文学史》时,曾经有人建议将毛泽东诗词作为其中一章,他不同意。一方面是因为如果收入毛泽东诗词,那么中国现代时期其他人所写的大量的、有些是很精彩的旧体诗词怎么办? 另一方面是他认为中国现代文学在语言上和形式上都是区别于旧文学的文学。换言之,现代文学的产生,一方面是和一种特殊的时间观念相关的,这种时间意识体现为古代/现代/未来的历史分化;另一方面则和特殊的语言实践有关,这种语言实践能够证明或体现时代(现代)的特征。实际上,尽管有编史上的具体观点和取舍的不同,中国现代文学的编史学基本是以这两个基本预设为前提的。当然,还有其他的各种预设。

"现代"这个概念直到20年代才流行起来。不过在那之前,"新"已经成为特殊的价值观念,以致晚清至现代的许多文学的和非文学的刊物均以"新"命名。现代/摩登的互用,证明这个概念与西方语言中的 modern 一词有密切的联系。在讨论中国现代文学的"现代性"之前,我们不妨简要地讨论西方的现代性是怎么回事。

现代性(modernity)是一个内涵繁复的西方概念。它首先是指一种时间观念,一种直线向前、不可重复的历史时间意识。这种时间意识的产生与欧洲历史中的世俗化过程,即资本主义化过程具有内在的联系。但就时间意识而言,现代性的观念却与基督教的末世教义世界观有关,因为后者所隐含的时间意识具有不可重复的特点。古代/现代的习惯对比形成于文艺复兴时期,但直到18世纪,现代概念基本上是一个贬义的概念,经常指建筑、服饰和语言的时尚。现代概念的这种贬义用法,直到19世纪,特别是20世纪才发生根本的变化。例如在黑格尔那里,现代性概念成为一个时代概念,"新时代"(new age)是现代(modern),"新世界"的发现、文艺复兴、宗教改革等发生于1500年前后的历史事件成为现代与中世纪的界标。现代/中世纪/古代的历史区分显然不只是编年史意义上的划分,因为古代和中世纪是作为"新"时代的对立物而出现的。"现代"概念体现了未来已经开始的信念:这是一个为未来而生存的时代,一个向未来的"新"敞开的时代。就内容来说,现代文化的形成是一个韦伯所说的"理性化"的过程,也可以说是一个文化的理性分化过程。哈贝马斯曾说:"韦伯认为现代文化的特征是把宗教与形而上学的基本问题分为三个自由的领域,即科学、道德和艺术。它们之所以有所分别是因为宗教和形而上学的一贯世界观完全崩溃。自18世纪以后,旧有世界观所遗留下来的问题被整理为有效性的特定形式:分别是真理、正义、真实和美。这些有效性可以被视为知识问题、道德问题和审美问题来理解。"

许多西方学者在讨论现代性问题时都指出,现代性不是一个统一的概念,其中充满了矛盾。因此,在不同的领域和不同的时期,被指为现代性的质素是极为不同以至矛盾的。对于18世纪的启蒙主义而言,现代性如同哈贝马斯所说的那样,是一个"方案"(project),这个方案包括"发展客观的科学,普遍的道德和法律,追随其内在逻辑的自主性的艺术"等方面,而最重要的特征是"主体的自由"。在社会领域,这种"主体的自由"的实现就是由民法保障的追求自己利益的合理性空间;在国家领域,它在原理上表现为参与政治意志形成过程的平等权利;在私人领域,它是伦理的自主和自我实现;在与私人领域相关的公共领域,则是通过公共意见和公共文化的形成,促使社会的和政治的权力的民主化;在国际领域,则是现代民族国家的主权建立;在艺术领域,则是艺术的自主性的实现;等等。在这些以"主体的自由"为特征的现代方案内部,充满了紧张和矛盾,这种矛盾尤其体现在资本主义政治经济的世俗化过程与文学艺术对这个过程的尖锐批判之间。如果说前者体现为对于进步的时间观念的信仰、对于科学技术的信心、对于市场和行政体制的信任、对于理性力量和主体的自由的崇拜等等,那么,现代主义的美学现代性却具有激烈的反资本主义世俗化的倾向。实际上,对于资产阶级市侩心态的美学批判一直是德国浪漫主义的主要特征,19世纪欧洲现实主义文学的批判框架也并不都是在传统/现代的二分法之中,而是构筑了对现代本身的批判视野。在19世纪中期,马克思和恩格斯把这种美学批判转化为意识形态批判和政治批判的工具,从而划分出"革命的"和"市侩的"两个鲜明的对立典型。艺术的自主性观念和为艺术而艺术的口号,是美学的现代性反抗市侩的现代性的结果,像波德莱尔这样的艺术家,致力于揭示隐藏在社会现代性的可怕对比背后的美,他一方面是艺术现代性的辩护士,另一方面则是社会政治现代性的激烈批判者。

现代性问题是伴随欧洲资本主义的发生而发生的,也是伴随资本主义向全世界的传播和扩散(在其初期采用殖民主义的可耻形式)而进入中国人的文化的和历史的视野的。在19世纪后期,欧洲资产阶级的意识形态和价值观念,伴随这个过程,也深入地影响了中国社会的政治、经济、思想和文化。因此,一方面现代性是一种观念,一种历史叙事;另一方面,这种新的历史叙事并非没有其物质的基础。如果我们不只是把文学的现代性问题仅仅视为文学叙事的技巧,而且把这种现代性问题视为整个现代社会和文化变迁的一个组成部分,那么中国文学的现代性问题就是一个极具潜力的研究课题。我需要强调的是,说现代性问题是一个重要的课题,并不等于接受现代性的历史叙事,相反,我们需要观察的恰恰是现代性作为一种历史叙事如何进入历史——包括文学的历史,成为文学的主题,规划文学的形式,等等——的过程。

现在我们可以回到中国现代文学问题上来考察这样的问题:在什么意义上,"五四"以来的中国文学是现代的?或者,我们用什么理由,将这一时期的中国文学称为现代的?当然连带的问题是——正如我在开头提到的旧诗问题——我们用什么理由将同一时期大量存在的文学实践排除在现代之外?最后,中国文学对待现代性的态度如何?或者,我们也会像一些西方学者那样,最终发现

"现代"只是一种虚构,我们从未现代过?这篇简要的短文当然无法回答这些复杂的历史问题和理论问题。我所能做的,是勾勒出中国文学"现代性"问题的一些基本问题。

第一,现代文学或新文学的命名本身当然体现了一种特殊的时间观念,一种与轮回的、循环的历史观念相对立的时间观念,这种时间观念将现代或新与传统或旧区别开来。这种区别正如许多人指出的,是以进化或进步的历史观念为基础的。重要的是,对于新文学的创作者来说,将文学的内容和形式与时代联系起来,明显地赋予文学创作者一种目的的感觉,即文学的创作工作是这样一种时代的工作,它本身是历史朝向未来过渡的一个重要部分。只是在这样一种时间意识之下,新文学才成为反传统的文学,也才成为建构未来意识形态的文学。换句话说,新文学重构了中国的历史叙事。那么,它是怎样重构的呢?

第二,这样一种时代的冲动首先体现为文学形式的变革,即语言的变革。晚清社会已经有许多激进的革命者讨论过废除汉字、采用世界语或西方拼音文字的问题。这种讨论一直延续到30年代。对于文字改革的倡导者来说,汉字的问题一方面是一个文化问题,即汉字本身是传统文化的载体;另一方面则是汉字的表意功能不如西方语言明晰。不管这个判断经过历史证明是如何荒唐,对汉字进行改革的愿望显然来自一种"理性化"的要求。"五四"白话文运动并没有废除汉字,主要的改革内容是书面语系统的变革。不过根据我的考查,像横排、西式标点的采用等,都不是文学运动创始的,而是科学运动的结果。1915年创刊的《科学》月刊是中国首先采用横排和西式标点的刊物,主要的原因是因为竖排无法书写科学论文,特别是科学的公式。1915~1916年间,在康乃尔大学与胡适讨论文字问题的大多是科学家,问题的讨论也是从文字转向文学的。事实上,白话文运动也是一个语言的科学化运动。"科学化"一方面是一个形式的问题,另一方面则是一个文化的问题,因为现代在当时也被理解为"科学的时代",而传统也被理解为"非科学"或"不科学"。像胡适的《文学改良刍议》、陈独秀的《文学革命论》中的诸多内容,是和上述问题直接相关的。

在这样一种现代语言的"理性化"或"科学化"过程中,文言创作——如上文提到的"旧体诗"(为什么是旧?)等——被排斥出了现代文学的范畴。相应地，相当一部分文人的文学活动也被排斥出了现代文学历史叙事的范畴，即使这些文学创作和文学活动在当时的历史中仍然是极为重要的部分。因此，现代文学这个概念一方面是建构一个独立的文学领域，另一方面则是排斥性的，即通过现代/传统、新/旧的二元对立，而将大量文学实践排斥出去。在这个过程中，汉语本身经历了深刻的变化，传统语言结构甚至语汇，为新的语言结构和语汇所替代。当代文化讨论中，经常涉及的现代书面语的欧化或西化问题，主要地不是个别运用者的问题，而是近代以来中国语言的"现代化运动"的结果。

第三，文学的语言问题也与中国作为一个现代民族国家的建立具有直接关系。换言之，现代文学的语言实践是民族国家的自主性的体现，或者反过来说，现代文学的语言实践，是建立现代民族国家的重要部分。新文化运动中重要的口号是"文学的国语"和"国语的文学"。白话文后来成为国家规定的中小学课本的法定语言。白话文运动为普及一种现代国语（这种现代国语当然与"国"的概念具有内在的关系）开辟了道路。

第四，中国现代文学的一系列母题，如个人与社会的冲突、个人与传统的冲突、个人与外国社会及文化冲突、阶级冲突、性别冲突等等，都是中国现代社会观念建构的重要部分。值得特别重视的是，中国现代文学对待现代性的态度也远不是统一的，充满了矛盾和怀疑，虽然就总的趋势来看，中国现代文学对现代性或现代化过程持有积极的态度。例如鲁迅曾是著名的进化论者和新文化的英雄，但在他的文学世界里，同时却渗透了对现代的怀疑。他的《野草》对许多现代命题的揭示和个体生命意义的追问，固然体现了这一点；甚至他的早期论文，也已经对进化的历史观、对以欧洲历史为蓝本而建立起来的世界历史叙事表示深刻怀疑。张爱玲的小说对社会日常生活的精细刻划，也体现了对作为主流叙事的嘲讽和怀疑。

第五，许多学者已经研究了中国文学，特别是小说的叙事形式的历史变迁。事实上，现代小说的形式变迁是由多种文学的和非文学的因素促成的。例如，小说的形式变迁与近代印刷业，特别是报刊的发展具有内在的联系，而印刷业在晚清以来的社会发展中，是极为重要的事件。又比如说，小说视野的变化依赖于宇宙观的变化,而宇宙观的变化,包括时间和空间概念的变化,都和现代科学的发展密切相关。问题是,所有这一切是怎样与所谓现代性问题相关的呢?对文学的形式分析,需要揭示出背后的历史的和意识形态的内容。

我只是散乱地提出一些与现代性问题有关的课题,无法详细地展开。我的目的也不是规划中国现代文学与现代性问题的诸多方面。提出现代性问题的目的,是重新检讨我们的历史叙事。我们是怎样成为"现代"的,我们如何通过关于"现代的历史叙事"来重新组织我们的历史,这个重新组织的后果是什么——强调了什么,排斥了什么,等等。中国现代文学对现代性的处理,在哪些方面能够提供我们反思现代性的资源。

原载《中国现代文学研究丛刊》1996年第1期

高瑞泉

论"进步"及其历史

——对现代性核心观念的反省

一

"进步"之在中国,完全是一个现代观念。这里的所谓"现代观念",一是指它是一个现代性的前提,像它在西方现代社会的作用一样;二是指它在中国的形成,是中国现代化运动的某种结果。所以只是在19世纪与20世纪之交,"进步"才被中国人逐渐接受。

19世纪中叶以前,中国人的观念世界中没有"进步"信仰。主流意识的世界观、历史观背景是循环论,甚至是历史衰退论。中国哲学有极其富于民族特点的"变"的智慧,它集中体现在易学哲学之中。但是中国哲学赞美变易的理论,中国智慧的实质,在于承认对立统一是宇宙间普遍适用的法则,和人事在"否"—"泰"之间永恒变易的必然性,从而能够守其"中",即防止事物走向不利于人的状态;如果人们处于逆境,则这种永恒变易的辩证法足以给人们提供乐观主义的前景。

从词源学上说,中国古代哲学家只是偶然使用"进步"一词。而且其意义也不同于现代人当作价值的"进步"(progress)。在古文献中,大量出现的是单音节词"进",除了最一般的意义"行"(如《周礼〈大司马〉》:"进,行也。"),古文中的"进"有三种义训:一是登高,指高度的增长,如《说文》:"进,登也。"二是向前运动,如《诗〈常武〉》:"进,前也。"三是导向善的变化,如《文选·东京赋》:"进,善也。"总起来说,"进"是指向某个特定目标的运动。这同现在英语中 progress 一词的基本含义,并没有很大的出入。

不过,中国古代并没有现代人的"进步"观念。"进"虽说是一个使用频率不低的词,但是它依然没有脱离一般相反相成的二元对立,如进退、高低等等。与现代"进步"观念以一个理想目标为前提、蕴含着强烈的一维时间观不同,古代的"进"更多的只是在空间中运动的意义,其方向性并不十分确定,特别是它尚未具备随着一维时间之流必然趋向一个终极目标的意义。换言之,古文中的"进"还不是一个基本的价值,而且现代中国人的"进步"观念并非从古代的"进"自然演化而来。在中国传统观念中,与现代"进步"信仰接榫的,是极其深入人心的"变易"观念。"进步"和"变易"的最主要的区别,就在于前者有一个终极的目标,而后者没有这样一个预先设定的目标。在循环论的观念框架中,不可能容纳"进步"论的价值。只是在19世纪60年代以后,中国的现代化运动开始起步,得风气之先的人物日渐增多,他们接触到的西方工业—科技文明(包括香港、上海等地的新式文化),显示出不断增长、积累、完善、加强的轨迹,根本不同于农业文明下自然和人事的往复循环。最后以进化论的传播为契机,中国人接受了在历史进化论形式下的进步观念。

在中国近代哲学家的有关文献中,可能是《天定论》中最早出现了"进步"的字样:"西人有言,十八期民智大进步,以知地为行星,而非居中恒静,与天为配之大物,如古所云云者。十九期民智大进步,以知人道,为生类中天演之一境,而非笃生特造,中天地为三才,如古所云云者。"①惟细察文句,这里的"进步"似乎只是"进了一步"的意思,"大进步"就是"大大进了一步"的意思,虽然已经隐含了进步的预设,但是还不是在后来进步主义的意义上自觉地加以运用的"进步"概念。

"进步"之成为独立的概念,是在进化论胜利地传入中国以后,一种依据普遍进化的世界图景支持的"进步"预期成为新的社会心理,才在语汇的使用上得以表现。这时人们虽然依旧常常把进步和进化、发展混用(直到今天,这几个概念仍然是同一系列的概念,在大部分人那里,似乎难以道明两者的差异),但是逐渐较多地在描述具体的变化过程、特别是自然过程时运动"进化"的概念,而把"进步"概念渐渐留给描述历史的过程和价值的甄定。②

二

戊戌时期维新派思想家中，对"进步"理想的确立作出最大贡献的要数康有为和严复。不过在表现形式上两者有所区别："康有为肯定接受了人类社会必然进步的观念，但却企图从儒家学说受压制的一派（今文经学派）中引申出这一观念。严复则认为没有必要为自己心目中的新观念找一件中国的外衣。"③ 诚然，康有为借用了著名的公羊三世说来阐述其社会进步论，确认人类有一个光明的前途，整个人类历史的进程必然指向这一理想的目标。在20世纪初完成的《大同书》里，康有为更具体地描绘了人类的未来世界的蓝图。之所以说康有为的理论是现代的"进步"观念，因为它包含了：一、社会发展具有其"必然性"；二、人类社会有一个完美的理想王国；三、人类自从脱离野蛮状态以后，就不断地提高其文明，从而逼近这个理想社会。所有这些都是启蒙运动以来"进步"理念的基本内容。

严复则将赫胥黎的《进化与伦理》创造性地翻译为《天演论》，传播了"进步"观念。虽然出于经验论者的立场，严复对人类能否达到一个尽善尽美的终极状态曾经有所保留④，不过他最后还是说："曰然则郅治极休，如斯宾塞所云云者，固无有乎？曰难言也。大抵宇宙究竟，与其元始同于不可思议。不思议云者，谓不可以名理论证也。……所可知者，后胜于今而已。"⑤ 人类的终极状态，和世界的起源一样，无法依靠逻辑思维来推知。在严复看来，这种时候，人们只能诉诸信念：世道必进，后胜于今。严复在这里表达的，就是"进步"论的信念。

我们可以说，中国"进步"论的第一层含义，是社会向善论的预设。其中包括了一个强主题：社会进步将必然进入一个终极状态，那就是康有为描绘的太平世界——大同。同时还潜伏着一个弱主题：我们虽然不能确证社会是否进入完美的道德境界，但是我们相信人类社会将不断提升和进步。

社会向善论几乎占据了20世纪中国的全部思想界。在康有为之后，有孙中山的"天下为公"、有无政府主义的蓝图、有现代新儒家的"内圣外王"，还有共产主义理想。它们共同分享了"大同"

的理念,当然同时也注入了各自不同的内容。由此而来的是中国现代的一条重要传统,即中国现代各种政治理论都必须依靠其超越的社会模式来论证其自身的合法性。

这就决定了"进步"的第二层含义,它是一个道德性的理念,是指主体德性的提高和完善,所以"进步"必定又预设了人性将不断改善、趋向理想人格。正如莫理斯·金斯伯格说的:"贯穿所有时代的进步理论的核心,是相信人类已经前进、正在前进,并且将继续前进,走向满足人类伦理需要的方向。"⑥在西方,最初这种信念包含在犹太—基督教的人类经过救赎而进入天堂的教义之中,所以"进步"从一开始就具有伦理意义。古代汉语中的"进"字,有一个含义是"善";古人常常说"进德修业"。所以中文中的"进"与"退"相比,有某种价值上的肯定。而近代中国人接受"进步"为价值,一开始就是因为相信人类将走向理想社会。与此相应,人类自身也实现为理想人格。如果说在有"原罪"说传统的西方,"进步"的信念表示人性可以改恶从善,获得道德的增进,那么在有"性善"论传统的中国,人们接受"进步"信念的同时,自然更容易相信随着历史的进程,人类将必然增加自身的德性。

"进步"论的第三层含义,是相信人的理性、认识能力、知识和科学技术将不断地增长。西方哲学史家认为,18世纪是"进步"观念世俗化的时期。"进步思想以一种世俗化的翻版接受了关于人类堕落以及通过上帝恩典加以救赎的思想传统;以后这个传统中又增加了人类精神日益自我实现进化的思想。人类精神进化的思想逐渐变成了社会进化的思想,其目标是在更为完善的人类世俗生活中实现精神的潜力。"⑦理性,乃是人类最重要的精神潜力。启蒙运动的目标,就在于鼓舞人们自由地运用自己的理性。它表现为对知识和科学无限增长的乐观预见。中国人最初从循环论转变为进步论,一个重要的契机,就是目睹现代西方文明——工业、科技文明——高速且毫不间断的进步。几乎没有人怀疑科学能够无限增长。

由此决定了"进步"信仰的第四层含义,即对力量的追求,相信人类能够不断扩大自身的权能,以征服自然界,从而不断增进人类的幸福。培根的名言"知识就是力量",成为20世纪中国人的普遍信条。刚刚接触现代科学技术的传统士人,惊讶于它的巨大力量;

同时达尔文的进化论的"生存斗争"理论,也给处于列强压迫下的中国人走出困境以一种启示。所有这些,都有助于激活荀子式"人定胜天"的信念。对于中国传统士人来说,有限的土地和趋向无限增长的人口压力间的紧张,历来是一个难解的问题。但是对于现代知识分子而言,由于坚信随着科学技术的进步,人类征服自然的力量必然不断增长,这个问题似乎得到了一劳永逸的解决。这一信念在谭嗣同的《仁学》中得到了最初也是最典型的表现,他甚至认为,由于各种科学技术的发展,"人可以住火,可以住空气,可以飞行往来于诸星,诸日,虽地球全毁,无所损害,复何不能容之有!"

三

"进步"的信仰一旦确立,就发生了极其深刻的历史作用。正如希尔斯所说的那样:"进步思想既是描述性的,又是规范性的。……这种思想断定,进步已经发生了;它也断定,进步应该发生,而且一旦阻碍进步的障碍被排除以后,它就会出现。这些障碍便是人类一味依恋过去的陈腐习惯和信仰。"⑧所谓"描述性",是指"进步"对于以往的历史经验,是一种归纳;对于未来,则是一种预测,由此"进步"转化为规范性的概念。总之,"进步"是一种带有巨大革命性的观念。在中国尤其如此。因为,中国从前现代社会向现代社会的转变,必须实现价值观念的转变,以提供内在的驱力,传统的循环论和倒退史观,不能满足历史的这一要求,只有"进步"的信念,才能给人们从传统走向现代以内在的推动。

事实上,正是"进步"的信念确定以后的20世纪,中国社会发生了革命性的跃迁。1895年,严复批评说:"尚谓中西事理,最不同而断乎不可合者,莫大于中之人好古而忽今,西之人力今以胜古;中之人以一治一乱、一盛一衰为天行人事之自然,西之人以日进无疆,既盛不可复衰、既治不可复乱,为学术政化之极则。"⑨康有为、梁启超等也不乏对国人复古、崇古心理的抱怨。但是仅仅20年之后,新文化运动的发生,就标志着批判传统、与传统决裂的态度成为主流意识。形式上,这一变化是进化论传播的结果。然而,20年代以后,大批进化论者转而接受了唯物史观,批判传统的传统却继承下来,且日益发扬光大。其原因就在于,实质上,这一变化是进步主义已经成为传统——当然是现代性的传统。

　　作为规范的"进步"观念运用于社会生活,其意义包含了理想和现实的二重性。即既有超越的目标起一种范导作用,又有经验世界中可予证实的有效性。分析地说,社会向善论和道德增长论偏向于理想性(指向理想社会和理想人格);对知识、科技的增长和力量、幸福的增长的预期,则偏向于现实的运作(指向"富强")。换言之,前者主要局限于知识精英的追求,后者则有远为广泛的社会效应。虽说进步观念的确立,是由于新的理想社会扭转了中国人历史观的方向;但是,现实的有用性是更紧迫、更强烈的需求。因此,**作为规范性概念的进步,其包含的"富强"预期,成为一个持续的强主题,成为民族的共识;超越的"理想"由于经常处于争论和变动之中,演化为一个弱主题。**

　　形成这样的意义结构有其历史的理由。世纪之交的国际格局就是一种民族国家之间力量的竞争,否则就无法在一个空前凶险的国际环境中生存。直到70年代的毛泽东,依然告诫国人,"落后就要挨打"、"要被开除球籍"。可以证明现代中国人的忧患意识,构成了中国社会改革和现代化运动的最初出发点。从理论的层面说,普通中国知识分子,大多是通过简化了的达尔文进化论而确立"进步"观念的。更精确地说,是接受了严复《天演论》所介绍的斯宾塞的社会进化论。达尔文生物进化论的中心概念是"生存斗争"、"自然选择",它们被翻译成社会学的概念就是力量的追求。而按照斯宾塞的理论,如果生活是一场适者生存的斗争,那么力量就是最终的美德,软弱则是唯一的过错。

　　力量的增长之最直接、最可靠的途径是现代科学技术,特别是应用技术。由此决定了科学也上升为价值。同时,力量的增长要求善于"群",因此一方面民族意识上升,民族主义成为传统;另一方面,为推动社会改造而探索社会进步的规律性成为重要课题。囿于篇幅,本文不能详论。总之,以力量的追求为核心的进步概念,朝向一个超越的目标(理想社会),给中国人的精神结构注入了前所未有的动力式过程。它的两翼展开为,一是对人类征服自然的力量的强烈追求,二是社会改造的热情持续高涨。这是它基本的历史意义。从哲学上说,按照进步论的价值系统,必将根本改写"天人之辨"的正统诠释,无论是人与自然关系的"天命论",还是在社会领域的"天命史观"和道德宿命论,都受到严厉的批判,从而使哲学主体性获得提升。对自然规律和社会进步规律的追寻,也推动了中国哲学的新发展。

四

经过一个世纪的历程,"进步"已经是一个不言而喻的公共意识。然而,如果我们承认哲学的一项基本任务就是追寻我们自身意识的合法性,特别是考虑到科学主义思潮、现代乌托邦、主张与传统彻底决裂的激进主义,以及形而上学的"历史规律"等等,都同"进步"观念有复杂的关系,"进步"就没有理由逃避理性的审视。

首先,"进步"的信念必须回答目的论和经验论的双重诘难。所谓"进步",就最一般的意义上说,是指世界呈现为一个从低级到高级、从简单到复杂、从不完善到完善的行程。"进步"之确立,必须有一个前提,即设定世界(或历史)有一个起点和一个终点,由此可以画出从低到高的轨迹。在犹太—基督教传统中,就是从"原罪"经过"救赎",达到"天堂"。在康有为那里,就是从"据乱世"经过"小康"到达"大同"。如果没有一个确定的终点,进步如何可能?如果说世界有一个确定的终点,就像种种乌托邦所展示的那样,又如何解决目的论的困难?本世纪初,章太炎就已经指出,一切形式的进化论(进步观念的现代形态),都以"终局目的,必达于尽善醇美之区"为前提。特别是黑格尔,把整个世界规定为服从统一的绝对精神的发展过程,它在德意志国家中达到最完美的体现。这样一种目的论的宇宙观,包含着用必然吞并自由、普遍吞并特殊、理性吞并感性,并使其丰富的辩证法走向其独断论。章太炎曾经用两个二难推理,从宇宙和人生两方面驳论,说明宇宙本无目的。⑩外在的目的论不能成立。但是数十年来,人们依然在目的论的前提下使用进步概念,"进步"论的负面作用大多与此相关。今天如欲坚持进步的理想,必须回答这一问题。

除了如康有为那样用先验论的方法,先确立一个理想的终点,然后推论出历史的进步行程,中国现代"进步"论的提出,还有一种经验论的方式。这可以以严复为代表。前文已经说过,严复对能否达到一个尽善醇美的终极社会并不如康那么确信无疑。从更宽阔的宇宙论观点说,严复效法的斯宾塞和赫胥黎都不仅肯定宇宙只是一进步的过程,⑪而且严复多少接受了西方哲学悲观主义的人性论,对人类能够达到纯善的理想境界持怀疑态度。但他认为我们"据前事推将来",人类战胜自然的力量将不断增长,当下的社会状况是今胜于昔,那么将来也应该是后胜于今。也就是说,他信任归纳的有效性,从而建立其"进步"论的信仰。问题是归纳的有效性是或然的,经验的归纳不能为价值提供合法性的依据。我们固然可以举出大量的事实证明"进步"确实发生了,但是也完全可以举出大量相反的事实,推论出与"进步"相反的结论。

无论是西方还是中国现代化的过程,都提出了第二个问题:普遍"进步"是否可能?科学、知识确实是不断增长着,技术及其功效也不断扩张着。但是,力量的追求和科学的增长并未保证德性和幸福一定随之增长。现实生活不仅更多地证明了章太炎在世纪初的观察:善进化,恶也进化;乐进化,苦也进化。而且我们今日发现,现代社会普遍地陷入价值失范的困境。更进一层,我们应该追问:幸福是否可以用量化的尺度来比较?品尝"XO"的现代人,是否就比浊酒一杯的杜甫有更多的快乐?

再次,"进步"是否是一种线性的过程?如何理解"进步"的规律?中国现代人所理解的"进步",通常只是单线的持续进程。我们现在知道,即使科学知识这种最表现出累积特点的东西,其发展也不是线性的过程。**单线"进步"论表明现代哲学受机械论的巨大影响**。上个世纪之交,中国人接受进化论的同时,就进入了机械论的时代;**当人们追究进化的原因时,单线"进步"论就转变为机械论的规律论**。数十年来,一维的形而上学的规律观支配着主流意识,这同从康有为开始的那种单线"进步"论有密切的关系。

所有这些汇成一个问题:我们还能持有"进步"的信仰吗?如果能够,那么在什么意义上我们可以说,人类历史是一个"进步"的过程?

人类的文明发展,特别是进入了现代化的历程,注定我们不能离开"进步"的信念。没有"进步"概念,当代文化将真正陷入破碎的状态。"进步"的概念作为一个有用的预设,虽然不断被反驳,但也不断得到证实。换言之,经验并没有完全推翻"进步",推翻的只是既有目的论困难、又有机械论缺陷的"进步"乌托邦。

所以，现在的要务在于，在承认进步论的历史意义和它的理论缺陷的同时，应当对"进步"本身作出新的解释。"进步"并不外在于主体，它是人类历史的整合性的前提。"进步"的观点本质上是人类改善自身存在状况的需求，是人类发展其本质力量的观念反映。人们说历史是"进步"的，就意味着他希望"进步"能够发生，并且常常会作出努力，通过实践使"进步"得以实现。正是在这一过程中，"进步"呈现出其真实性。因此"进步"并不指向一个外在的目标，也没有先验的纯粹必然的"规律"。"进步"以主体为目的，而不是主体以"进步"为目的。后者蜕变成"为进步而进步"，人们称之为"进步主义"，乃是"进步"的异化。现代社会的许多误区同"进步主义"相关。所以在重新解释"进步"概念的时候，应当划分"进步"和"进步主义"的界限。"进步"只是主体意识到其经验的存在必有其局限性，因而试图否定其有限性。人具有多方面的本质力量，具有几近无限的潜能，"进步"就意味着不断展现历史丰富的可能性，争取全面地实现人的本质力量。不仅是知识物化的力量，而且指道德和智慧境界。

注释：

① 《天演论》，科学出版社 1972 年版，第 42 页。
② 正如许多中国现代哲学的术语来自日文一样，1898 年以后中国人把 evolution 译作"进化"，而把 progress 译为"进步"，似乎也是受日译文的影响。康有为 1898 年出版的《日本书目志》中，就开列了《物理学现今之进步》、《人事进步编》；又开列了《进化原论》、《进化新论》、《进化要论》、《通俗进化论》、《动物进化论》、《宗教进化论》、《社会进化论》、《族制进化论》、《宗教进化论》等书。参见《康有为全集》第 3 卷，上海古籍出版社 1992 年出版。
③ 〔美〕本杰明·许华兹著，叶凤美译：《寻求富强：严复与西方》，江苏人民出版社，1989 年，第 75 页。
④ 《天演论》，第 68 页。
⑤ 同上书，第 69 页。
⑥ Morris Ginsbery, *Essays in Sociology and Social Philosophy：Evolution and Progress*, William Heinemann LTD. 1961, P. 3.
⑦ 〔美〕E·希尔斯：《论传统》，傅铿、吕乐译，上海人民出版社 1991 年版，第 318 页。
⑧ 《论传统》，第 318 页。

⑨ 《严复集》第 1 册,中华书局 1986 年版,第 1 页。
⑩ 《章太炎全集》第 4 集,上海人民出版社 1985 年版,第 386 页,第 439、440 页。
⑪ 按照斯宾塞的观点,进化就是物质的集结以及同时发生的运动的消散过程;在这个过程中,物质由不确定的、互不相干的同质状态过渡到确定的、彼此相关的异质状态。此间保留下来的运动也发生了相应转化。集结和异质性把各个部分聚集成更大的整体,同时又使其分化出更加繁多的形式;这就是进化论的中心内容。凡是从分化状态转化到集结和统一状态、从简单的同质状态转化到复杂的异质状态的进程,都是进化。反之,凡是从集结状态退回到分散状态,从复杂退到简单的过程,都属于衰退的分解过程。

原载《哲学研究》1998 年第 6 期

张　法　张颐武　王一川

从"现代性"到"中华性"

——新知识型的探寻

进入 90 年代以来,中国文化以及它置身其中的世界文化语境,都正在发生新的巨大变化。我们已有的既成理论面临着前所未有的挑战。传统、现实和未来的种种矛盾纠结在这个关口。统一的声音消失在众声喧哗的轰鸣之中。这种新的文化状况呼唤新的具有阐释效力的理论话语的生成。我们无法回避。面对这种新召唤,在当前众声喧哗的条件下,人们自可以从不同角度做出自己的应对。作为从事理论批评的人文科学工作者,我们感到有必要提出我们的初步思考。这种思考仅仅是要汇入当前文化选择的种种潮流之中。

我们思考的焦点是文化赖以建立的基本话语范型即知识型。知识型作为文化的话语表征,它的变化与文化的转型密切相关。目前有关文化转型的讨论实际上都或隐或显地涉及知识型的变化。因此,我们不得不切入这种知识型的变化,由此把握中国文化的当下状况及其未来走向。

在我们看来,1840 年以来中国文化的知识型是以现代性为标志的,这里的讨论将以此为起点,从以下三方面展开:"现代性"的历次重心转移、90 年代的若干新变化、世界文化中的"中华性"。

一　现代性及其五次重心转移

现代性,是用以表述 1840 年以来、尤其是整个 20 世纪中国文化的知识型的概念。知识型的主要工作,是确定特定文化的性质及其在世界中的角色——即为文化获得定义提供基本话语规范。

一种文化不可能自己定义自己,只有通过"他者"才能定义自己,各种"他者"的总和构成该文化所认为的"世界就是这样的"的世界图景。这个世界图景是由一套知识型所形成并存在于这套知识型之中的。于是文化就运用这套知识型并在这个世界图景中去创造和获得自己的地位。古往今来,中国文化形成了自己的两大知识型:古典性和现代性。因而我们要明了现代性,还应从古典性谈起。

在1840年这个不祥年份悄然来临之前,中国尚处于"天朝大国"特有的自足与完满中,享受着世界之中心的古典性荣耀。它通过与东夷、西戎、南蛮、北狄在政治、军事、经济、文化上的反复"对话",得出了夷夏的等级世界图景,确认了自己(夏)的中心地位和文化的先进性,规定了四夷的从属地位和文化的落后性。这个以华夏为中心的古典性世界图景延续了数千年。"席卷天下,包举宇内,囊括四海,并吞八荒"的气概①,"九天阊阖开宫殿,万国衣冠拜冕旒"(王维)的盛景,通过历代文物典籍,在中华民族的内心中积淀了深厚的中心化情结。

然而,鸦片战争打破了这幅古典性图景的宁静。中国人长期的中心美梦,终于在西方人坚船利炮的轰击下毁灭。最紧迫的危机在于,人们突然间发现,中国已不再是世界的中心,而成了世界的边缘;不再是世界文化"对话"中的强者,而是沦落为弱者。似乎正是借助于强悍而陌生的西方"他者"这面镜子,中国人才第一次发现自我的如此真实的面目;而在发现这一自我的同时,也就已经失去了自我。发现自我与失去自我是同一回事。因为,如果没有西方"他者"的强行介入,就不会失去作为世界中心的自我,从而也就不会发现自我中心的失去了。

面对中心幻想破灭这一灾难性事实,中国人渴求找到一种中心话语体系,以便在此基点上重建中国在世界话语格局中的中心权威形象。如果说,中心幻觉的破灭和对中心幻觉的追认可以作为中国的古典性的终结的标志的话,那么,中心破灭中的重建则成为中国的现代性的核心话题。

现代性,本来在西方语境中指宗教"神圣天篷"解魅以来,以启蒙主义为核心的文化合理性工程,涉及哈贝马斯所概括的认识—工具合理性、道德—实践合理性和审美—表现合理性诸方面②。在中国语境中,它则有了新的独特含义:主要指丧失中心后被迫以西方现代性为参照系以便重建中心的启蒙与救亡工程。这一中心重建工程的构想及其进展是同如下情形相伴随的:中国承认了西方描绘的以等级制和线型历史为特征的世界图景。这样,西方"他者"的规范在中国重建中心的变革运动中,无意识地移位为中国自己的规范,成为中国定义自身的根据。在这里,"他性"无意识地渗入"我性"之中,这就不可避免地导致了如下事实:中国的"他者化"竟成为中国的现代性的基本特色所在,也就是说,中国现代变革的过程往往同时又显现为一种"他者化"的过程。于是,在鸦片战争以来一个半世纪的风风雨雨中,中国人一次次试图重建中心,但又总是发现它的陌生与虚幻性。技术主导、政体主导、科学主导、主权主导和文化主导,是这期间先后有过的五次重心转移③。由此我们不难窥见中国的现代性的展开和完结的必然命运。

(一)技术主导期

被西方大炮惊醒古典性美梦后,林则徐、魏源、冯桂芬、曾国藩、李鸿章和张之洞等开始紧张地反省中国失落中心的原因。作为中国第一代现代思想家和政治家,他们从鸦片战争失败的惨痛教训中推断出,中国的败因在于技术的落后,技不如人。承认技术落后于"西夷",这对于一向以中心自居自傲的中国人来讲,并非易事。它既表明中国的自我中心幻觉仅初损而无大碍,同时又透露出面对"他者"威慑的无可奈何。这批洋务自强人物相信,中国仍具中心实力,只要学习西方技术,就能重新自强,反过来制服西方,即"师夷长技以制夷"。他们的理论依据是"变器不变道"。中国固有的根本价值规范(道)是不必改变的,而作为它的具体显现的技术(器)却可以变通。从而"中国欲自强,则莫如学习外国利器;欲学习外国利器,则莫如觅制器之器"④。也正如"中学为体,西学为用"命题所概括的,以中国自己的话语规范为本体或根本,而以西方的技术为它的实际展开或细枝末节。于是,中国重返中心的现代性工程焦点就沉落在技术上。似乎在不改变中国既成根本价值体系的前提下,只要引进并掌握西方先进技术,就能富国强兵,再度拥有中心权威,即"取西方人之器数,以卫我尧、舜、禹、汤、文、武、周、孔之道"⑤。

然而,技术之路并不平坦。倾心于并实践洋务理想的刘鹗,曾在《老残游记》第一回里寓言式地再现了上述技术主导主张及其必然命运。那艘海上遇险、伤痕遍体、即将倾覆的客轮,无疑是陷入中心危机的中国的写照,而老残送罗盘和纪限仪上船救险,正可以视为以西洋先进技术拯救中国的技术主导论的具现。但是,与老残遭下等水手、欺世"英雄"和愚昧乘客的合力陷害而葬身海底相似,洋务派的技术救国理想不得不随着甲午中日海战中国的惨败而鸣响丧钟。素来被置于边缘弱国的日本取代中国迅速成为亚洲新中心,这一严酷现实更使人们认识到,"变器不变道"的技术主导论不能解决中国的现代性的根本问题。

(二)政体主导期

埋葬了技术主导论,政体的变革成为重返中心的新的主导思想。它给人们展现出两条道路。康有为、梁启超和谭嗣同可以理直气壮地推行维新变法方略。康有为的"道可变"、"道各不同"取代了洋务派"变器不变道"之说,谭嗣同以"器既变,道安得独不变"铺设出道器与体用一致的思路。在这基础上,他们提出了全面的政体改良思想,即在君主立宪制的框架上实行政权、司法、立法、教育等的改良。而另一方面,以孙中山为代表的资产阶级革命派,虽然反对维新派的政体改良方案,但同时又提出另一种政体改革主张——以民主政体代替立宪政体。他们的"富强之学"是要以民主政体为核心寻求中国的全面"振兴"。

无论是维新派还是革命派,拯救的焦点都凝聚到政体上。对他们而言,技术运用只能解决枝节问题,只有彻底的政体变革,才是中国重返中心的必由之路。值得注意的是,这两种政体中心论的规范同样是出于西方"他者"的馈赠。

来自西方的政体规范是否能直接在中国大地生根?在未完成的政治小说《新中国未来记》(1903)里,梁启超虚构出维新运动的理想型圣贤黄克强,让他连篇累牍地宣传君主立宪思想。从这位长于思想而短于行动的理想型人物身上,我们不难感受到维新派的脱离中国传统与现实的主观性放纵。革命论者陈天华作《狮子吼》(1905),构想出舟山群岛上的西式桃花源——民权村,那里按西方现代性规范培育出狄必攘等革命群豪,派他们潜回内地策动武装暴动,目的是"造就新邦,重开汤武之天,净洗犬羊之窟"。不过,幻想出的西式英雄毕竟无法拯救中国于水火之中,同理,革命派的西方式民主政体理想也难以植根在中国的土壤里。因此,由于忽视中国实际而片面放纵主观性,政体主导论也只能品尝失败的苦果。

(三)科学主导期

按孙中山的政体主导设想而完成的辛亥革命,仅仅赶跑了皇帝,并没有带来中国的真正变革。《药》中的华老栓父子依旧愚昧地以人血馒头治痨病,缺乏科学思想的武装。《祝福》里备受苦难而不甘屈服的农村妇女祥林嫂,迷信死后会在阴间遭受灵魂分裂的折磨。披阅《狂人日记》,我们读到人吃人的蒙昧竟弥漫整个中华历史,并且仍然死死缠住现代读史者的灵魂。据"五四"启蒙思想家如陈独秀、胡适和鲁迅等的诊断,中国病的症候正在于来自自身传统的"愚昧"或"蒙昧",而医治的药方则是现代"科学"。在他们眼里,只有"科学"才能为中国的中心化铺路搭桥。技术的运用、政体的变革,都必须以"科学"的"启蒙"为必要前提。"民主"(德先生)诚然可与"科学"(赛先生)并列为两大偶像,但它的基础却是"科学"。所以,陈独秀有理由把"科学的而非想象的"列为《敬告青年》(1915)"六义"中最后和最根本的一"义",强调欲"根治"中国的"蒙昧",惟有"科学"。

但这里的"科学"却并不植根于中国传统,而完全属于西方"舶来品"。相反,中国固有的"工"、"农"、"医"、"商"等则简单地被贬作为"惑世诬民"的"迷信"之说。来自西方的"科学"确实有助于驱散中国传统中的迷信烟雾,然而,这种西方"他者之学"真的就能自外妥帖地嵌入中国文化躯体么?同时,中国传统学问真的就全然一派"迷信"么?"五四"思想家中不乏冷静而务实的头脑(如鲁迅),认识到"他者之学"应与自身传统的再生结合起来;但当他们因过分敏感于传统"黑暗闸门"之沉重而力求全盘地反传统时,西方"科学"就成了他们的反抗的合适的利器,而中国传统本身的生命力则相对地暂时被冷落了⑥。

这样,继技术主导和政体主导之后,中国的现代性(或"他者化")进程凝定到科学主导上。按一些当代论者推断,"五四"精神的核心正是科学"启蒙"。西方科学的光芒一旦开启蒙昧的中国心智(即"启蒙"),中心的重建就有救了。在我们看来,这不过是一种科学救国幻觉。单纯依仗科学而遗忘文化的其他方面,是不可能实现中心重建的宏图的。

(四)主权主导期

30年代,日本全面侵略中国,加速了本已危机重重的科学主导论的幻灭。国土被瓜分、国民遭蹂躏的深重灾难,迫使人们转而把捍卫国家主权当作中国重返中心的关键。于是,从30年代到"文化大革命"近半个世纪,主权问题一直成为中国现代性的主导性问题。

对一个屡受外族欺侮而"半殖民地化"的国家来说,恢复自身主权即"救亡",确实比科学"启蒙"及其他都远为迫切而重要。正由于此,毛泽东在《新民主主义论》(1940)里把国家的"独立"规定为中国革命的第一步。中华人民共和国成立,结束了中国的四分五裂历史,标志着国家主权的重建胜利完成。

然而,重新拥有国家主权后,这个具有深厚的自我中心情结的国度,却发现自己并没有因此而重温中心旧梦,至少,与其他中心权威平起平坐的权利也未获得。人们从而明白,没有中心地位便没有真正的国家主权。现实情形是,美国和苏联这"冷战"的"他者"两极都把中国排挤在中心大国之外。而早在雅尔塔会议上,中国的边缘角色就已被别人给确定了。这是西方"他者"强加于"我"的事实,自然让自以为已具备中心实力或不甘于非中心命运的"我"无法承受。于是,为了摆脱这种"中心化"或"他者化"焦虑,"斗争"理论出现了:对外有"三个世界"模式,与帝修反斗争,意识形态论战(如"九评");对内与地富反坏右五类分子、右倾分子、走资派等形形色色阶级敌人"斗",而且常常采用大规模政治"运动"方式。"文化大革命"正是"斗争"理论的极端膨胀的展现。人们相信,"与天奋斗,其乐无穷;与地奋斗,其乐无穷;与人奋斗,其乐无穷","斗则进,不斗则退,不斗则垮,不斗则修"。对外对内的不停顿的绝对"斗争",被当作令中国重争主权即重返中心的第一"法宝"。

虚构的审美世界向我们展示了这种"斗争"模式的置换形态。《创业史》中"新人"梁生宝不得不与富农、富裕中农、党内异己分子甚至自己的继父作坚决"斗争",发展到高大泉的"芳草地"世界,从中央到村镇的整个社会关系网络竟层层硝烟弥漫。而这一切又被认为不过是从战争年代起就代代相传的"红灯"精神的延续与发扬。在由李奶奶、李玉和、李铁梅组成的三代非血缘家庭模式中,不停顿的绝对斗争精神获得其典范形态。"红灯高举闪闪亮,照我爹爹打豺狼,祖祖孙孙打下去,打不尽豺狼决不下战场!"重要的是,这里作为斗争对象的敌人如姚士杰、郭振山、张金发、冯少怀和鸠山等,仿佛是那夺我国家主权、毁我中心地位的强暴"他者"的置换。与这些"他者"作斗争并取胜,正可以象征性地使人们的极度"他者化"或"中心化"焦虑得以暂时缓解。

但事与愿违。以斗争方式不仅并未争得主权(中心),相反却由于它的极端失落而导致国家滑向毁灭的边缘。以主权为主导,同过去以技术、政体或科学为主导一样,没能确保中国重归中心。

(五)文化主导期

"文革"结束和"新时期"开始,俨然一道分水岭,划开了旧的主权主导期和新的文化主导期。文化,作为组织人们的技术、政体、科学和主权等社会行为的基本的元话语或元模式,被视为中国的现代性或中心化航船的新的启锚地。在历经并告别了以上种种主导性尝试以后,人们发现文化是上述种种主导的主导,是更根本的方面,从而把关注点推移到对鸦片战争以来的现代史、乃至整个五千年中国史的全面而深刻的文化反省上。似乎只要认清中国的文化情势,重返中心便有指望了。

在此过程中,由于闭关 20 年后蓦然对外开放,中国人惊异于西方及周边亚洲国家的飞速发展,对比之下则是自身与中心的差距反而愈拉愈大了。这种中西文化比较带来的结果是:西方被确认为高级文化、中心文化,因为它的元话语是求变求异的;中国则是低级文化、边缘文化,因为它受制于"超稳定结构"这元话语。于是就出现黄色文明已然衰落、蓝色海洋方是唯一归宿的激烈呼声。在这种激进姿态驱使下,不是中国本土元话语而是西方元话语,被当作"东方的复兴"的基本规范。这样,以文化为主导,就意味着中国在变革自我时实际上陷入全面"他者化"境遇,即把西方"他者"的元话语作为中国的元话语,以西方的道路为中国重返中心之路。

这条激进言路在今天看来难免偏执,但却频频激起回声。"寻根"文学本意是要寻觅中华文化之"根",其结果却是寻出丙崽那样的畸形儿。那一度魅力四溢的现代"卡里斯马"典型,如今被"非英雄"、"反英雄"或"非典型"所取代。"新写实"或"实验"小说的锋芒,直逼根本性的元叙述体。它们不约而同地启悟人们,昔日曾结满中心果实的中华文化之"根"已不可救药,新的希望在于向西方"他者"认同。难道说,惟有西方或海洋文明才是中国现代性航船的抛锚地?

到此为止,中国的现代性或中心化进程已经历五个阶段:技术主导、政体主导、科学主导、主权主导和文化主导。然而历史除人们的主观努力激起的浪峰外,还有内在的潜流在自然地奔腾翻滚,是存在的就必然会浮出表面。历史推移到90年代,作为以西方话语为参照系以重建中心的启蒙与救亡工程,这一现代性"神圣天篷"还能继续笼盖新的现实吗?

二　现代性转型与世纪末巨变

进入 90 年代,中国的文化状况发生了极其引人注目的转变。从 70 年代后期开始的"新时期"文化正在走向终结,各个文化领域都出现了转型的明确征兆。有学者将这一文化的新变化定名为"后新时期"。关于"后新时期"文化的讨论目前正在进行。但一般认为,"后新时期"是对 90 年代以来中国大陆文化新变化的概括,它既是一个分期的概念,又是对文化中出现的众多新现象的归纳和描述。它既意味着新时期以来的理想精神和文化热情的结束,又意味着一个社会市场化进程中的第三世界民族的诸种新的可能性的开始。它是一个力图跨出"他者化"的新的时代,也是一个重审"现代性"的时代。

可以从两个事件开始我们的分析。一个是 1989 年 2 月在中国美术馆举行的"中国现代艺术展"。这个展览充分地展示了"新时期"以来中国前卫艺术的主要成果。这是一次总结的企图,一次概括与归纳的尝试。但它所展现的却是极其含混和片断性的东西。现代/后现代的文本杂乱无章地拼凑在一起,而《对话》以枪击完成创作又引起了对对话与沟通的不可能的极度焦灼与不安。整个展览弥漫着强烈的困惑和矛盾。这是一个明确的象征:我们在试图总结过去的时候,却悄悄地划定了我们与过去间的界限。那个"禁止掉头"的标志喻示着一个充满热情的、执着的"现代性"追寻时期已经悄然逝去。这个事件正像有论者所言,"将整个 80

年代艺术送上了断头台"⑦。这个说法多少有点戏剧化,但还是相当传神的。另一个征兆是诗人海子于1989年3月在山海关卧轨自杀。这是一个试图用宏大的规模表现人类和世界的诗人,一个狂执地追寻整体性的诗人,他的《太阳》、《弥赛亚》等长诗都试图创造一种综合性的"大诗"的新形式。在能指/所指、语言/实在间重新建立一种联系,使世界可以在语言之中得以展示。但他的死却是一次用身体的毁灭所进行的象征行为,他宣告了这种努力的无望性,也最终告别了世界和语言。这两个事件划开了界限,使新时期文化话语的许多关键性的原则受到了震撼和质疑。它们是一次告别、一次洗礼、一次突发式的断裂、一个象征性的界标。它们不仅仅意味着80年代"新时期"文化的终结,也意味着"现代性"伟大寻求的幻灭。

这里的转变是涉及各个领域的,是汉语文化面对"冷战后"新世界格局所产生的巨大变动的核心部分。这里发生的转变有两个背景值得提出讨论。一是中国大陆文化与西方文化及港台文化的互动关系进一步加深。与国际贸易和跨国资本的进一步投入相适应,当代社会的国际化程度进一步加强,并随着卫星电视、计算机软件和有线电视等高技术的发展进入了人们的日常生活之中。文化本身的世界性已是一个不可逆的过程,像张艺谋电影在国际电影节中的多次获奖及中国电影的海外市场的循环形成,香港及台湾娱乐界以巨大的规模进军大陆市场,都标志着文化将进一步面对国际交流与竞争。原本在国内可以认识和了解的现象,也被植入了一个大的背景之中。二是当代主流文化自身也发生了适应市场化的转变。主流文化也变成了市场背景下的多样化中的一个组成部分,这也是90年代文化转变的一个重要的背景,它意味着意识形态及文化话语的构成方式由"硬"性转为"软"性,加入了文化的市场之中,试图在选择中依靠其自身魅力获得新的发展。这两个背景的存在,意味着大陆中国原有的文化规范性、支配性因素不但没有强化,反而进一步丰富化了,这种丰富化产生了众多选择的可能,影响着90年代到21世纪中国大陆文化的走向。那么,目前文化究竟表现出怎样的特性,怎样显示了自身与1840年以来中国"现代性"文化不同的表征,是我们面对的主要问题。我们以为下列三个方面的发展具有重要的意义。

(一) 社会的市场化

社会的市场化不仅仅是社会本身转变的结果,也是中国国家机器和社会部门的自觉而明智的选择。它不仅仅是社会经济部门转型的过程,也是文化自身的转变。"市场化"意味着"他者化"焦虑的弱化和民族文化自我定位的新可能。正是由于"他者化"焦虑产生了"迎头赶上"、"大跃进"式的自我丧失的痛苦和急躁,而市场化的结果,必然使旧的"伟大叙事"产生的失衡状态被超越,而这种失衡所造成的社会震撼和文化失落也有了被整合的可能。所谓"市场化"并不意味着对"现代性"设计的全面认同,而是面对后工业文明的新的选择,它不再以西方或苏联式的现代模式为前提,而是提供了一种新的可能的选择、一条民族的自我认证和自我发现的新道路。在这里,中国社会和文化的总体设计不再以西方式的话语规范或东欧、苏联式的话语规范彻底规约自身,而是经过了痛苦的探索,提出了以"小康"为中心的文化取向。小康不仅是一个经济发展的指标,也是一种文化发展的目标,它还意味着一种跨出现代性的、放弃西方式的发展梦想的方略。它不再将西方视为中国必须赶超的"他者",而是悉心关切民族文化特性和独特的文明的延展和转化。"小康"象征着一种温馨、和谐、安宁、适度的新生活方式和新价值观念的形成,它是一种超越焦灼的新的策略。"市场化"不是以西方式的价值为前提和基础的,而是以"小康"的观念为基础的,它所构筑的不是一个经典的"现代性"的"发展"意识形态,而是对这种"发展"观的超越和重造。

在"市场化"的小康取向之中的文化产生了深刻的变化,这种变化主要有三个方面:

1. 大众传媒化

文化的大众传媒化的主要象征,是高度商品化的大众传播媒介在文化中的支配地位的增强。广告、电视肥皂剧、MTV、报纸的周末版、月末版等,都开始产生巨大的影响。大众传媒已逐渐由主流话语的宣传性运作转向了商业导向的消费运作,其功能和性质都已发生了引人注目的变化。《渴望》作为成功的电视肥皂剧的制作,极好地标志了大众传媒的新的功能和性质。《渴望》这个关于善良的中国女性刘慧芳忍受一切痛苦的感伤故事,那首"恩怨忘却,留下真情从头说,相伴人间万家灯火"的哀婉的歌声,无不是传媒对大众文化心理的精妙把握和控制。在《渴望》中,中国大陆传媒成功地将商业性的取向与文化自身变动的方向作了缝合。同时,每次与《渴望》同时播出的家庭卫生间用品"代劳力"的广告,更说明了传媒的市场化走向中的文化与商业间的紧密联系,说明了商业因素对传媒的影响力在迅速强化。此后,《编辑部的故事》为大陆电视剧引入了"情境喜剧"的新类型,它以尖锐、机敏、充满调侃的对白和"大团圆"的结局将欲望/法则间的冲突和对立加以弥合,使电视机旁的观众在宣泄中认同于规范的价值,在愉悦和欢笑中了解法则的不可变更。而《编辑部的故事》更将广告与电视剧的"正文"相混合,使"百龙矿泉壶"的广告进入了电视剧,而广告本身就用了电视剧中的人物和场景。这种编码策略使我们看到90年代大众传媒的转变与发展已使它由"现代性"文化的表征变为一种以广告为基础的,以提供娱乐与信息为主要功能的传媒。它从两方面超越了80年代以来我们对传媒的认知和了解:首先,它充分弥合了主流话语与传媒商品化走向的无法协调的状态;其次,它日益取代了原有的话语发出者——知识分子在文化中的影响力,或者说,从现代性提取话语资源的知识分子们对传媒和大众的价值取向和选择的支配作用,已经和正在趋于完全消失。

　　这种传媒化的发展渗入了社会的各个领域。它以畅销书、周末版、月末版的消遣性报纸、音像制品等众多方式极大地介入了人们的日常生活。这当然改变了人们对世界的看法,一个更世俗化的,更注重日常生活本身,更平易的生活状态已随着传媒的发展而降临。"现代性"对终极价值的寻求已被传媒化的世俗的消费精神所取代。

　　2.消费化

　　消费导向的形成已是90年代以来中国社会的重要趋势。对消费的渴望及消费的可能性的增加带来了新的消费的浪潮。消费文化的崛起构成了全新的生活方式和文化选择。近年来中国大陆也出现了华丽的、舒适的消费空间,如北京的燕莎、赛特都是巨型的购物中心,它们使购物变为一种高级的享受,而卡拉OK、健身中心、酒吧、高级饭店等新的行业的兴起,更使消费的可能性增加了,消费对人的诱惑进一步强化了。后工业化的服务业的崛起,信息产业的高速成长都使中国社会的面貌有了巨大的改变。人们在似乎基本解决了"衣"、"食"等起码的生存要求的前提下,沉入对目迷五色的无穷的新机遇的追逐。"物"的价值突然超出了旧的话语而变成了主导性的文化的选择。一个第三世界民族在经历了漫长的贫困之后,改变日常生活,在对商品的追逐中寻找新的位置,变成了一种引人注目的时尚。

消费化的先导是一批社会中带示范性的新的社会阶层的出现。他们包括正在形成的外企职员的"公司族"阶层、个体户阶层及若干文化演艺界"明星"等构成的消费群体。

消费的走向对价值观和社会潮流均有重要的影响。它使终极价值和意识形态迅速失去了自己旧有的话语中心的位置,"现代性"的伟大叙事已悄然被"物"(商品)的光辉所取代。如何面对这一状况做出反应,是中国社会面对的重大课题。

3. 分层化

分层化乃是当代中国与消费化相关联的重要趋向。社会分层是新中国文化中从未出现过的新现象。当代社会随着改革的深化与发展,已出现了"先富起来"的新的社会群体。社会在整体生活水平都取得提高的条件下,"高消费"群体的消费示范已成为当代社会中"成功"神话的一部分。如钟道新等人的小说文本以及影片《站直啰,别趴下》都表现了这一神话。这种神话一方面产生了使人奋斗的动力;却也在另一方面产生社会不安的焦虑。因此,分层化带来的社会和文化后果是复杂的,也是难以预测的。但它无疑已超出了旧话语所规定的社会理想和价值取向。

(二)审美的泛俗化

与社会市场化的趋势相适应,文化走向泛俗化已成为中心的趋势。这体现在昔日被视为经典的"纯文学"和"高级文化"的急剧衰落上,也体现在旧的审美规范和理论话语的溃解上。而通俗文化正是伴随着大众传媒与消费文化产生并发展的。

目前文化艺术领域正在经历的巨大的转变,正是与通俗文化的崛起相关的。在这里,纯文学本身所经历的冲击是最为巨大的。80年代后期产生过极大影响,最为引人注目的文学潮流"实验文学"正在急剧衰落。"实验小说"在对汉语特点的发掘和探索以及在对历史/文化价值的质疑中所显示出的巨大进展,似乎已经消逝在一种迷离恍惚之中。这首先表现在实验小说的发展势头已经减弱,已不处于引人注目的位置上。其次,一些实验小说作者如苏童等业已转向商业性的写作,试图依靠电影业取得商业性的成功。而80年代后期产生过有相当影响力的"新写实"小说,已由对市民文化的诘问与批判变为对世俗日常生活的精心编码,构成了对市民文化的隐蔽的礼赞。像池莉、方方、刘震云等人的文本在其价值判断上已与消费文化持同样的立场。

与此同时,商业化的通俗文学已形成了完整的消费系统和宣传策略,也已出现了填平消费文化与高级文化间鸿沟的小说。如近几年王朔已成为一个传奇式的英雄,他的文集的出版无疑表明了消费文化与高级文化间的相互渗透,形成了一种极为复杂的文学形态。他的《我是你爸爸》、《你不是一个俗人》等小说,既有种种俚俗的笑料,也有许多高级的隐喻。他的小说有明显的各种言语和观念的东拼西凑的混合,一种杂乱无序,以机敏的语言进行的尖锐的反讽。王朔穿行于多重的分裂与差异的文化状态之间,优哉游哉,尽情地享受着写作的欢乐。作家本人业已游离于文本,变成了大众文化的新的偶像,变成了传媒中广为流布的"成功者"的形象。而贾平凹则以精明的商业眼光,明确市场的定位,推出了以"严肃文学"为标榜的《废都》。这部如同旧文人小说一样的当代传奇,从写作到传媒渲染再到出版无不渗透了市场的支配性权威。而这部关于庄之蝶这个文人的隐秘私生活的故事本身,也正是中心价值崩溃的象征。而像《曼哈顿的中国女人》、《北京人在纽约》等文本则刻意在自传与虚构间构成混淆,将中国普通人的"美国梦"现实化和具体化,它提供的是"后殖民"语境中对世俗成功价值的崇拜。

而张艺谋、陈凯歌的电影也在另一个方向上将电影市场化了。他们以"艺术电影"的定位将自己的电影以"他性"的展示的方式向西方市场推销,又以在西方得奖所获得的成功获得了对国内市场的占有,而这些影片本身则充满着"后殖民"式的对东方与中国的臆想式的歪曲。

而摇滚、美术等艺术门类也在走向市场化的进程之中,它们也很快被泛俗化的潮流所淹没,于是严肃文化的空间被压缩了。这一方面意味着旧的、僵硬的审美标准的破解,而另一方面,也意味着转型期所面对的文化震荡。"现代性"在文化中的失败已是现实。

　　这并不意味着文化的失败,也不是一种惶惑无路的状态,而是在政治、经济诸方面转型的时刻中文化震荡的反应。这种趋势并不意味着文化从此失落,而是它本身走向多元选择中的新的多重可能的展示。在这种状况下,新的生机也已经出现了。世俗文化的崛起必然意味着世俗价值的生成,我们也必须清醒地面对新的价值的崛起。

(三) 文化价值多元化

　　文化价值的多元化是社会的市场化的结果,传统的经典性的价值观念业已溃解,统一的规范被多元的价值取向所取代。价值观的嬗替是 80 年代文化转变的关键部分。80 年代的话语转变是由"集体"性的主体价值转向"个人"性的主体价值,而 90 年代的价值观则是更趋于世俗化、即时化和实用化。"主体"这一 80 年代价值的中心观念已趋于消失。在目前的文化话语中,居中心地位的是三种取向。

1. 新保守主义

　　新保守主义是 90 年代文化价值的重要取向。它是对中国发展的总趋势的一种不同于 80 年代的文化中心取向的新选择。正如肖功秦所指出的:"利用过渡性有现代导向的权威,利用传统价值,逐步推进现代化"⑧。这一思路吸取亚洲四小龙及东欧变革的经验教训,试图在稳定的前提下,倚重传统,促进中国的发展。这意味着采用与西方不同的政治、经济战略,使中国在发展中避免动荡不安与社会价值分裂。这一思潮对西方文化采取较多批判与否定的态度,力图将国家、民族的国际性位置作为思考的中心,以实用的精神对待世界事务。

2. 新实用主义

　　新实用主义是一种主张重视日常生活和个人满足的文化取向。它以个人的欲望的满足为前提,为消费文化提供了合法性。它对意识形态和乌托邦保持着"必要的冷淡"。正像论者所指出的:"我们的生命就是要除去一切妨碍我们达到此种物质与精神上的销魂境界的障碍,舍此之外,我看不出还有什么是值得人类追求的"⑨。它认定应以实用的态度实现个人的满足,这种价值观已成为当代流行文化的中心潮流。

3. 新启蒙主义

新启蒙是力图延续 80 年代以来文化中的"现代性"精神,继续进行启蒙,坚持个人性立场,力图重建新的人文话语的思潮。这一思潮有较强的知识分子背景,它是知识分子对自身位置及话语权的坚持的尝试。新启蒙观念影响较小,但仍有其特色。它集中表现为一种"五四"以来激进价值的变体,是知识分子的保持自身民众"代言人"身份的尝试的一部分,但其立场正处于摇晃之中。

总之,通过以上这些描述,我们可以发现,中国的现代性正面临着世纪末的巨大转变和挑战。在我们看来,这种巨变和挑战并不简单地意味着现代性的终结,相反,它昭示着现代性的转型。这就是说,现代性作为一种现实进程正趋于完结,但同时,它又逐渐凝缩和移位为一种传统而延续下来。这种传统将借助于新的知识型——中华性而充满活力,发挥持久的影响。

三 中华性:新知识型的探寻

在中国文化思潮从 80 年代向 90 年代的演变中,在世界格局由两极对立转为多元并生的喧闹中,现代性知识型在中国文化中的权威地位不可逆转地衰落了。面对文化思想上的权力真空,各种新的思想在萌动、在产生。季羡林、张岱年等学者提出了中国文化复兴的宏大构想[⑩]。国学复兴之风在学界也日益强劲,等等,我们正处在跨越历史的门槛。新知识型的建立应是众多新学派的涌现和争论之后水到渠成的结果。为了促进新知识型的早日形成,我们提出一个新的话语框架,以就正于学界同仁。

这一话语框架的核心就是——中华性。

中华性并不试图放弃和否定现代性中有价值的目标和追求。相反,中华性既是对古典性和现代性的双重继承,同时又是对古典性和现代性的双重超越。它恰如鲁迅在《文化偏至论》中所说:"外不后于世界之思潮,内不失固有之血脉,取今复古,别立新宗"。

中华性的要旨可以用三点来表述。

第一,与现代性主要用西方的眼光看世界不同,中华性意味着多角度的审视,其中特别是要用中国的眼光看世界,与现代性把世界仅看成一个由前现代、现代、后现代的时间差距的高低等级不同,中华性在承认这种时间和等级框架有其合理性的同时,更强调把世界看成有多种差异,可以多次划分的世界(如发展中国家与发达国家的划分,地域集团的划分,宗教和文化圈的划分等等),看成多种多重对立统一的共时现象。与现代性把发展看成一种从前现代到现代到后现代的线型宿命过程不同,中华性认为发展是在多种冲突与合作中具有无限多的可能性,而任何民族都可以创造自己独特的发展道路和模式。与现代性坚持发展标准的单一性不同,中华性注重发展标准的综合性。它尊重人类的一般标准和尺度,但更重视在人类的一般标准和尺度上的具体而特殊的文化创新。

第二,与现代性预想的让中国完全化为西方、融入西方而达到普遍的人类性不同,中华性珍视自己作为人类一分子的文化资源,它一方面力求达到一般人类性的最高度,但在达到这个最高度的同时又一定要为世界提供多样性。正像两千年前希腊、印度、巴比伦、中国同时放射异彩一样,中国在未来的发展中将以突出中华性的方式来为人类性服务。

第三,中华性具有一种容纳万有的胸怀,它严肃地直面各种现实问题,开放地探索最优发展道路。对任何事物,无论是物质领域还是精神领域,不问社与资,不管西与东,无论新与旧,只看利与弊。有利的就拿来,就继承,有弊的就悬搁,就拒斥。对它来说,对人类经验的吸收,根本就不存在"中化"还是"西化"的问题,根本不存在"西体中用"或"中体西用"的问题,只有现实和未来的考虑。如果说非要用"体—用"这一对范畴来谈问题的话,那么,现实景况和未来目标是"体",一切人类优秀成果都是"用"。唐代对西域文化包括服饰、音乐、歌舞的大吸收,对印度佛教的大吸收,创造出的是灿烂辉煌的唐文化。当下对一切人类先进经验的吸收,是为了与人类性相一致的中华文化圈的诞生。

中华圈是近年来不少中外学者都或多或少谈及的一种文化"版图"构想。举其要者而谈。(一)世界正在向多集团、多中心的方向滚动。欧洲的一体化进程,北美自由贸易区的建立,阿拉伯集团,东南亚集团的存在,因此人们谈论着东亚联合体的可能性,它不但可以包括日本,也可以包括东南亚。在这个联合体中,中国最有可能成为中心,这不仅在于它是个大国,有一定的综合国力,更主要的是它是一个有深厚传统的、能建立起向心力的文化。中国文化本来就尤其善于绘制宏观世界图景,创造话语体系和建立认同中心。(二)世界的经济学家、未来学家都预测着一个太平洋世纪的到来⑪。太平洋的一端是以当今最先进强大的美国为首的北美自由贸易区和大受美国影响的拉美集团,还有与美国关系紧密的澳洲。太平洋的另一端是中国、日本、亚洲四小龙及东南亚。由于地理、政治、经济、文化的背景,必然会形成一个独特的文化经济圈。中国的改革能否成功地进行下去,从而成为这个文化经济圈的一个中心,这对21世纪的世界图景来说是非常重要的。

如果说,客观的情势呈现了一个中华文化圈出现的可能性。那么它也正好契合于中华性的具体展现,正好契合于21世纪对多样性的呼唤。在我们看来,中华圈的基本构成是:核心层:中国大陆;第二层:台湾、香港和澳门;第三层:世界各地的海外华人;第四层:受中国文化影响的东亚和东南亚国家。

提出中国文化圈的构想,并不是,也不可能是要退回到古典中国的朝贡体系里去,而是要使东亚更快地实现现代化,并在达到国际的先进水准的同时,发掘深厚的文化资源,使东方为世界的多样性做出贡献。

中华圈的形成,必须有一套为圈内各层都共认的,可以求同存异的认同范型。整个潜在中华圈的活动又都确实在沿着这套话语范型的方向进行。而这套话语范型又正好为新的知识型提供一个基础。

1. 新白话语文。语言是最能代表民族特性的实存。汉语最能反映中华民族的民族精神,中国的口语早就分为不同的、相互听不懂的方言区,但书面语却保持着高度的、为各方言区一致认同的统一性。为适应传统向现代的转变,白话,即现代汉语,取代文言成了普遍的通行语文。百年来大量西方哲学、文学、科学、技术文献的翻译证明了汉语对西方文化最深奥,最精密思想的可掌握性。五笔字型使方块汉字输入电脑速度突破每分钟百字大关,完全可与拼音文字匹敌。近年来,袁晓园、安子介等人提出了"21世纪是汉字发挥威力的时代"的呼唤⑫,引起了人们的广泛关注。而郑敏等人更提出了寻觅中国语言的人文精神的主张⑬。这些意见打破了我们"五四"以来对汉语的习惯看法,指明了在走向21世纪的历史进程中,汉语的生命力。在教育普及上汉语也显出了具有特色的长处。汉语的使用推广和汉语在世界语言中地位的提高,必将为中华圈提供语言认同,50年代后由于海峡两岸的人为阻断,造成了大陆汉语与港台汉语的一些差异(如简繁字形和一些正式词汇)。因此,随着两岸交流的扩大、深化,共创一种普遍适用的标准语文——新白话语文,将为中华圈的语言认同所必需。可以设想,新白话语文将是继白话文对文言文的否定之后的新的否定之否定:把白话文同文言文、简体字同繁体字结合成为一种新型中华语文。这种语文的具体形态有待于进一步探索,但在教育、新闻出版、大众艺术领域试行文白对照,识繁写简不失为一种选择。

2.经济重质主义。在改革潮流又一次高涨中,社会主义市场经济成了主要方针。经济活动力求重质或务实,完全向世界化的方向运作,经济标准致力于向国际惯例靠拢,大有"新洋务运动"之势。经济按国际先进水平生产、管理、运作,是中国历史遗留下来的弱项,也是使中国进入世界的最大障碍。而中国一旦以容纳万有的胸怀用先进的国际标准和国际惯例来突破自身的局限,就为中华圈的形成创造了共同的经济语言。先进的经济必然要求先进的管理和制度。民主与法制的改进与完善,政治体制的改革也都在经济改革的推动下逐步前进,这又为中华圈的形成创造着可理解性的政治语言。

3.异品同韵审美。整个中华圈以汉语为基础有其共有的向心性,但它毕竟交织在世界的政治、经济、文化、地理的多样性中,从而显示出圈中各层的多样性,和自身的多样性。反映在艺术和生活各领域,便是审美的多样性。这种多样性一方面表现为各层的审美特点,大陆、港澳台、东南亚华人和海外华人都有自己特有的审美风貌。东南亚及海外华人文艺由于处在双重文化背景中,显出审美的多文化并重"杂语"风格。港澳台文艺有一种向心风貌。大陆文艺由于处于汉文化地理中心,则显现更多的文化主体风貌。各层虽然异品,但由于都内蕴共同的文化中心——中华性,所以,与其他文化圈相比,又有一种共同的文化风韵。圈内各层都在各自的位置上进行着变革自身、风流世界的努力。世界化本身又造成各层内审美的现代分化,诸如通俗文艺和高雅文艺,商业文艺和纯文艺等等的分化。但这些审美的分化又是在中华圈内进行的,因此,审美在现代分化的同时又带着特定的中华性。它实际上又是一种异品同韵的运动。早在 30 年代,美学家宗白华就展望过,将来的世界审美文化会融汇全世界古今艺术理想,求最普遍原理而又不忽视各民族的"特殊风格"。"中国的艺术……自有它伟大独立的精神意义"⑭。唤起各层的异品同韵审美创造的自觉意识,将有助于中华圈的真正形成。

4. 超构思维方式。自从鸦片战争以来,中国力图按西方模式走向现代化,努力用西方的逻辑严格训练自己的思维。废除科举,建立西式学校,按照西方标准对知识进行门类划分。西方思想界的每一次大的变更,都引起中国知识界的特别关注和热情介绍。西方思维重明晰,重逻辑严谨、求清楚无误的证明和推理,严格地从部分到整体,从分析到归纳,具有可计算性、可演绎性、可证明性。西方思维演进到今天的结构与解构的对立统一,也仍含西式的明晰、计算、证明、演绎特性。中国对西方思维的引进和操演,极大地推动了中国思维的变革,促使了科学、技术、管理的发展,清除了原有思维中的神秘和迷信成分。20 世纪以来,西方的不少大科学家、哲学家、学者愈来愈认识到中国传统思维的重要性。正如西方思维的长处,可补中国思维之短,促进中国文化工具—技术等硬件方面的发展一样,中国思维中的整体功能思维,阴阳互含思维,同样可以弥补西方思维的一些盲点和迷误。超构思维意在超越西方思维结构和解构的对立、西方思维和中国思维的对立。它有助于破除西方给世界规定的历史线型,同时又有助于破除中国传统思维的封闭—循环的保守性。它吸收西方思维大无畏的明晰—否定精神,又高扬中国传统思维的稳妥、和谐、圆融旨趣。中华民族既走向现代化又保持中国特色,既向国际标准认同,又在达到国际标准的同时融入自己的个性,需要一种超构的思维方式。在一个多样性的世界中形成以中华性为核心的中华圈,使中国重返世界的多极舞台,需要一种超构的思维方式。

5. 外分内合伦理。世界的多样化、多元化又是一种分层化。中华圈也是依于汉语文化在地理、政治、经济上的分层化现实,中国大陆随着改革开放,社会的分层也急剧加快。财富占有的多寡、权力分割的变更、知识拥有的分野、职业冷热的变化、地区差异的扩大,加剧着人心的失衡。新的分层现实除了政治、经济、法律、心理的调整外,还应建立一种与新现实相适应的新的伦理模型,这就是外分内合伦理。外分即适应社会分层进行新的伦理厘定,如个人道德、家庭道德、职业道德、社会公德。内合,一是指分层的各层尽管有再大的差异,都有一个共同的道德核心,一种中华民族特有的并随着时代不断更新的民族道德精神;二是指各种道德都在这种精神和核心中得到协调。外分的道德是建立在类似西方的功利主义道德之上的,内合的道德则类似于康德的形而上道德。中国的传统道德其实也包含两个层面,一是与封建社会相适应的礼法层面,三纲五常之类,用于实践操作;二是建立在心性理论上的超越实际操作的形而上根基。外分内合伦理就是承传古代的形而上心性理论传统,吸收西方形而上道德体系,借鉴新儒学在伦理上的现代转型,创造当代中国的新型道德哲学。然后以此进入与丰富现实相适应且能使现实向好的方面转化的操作层面。

中华圈本也似一分层系统。有内合的精神,中华圈就有了得以形成的凝聚力。大陆、港台及海外的新儒家已为新的内合精神提供了一个初步基础。同时,有外分的胸襟,中华圈就有自己的多样性和丰富性。外分内合伦理既有助于推动大陆的积极而稳妥的改革,更是中华圈的形成所必需。当然,中华圈的形成不过是要确立世界性中的中华性,而创造中华性也只是要生成独具特色的中华圈,这是对未来世界多元性要求的一种创造性回应。

我们深知,任何理论从根本上说都是一种假设。对理论的明智态度应当是,当理论被未来实践"证伪"时,就随时准备修改甚至放弃它。我们希望上述理论工作能有助于促进真正适合于未来实践的新知识型的诞生。

注释:
① 贾谊《过秦论》。
② 参见 J.哈贝马斯《现代性——一个未完成工程》,据福斯特尔编《后现代文化》,伦敦,1985年版,第9页。
③ 唐君毅曾在《中国文化之精神价值》(1953)中谈及前三种,但未论及后两种。
④ 李鸿章《李文忠公全书·朋僚函稿》,卷16,第25页。
⑤ 薛福成《筹洋刍议·变法》。
⑥ 参见林毓生《中国意识的危机》,贵州人民出版社1986年版,有关章节。

⑦《艺术潮流》1993年2期。
⑧《北京青年报》1990年12月23日。
⑨《必要的冷淡》,《读书》1992年9期。
⑩ 季羡林《在跨越世纪之前》,《文艺争鸣》1993年3期;张岱年《中国文化的新时代》,《传统文化与现代化》创刊号。海外学者徐复观、牟宗三、唐君毅和张君劢曾于1958年联名发表《中国文化与世界》,堪称中国文化复兴之"宣言",见《文化意识宇宙的探索——唐君毅新儒学论著辑要》,中国广播电视出版社1992年版,第323页。
⑪ 参见《国际格局——世纪之交的转换》第三编"亚太格局与中国",上海社会科学出版社1992年版。
⑫ 参见《汉字文化》1992年3期。
⑬ 郑敏《世纪末的回顾:汉语语言变革与中国新诗创作》,《文学评论》1993年3期。
⑭ 宗白华《美学与意境》,人民出版社1987年版,第99页。

1993.4—1994.1 于北京

原载《文艺争鸣》1994年第2期

王德威

被压抑的现代性

—— 晚清小说的重新评价

　　中国小说史上，小说一体像在晚清那般复杂的情况，可谓绝无仅有。在这段期间，小说之写作、印行、流通及议论，其方式之多，在中国古典小说史上都是空前的。① 然而，虽然小说大受欢迎，公认的"杰作"却十分鲜见。受启蒙的精英分子将小说的地位提高到中国文学文类排行榜上的榜首（最上乘），但又难掩其对当时风行小说的轻视。犹有甚者，纵使当时的主流理论皆倡言小说载道与宣导的功能，可是大多数的作者与读者对小说一体却别有怀抱：小说乃空中楼阁，可以任他们驰神幻想，甚至可以一头栽进狎邪荒诞的念头里去。

　　此外，在中国文学中，也找不到另一个时代像晚清一样，作家会投入如此充满吊诡的论述中。许多文人以小说写作为其生平职业，但是他们又是最不专业的作家：他们将作品匆匆付梓，却又常常半途而废；他们汲汲营求所谓时代性的议题，却只凸显出自己根深蒂固的狭隘；他们造假、剽窃，专写耸动的故事②；他们深入社会的各个角落，探求写实的资料，但是却将之表现成千篇一律的偏见与欲求；他们声称要揭露、打击社会的不平与怪象，但是成果却是渲染、夸张那些不平与怪象。当时有些中国人努力追求将小说的形式、修辞、主题都西化，但是面对这种打倒传统的企图，晚清小说仍然执著于传统的末流而少突破。

　　摇摆于各种矛盾之间，如量/质、精英理想/大众趣味、古文/白话文、正统文类/边缘文类、外来影响/本土传统、启示型理念/颓废式欲望、暴露/假面、革新/成规、启蒙/娱乐……晚清小说由此呈现出一个多音的局面，其"众声喧哗"之势足以呼应当时那个充满爆发力的时代。后来主控中国现代文学的渴望、挑战、恐惧及困境，都是在这个氛围中首次浮现的。

晚清小说的研究始于"五四"时代。两位新文学运动的创始者胡适与鲁迅，虽一生致力推翻旧文学，但是吾人今日对旧文学的了解却也得力于他们。③学者一致认为晚清小说代表了中国小说传统中最剧烈的变化，但是对其艺术成就，则态度暧昧。批判主要集中在下列三点。

首先，有晚明到清中叶的古典小说巅峰期在前，晚清小说无论在形式或内容上都有所逊色。晚清小说因此注定被视为下一个伟大的开始（即"五四"文学革命）来临前的中界点。晚清小说最多只能说是"中流"（middle-brow）小说，对了大众的口味，但还够不上"好的"文学的标准。

其次，晚清小说也受到人文主义批评家的呵责，指其受到当时社会/政治动力的驱动，忽略了"人文"经验更大的脉络，而社会/政治的变动只不过是其中的一部分而已。与这个观点略有出入的马克思主义批评家，则责难晚清小说家虽然逐渐看出写作与国家命运之间的关联性，却缺少足够的眼光及勇气，去强调社会/政治的乱局，以导向自由与革命。④不论是太政治或不够政治，总之晚清小说病在其对社会现实的肤浅认知，从而影响到了它的艺术成就。

最后，正由于其艺术之粗糙与历史/意识形态之短视，一般认为晚清小说对真正的中国现代小说的形成少有贡献。即使当时西方与日本文学的翻译充斥市场，作家们又急于学习外来的模范，大家仍认定晚清小说与传统小说有剪不断的脐带关系。学者们因之告诉我们，在作家"终于"完全掌握了西方的叙事方法、主题关怀以及意象运用以前，中国现代小说是无由兴起的。

尽管这些批评看似多元，其实，它们全指向同一个观点，亦即文学的发展必然是从一个阶段到另一个阶段，尤其是从非现代的时期到现代的时期。就让我们暂时对这些批评家心目中所谓的"现代"（the modern）作以下的了解："现代"代表的是一个断代的观念，自本世纪初起，知识分子就以这个观念去批判其同胞，将他们置于一个即将结束的时代中，然后期待自己在文学上的成功，并且把中国导向未来的时代。"现代"指的是"文学的一种作用"，传达了理性、人文精神、进步以及西方文明。

一般对晚清小说的认知是,它既毫不保留地滥用中国的传统,又漫无节制地借取西方的印象;它既传统,又反传统。在其所为与所欲为之间,它完全缺乏一贯性,更不用说它是怎么说它所欲为的了。虽然不无优点,晚清小说中的"积弊"太多:过多的眼泪与笑声、不必要的夸张、声嘶力竭的政治宣传等等。它根本不能纳入"五四"论述所规划出来的文学规范。

近年来,"到底20世纪中国文学的现代性(modernity)在哪里?"这个问题,已被一再提出。要回答这个问题,方式之一是跳开"五四"知识分子所设立的限制,重新思考这个问题:有哪些现代文类、风格、主题以及人物是被我们认定为"现代"的中国文学论述所压抑、压制的?为什么这些革新仍然不被视为"现代"?"现代性"是在哪一个历史点上,摆脱了时间观念的枷锁,成为存有的批判精神;由一个瞬息即逝的时刻转化而成神秘性的存在;由一个不断出现的情境,以完成"历史"而抹杀了历史的变异?⑤难道真的只能有一种现代性的模式,每一个国家都必须采用,才能堂而皇之地自称为"现代"?

我主张晚清小说并不只是中国"现代"文学的前奏,它其实是之前最为活跃的一个阶段。如果不是眼高于顶的"现代"中国作家一口斥之为"现代前"(pre-modern),它可能早已为中国之现代造成了一个极不相同的画面。在西方模式的"现代"尚未成为图腾、某些中国传统尚未成为禁忌之前;在"严肃"作家尚未被自己的使命感所吞没、"琐屑"作家尚有一席之地表达其对"中国"的特殊执念时,小说犹然是众声交汇的大市场。"五四"作家急于切断与文学传统间的传承关系,而以其实很儒家式的严肃态度,接收了来自西方权威的现代性模式,且树之为唯一典范,并从而将已经在晚清乱象中萌芽的各种现代主义形式摒除于正统艺术的大门外。

传统上对中国"现代"文学的两种观念在时间上彼此冲突。第一种基于"强硬"的征服思想,将现代定义为经由叛离及取代历史、过去与传统,而将时间向前推进。由此发展出的中国之现代观包括下列特色:一是具有线性发展的时间性计划蓝图,渴求知识论的启蒙、自新的历程,以及从根重组作者、读者与世界之间的关系。⑥这样的观点导致学者强调中国现代文学来自"五四"时期全面的反传统,而"五四"的作品又多取法由人文主义到科学主义不一的西方知识系统。同时,一般也认定作家对国家危机的关怀掌控了中国现代文学,而且写实主义是表达此一关怀的唯一叙事模式。⑦

但是,"现代"中国作家与批评家又自觉徒劳辛苦,却仍不够"现代",因而深为所苦。西方现代主义的经典之作并未获得中国现代文学论述的青睐;⑧作者与读者心目中的现代常常是在欧洲早已过时的东西。因此论及中国文学的"现代"总是迟来了一步,必须以其"耽延"(belatedness)言之。即使当今人们已开始怀疑线性因果式的时间观念,但是对许多自称"后现代"的中国作家与批评家来说,如何追上世界文学最新的潮流,并由此赶上时代——成为"现代",却仍然在他们心中萦回不去。

这两种方式都将所谓现代从一个断代的观念转换成一个超越性的存在,好像现代性可以标举为永恒的理想、一个所有历史都必经的阶段。志向高远的中国作家与批评家摇摆于两种信念之间(他们已经现代了,却"还不够"现代),他们自本世纪初以来就一直苦于抱负、焦虑、暧昧以及厌恶等错综的情绪。他们追求"现代"的欲望强烈到除非以暴力革命不足以止息:通过自我毁灭来达成自我改革。

过去一百四十余年来,有关中国文学现代性的论述,其最好跟最坏的结果我们都已经见到了。如果我们不想把现代性一词抬举成一个魔术字眼,内涵预设的规定与目标;如果我们仍须考虑现代的历史性,以回应时代的变化,那么"五四"所建立的中国文学之现代观就必须重新予以审视。以往现代与古典中国文学的分界必须重划。我以为,晚清,而不是"五四",才能代表现代中国文学兴起的最重要阶段。太平天国乱后出现的小说已谱出各种中国文学现代化可能的方式。不过,这些可能性纵有新意,后来都被悬置,被认为是"负面"的新,标奇立异,不足为法。这样的做法显然妄自菲薄,却构成了中国作家追寻现代性中的一个特殊层面。

要强调的是,我所谓的晚清小说的现代性,指的并不只是世纪转换时,启蒙的知识分子如严复、梁启超、黄摩西等人所力求的改革。有关这些人在"五四"文学之形式与观念的形成中所扮演的先导角色,历来已多有议论。⑨我指的反倒是另一些作品——狭邪小说、科幻乌托邦故事、公案侠义传奇、谴责小说等等。这些作品在清代的最后二十年间大行其道,它们并没有被贴上特许的现代标签,但是却是 20 世纪许多政治观念、行为准则、情感倾诉以及知识观念的温床。当"五四"知识分子开始以启蒙、理性、革命等角度来回顾他们的文学传承时,这些作品很快就被贬为琐屑、颓废,或是反动。

从时光隧道探险到性幻想,从感伤传奇到恐怖故事,晚清文学中有太多的新形式不符"五四"批评家所设想的"现代"标准。这种种形式在后"五四"时代的上流文学中全数付之阙如,适足以点出中国现代主义者严重的排他性。正如当时及其后的学者不断告诉我们的,晚清作家也许的确想要"叙述国是",但是这些作家描述其时代时,想象力之奇、之多,却远非"叙述国是"一句可包括。而诠释中国现代小说者只敢畏畏缩缩地以"五四"知识分子的做法来划定"现代"与"真实"的界线,显示他们比"五四"作家自己还要更沉迷于所谓的"五四精神"。

"五四"之后的作家及批评家之鄙视晚清作品,还有其他更细微的原因。这些小说不只被视为是落伍的旧文学的残渣,更是一直潜藏在现代论述大门面前的余毒。启蒙的中国知识分子把目前碍眼的障碍归入过往可扬弃的传统中,想由此"清理"其现代性大计的门户。换言之,他们想扫除追求现代性的尝试中不受欢迎的层面,因而故意以时间的错置,将其纳入一个即将结束的过去的时代。可是我们必须问几个吊诡的问题:这个他们努力杜绝污染的现代论述真的那么现代吗?还是只是看似现代而已?可不可能中国现代文学中那些不受欢迎的部分,并非受累于传统的包袱,而是受累于太激进,或太现代的来源?无论如何,被压抑的中国现代性的蛛丝马迹不断回笼,展现实力,有时出现在中流文学中,有时出现在文禁或文学争议的伏流中,也有时出现在一个"现代"作品难以抵抗的次文本(subtext)中。

批评家与学者现在仍须学着去忘记"五四"为中国之现代所立下的界线。即今,只要在讨论到一篇作品或一个时期时,提到现代、现代性,以及现代化等议题,大家就摆出极其严肃的脸孔。这种高度的严肃性,相关于文学与国家、启蒙、性别、殖民,以及现代性本身,还有以文字改变现实等议题间必要且相当的联系,它虽然可能反映了西方文论最新的修辞语码,但是,却又强烈地执著于"五四"传统的基本精神:我们中国人仍然是"感时忧国"[⑩]的虔诚消费者——这个(现代?)词是夏志清教授30年前所创的。

我无意再延续"五四"以来中国文学论述中单一性、"迟来"的现代性观念,而想探索晚清小说中被压抑的现代性(repressed modernities)。我所谓的"被压抑的现代性"可以三种向度来理解。它指的是由即将失去活力的中国文学传统之内所产生的一种旺盛的创造力。这种创造力或许得力于来自西方的新刺激,但是也自己发展出中国式的新意。晚清作家急切地以外来模式更新传承,他们自己可能都不曾留意到,最弥足珍贵的变化其实已经在传统中最不可能的地方出现了。总之,晚清作家所播的种子本来要在好几代以后才可能有结果,可惜他们的继起者却又转向别处去寻求更可靠的收成了。

被压抑的现代性也指向操控作家思考及谈论所谓现代的心理与意识形态的机制:作家在被人要求概述其意向时是怎么说的,可能跟他们实际在作品中所做的根本是两码子事。"五四"以来的新文学或许表面上听起来很现代,但叙事规格西化了,却并不保证作品的内容就更新了。历史告诉我们,当40年代政治激进的作家朝向为革命而文学的目标迈进时,他们对中国现代性的企图的结果,即使不算是中国所有的政治传统中最老旧的传统,也是中国所有的现代性中最不现代的现代。

最后,被压抑的现代性还指向19世纪末以来,一向有意或无意地被排除在文学正典以外的一脉中国小说,这一脉包括科幻小说、狎邪小说、黑幕谴责小说、鸳鸯蝴蝶派小说、新感觉派、批判抒情,以及侠义小说等文类。在吾人试图想象中国体系下现代性的面目时,这些文类发人深省,虽然他们从不像上流文学那样以界定现代为职志,甚至也从不自以为现代。批评家在选择压抑这些文类中隐含的现代性时,其实错过了为中国文学作较周全描绘的大好时机,更不用说是现代主义的全貌了。

容我追加一句,我无意夸大晚清小说的现代性,以将之塞入现代主义的最后一班列车中。我也无意贬抑"五四"文学,而不承认其适如其分的重要性。我的论点其实要更有争议性得多。在后现代时期,谈论一个一向被视为现代前的时期的现代性,我的文章有意地使用"现代错置"的策略与"假设"的语气。我的讨论如有时代错置之嫌,因为它志在搅乱(文学)史线性发展的迷思,从不现代中发掘现代,而同时揭露表面的前卫中的保守成分,从而打破当前有关现代的论述中视为当然的单一性与不可逆向性。我的讨论总是基于假设语气,因为它要处理的是原本几乎要发生的,而不是已经发生的,并且它把自己置于充分自觉其假想模式的叙事中。

　　我并不自高身份以批评他人,更不欲"颠覆"已建立的传统,重新把中国现代文学的源头界定在他处。一旦如此,就会又落入"五四"及其从人所抱持的"强势"现代迷思的陷阱里去。重新评价晚清小说并非一场为中国现代小说找寻新"源头"的战役,或将曾被拒斥的加以复原;其实这是试图去了解,"五四"以来当作家及批评家回顾其文学传承及自己的写作时,被上流文学所压抑的是什么。我的取法不在于搜寻新的正典、规范或源头,而是自处于"弱势思想"(weak thought),将一个当代词汇稍加扭转以为己用:⑪试图拼凑已无可认记的蛛丝马迹;试图描画现代性的播散而非其形成。

　　我的论点会更进一步描述晚清小说中被压抑的现代性的四个层面。首先,我将探讨晚清作家对颓废的偏爱,虽然他们表面上热爱启蒙;其次,他们对诗学与政治的复杂观点,与旗鼓相当的一般观念,如革新与革命相悖;第三,他们的情感泛滥,恰与他们念兹在兹的理想理性背道而驰;第四,他们对谐仿(mimicry)的倾倒,为模拟取向的再现系统之兴起造势。

　　首先,有关晚清文学的评论总是把它说成一个患有精神分裂症的时期。在这个时期,传统行将就木但仍迟迟不去,现代据说即将到来却又不见踪影——借用康德形容他的时代的话来说,这是一个启蒙的时代(age of enlightenment),却不是个已受启蒙的时代(enlightened age)。⑫传统论者描述晚清小说兴起,多始于严复及夏曾佑的《本馆附印说部缘起》,⑬这是"现代第一篇肯定小说的社会功用的批评文字",⑭其后又有梁启超等启蒙精英批评家对传统小说的严厉批判,以及对政治小说的倡导。这一波文学革新在1902年梁启超创设《新小说》杂志时到达巅峰。这个发展大纲中还包括其他因素如《新小说》之后小说杂志的蜂起,翻译小说及故事的介绍,政治思想的急进化,以及小说题材的扩大。虽然在"新小说"的热潮中,已有名声显赫的批评家如黄摩西、徐念慈等开始提出质疑,⑮但是小说可以并且应该作为启蒙的第一工具的信念,却显然为当时的精英及其后大部分的文学史家所拥护。

　　严复与夏曾佑在其文章中征引生物及社会的达尔文主义,以解释小说吸引人心的内在因素。对他们来说,小说之为体,首在处理英雄及男女,此二者主宰了普遍人性(公性情)。历史要显示生命应有之象或有所不足,小说因此可矫正历史,确保人性中英雄与男女的理想生生不息。⑯梁启超的《译印政治小说序》(1898)对严、夏二人的小说观作出回应,介绍政治小说,梁认为这个文体对日本维新的成功大有贡献,因此也会对中国有所助益。⑰梁对政治小说的提携后来体现在《新小说》的创立,以及1902年其发刊文《论小说与群治之关系》的出版。此文的开头为一著名篇章,确认小说的载道使命及其正面的政治与道德影响:

　　　　欲新一国之民,不可不新一国之小说。故欲新道德必新小说,欲新宗教必新小说,欲新政治必新小说,欲新风俗必新小说,欲新学艺必新小说,乃至欲新人心,欲新人格,必新小说。何以故?小说有不可思议之力支配人道故。⑱

当时其他的知识分子如陶祐曾⑲,王钟骐,苏曼殊,以及千百种杂志报刊的社论中,也都有类似的说法。

　　但是严复、夏曾佑、梁启超及其同人所慕求的"新小说"是否成为晚清社会的主流文类了呢?晚清的读者是否喜欢阅读"新小说"较胜于传统小说呢?"新小说"理论之所以风行,究竟是因为带入新思潮,还是因为重复旧信念呢?夏志清说严复"在论及小说比中国人所认知的历史受欢迎的时候,其实对自己并不忠实。"他的结论是,虽然严复运用达尔文思想来解释小说的力量,他其实仍旧是"根深蒂固的传统主义者。"⑳同样的批评其实也适用于梁启超及其他同辈的小说批评。梁启超虽然醉心于外来理论及佛家观念,但是儒家"文以载道"的思想才是他小说理论的骨架。梁自己并未完成他的小说实验;他的政治小说《新中国未来记》(1902)在5章之后就戛然而止。此外,虽然晚清的精英作家嘴上支持小说"不可思议之大势力",但是他们又从不掩饰对小说的轻视。他们对小说的拥护仅止于变化一般大众的气质心态。㉑

　　吾人只要对晚清小说作品匆匆一瞥即可发现,每一本"新小说"的出现,都同时夹带了更多非"新小说"的例子,如后来被称作狭邪小说、黑幕小说、侠义小说、幻想小说等等的小说。虽然"新小说"预期的读者是一般大众,但根据梁启超的同时人徐念慈的估计,所谓一般大众其实占不到其读者总数的十分之一。㉒在探讨晚清小说的发展时,吾人必须时时注意作者与批评家以为自己做到的,跟他们真正做到的之间,还有精英分子期望读者喜欢的,跟读者真正喜欢的之间;其实存在着相当的差距。当梁启超有"更重要"的政治原因盘踞其心时,他对写小说的热诚就消失了。㉓在《告小说家》一文中,梁承认"近十年来,社会风习,一落千丈,何一非所谓新小说者之厉?"㉔此言出于1915年,因此他所确言的新小说的沉沦应可上溯至1905年,即他自己的杂志《新小说》停刊的那一年。换言之,"新小说"一萌芽就开始毁朽;在其新意尚未被一般大众所吸收前,"新小说"就已经成了过去式了。

如果晚清小说的确有启蒙,那也不是梁启超时代的知识分子及其"五四"同人希望我们相信的启蒙。晚清小说的现代性既不表现于严复心目中的载道理论,也不表现于梁启超的末世想象;它其实是由严及梁所贬抑的"颓废"气质中迂回而生的。在我的定义里,所谓"颓废"(decadence)包含,却并不止于,该字眼鄙薄的意涵——一个过熟文明的腐败与解体,以及其腐败与解体之虚伪甚至病态的表现。㉕颓废的意义应还有另一层面,即"去其节奏"(decadence),㉖从建立的秩序中滑落、将视为当然的取代、把文化巅峰期绝不会凑在一起的观念与形式都以人力不可解的方式聚合起来。19世纪下半叶的中国文明被看作逐渐卷入一个解体的无尽漩涡中,每个范畴都声称要自整体中独立出来,而每一个部分又再分裂成更小的部分。以"新小说"的兴起来说,如果不预设小说已经衰颓,"新"意又将从何而生?颓废即是将正常异常化,并且隐藏地预设在所有有关现代性的论述中。

虽然政治中落与文学的放荡未必平行,但颓废的确既是晚清作家所面对的历史情境,也是晚清批评家评论小说时最喜爱的题目。举当时知识分子之提升小说至国家级文类为例。严复及梁启超在开始将(新)小说理想化之前,都对(旧)小说大加抨击。严复呼应传统儒家的偏见,指称小说导人贪淫,㉗而梁启超则怪罪小说散播中国旧社会腐败的生活理想与迷信。他说:"吾中国人状元宰相之思想何自来乎？小说也。吾中国人佳人才子之思想何自来乎？小说也。吾中国人江湖盗贼之思想何自来乎？小说也。吾中国人妖巫狐鬼之思想何自来乎？小说也。"㉘

如果小说在过去数百年间一直危害中国社会，那么当严复跟梁启超要拥抱小说，以为这个毒性重大的文类能自我转化成治疗中国社会的灵药时，其中必有差错。我们当记得柏拉图要将诗人赶出国界，怕他们的作品会使理想国人民的士气低落。㉙晚清批评家也有相似的论调，但结论却大相径庭：严复与梁启超欢迎小说，认为小说具有无上能力，能先自清固有的毒性，再使它先前毒害过的读者复苏。这真是把中国传统医学观念——以毒攻毒——作了一次匪夷所思的运用。

传统文学批评的功用论无法全盘解释这样剧烈的方法。对晚清批评家来说，"用"与"误用"是互可转换的字眼。当严复、梁启超及其同侪声称救中国唯一的途径是改革一个一向危害国家的颓废文类时，他们宏大的计划是既自我吹嘘又自暴其短的。

诚然，晚清有关小说"不可思议之力量"的全部论述是一种夸大，他们无非是纵情于空洞的文字游戏。当一个传统观念或价值被高举到其高度与深度不成比例时，那么它不过是想象变形的表征罢了；而以浮夸替代收敛，更是颓废文学观的第一个标示。当梁启超与其同辈将小说的力量与腐败并列，又将其力量与重建并列，他们其实是将传统批评家对小说的畏惧与迷醉同时推到极致。他们将传统文评嘴上说说而已的道德观全盘接收，或者至少看起来是如此；他们把自己与过于熟习的事物"生疏化"（defamiliarize）。他们的论述中有个恶性循环。他们文学信念中的"新意"，其实来自对过去的夸大，而非拒绝；当他们自愿悬置其对未来文学表现的不信任（willing suspension of disbelief）时，他们其实已成为自己一心想打倒的文学价值的最忠诚的提倡者。

"五四"以来的学者及作家都对晚清小说形式的粗糙与腐化颇为不屑。奇怪的是，他们却对晚清理论之夸张小说（文学）、启蒙、与国家之间的必然关系采取相当谅解的态度。事实上，他们自己的理论根本与晚清看似创新、实则陈旧的理论所差无几。现成的例子如陈独秀夸张的"普罗大众的文学、现实主义的文学、革命的文学"的宣言；胡适文学"革命化"的主张；周作人对"人的文学"的诉求；以及鲁迅自称放弃医学是因为文学才能救中国人的灵魂。这些理论暗示一种强烈的欲望，想把道德指令强加于文学。这些"五四"精神的大师不但重复了传统批评论述强加于文学的道德使命，并在刻意夸大中重现了颓废的晚清精神。和晚清批评家一样，"五四"大师毫不犹豫地贬抑文学、又将之神圣化，矮化未受启蒙的旧统治者、又指定自己为已受启蒙的规则制定者。难道他们不是颓废的极致范例，却误以为自己是现代吗？

启蒙的晚清批评家意欲以小说为崇高的目的所"用"，但是小说却仍然是戴罪之身，一直不肯乖乖就范。启蒙精神的"误用"几乎与梁启超及其同侪公开"新小说"计划同时发生。当时的作家不只以教化大众为名，大写其奇情小说；他们还非常自觉地写作在新奇与现代中迷走的社会之狂乱现象。若非作者对"新小说"的出现冷嘲热讽，《文明小史》(1906)、《官场现形记》(1905)等谴责小说大概是写不出来的吧。启蒙之役开始，颓废却不止息，它也不是现代性大计走歪了后的不幸结果。颓废其实就是在启蒙之内发生的，它对转正常为异常更是必要条件。

颓废之风，还可见于晚清作家对传统小说形式匪夷所思的取借，以及其中成规的展列与谐仿（parody）。很少有读者看到晚清小说之蓄意毁坏叙事法则，而能不为之变色的：情节重复、角色肤浅、结构松散。为了回应当时读者与出版商的要求，作家把任何东西都加以任意模仿、复制、再生，以及制式化。《官场现形记》成功之后，书名带上"现形"二字的小说直如雨后春笋；为了达到耸动人心的目的，作家纷纷以大胆揭露社会罪恶为傲。这个时期恶劣的趣味当道，而意图高远的主题都难免沦为恶劣趣味的嬉游场。

晚清及"五四"道貌岸然的批评家无法欣赏晚清小说中的浪荡，而大加攻评。所谓浪荡不止表现在作家挑选题材上，更表现在他们对旧日所传的行文节制的态度上。某些作家对历历成规了然于胸，可以从心所欲地游戏其间，从而创造出虎视鹰扬的一种复制、一种幻象式的谐仿。刘鹗的《老残游记》(1907)逆转了公案小说的内容，声称贪官可恨，清官更可恨；李宝嘉的《官场现形记》说，所谓清官，其实好不过自称处子的妓女；吴趼人的《二十年目睹之怪现状》(1910)将人间比诸精怪、狐仙、恶魔的世界；曾朴的《孽海花》(1905)重现赛金花的神话，其人据说在义和团之乱时献身于八国联军统帅瓦德西,因而救了全中国。

这种对成规的胡乱玩弄尤其在晚清作家谐仿古典小说的例子上表现出来。几乎所有的经典小说,从《西游记》到《水浒传》,在这段期间都出现了一或数种续书。《红楼梦》因为知名度太高,续书中有同性恋情史者(《品花宝鉴》,1849)、有妓院风光者(《青楼梦》,1878)、有科幻乌托邦者(《新石头记》,1908)、有留学生故事者(《新石头记》,1909)。晚清的贾宝玉、林黛玉性别已经模糊,原本是少女乐园的大观园,现在却成了纵欲的天堂。在吴趼人的《新石头记》中,贾宝玉旅游到另一个世界——文明境界——他还到太空与海底作科幻式的探险。

某些古典作品的重写惨不忍睹,却反而因此而奇趣横生。例如,南野武蛮与吴趼人同名的小说《新石头记》中,林黛玉原来不曾在宝玉娶宝钗之夜殉情;她倒是逃离了大观园,去了美国留学。她念了个英文与哲学的博士学位,后来在东京的"大同学校"当教授。宝玉一探知所爱的消息,立刻追踪至东京以期重续旧缘,可是他见到的黛玉却是个学究,一心向学,无意于爱情。为了亲近这位林教授的芳泽,宝玉只得注册入学,成了标准的留学生。

1908年,年轻的鲁迅在他的《摩罗诗力说》中观察到,"文事式微,则种人之运命亦尽,群生辍响,荣华收光。"但在这文明的灰烬中,鲁迅期待恶魔式的诗人——摩罗诗人——来创造新的秩序。此处所召唤出的诗人形象是双面的,既是恶魔,又是救主。鲁迅预见了中国文明注定没落;但是他同时企求诗的神奇魔咒能使这个文明起死回生。终其一生,他对颓废的信念始终与他对现代的渴求密不可分;它有如蛭之随身,在他的作品中随处可见:因此才有他对疾病与诡奇的偏好,以及他对梦境、非理性、死亡的痴迷。在启蒙的入口正前方,竖立着夏济安所谓的"黑暗的闸门"。㉚这一道门,中国现代文学之父永不会、也不能越其雷池一步。

我的第二项观察乃关于晚清小说中"革命"(revolution)/"回旋"(involution)的文学观与政治观。对晚清文学最常见的批评是,不管作了多少革新,它还是没能改变传统叙事的结构。局部改进传统叙事形式的努力不是没有,如吴趼人在《二十年目睹之怪现状》中引介第一人称叙事,刘鹗在《老残游记》中运用侦探小说的技巧,曾朴在《孽海花》中实验"伞型花序"式㉛的叙述方法。可是正如批评家所论,这些都只不过是怯生生地模仿西方模式而已。所谓"真正的"或"革命性的"改变,尚待其时。

像在政局中一样,"革命"的观念对晚清小说之开创新局有推波助澜之功。梁启超即主倡社会之各种改革必先"新小说"的第一人。"革命"一词自此在文学论述中如穿花蛱蝶。梁启超说过,"若诗界革命,文界革命,皆时流所日日昌言者也。"㉜陈独秀与胡适则在"五四"前夕将"文学革命"一词变成尽人皆知的口号,而该词也自此被广泛用来形容中国文学历经主题、叙事技巧、社会功能、读者群的根本变革的时代。自1911年国民革命以来,中国现代政治革命的因果几经检讨,但迄今晚清"小说革命"与"五四""文学革命"在中国现代文学史上的正面地位倒是屹立不摇。我们得提出以下的问题:虽然形式上的革新很多,但晚清以及继之的"五四"知识分子真的在文学上作了剧烈的改革吗?如果有,那么这个革命是否真的革了旧传统的命呢?在梁启超呼吁小说革命的一百年后,我们是否仍只有革命这个概念可用以形容中国文学现代化的复杂过程呢?

移植西方的叙事类型,引介西方理论,推动文学的政治观,晚清与"五四"的文学革命的确由此加速了中国文学前所未有的变化。但是这个革命的概念很快就迷失在它自己的圈套里了。晚清小说早已被证明是一场未完成的、乌托邦式的牛刀小试,而非全面的改革。同样的,到了30年代,"五四"文学革命已缩小成"新的革命文学"中人人可学的陈套了。我们的确见到了一种新形态的文学,但这种文学只是围绕着自身一成不变的意识形态打转而已,无任何革命精神可言;它已成为自我循环的论述,而革命精神则动弹不得了。鲁迅对中国政治革命的讥讽大可用来形容中国的文学革命:"革命的被杀于反革命的。反革命的被杀于革命的。不革命的或当作革命的而被杀于反革命的,或当作反革命的而被杀于革命的,或并不当作什么而被杀于革命的或反革命的。""革命,革革命,革革革命,革革……。"㉝

与其用革命来了解中国文学的处境,或许不如用"回旋"来形容现代文学所走的迂回曲折的路。如果"革命"意指用激烈手段征服已建立的秩序,那么相反的,"回旋"则指的是一种内转的倾向,是延伸、蜷曲而内转于自身的一种运动。虽然回旋相对于外向发展的革命,因此常跟后退的动作联想在一起,但是它并不等同于反动,因为它的运动并不回到原点;它与革命相异处,仅在于它的运动方向看起来不是勇往直前的单向直线——其实,这两者根本很难厘清,因为二者的运动都是无限延伸的。就中国现代文学来说,回旋程途的萌发几乎与革命在启蒙的知识分子间成为通行证同时发生。我们切不可忽略中国文学革命与中国文学回旋之间的相似;因为这正是现代性在中国走出的第一步。

某位批评家曾形容中国现代文学为摇荡在两极之间,一面戮力效劳于各种社会及政治因素,一面则寻求无牵无绊的创造自主性。他认为这些中国现代文学的特质并非"五四"的产物,而可追溯到1895年之后发展出来的文化理论,㉞而这些理论又是19世纪初以来一连串有关写作的功用的论战的产物。㉟换言之,现代文学创作的观念并非全是西方的舶来品;它事实上在1910年代浮现,与在"五四"时期被神圣化的一百多年前,就已经开始滋生了。跟一般的认识相反,他这个研究让人注意到意料之外的、内向的转化,而正是这些转化促生了中国特有的现代的观念。

除非我们还执迷不悟,硬在西化与现代性之间划等号,或者还自溺于知识殖民主义,认为中国文学若非先向西方膜拜,绝无法出现任何具体变化,否则我们就不应该低估中国人面对传统的各种应变方式。前述的批评家就主张,我们必须把"……将写作所扮演的关键角色彰显出来的文学"视为当时中国思想中各种矛盾的暂时结论;这个文学的地位象征了"一代中国知识分子对新文化事业的热望",也象征了"他们在试图建构此一文化事业时的挫折"㊱。基于这个观念,吾人可作进一步的主张,因为当时的中国正浸润于西方与日本的影响中,并且以外来的模式促进中国文学"新生"及"革命"的呼声也愈来愈大,所以中国文学回旋式的运动也就愈加强烈。

回旋的倾向并不止于保守分子对传统价值的拥护或对恢复"民族精神"的努力,它更不止于批评家之重组最易于表面改变的传统元素。我们必须自问,晚清及"五四"作家是如何以负面的方式追随中国传承,从而泄漏了其"影响的焦虑"?作家是如何自觉或不自觉地以中国的方式误读西方作品,从而透露出其对传统的乡愁?将现代作品纳入中国情境的困难,又是如何促使作家偷偷地起传统论述模式于地下？晚清的一幕教给我们革命如何可能为反动的目的所用，反而回旋却可能引起真正的改变。

容我再次举晚清小说评论为例。梁启超与王国维分别是晚清小说批评的两大巨匠。他们两人都援引西方或日本的思想，以建立评价中国文学的新方法。梁启超是启蒙的改革家，他贬抑传统小说，提倡政治小说；他深信政治小说乃壮大西方与日本的首力。另一方面，王国维是保守的保皇党，他重拾古典经典之作《红楼梦》，并以上溯至叔本华、尼采、康德的理论分析之。他视中国的浪漫小说为欲望与欲望物之间、人间苦痛与艺术对苦痛的壮美化之间永恒的张力的体察与戏剧化。

得力于其澎湃的修辞及革命的姿态，梁启超一向被视为中国现代文学理论的开山始祖，而王国维因为在政治上是保皇党，文学品味又倾向古典，所以地位不免含混暧昧。直到最近，学者才开始以不同的眼光来看他们二人作品的内容。一位批评家说，"梁启超打着'新小说'的旗号，文学观念的核心却是旧的。王国维推崇旧小说《红楼梦》，文学观念的核心却是新的。"㊲如果要颂赞梁启超，与其称道其引进外来观念，倒不如说他把传统的文艺载道论及利用论包装成西方与日本的进口货，因而使它们获得重生。相反的，王国维之所以值得重视，倒不是因为他坚守旧的中国小说传统，而是因为他运用西方理论阅读中国经典，从而为我们所了解的"现代"加了一个新的、中国式的层面。㊳

在其对晚清叙事模式之转变的综览中，陈平原为晚清作家重释其文学传承的做法，勾画了一幅复杂的画面。与一般认为这是个僵滞或"过渡"时代的想法相反，细心的读者自可读出晚清作家对白话小说传统中修辞类型、时光主题之巨视、预期的情绪反应等的商讨，并且为之动容。晚清小说从所谓"高尚"的文类中汲取养分，如诗词、政论、演说、小品文等，但他们也从所谓小道文类中汲取养分，如笔记、速写、笑话、游记、轶闻、日记等，㊴并且将这种种收编到自己新的论述中。

以《新中国未来记》（1902）的第二章为例，此章中黄克强与李去病之间冗长的辩论，即是效仿汉代最著名的政治论文《盐铁论》。如果没有从传统中取材的笑话、轶事、类型人物、粗俗的笑剧手法等等，谴责小说作家何能以宏观的角度呈现社会怪现象的"写实"

画面?我们也有足够的理由推测,晚清煽情小说如吴趼人的《恨海》(1906)及李伯元的《海天鸿雪记》(1904)虽然有"才子佳人"小说的痕迹,却也同样受了个人回忆录中描述男女亲昵的私人感情联系的启发,如沈复的《浮生六记》。㊵

近来对晚清小说家吸收非小说传统的讨论令人想起普实克(Jaroslave Průšek)40年前的贡献。普实克主张,任何对晚清及民国文学的研究都必须跨越文类。他的意思是,世纪转换时期文类经历了一次混融,并造成之后其间界线的重划。对普实克来说,最好的例子是现代小说中私人情感的表现,因为在现代以前,这是只能在诗词里表现的。㊶因此,刘鹗的《老残游记》代表小说的一项突破,因为它结合了白话小说的公文类及诗词的私文类,由此凸显出历史的关键时刻,社会与个人间,或史诗与抒情间(借用普实克本人的词汇)的对话。

对坚持中国小说的现代性必须以作家掌握西方叙事手法的程度来衡量的人,我们必须问以下两个问题。第一,得力于对欧洲19世纪写实模式的运用,"五四"主流作家的确表现出与现代以前完全不同的叙述,而且为小说家开启了新的视野。具有反讽意味的是,一旦他们取得通往他们心目中的现代(还是仅仅是西方?)之钥,他们反而被自己的新发现所桎梏,再也创造不出自己的东西:借用西方,不但不曾解放他们,反而阻碍他们向现代跨进一步。外来的新范例一旦被列入"经典",成为人人必得学而习之的样板,岂不正与"现代"不断突破创新的原意相反?

相反的,晚清作家之"误读"外来作品,虽然粗糙荒谬,却导致一连串意想不到的创造发明。只要看看晚清作家为其作品集合的各种标签——从冒险小说到侦探小说,从政治小说到哀情小说,我们就可浅尝这些作家投入文学活动的想象的(或真实的)活力。除开政治小说,晚清作家还滋养了许多可能性,若非被"现代化大师"横加贬抑为低等文学或索性连根拔起,它们本来可以形成中国现代文学中一群迥然不同的作品。我想到的例子有科幻小说,此一文类探索想象未来的能力的极致;有谴责小说,此一文类专与写实主义作对,以狂欢来颂庆混乱与荒谬;还有狭邪小说,此一文类深入人类欲望的深处,以图谱人类身份认同(identity)的迷宫。既然回旋提示的是一种不断产生错异复杂,但又同时不出时空限制的能力,晚清小说的这种模式或可再次成为吾人重审中国现代文学的视角。

除了创造社早期的成员如郁达夫及陶晶孙,上海新感觉派作家如施蛰存、刘呐鸥、穆时英,以及京派的某些作家如废名,沈从文等,中日战争前夕的正统中国现代小说全为19世纪写实主义所独霸,这若以20世纪比较性的眼光看来,实在与"现代"沾不上边儿。虽然现代中国作家摆出一副反传统的姿态,但其实他们是战战兢兢的一代,只能追求一个已经被继承过的传统,还以为那是什么新鲜货。如果作家被迫去符合已在课本中申之再三的论述,那么所谓现代主义亦可称作古典主义,谁曰不宜。及今思之,"感时忧国"一词之所以能恰当形容20世纪中国文学,正因为它能涵盖此一执念的各种不同解释:种种写实主义者的矛头都只对向唯一的目标;种种革命姿态只诠释唯一的乡愁——中国。

我研究的第三个层面是理性(rationality)与过剩的感性(emotive excess)之间的对话关系。刘鹗在《老残游记》的《序》中说到,

> 棋局已残,吾人将老,欲不哭泣也得乎?

哭泣因此成为《老残游记》的主题与基调的隐喻。㊷ 中国即将崩溃,像刘鹗这样有良心的知识分子怎能不为之涕下。不过,刘鹗并非唯一以写作痛陈个人情感的例子。另一位著名的晚清作家吴趼人在1902年发表了一连串57篇短小的观察文字,题为《吴趼人哭》。吴趼人为许多事情而哭,包括国家危机、社会伧俗、浪漫爱情,一直到他个人散如飘蓬的过去。他还为预期中读者的反应而哭,如"恐怕没有几个人会读"或"用不着你哭"。㊸ 哭泣也并非总是私人的事情。吾人当犹记,晚清的翻译大师林纾在与王自然合力翻译《茶花女》时,深为所动,以致于时时弃笔相对大哭,竟至声闻于户外。㊹

四处横流的泪水固然是当时极可注意的一种情绪,但哭泣却并非晚清小说家抒发情感的不二法门。在泪水之中,吴趼人写了一连串的谴责小说,从《二十年目睹之怪现状》到《糊涂世界》(1906),其目的在引人发笑,不论是欢笑或苦笑。只要一瞥某些晚清小说的题目,如《新笑史》、《恨海》、《冷眼观》、《滑稽世界》、《仇

史》、《痛史》(1906)、《苦社会》(1905)、《活地狱》(1906)等,即可看出晚清作家在哭泣之外,还有生气、复仇、讥刺、冲动,以至彻头彻尾的愚笨等可能。感人落泪只是这许多模式中的一个而已。因此,在周蕾以弗洛伊德被虐狂与反俄狄浦斯情结解释男性情感之政治的研究中,或许过分强调泪水在晚清的分量,而将当时作家所表现的各种丰沛情感缩减到只剩其中的一种。㊺

我并不是说只有晚清这个时期小说叙述才有各种情感的爆发。袁进就指出,一如晚清,晚明小说家高唱情的抒放,以挑战孔教的限制。㊻袁进又主张,晚明作家专以男女之间浓烈的爱情来描画"情",而晚清作家则倾向将个人感情导向对当时政治危机的公开反应。康来新的《晚清小说理论研究》也持类似的见解。他们两人的意见都未免简化了这两个时代的小说所表现出来的感情范畴之广度。晚明"情"的观念固然植根于对理学的反动,但也代表了道德枷锁的世俗化。㊼此外,晚明作家一向被认为全力拥护"情",但是我们却可以轻易举出晚明作家讽刺或谐仿"情"这一观念的例子。随手拈来的例子就有《金瓶梅》中的秽亵情节,以及李渔的短篇小说,㊽这还不算当时广为流行的色情小说呢。但是我们也可以说,与晚清小说的情况相较,晚明的谐仿浪漫、粗俗的讥刺,以及色情小说,其写作仍然引发了"情"的反面辩证(negative dialectics)。这些作品不见得将"情"的正面置于危险之中,反倒对规范情感阶级的律条有所加强。造成颂赞与谐仿的都是"情"的观念;在辩证过程的平衡中并无崩决之处。

正如袁进与康来新所观察到的,晚清作家扩张了"情"的范畴,而又建立了一个人类情感的优先次序;他们以对人性与民族国家的关怀为浪漫情怀的终极表现。譬如刘鹗与吴趼人,他们把个人、感官的情感转化为政治之哀感的过程加以理想化。在《本馆附印说部缘起》一文的开端,启蒙学者严复就同时列举英雄之情与浪漫之情,以之为人性的两大基本情感。严复这个观察其实是重复保守分子文康的《儿女英雄传》(1878)的主题。此二者在政治上似乎风马牛不相及,但其对"情"之范畴的定义却显露出他们在意识形态上的关联。

虽然这好像是又回归到规范人类情感的旧礼教上去,但是我们仍可看到新的张力。"情"的过度抒发可能是社会无力调节其情绪的表征。王国维在其著名的《〈红楼梦〉论》的文章中谈"欲"（过度的情）而不谈"情"，㊾或非巧合。相对于欲望物而言，"欲"只能表现为一种缺憾。而另一方面，对情感过度向往的展示恰恰指出"情"的付之阙如。除了如《恨海》等少数的例子，晚清小说最多只是描写一个无情的社会。作家对"情"之表现的声声呼唤，适足以点出一种回天乏力的努力，因此也是失败的标志。

晚清小说情绪膨胀的表征，既包括作家跨越及混杂各种情感范畴的做法，也包括他们以失当的比例将主题或形式加以琐屑化或夸张化。就好像他们是在情感的拍卖会上盲目叫价似的，晚清作家在其角色上大量流泻自我矛盾的热情，并且展开"不合常理"的惊奇大拍卖。在曾朴的《孽海花》中，傅彩云既是肆无忌惮的妖姬，又是自我解放的浪荡女，既是骇人听闻的悍妇，又是革命女英雄。在吴趼人的《二十年目睹之怪现状》中，小丑及钻营家在一幕接一幕的妖孽马戏中出场演出；他们所处的世界早已天翻地覆，巴赫汀式的嘉年华狂欢恐怕犹不足以言之。㊿在这些作品中当然找得到道德训示，它们被作家散布各处，但身陷在书中匪夷所思的情境后，读者还能放弃不听道德说教的乐趣吗？

由世故的晚明小说的角度看来，晚清小说的作者、读者，以及理论家似乎总是不能将其题材中丰富的情感加以适当的调节。对情感过度的谈论最后可能只是点出情感的失序甚至贫血。读晚清小说，常常会觉得反讽该当道之处，死寂的严肃却出现；而泪水似乎恰如其分时，笑声却仍不绝于耳。

李渔对陈森的《品花宝鉴》那样的题材应该会觉得其乐无穷——两个女性气质浓厚的少年彼此一往情深，像是贾宝玉林黛玉的翻版。但是由陈森写来，他根本就期望读者把这部小说读成《红楼梦》。如果此书今日仍值得注意，那可能并不是因为其中的情感依然催人泪下，而是因为它是彻头彻尾的效颦之作。它的不足更照映了《红楼梦》的成功。在浪漫小说如魏子安的《花月痕》与吴趼人的《恨海》中（这两部小说是最畅销的催泪弹），吾人不禁怀疑，书中四处横溢的泪水是否打算使市场泛滥成灾。

虽然评论本应理智地探讨小说写作的主题、过程、结果等，但即使在小说评论中，"过剩"也是常态。前述梁启超的理论就是基于夸张的修辞。梁启超之堆积壮阔的意象及其疾呼小说的载道功用,同时泄漏了他对自己计划的狂热与焦虑。在梁氏对小说力量之探讨的核心,他提到四种情感的冲击:熏、浸、刺、提,全都是扰乱情绪平衡的方法,以使人得到对世界的新认知。㉛梁氏说道,"小说……其最受欢迎者,则必其可惊可愕可悲可感,读之而生出无量噩梦,抹出无量眼泪者也。"㉜随着梁氏的理论,我们还看到狄平子认为小说"令读者目眩神夺,魂醉魄迷,历历然,沉沉然"的声明㉝,陶祐曾形容小说为具有"有无量不可思议之大势力"的"怪物"㉞,以及吴趼人将"情"与自爱国心到孝心等各种情感反应加以等同㉟。当大多数的理论家都深陷于小说感人之力的讨论中时,王国维却开始以《红楼梦》及叔本华与尼采的理论来描写"情"的另一面——欲,即过度的"情",或欲望。欲望使人欲求得不到的或不可及的,因而带来无尽的人生之苦。通过他对《红楼梦》的诠释,尤其是宝玉对理想爱情虽千万人吾往矣的追寻,王国维体察出人生的悲剧面,在欲求与求而不得之间的挣扎;他认为艺术是超越此西西弗斯(Sisyphus)式徒劳的困境及救赎人生苦痛的唯一法门。有关王国维之提倡价值之"美学超价值"与康德哲学中"艺术无用之用"观念的相关性,论者已言之甚详。㊱但是我们还是得留意王国维字里行间流露的"欲望",企求消泯一切欲望的欲望。王国维这篇文章本身就是他不能实现的梦想的体现。在这一点上,王国维与梁启超之间的关联性才彰显出来,否则他们二人的文学理论可说是南辕北辙。他们都被理性之外的一种人类情感范畴所震动甚至诱惑,而他们也都对如何设法应付此一范畴感到焦虑。

虽然以亚里士多德诗学的标准而论,中国古典小说之结构本来就乏善可陈,但是晚清小说即使以中国的标准视之,其形式之节制也都大有问题。晚清小说情节之芜蔓、资料之无尽堆砌、主题的无聊炫学,以及角色之接踵而至,合而组成了一种可怕的叙事类型(或反叙事类型),威胁到作品的统一性与我们对其结构的感知。狭邪小说《九尾龟》竟有 288 章之多。侠义公案小说《三侠五义》大受欢迎,不但续书应运而生,连续书都有续书;另一个例子是《施公案》,此书共有 10 种续书,共 528 章。

不过,伴随明显的过剩的是明显的匮缺。作品中过剩的成分正透露出作品之"空白恐怖"(horror vacuum),作者摆出一副包围一片空白,死而不悔的姿态。晚清作家太急于说故事,根本没时间好好儿发展一个角色或一幕场景。在叙事正当中他们会转向不相干的事;他们会彼此剽窃或重复;尤其糟糕的是,他们连作品完成与否都不放在心上。晚清四大小说中,只有《二十年目睹之怪现状》一书堪称完成。《官场现形记》的第二卷根本没写;曾朴的《孽海花》原是取自曾氏友人金松岑,但他也一直未能完成。他们之所以不愿或不能停止,或完成一个作品,或许有其政治、经济,甚至生理的因素,(57)但是这也同样点出他们的恣纵及对规范的欠缺认知。

Milena Dolezelová-Velingerová 在她精密的研究中曾试图理出晚清小说的类型。虽然她所提出的模式,如"线状情节小说"、"循环小说"等,的确有助我们了解晚清小说的叙事方式,但是却无法解释使小说论述活起来的情感因素。由晚清小说表现在语法、主题、角色等方面的"过剩效应"视之,我们大可论及叙事类型与本能冲动(libidianl)乱流间相对且常互相逾越的关系。情节、角色、场景、情绪的过剩在晚清小说中造成一种装饰性的效果;此一装饰性效果诱人走入作品的迷宫,使人的感官与感性皆为之迷乱,而尽头处又没有解决之道。对作者与读者来说,他们写作与阅读的经验都同样是在奋力填补作品中心的空白,欲求为不断规避的"对象"(Object)命名。读者与作者都在玩一个折磨人的游戏,想给"意义"(Meaning)一个固定的形式,但是他们只能成为该形式或该形式之缺席的牺牲者,而非控制者。

鲁迅曾经观察狭邪小说风格的演变,发现"作者对于妓家的写法……先是溢美……临末又溢恶"(58)。鲁迅的这段话其实也适用于晚清小说的其他各类。对主题,晚清作家不是颂扬就是唾弃,不是夸大就是琐屑化,他们无法克制逾越限制传统装饰成自我谑仿的冲动。他们所建构的论述本像一场狂欢,将好与坏的因缘、公众的与私人的感情,都诱入天旋地转的交互作用中,直到精疲力尽才停止。阅读这个时期的作品,我们难以决定它们是世纪末七十二变的景象,还是世纪末的刺激,难以预言现代性会迷失到什么地步。如果缺乏自觉的判定去欣赏这些作品的执拗或者差劲,那么可就错过晚清小说中最激烈、最"富创造力"的一部分了。

主流的中国现代文学挺身而出,以道德的自觉大声疾呼。它所要建立的论述是充满着秩序、严谨,以及理性的。然而,当夏志清指出中国现代作家对"感时忧国",以及"露骨写实主义"的倾好,[59]夏氏其实已经意识到这个秩序、严谨、理智的论述中有许多过度的成分。而当刘绍铭以"涕泪飘零"一词来形容"五四"以来到70年代的中国文学时,[60]也同时点出中国现代文学其实从未远离过剩的领域。可以说,刘鹗的"哭泣理论"始终在中国现代文学的背后张牙舞爪。鲁迅一代之后的中国作家在处理过剩的情感时,并不比晚清人强。这些作家及批评家迂执于某一种过度的情感,反而发展出一种歇斯底里的盲目,使得中国认可自己除政治之外无力处理感情的无能。相反的,事情一有差错,就怪罪(旧)中国,因为在这种盲目中,所有的创伤都是政治的创伤,而所有文学上的失败都是肇因于对国家毫无报偿的爱。

我的最后一项观察是关于晚清小说中新兴的一种再现法。面对急遽变化的文化及历史情境,晚清作家显示出传统小说中前所未有的迫切感,想要记录重大事件与当代人物,由此呈现国族当下的危机。对保守的批评家来说,晚清小说之反映现实可说是其唯一佳处。但是也有人指出,与其后的作品相较,晚清小说还不够"写实"——粗糙的情节、肤浅的人物描写、僵硬的叙事等只不过是几个最明显的缺点。他们说这个时期的作家尚未掌握西方写实主义的方法,这种新技巧犹待其后世代的作者与读者来操控。同时,晚清作家似乎也忘记了传统叙事中的写实手法,如《水浒传》、《金瓶梅》、《红楼梦》等。

晚清作家铭刻现实的方法到底怎么了?我们或许可以回答,这个时期是现代前与现代之间的过渡时期,因此晚清作家虽然已扬弃传统叙事,但还不能掌握新的西方叙事模式。但即使如此,也并不表示这些作家就身陷想象的空白,不能塑造他们自己心目中的真实。传统再现系统的崩溃——皇权低落、外来文化入侵、真实感法则的崩溃等等——事实上反而为作家提供了重塑他们自己心目中的真实的非常口实。而即使没有这个口实,野心勃勃的作家也可能准备一试身手,重释小说现实。[61]

与传统观点相反,在这个时期,出现了有关如何传达现实的一连串惊人的论辩与实验。当时多种小说的"品牌"辈出,从科幻小说到喜剧,从政治小说到哀感顽艳的爱情小说,而作者与编者都对此竟相标榜。我们对这个现象绝不可轻忽。如果冷眼视之,也可以说这些"品牌"都不过是虚名,没有任何"真正"的改变。如果当真如此,那么这就更是一个尖锐的表征,指向一代作家急切地找寻再现其时代的正确法则。小说中(或许还包括小说外)的现实已不再是当然之物,而是一种其意义必须一再名之(to be "named")的东西。

不过,正如我们方才所指出的,小说的各种类型的确历经各种改变——只是这些改变是追寻"理性"的、"严谨"的、"启蒙"的改变的批评家所看不到的。"五四"作家或可夸称掌握了欧洲19世纪写实主义奠定的写实论述典范,但是正如 Marston Anderson 说的,这个写实主义很快就形成一连串的"限制"㉒,阻碍作家探索思考与写作这个世界的无尽可能。同样的,晚清时期思考与写作的多样实验,"五四"作家也不得其门而入。

古典白话小说最突出的两个特质——延续不断的说书与历史论述的框架——在晚清有剧烈的改变。说书传统创造出如茶肆等公开场合的"模拟情境"(simulated condition)㉓;在这种场合,故事要说得能符合说书人/叙述者与其预期听众共同拥护的价值才行。历史论述也是中国古典白话小说的特点,即设想其与史传的关联。历史论述也形成一种模拟的情境,把所描写的任何主题,不论是纯幻想或是实际经验,远在天边或近在眼前,都关联到历史的环节,由此确立其在历史洪流中的有意义的地位。㉔换言之,小说中的历史论述所达成的是拟真的效果(verisimilar effect)多于模仿的幻觉(mimetic illusion)。说书情境创造了一个社会空间,其中价值被圈定在已设定好的地理范围中,而历史论述形成的是时间(temporality)或非时间(atemporality)的延续,由此叙事之流才得以被认知。虽然每一代的作家对这两个手法都有革新,却从未扰乱其中隐含的拟真基本法则。

说书的叙事手法在晚清已是强弩之末,这不只是因为更个人的叙事角度如第一人称叙述(《二十年目睹之怪现状》)或第三人称(《老残游记》)的引进,更是由于说书人权威的全面消解,即使整个作品的字里行间都有他的存在。场景与插曲的不断变换(《海上花列传》),以及旅游主题的风行(《老残游记》、《文明小史》、《邻女语》),还有见证式小说(《二十年目睹之怪现状》、《中国现在记》)都动摇了传统白话小说的空间成规。⑥

另一方面,虽然要传述有意义的事物的观念仍盘踞晚清小说作家的心中,但是被叙述的主题与叙事本身之间的时间距离却迅速消失。面对日渐紧迫的社会与政治危机,晚清作家倾向于写作刚刚才发生或正在发生的事情。他们对当下每一刻飞逝的时光紧张的凝视,以及他们迫切想要铭刻眼下经验的冲动,都可由其作品的题目看出来,比如声称要"鉴照"社会的病态,如《立宪镜》(1906)、《青楼镜》(1909)、《医界镜》(1908)、《新孽镜》(1906)等,或者如暗示要"揭发"事实的题目,比方《官场现形记》、《学生现形记》(1906)、《家庭现形记》(1907)、《革命鬼现形记》(1909)等。即使最正统的历史小说,如吴趼人写南宋覆亡的《痛史》,黄小配写太平天国的《洪秀全演义》(1908),也都明显地与当时国事有关。

在"五四"作家尚未熟悉19世纪欧洲写实主义的美学及观念的典范之前,他们已经从晚清前辈那儿继承了以一套不同的时间及空间隐喻来看待真实的新方法。现代史诗式小说的作家,如茅盾,一定受到过晚清新历史论述的启发,虽然他自己声称是受了西方历史小说的影响。⑥但是,"五四"的写实主义作家以一整个时代用19世纪欧洲写实主义为理想典范来追寻真实,与之相比,则晚清作家不是缺乏能力就是缺乏意愿去将他们对过去与现在的思索"固定"下来。"五四"作家将其对真实的论述发展成一种"模拟律令"(order of mimesis)⑥——以客观呈现为名,规范或甚至"检核"人们观看及写作真实之方式的一种道德及形式的制约,而晚清作家则在他们的写实战场的每一面都有朝向"不真实"的滑落。他们从未掌握住"模拟"(mimesis)的技巧;他们或自知或不自知地成为"谑仿"的实践者。

我将"谑仿"定义为晚清的历史情境与当时作家描写该情境的形式的主要隐喻。"谑仿"是模拟的一种低等形式,它夸张、扭曲,尤其重要的是,它简化被模拟的对象。晚清作家对自己的文学传承与外来影响的可悲或可笑的反应,谑仿一词正足以形容;这样的例子有梁启超及其同辈批评家对"新小说"的提倡,投机作家对古典经典之作无休无止的谑仿,还有翻译家对外国文学与思想的扭曲。但是谑仿也暗示对目标物一种冷嘲热讽的重复,一种不怀好意的敬礼,其颓废的程度,足以把新事物呈现得有如旧事物的翻版。后来的写实主义作家全心投靠的"生疏化"过程（defamiliarization），在晚清时期却必须以"熟悉化"（familiarization）视之。

一旦我们认识到晚清作家已丧失了或尚待重拾变陈为新的把戏，我们才可以探索他们"谑仿"中的创造性层面。通过他们对古典及外国作品的有心或无意的误读，晚清作家才能产生美妙或恼人的意料之外的事物。当说书人的世界所倚赖的时间环节失去其"过去性"的导向，当定义传统价值的空间定位可以被取代或彼此取代，那么传统叙事中操控公众与个人之间关系的法则就有崩溃的危险了。但最要命的也许是，当时的激烈分子所强烈预期，且犹为今日的某些批评家所一心怀想的决定性剧变，竟然根本从不曾发生。传统再现系统的滑落并未"毁灭"社会真实感赖以维系的结合关系，反而在我们与一向被视为不相干甚至排斥的事物之间，搭起再现的联系。事物好像是以拟象（simulacra）的群集的形式存在的。它们并不包含以前以为有的真实的"存在的根据"；它们是由虚幻的比喻所连结在一起的。

晚清作家所描绘的世界中，任何事都可以透过一个妖异的交换机制予以占有或取代，因此他们投射出一个对现实真正荒芜的看法。价值之形成与涣散有如泡沫，道德则不过是表面功夫。现实的"深度"结果竟是表面的延伸罢了。鲁迅一代的作家，其作品的力量来自他们对失去的生命意义的挫败追求，与他们对新与旧的再现系统之矛盾所感受的道德苦痛，而晚清作家致力维护传统价值，却发现这些价值似乎彻头彻尾都是空的。在事物的"中心"，即使是可怕的黑暗也无妨，但是他们却找不到任何秘密，只有更多的"表面"事物。

Dolezelová-Velingerová 以谴责小说如《二十年目睹之怪现状》为例，发现晚清小说中充斥着魔高一丈感，她将之归纳成两种："恶必胜善"；"大恶胜小恶"。将她的理论再推进一步，我认为这种认知与其说是来自主角面对残酷现实时的认知，不如说来自他面对浮夸混乱的世界时的无力感。主角对这个世界的认知的"启蒙"，对读者来说不啻是个"反面教材"；我们要学到的是，"社会罪恶"其实并非躲在暗处伺机而动，而是根本一直与我们常相左右。因此，除了少数的例子之外，吾人实不宜以 19 世纪欧洲小说情节的标准——读者由含混或无知的状态到对真理的认知的渐进主线

——来了解晚清小说的情节。晚清小说中对罪恶的揭发并不是要告诉读者什么新鲜事,而是要让读者再次确认他们已经熟悉不过的事。

当内被当作外来处理,任何深入的描摹都不过是表面的双重揭露。这一点有助于我们解释(虽然不能完全消解)有关晚清作家无力对人性的"内在"层面加以细致描绘的抱怨。《老残游记》一向被举为晚清小说中能处理角色心理的少数例子。[68] 老残对国事陵夷的忧心,对无辜受害的义愤,以及他对自然或人文景观的抒情式迷恋,在显示一个敏感心灵对外在刺激的反应。但是这部小说最有力之处,却在描述主角试图刺穿某个情境的诡诈表面时,其徒劳无功的挫折与惊异。为什么清官比贪官更危险?为什么可以针砭国疾的人,反受到中国人的迫害?这样的问题像是重复的母题,在小说中一再出现。它们把叙事者(及读者)一再拉出老残的内心世界,而将重点放在造就老残之为老残的外在问题上。不过这样做并不是为了得到答案,而只是使人明了这些问题有多熟悉。

即使在吴趼人惊才绝艳的浪漫小说《恨海》中,我们还是觉得其中角色是固定类型人物的重写,而不是自求多福的活人。在这部小说中,两对恋人在拳乱中被拆散,历经苦难才重新碰头,却发现彼此已不再适合了。女主角之一虽然看清楚她的未婚夫其实根本配不上她,却仍然坚持下嫁。她所表现的热情的对象,与其说是她的未婚夫,还不如说是她自己的道德感;而她妾心古井水般的道德感,与其说是贞节,又不如说是褊狭,并且最后为她周围的每个人都带来不幸。这位女主角的决定颇似晚明短篇小说,譬如《陈多寿生死夫妻》。在该篇明代短篇小说中,女主角所有的问题最后都由神力来解决。[69] 然而,《生死夫妻》之所由为喜剧的解决方式,却已不再能为《恨海》的作者所用。这一次我们的女主角枉顾所有不祥的征兆,执意纵身跳入恨海,承受本可预见的灾难。她的自我牺牲中未必没有少许悲剧自觉的成分,不过,更多的是一股一意孤行的节妇心态。对所有周遭的人,其道德感之愚蠢可谓昭然若揭;对所有阅读该小说的人,其道德感之愚蠢亦可谓昭然若揭。从她的经验中什么也学不到,只有像小说答应给读者的,流些不必要的泪水:这是生命的谑仿,不是现实的模拟。

谑仿对所谓真实在形式及观念上都制造了一个论述的自由区

域。在中国作家对真实的视野尚未被"写实主义的限制"所操控时,当现实突然像是可以争论的、可以由各种不同方式再现的时候,此时的中国小说进入了得以追求小说形式的短暂自由时期。这更导向晚清作家再现技巧中最迷人的地方。

对个人情感最具吸引力的探索,不在如《恨海》这样较高尚的浪漫爱情小说中,反而是在狭邪小说里看得见,此中爱与欲彼此嘲谑又彼此抬举,而最私密的关系却在最公开的场合处理,即妓院。谴责小说虽意在揭发社会之不义与人间之荒谬,但其成功处却是创造了一个中国式的狂欢,永不向秩序低头。狭邪小说及侠义小说开创的想象空间中,一般正义与不义、英雄与恶棍之间的界线都全被忘记了。科幻小说未得"五四"文人一顾,这个文类探索西方科技,同时却从未放弃传统系统中的"奇幻"(the fantastic),可谓最能代表一代中国人的乌托邦欲求与现实焦虑。

一旦文学对生命的再现被视为修辞的演出,或想象的形式展示而非逻辑推演的结果,那么随之而来的自由就使文学充满了发明,不管这些发明有多令人发窘。在现实重新被逻辑所掌握、被模拟的理论所禁锢以前,晚清小说的惊人谑仿或许是最好或甚至唯一探索真实的可能性的方式吧。

因此,回溯晚清小说,正是回溯到对现代性的谈论及欲求尚未简化成单一的公式的时期,也是批判性地重拾想象与写作"现代"的潜在"姿态"。我在此已讨论了四种有关晚清被压抑的现代性的途径。晚清小说中的议题与文类数量实在太多,我的综观必然是有限的。不过我希望能证明,即使是在如此小规模的研究中,我们仍可观察到被压抑的中国现代性的某些线索,并且激发其后更多的研究。问题已随之而至:在当今这个时代,后现代与现代前、中国的"世纪末"与"新纪元"前所未有地短兵相接,再去想象这些被压抑的现代性,其意义安在?此后任何对晚清小说的研究,都必须是历史性的,将当时对现代的论述置于知识与文学的传统中来考虑,也必须是理论性的。在这样的过程中,我们的研究就必须重视探求文化动力、文学史、与叙事理论之间复杂困难的关系。

注释:
① 晚清小说之盛,可参见阿英《晚清小说史》,香港:太平书局1966年版,第

1—8页。

② 据说晚清小说家如吴趼人及李伯元都收集街谈巷议以为写作材料。他们有时候会抄录或交换彼此的材料，或分别在不同的作品中采用同样的材料。包天笑甚至在报纸上刊登广告，征求耸人听闻的故事。参见袁进《中国小说的近代变革》，中国社会科学出版社 1992 年版，第 52 页。

③ 晚清文学的研究始于 1910 年代。例如，胡适在其《文学改良刍议》(1917) 中曾论及《官场现形记》与《二十年目睹之怪现状》。胡适对《老残游记》、《三侠五义》、《海上花列传》等小说的研究，更将我们带入这些作品产生的社会及文化情境中。鲁迅所列举的晚清小说三大类——狭邪小说、公案侠义小说、谴责小说——沿用至今已超过半世纪。

阿英的《晚清小说史》(1937) 大概是二次大战前最完整的晚清小说研究了。他提供了促使晚清小说发展的政治情况、社会及经济动力，以及意识形态的因素。在其《小说闲谈》中，阿英更进一步论及他发现或特别感兴趣的作品。与胡适及鲁迅相较，他更大方地谈论晚清小说的"历史意义"。他力主晚清小说最重要的意义即是反映革命前夕的社会、批评社会之恶，及社会进步的理念。其他值得注意的晚清小说研究还包括赵景深、孔另境与刘大杰。

④ 方正耀《晚清小说研究》，华东师范大学出版社 1991 年版，第 117—220 页，第 332—364 页；时萌《晚清小说》，台北：国文天地 1990 年版，第 143—147 页。

⑤ Matei Calinescu, *Five Faces of Modernity*, Durham：Duke University Press, 1987, pp. 13—94.

⑥ 参见李欧梵，"Literary Trends 1：The Quest for Modernity, 1895—1927," 收录于 *The Cambridgy History of China* (Cambridge：Cambridgy University Press, 1983)，第 13 卷，第 499—504 页。

⑦ 参见陈独秀《文学革命论》，收《独秀文存》，第 1 卷，第 135—140 页；胡适《建设的文学革命论》，收《胡适文存》，第 1 卷，第 289—306 页；周作人《人的文学》，收《周作人论文集》，黄之清编（香港：汇文阁书务，1972），第 11—30 页；鲁迅，《呐喊·序》，收《鲁迅全集》，人民文学出版社 1981 年版，第 1 卷，第 417 页。

⑧ 我所谓的"现代主义"(modernism) 指的是 20 世纪初的前卫文学，大师如卡夫卡(Kafka)、乔伊斯(Joyce)、贝力(Bely)，甚至芥川龙之介。

⑨ 例如夏志清，"Yen Fu and Liang Ch'i-ch'ao as Advocates of New Fiction," 收于 *Chinese Approaches to Literature from Confucius to Liang ch'i-ch'ao*, Adele Austin Rickett 编 (Princeton：Princeton UP, 1978)，第 221 页；康来新《晚清小说理论研究》，台北：大安出版社 1986 年版，第 186—236 页。

⑩ 夏志清,"Obsession with China," 收于 *A History of Modern Chinese Fiction* (New Haven: Yale UP, 1971), 第 538 页。

⑪ Gianni Vatimmo, *The End of Modernity*, Jon R. Snyder 译 (Baltimore: The Johns Hopkins University Press, 1988)。Snyder 的导论中对 Vatimmo 的思想有精彩的介绍,见第 6—8 页。

⑫ "The question may now be put: Do we live at present in an enlightened age? The answer is: No, but in an age of enlightenment." 引自 "What is Enlightenment?" 收于 *The philosophy of Kant*, Carl Friedrich 编 (New York: Modern Library, 1979), 第 138 页。

⑬ 几道(严复)与别士(夏曾佑),《本馆附印说部缘起》,收于《20 世纪中国小说理论资料》,陈平原、夏晓虹编,北京大学出版社 1989 年版,第 1 卷,第 12 页。

⑭ 夏志清,"Yen Fu and Liang Ch'i-ch'ao as Advocates of New Fiction," 第 221 页。

⑮ 黄摩西于 1907《小说林》的发刊词中说:"以昔之视小说也太轻,而今之视小说又太重也。"黄雅不欲视小说为载道或宣导的工具,反而强调其美学的人性抒发,并宣称小说是"文学之美感表达的一端"。见《20 世纪中国小说理论资料》,第 233 页。徐念慈受黑格尔影响,把小说的基本精神解释为人间经验的超越。见徐念慈《小说林缘起》,收于《20 世纪中国小说理论资料》,第 234 页。

⑯ 同⑬,第 1—11 页。

⑰ 梁启超《译印政治小说序》,收于《20 世纪中国小说理论资料》,第 21—22 页。

⑱ 梁启超《论小说与群治之关系》,收于《20 世纪中国小说理论资料》,第 33 页。

⑲ "20 世纪之中心点,有一大怪物焉:不胫而走,不翼而飞,不扣而鸣;刺人脑球,惊人眼帘,畅人意界,增人智力;忽而庄,忽而谐,忽而歌,忽而哭,忽而激,忽而动,忽而讽,忽而嘲;郁郁葱葱,兀兀屹屹;热度骤跻极点,电光万丈,魔力千钧,有无量不可思议之大势力,于文学界中放一异彩,标一特色。此何物欤?则小说是。"引自陶祐曾《论小说之实力及其影响》,《游戏世界》第 10 期(1907)。

⑳ 夏志清,"Yen Fu and Liang Ch'i-ch'ao as Advocates of New Fiction," 第 229 页。

㉑ 见夏志清在"Yen Fu and Liang Ch'i-ch'ao"中的评论,第 225—229 页。

㉒ 觉我(徐念慈)《余之小说观》,收于《20 世纪中国小说理论资料》,第 310 页。

㉓ 夏晓虹《觉世与传世：梁启超的文学道路》，上海人民出版社1991年版，第72页。1903年，梁启超旅行美国，这趟旅行直接致使他停顿《新中国未来记》的写作。但据夏的说法，更可能的原因是当时梁的政治观点正面临重大变化。梁放弃了以革命改造中国的可能；此一新的政治观与该小说以革命与社会自觉的辩证为基础的原始构想相冲突。

㉔ 梁启超《告小说家》，引自夏志清，"Yen Fu and Liang Ch'i-ch'ao,"第257页。

㉕ 除了鄙薄的批评，极少人以美学风格及思考现实的方式来讨论晚清小说中的颓废。虽然我在此多所涉及西方文评，但我其实非常清楚，欧洲19世纪末的颓废之风与中国之间并无简单的平行关系。参见 Matei Calinescu, *Five Faces of Modernity* (Durham: Duke University Press, 1987), 第151—224页; Carl E. Schorske, *Fin-de-siècle Vienna: Politics and Culture* (New York: Vintage Books, 1981), 第3—23页，第208—287页。

㉖ 此处借用 Rae Beth Gordon 的词汇，见 *Ornament, Fantasy, and Desire in Nineteenth-century French Literature* (Princeton: Princeton University Press, 1992), 第216页。

㉗ 同⑬，第12页。

㉘ 梁启超《论小说与群治之关系》，第36页。

㉙ 柏拉图《理想国》，侯健译，台北：联经出版公司1983年版。

㉚ 夏济安，"The Gate of Darkness," 收于 *The Gate of Darkness* (Seattle: University of Washington Press, 1968), 第146—172页。

㉛ 曾朴《修改后要说的几句话》，见《孽海花》，台北：世界书局1966年版，第2—3页。

㉜ 梁启超《新中国未来记》第四章总批，台北：广雅出版社1984年版；康来新，第111页。

㉝ 参见鲁迅《小杂感》，收于《鲁迅全集·而已集》，人民文学出版社1981年版，第532页。

㉞ Theodore Huters, "A New Way of Writing: The Possibilities for Literature in Late Qing China, 1895—1908," 收于 *Modern China*, 14, 3: 243.

㉟ Theodore Huters, "From Writing to Literature: The Development of Late Qing Theories of Prose," *Harvard Journal of Asiatic Studies*, 47, 1: 51—96.

㊱ Huters, "A New Way of Writing," P. 246.

㊲ 袁进《中国小说的近代变革》，第161页。

㊳ 参见柯庆明《现代中国文学批评论述》，台北：大安出版社1987年版，第169—268页。

㊴ 参见陈平原《中国小说叙事模式的转变》,台北:久大文化出版社 1990 年版,第 147—256 页。

㊵ 参见袁进《中国小说的近代变革》,第 9、18 页。

㊶ 普实克,*The Lyrical and the Epic: Studies of Modern Chinese Literature*,李欧梵编,Bloomington: Indiana University Press, 1980,第 8—21 页。

㊷ 参见李瑞腾《棋局渐残人渐老:〈老残游记〉的哭泣意象》,台湾,《中央日报》副刊,1993 年 10 月 28—29 日。

㊸ 吴趼人《我佛山人文集》,第 8 卷,花城出版社 1988 年版,第 142 页。

㊹ 引自李欧梵,*The Romantic Generation of Modern Chinese Writers* (Cambridge, Mass: Harvard University Press, 1973),第 44—45 页。李主张:"作为一名卫道的儒士,林纾试图缝合道德与情感之间的裂缝,因此对情感投之以对道德行为同等的严肃性。对他来说,情还不只是如《论语》所说,是理的内在反映;情根本就是道德。"第 46 页。

㊺ 周蕾(Rey Chow),*Woman and Chinese Modernity: The Politics of Reading between West and East* (Minneapolis: University of Minnesota Press, 1991), P.P. 121—127。

㊻ 袁进《中国小说的近代变革》,第 127—133 页。

㊼ 近来对此议题作深入探讨的有李惠仪(Wai-yee Li),*Enchantment and Disenchantment: Love and Illusion in chinese Literature* (Princeton: Princeton University Press, 1993),第 47—88 页;孙康宜,*The Late Ming Poet Ch'en Tzu-lung: Crises of Love and Loyalism* (New Haven: Yale University Press, 1990),第二章。

㊽ 韩南(Patrick Hanan)对李渔短篇小说中的颠覆意图有言简意赅的探讨。参见其 *The Invention of Li Yu* (Cambridge, Mass.: Harvard University Press, 1988)。

㊾ 王国维《红楼梦评论》,收于《20 世纪中国小说理论资料》,第 96—115 页。

㊿ Mikhail Bakhtin, *Rabelais and His World*, Helene Iswolsky 译, Cambridge, Mass: Harvard University Press, 1988.

㉛㉜ 梁启超《论小说与群治之关系》,第 34、35 页。

㉝ 转引自康来新《晚清小说理论研究》,第 191 页。

㉞ 陶祐曾《论小说之势力及其影响》,收于《20 世纪中国小说理论资料》,第 226 页。

㉟ 见吴趼人于《恨海》第一章中所作的评论,收于《我佛山人文集》第 6 卷,第 187 页。

㊱ 参见康来新《晚清小说理论研究》,第 214—221 页;李瑞腾《晚清文学思想论》,台北:汉光文化公司 1992 年版,第 63—68 页。

(57) 例如,梁启超因为要致力于政治事业而放弃《新中国未来记》的写作;李伯元与吴趼人在其事业巅峰期都以为杂志及报纸写小说为业,但两人都死于不惑之年,身后留下好些作品未完成。

(58) 鲁迅《中国小说的历史变迁》,收于《鲁迅全集》第 9 卷。

(59) “露骨”写实主义(“hard-core”realism)指的是对中国苦难的生硬甚至惨酷的揭露。见“Closing Remarks”,*Chinese Fiction from Taiwan*:*Critical Perspectives*,Jeannette Faurot 编,Bloomington:Indiana University Press,1980,第 240 页。

(60) 刘绍铭,《涕泪飘零的现代中国文学》,台北:远景出版社 1980 年版,第 1—8 页。

(61) 当曹雪芹重塑明末清初写实的规范时,难道他需要像“皇权低落”、“外国侵略”、“真实感法则崩溃”这样的藉口吗?当他从根革了中国小说的命时,大清王朝不正在权力、财富、恃傲的巅峰吗?

(62) Marston Anderson,*The Limits of Realism*:*Chinese Fiction in the Revolutionary Period*(Berkeley:University of California Press,1990).

(63) Patrick Hanan,“The Nature of Ling Meng-ch'u's Fiction,”*in Chinese Narrative*,Andrew Plaks 编,Princeton:Princeton university Press,1977,第 87 页。又见拙作“Storytelling context in Chinese Fiction:A Preliminary Examination of It as a Mode of Narrative Discourse,”*Tamkang Review*,(1984)6,1—4:133—150.

(64) 正因为历史享有涵盖及预想所有中国人的经验的特殊地位,因此将小说关联到某一特定历史情境似乎有助作家为其作品的可信度与真实度辩护——即使该小说所叙述的纯为幻想。以 Andrew Plaks 的话来说,中国叙事传统中不论讲史或虚构的部分,“任何被记录下来的总是真的——不管是对事实为真或对生命为真,这种想法一直是个基准。”参见 Andrew Plaks,*Chinese Narrative*,第 212—213 页。

(65) 参见陈平原在《20 世纪中国小说史:1897—1916》中对旅人作为叙事主题的探讨,北京大学出版社 1989 年版,第 226—246 页。

(66) 参见我在 *Fictional Realism in Twentieth-Century China*:*Mao Dun*,*Lao She*,*Shen Congwen*,New York:Columbia University Press,1992,第二及第三章中的讨论。

(67) 我在此借用了 Christopher Prendergast 在 *The Order of Mimesis*:*Balzac*,*Stendhal*,*Nerval*,*Flaubert*(Cambridge:Cambridge University Press,1986)中所定义的词。见第 1—23 页。

(68) 如袁进《中国小说的近代变革》,第 123 页。

(69) 参见夏志清在“Society and Self in the Chinese Short Story”一文中对该篇

短篇小说所作的讨论,收于 The Classic Chinese Novel (New York: Columbia University Press, 1968),第 303—306 页。

　　胡晓真译,原载《中国现代文学国际研讨会论文集:民族国家论述——从晚清、五四到日据时代台湾新文学》,台湾中央研究院文哲研究所筹备处 1995 年版

旷新年

现代文学发生中的现代性问题

一　中国现代文学的元话语性质

　　文学革命——胡适一直执拗地称之为"中国的文艺复兴"——不仅是一个充满纠葛的文学"尝试",而且也是一个复杂的文化价值的重建运动。因此,不但作为一种文学实践,而且作为意识形态的有用武器,中国现代文学长期以来就是备受关注的领域。在30年代,《中国新文学大系》和各种版本的新文学史著作的出版便已构成一显明的现象。50年代初,以毛泽东《新民主主义论》为解释结构的王瑶等对现代文学史教材的修撰,更与中华人民共和国的成立有不可分割的联系。因此,中国现代文学不仅作为历史中的一个具体阶段,而且成为一种元话语的展示。中国现代文学的浮沉荣辱和沧海桑田的复杂经历也正是系于它的元话语性质。现代文学的元话语性质使之成为一种能用来进行再度阐释和可以不断借用的理论资源。80年代中国现代文学研究中对于现代性的重新发掘,不只是对于"五四"启蒙理想的简单的历史追溯与焊接,而且同时也为"新时期"文学研究配置了丰富的话语资源,并且显示了巨大的解释能力。

二　中国现代文学整体性的崩溃

　　80年代是一段还未感觉到即已失去的短暂易逝的"美丽的好时光"。80年代对于现代性的重新追寻,曾经被"历史"放逐的作家重新返回到中国现代文学中,然而历史叙述又在"重写文学史"的四面呼声中开始分崩离析,呈现越来越多元的面貌。因此,尽管受历史整体性的宏大叙述的渴望驱动,作为"宏观研究"的"20世纪中国文学"(黄子平、陈平原、钱理群)和"中国新文学整体观"(陈思和)等命题却再也无法对于中国现代文学做出真正有效的系统完整和整体统一的阐释。中国现代文学那种令人憧憬和不可或缺的意识形态的完美性开始瓦解碎裂,并造成了阐释的困惑与焦虑。汪晖在《预言与危机》中指出,"五四"启蒙运动的"历史同一性"不是存在于思维的同一性之中,而是存在于"态度的同一性"之中。这种向"态度的同一性"的撤退预示了现代文学整体性的崩溃。我们再也难以简单地用中心与边缘、主流与逆流、进步与反动等二元对立的模式来结算中国的现代文学。然而,看来似乎矛盾的是,中国现代性的未完成性使中国现代文学仍然经常地被召唤作为一种完整的意识形态来使用。因此,在这个意义上,"20世纪中国文学"的提出不是一个文学史的问题,而是一个理论问题。也就是说,"20世纪中国文学"在历史开始解体的时刻仍然是作为一个未完成的虚构,一个意识形态的想象之物而出现的。

三 西方现代性的分裂与中国现代性的困境感

当80年代末,中国现代化的重新定向及其对"五四"批判之际,"后现代批评"开始发出了"现代性的追问",并明显地表述为一种保守的民族主义。在世界性的后现代追问之下,中国现代性这个可疑之物的合法性在根本上成为一个问题。酒井直树在《现代性与其批判》中一开始即提出:"我们可以提问什么构成了我们讨论现代的基础?"他说:"按照竹内好的说法,对东方来讲,现代性首先意味着东方在西方的政治、军队、经济的支配下的臣服。……这就是说,东方只有等到它变成了西方的对象的时候才开始进入现代时期。因此,对于非西方来说,现代性的真谛就是对于西方的反应"。① 西方的入侵成为东方谈论"现代"的起点。西方的入侵给东方带来了"历史",使"停滞"和"静止"的东方进入了"现代"的"变革"之中。正是在这种"进步"和"创造历史"的思维中,马克思对于西方入侵东方给予了积极的肯定。确实,不论是日本的"脱亚入欧",还是中国的"欧化"或"西化"的现代化过程,对西方的"臣服"与认同是构成东方谈论"现代"的具体方式。鸦片战争之后的中国现代化进程中,洋务运动、戊戌变法、辛亥革命、新文化运动,都是对于西方现代性"本质"和"真相"的不断追寻与切近。然而,必须指出的是,历史的起点并非就是逻辑的起点。不论是"东方主义",还是"西方主义",都是一种意识形态的妖怪。然而,中国的现代性不是自然发生的,而是被迫的反应,这种原初性的创伤经验使中国现代性的探讨与建构变得异常复杂。

更为重要的是,从19世纪上半期开始,现代性本身在西方已经发生了不可逆转的分裂。一种是资产阶级的现代性,即作为科技进步、工业革命以及资本主义带来的广泛的经济和社会变革的产物的现代性;一种是以反资本主义的浪漫主义为代表的作为美学概念的现代性。这两种现代性在相互发展中日益敌对。② 现代性的这种内在分裂和颓败的后果是20世纪初被斯宾格勒称为"西方的没落"的现代文明的危机。在T.S.艾略特眼中,西方现代文明和现代性已经丧失了创造性和生产力,只剩下一堆"破碎的偶像"。现代的神话如叶芝所描写的:"一切都四散了,再也保不住中心。"因此,当我们中国从古老历史的深处转身面对现代性之时,正是现代性在西方已经发生了深刻危机的时刻。西方现代性的伟大叙事已然开始终结,现代性已经变得千疮百孔了。于是,我们必须面对西方现代性崩溃的后果来建构我们的现代性,这也因此造成了中国现代性的困境感。

章太炎的《俱分进化论》对作为进步意识形态的进化论的批判和鲁迅《摩罗诗力说》对摩罗诗人的表彰后面都隐含了这种现代性的深刻的困境感。西方现代性已经无力为我们提供一个完整的知识和价值体系,而是相反在知识和价值之间充满了王国维式的不可弥合的巨大裂痕。这也就是鲁迅所说的"于天上看见深渊"。在《野草·影的告别》中,鲁迅发现,不论是在天堂地狱,还是在"你们将来的黄金世界里",都充满了缺陷。因此,这使得决绝于"故乡"的鲁迅最终只能"彷徨于无地"。现代性的困境造成了王国维、章太炎、鲁迅这些世纪性的思想家内在的分裂与紧张以及无法解决的危机。汪晖在对"五四"的研究中指出,我们过去统一的"科学"和"民主"的"五四"不过是一种"神话式的解释"。实际上,西方现代性并没有为"五四"提供一个强大的"中心",一套完整的现代性知识和叙述。而是相反,由于现代性的危机与崩坏,使"反西方的西方"和"反现代的现代性"充满了意识形态的无穷魅力。也许,正是分裂、矛盾和悖论的形式为我们提供了开启认识中国文学现代性之门的钥匙。

四 现代性的意识形态神魅

中国现代性的滞后状态和困境并不因此意味着现代性在中国像老处女一样缺少丰盈的姿态,而是相反,现代性更具魅惑之力。现代性理论是一种焦虑表征,它是后发展的法国和德国思想对于英国现代化的一种反应。它不是在历史中自然发生而是作为一种社会设计和哲学思辨而结晶的。80年代"20世纪中国文学"命题的提出,并不是一个历史分期的问题,而是一种现代性的思想表述。也就是说,它是将现代性的追求视为20世纪中国文学的主题的,并且现代主义又被视为现代性的最高表现形式。因此,在80年代的中国现代文学研究中出现了遍地发掘现代主义的现代性考古热潮。直到"后现代主义"作为西方最新思潮在中国暧昧地凯旋之后,才有人打算将它作为"昨日黄花"而抛弃。90年代,我们是在西方的"反西方中心主义"和反"革命"的语境中,尤其是在全球资本主义化的所谓"历史的终结"的苍茫时刻来谈论现代性的。"后现代批评"通过对后现代主义、后殖民主义等等形形色色的丧失了历史起死回生力量的西方文化产品的竞相消费来质问现代性,以便摆脱中国现代性的真实困境,成为一幅深受现代性困扰和折磨的有趣怪象。同时,也说明了进化论在中国是千疮百孔的现代性神话中唯一不朽的神话。

在19世纪末,进化论挟带着西方巨大的知识量和价值冲击以及霸权席卷了中国,在这种现代语境的挤压下,康有为将今文经学阐释成为了一种"进步"的社会历史思想。在严复、谭嗣同和梁启超等人的思想中,"动"与"变"的普遍观念显示了进化论的巨大冲击力。不仅在梁启超的"过渡时代论",而且在鲁迅的"历史中间物"的概念中,进化论都得到了一种很好的意识形态阐释,并且因此使中国20世纪成为了一个充满"动"和"变"的"新"时代。也正是这样，在《五十年来之世界哲学》中，胡适将进化论提高到了现代哲学基础的高度。20世纪进化论的流行，使"时代"、"时代精神"、"时代潮流"和各种"新"的事物和名称获得了意识形态的强大支援。而《中国未来记》等小说也说明了现代中国对于"未来"的格外关注和进化论所引起的思维方式的变化。早在世纪初，进化论已经开始渗透到梁启超，以及章太炎和刘师培等人的文学思想中。在文学革命中，进化论更显示了阿拉伯神话中的魔咒一般的神奇力量。胡适以进化论的神魅力量完全颠倒了以往的文学史图景，将从袁宏道、李贽、顾炎武、袁枚、焦循到王国维的文以代变的文学衰变观念转变成为一个秩然有序和不断进步的文学进化史观。进化论的意识形态魅力使文言文和古典主义在"五四"时期彻底丧失了其合法性而遭到倾覆，文学革命确如"潮流"一样取得全面胜利。在中国，不仅进化论体现了鲜明的意识形态意义；而且比17、18世纪欧洲的古今之争，"五四"在古代与现代之间采取了更为激进的危机式的解决方式。

五　两种现代性

由于对现代性的危机式的激进理解，所以对于"五四"我们一直怀有一种千回百转的眷恋和摆脱不了的情结；也因此使中国现代文学中现代性的另一面受到长期的忽视和贬低。尽管近年来晚清文学和通俗文学受到了许多研究者的关心，然而其研究常常仍然是无意识的圈地运动和停留于被贬低了的格局中的无力申辩。在《剑桥中华民国史》中，李欧梵将1895至1927年间的中国文学概括为"对现代性的追求"。这种对现代性的追求明显地体现在晚清的翻译文学这一最为显著的现象之中。晚清翻译文学是以对充分体现了资产阶级现代性的通俗文学的切近为特点的。林译哈葛德，梁启超对于政治小说的翻译，以及当时普遍的科学小说和侦探小说的翻译热潮，形成了20世纪中国第一个明显的翻译文学高潮。在对西方通俗文学的翻译高潮后面，隐含了晚清对于现代性的憧憬及其特定的理解与想象方式：声光化电、商贾国会和科学民主。而这时鲁迅和周作人对于现代性的追求也是反映在他们对于科学小说和侦探小说的热情上面的。

中国文学现代性的生长和现代性的沃土——上海有着不可分离的有机联系。从19世纪下半期开始,随着现代出版物的出现,上海开始成为中国现代文化和文学的中心。"五四"新文化运动和文学革命的中坚刊物《新青年》即于1915年创刊于上海,新文学最早的文学社团文学研究会和创造社也在上海开展活动。上海的商务印书馆、泰东图书馆、《小说月报》等出版社、期刊以及报纸是中国新文化和新文学运动的不可或缺的生存空间。甚至可以说,上海是中国现代性的集中表现。书籍、报纸和期刊等现代出版物为边缘性的、游离性的自由文人提供了生存空间。以《申报》为例,它是一份商业性的独立的民间报纸,于1872年创刊。在1911年辛亥革命前夕,它开辟了"自由谈"副刊;在1917年文学革命之前,它又增设了"新自由谈",成为辛亥革命之后遍地丛生的"礼拜六"派的寄生地之一。尤可注意的是,从清末到"五四"这个时期,在《申报·自由谈》等报纸副刊、小刊和期刊上,出现了一种新的文体——滑稽文。和以往的模仿不同,它们在对包括《诗经》、《四书》、陶渊明、李白、韩愈、《西游记》、《红楼梦》和八股文等各种经典作家、经典作品以及文体的广泛模仿中,体现了一种暧昧的态度,产生了一种颠覆性效果。它们既反映了边缘性文人在新旧文化交替之中的疏离与无所适从之感,也反映了经典在当代文化中的崩溃和意义模糊的状态。同时,在从《申报·自由谈》到《民权素》和《游戏杂志》等现代出版物中,既有白话,也有文言;既有小说,也有诗歌。这种不同语言和文体的并列与混杂造成了一种狂欢性的"现代"场景,从而打破了文化的等级制度。因此,这种副刊小报和期刊本身就构成了一个具有时代意义的意蕴丰富的文本。正是在这种中心崩溃后自由游戏的文化氛围中,新文化运动和文学革命才能发生。

在晚清,小说文体进入中心也因此不是一个孤立的文学现象,而是一个互相关联的文化现象。在某种意义上说,小说就是一种现代性文体。卢卡契和米兰·昆德拉认为,小说是上帝退隐之后一个意义模糊的有问题的世界的反映。在文艺复兴时期,"流浪汉小说"作为现代小说的开端,它的主人公就开始在无限的空间和意义不定的世界中旅行和冒险。在晚清,小说成为一种最能代表时代的文体,各种报纸、杂志,甚至作品都以小说来命名。寅半生在

《小说闲评叙》中说:"十年前之世界为八股世界,近则忽变为小说世界。"小说不仅是一种文学体裁,而且是一种论述方式。透过八股文和小说两种不同的叙述方式,世界也显示了完全不同的存在方式和意义。"五四"文学革命最先出现的是"问题小说",也许,小说和"问题"本来就有着先验的联系。因此,也许晚清小说文体的兴盛和中国意识形态的危机不仅仅是一种偶然的巧合,而是有着内在的联系。尽管当时有人在《读新小说法》中提出要以读经史的方法来读小说,但是实际上,存在于小说中的"经史"已经是另一种形态的经史了。也就是说,在现代小说中,"义理"已经变成了"问题","正史"已经成为了"稗史"。在"新小说""堕落"之后出现的"黑幕小说"与"鸳鸯蝴蝶派"小说是一种明显的现代性现象。它们是在封建专制和封建礼教崩解之后出现的一种"解神秘"和"稗史"现象。

  陈平原在《近百年中国精英文化的失落》中,从"精英文化"和"通俗文化"二元对立的认识框架中来重新评价"五四"文学革命。然而,在陈平原的价值结构中被充分贬低了的通俗文学其实和纯文学是共生的,"精英文化"与"通俗文化","纯文学"与"通俗文学"本身就是一对互相敌对又互相激励的现代性概念。就"礼拜六"来说,它植根于现代性沃土上海,从名称上就可以看出它和现代性的明显联系。尤其是它与都市消费文化、读者大众和现代传媒的有机联系。借用吴福辉的话来说,"礼拜六"以及"海派文学"是老中国土地上的"新兴神话"。其实文学革命的发生就是蕴含于晚清以来包括"礼拜六"派在内的各种现代性拓展中。新文学正是通过对"礼拜六"派等现代性的文学发展的"不流血政变"而建立起来的。一方面,新文学和纯文学的发生是对于"礼拜六"派和通俗文学的贬低;另一方面,新文学和纯文学的发展是以"礼拜六"派和通俗文学的发展为基础,并最终是对"礼拜六"派和通俗文学的否定。例如,1921年《小说月报》和1932年《申报·自由谈》从"礼拜六"派到新文学之间的易手,以及刘半农和叶圣陶在文学革命中的易帜,都说明了新文学和"礼拜六"派,纯文学和通俗文学之间的对立共生与蜕变的关系。而新文学与"礼拜六"派的这种共生与对立很好地展示了现代性的多面性格及其内部的相互激励与相互摧毁的矛盾发展,并且说明中国文学的现代性一开始就充满了纠葛。

六　中国现代文学研究：从意识形态到科学

当现代性由"主义"转变成为"问题"之际,中国现代文学的意识形态功能也在不断让渡和衰退。它标志着中国现代文学开始进入经典化时期,它意味着中国现代文学研究将从意识形态的武器转变为科学的、常规化的文学研究。然而,"现代"不是一个无所依归和悬浮的时间概念,而是有着形而上学实质内涵的价值范畴。它是可以通约的即普遍主义的理解世界的一种方式。自从"现代"以来,整个世界观明显地发生了某些根本的变化,许多永恒之物已经崩溃。正是在这个意义上,新人文主义把浪漫主义以来的各种流派和变化都划归到浪漫主义范畴之中,因为"现代"就是柏拉图世界崩溃而进入黑格尔式的辩证发展之中,中国现代文学研究也从意识形态的建构进入到科学研究的转变之中。不同的是,我们必须将"现代"本身作为一种意识形态和典范来看待,而不是奉为先验的价值。正是在这种理解中,我们可以去重新考察现代文学的疆域与价值。

注释：
① 酒井直树《现代性与其批判：普遍主义与特殊主义的问题》,白培德译自《后现代主义与日本》。
② 参见 Matei Calinescu, *Five Faces of Modernity*, Duke University Press, P. 41.

原载《中国现代文学研究丛刊》1996 年第 1 期

周 宪

现代性的张力

——现代主义的一种解读

早在 1863 年,以《恶之花》而震惊西方文坛的波德莱尔,对现代性作了一个经典界定:"现代性就是过渡,短暂,偶然,就是艺术的一半,另一半是永恒和不变。"①法国象征派的另一位大诗人兰波,也有一句标志现代性的名言:"必须是绝对的现代!"②如果说波德莱尔的界定强调了现代主义永无止境的革新和变化特征的话,那么,兰波的说法则强调了与过去一刀两断的决心和立场。这是一个萦绕着现代主义百年历程中的历史回响。无怪乎英国作家康拉德反复强调"我是现代人,我宁愿作音乐家瓦格纳和雕塑家罗丹,……为了'新'……必须忍受痛苦"③。以至于伍尔芙惊呼:"1910 年 12 月前后,人类的本质一举改变了。"欧文·豪不无道理地说,这句夸张的话里有一种"吓人的裂隙,横在传统的过去和遭受震荡的现代之间。……历史的线索遭到了扭曲,也许已被折断了"④。

现代主义和传统之间的断裂是显而易见的,它那不断创新的冲动似乎就是要确定冲破传统的羁绊和镣铐。从这个意义上说,将现代主义作为文化现代性的产物来理解,是合乎逻辑的。反对传统就是"必须是绝对的现代",就是"过渡、短暂和偶然",就是一举改变人类的古典意义上的"本质"。然而,现代主义令人费解之处,并不在于这种和传统的决裂态度,而是作为现代性产物的现代主义转而反对现代性自身。如果我说现代性反对现代性,这个说法似乎有点不合逻辑,但事实确乎如此。于是,我们的思路被引向一个难解的谜团:发源于并受惠于资产阶级现代性的现代主义,怎么会转过身来反对自己赖以存在的根基和根据呢?这岂不等于釜底抽薪吗？英国社会学家鲍曼一语中的："现代性的历史就是社会存在与其文化之间紧张的历史。现代存在迫使它的文化站在自己的对立面。这种不和谐恰恰正是现代性所需要的和谐。"⑤

现代性的张力：历史的描述

现代主义的反传统立场不难理解，但现代主义的反现代立场似乎就不那么顺理成章了，至少需要更多地辨析。假如我们仍沿用现代性反对现代性的悖论表述，那么，一个隐含的逻辑前提是至少存在着两种现代性。这个问题正是西方哲学、社会学和文化研究晚近热门话题之一。特别是在后现代问题突现出来之后，现代性这个本来看似确定的现象如今变得不那么确定了。

现代这个概念，从语义上说，首先是一个历史范畴，特指一个长时段。一种常见的看法认为，现代是指中世纪结束、文艺复兴以来的西方历史。比如从政治上说，现代国家出现于 13 世纪；从文化上看，文艺复兴代表了新兴资产阶级的文化。但现代性作为一个历史概念，则更多地指 17 到 18 世纪启蒙运动以来的成熟的资产阶级政治和文化。鲍曼指出："我把'现代性'视为一个历史时期，它始于西欧 17 世纪一系列深刻的社会结构和思想转变，后来达到了成熟。"⑥这里的一个重要原因在于，西方现代社会、政治、经济、科技和文化等诸多方面都奠基于启蒙运动，所以现代性在某种程度上也就是启蒙精神的另一种表述而已。

但是，正像西方现代历史自身所呈现的那样，现代性又不是一个单纯的社会历史进程，可以说，从一开始它就充满了矛盾和张力。这里，我们可以采取两种思路来分析现代性的矛盾和张力。第一种方法是所谓的历时的方法，即把现代性视为一个有前后不同阶段并显出不同特征的历史过程。第二种方法则是共时的方法，即在逻辑的层面上来分析现代性的内在矛盾和张力。从前一种历史（历时）的方法出发，我们把现代区分为前期现代性和后期现代性；从逻辑的方法出发，我们把现代性区分为社会的现代化（性）和文化的现代性。无论采用哪一种方法，有一点是共同的，那就是两种现代性处于一种对抗的紧张状态。而这恰恰就是现代主义艺术出现和存在的历史和逻辑的根据。

前期现代性也可以不那么严格地界定为启蒙的现代性。启蒙运动的最重要成果是打碎了中世纪宗教神学的束缚,理性和知识得到了广泛传播。"知识就是权力(力量)"的观念,成为一种信念。宗教—形而上学的统一让位于理性的统一,"那是一个拥有原理和世界观的时代,对人类的精神解决它的问题的能力充满信心;它力图理解并阐明人类生活——诸如国家、宗教、道德——和整个宇宙"⑦。毫无疑问,启蒙运动给西方社会政治、经济、科学技术和文化的发展以巨大的推动力,但启蒙以来的社会现代化也带来了一些新的问题。从这个角度说,现代性诞生伊始,在强烈的乐观主义冲动的同时,也伴随着各种对现代性的反思和批判。卢梭是第一个使用现代性概念的西方哲学家,同时也是批判现代性的始作俑者。"我真不知道未来我们喜欢什么。""我看到的尽是些幽灵,一旦我想抓住它们,这些幽灵便消失得无影无踪。"⑧这以后,黑格尔、马克思、尼采、韦伯、奥尔特加等一系列西方思想大师,都对现代性进行了深入的反思。一方面,早期现代性的发展给西方社会带来了巨大的福祉,另一方面,它也造成了许多传统社会所没有的问题。马克思指出,资本主义使社会生产力获得极大提高的同时,也导致了空前的阶级压迫;韦伯发现,资本主义的合理化导致了理性化和官僚化,同时也造成了压制和平均一律。于是,随着对现代性的批判和反思的深入,一种对现代性的矛盾态度(既爱又恨)便蔓延开来。进入本世纪,两次世界大战的空前灾难,法西斯主义的出现,人类社会生活各个领域中普遍存在的异化现象,引起了法兰克福学派的深刻思考。霍克海默和阿多诺的《启蒙辩证法》,通过对启蒙的深刻反思而对现代性进行了尖锐的批判。"从进步思想最广泛的意义来看,历来启蒙的目的都是使人们摆脱恐惧,成为主人。但是完全受到启蒙的世界却充满了巨大的不幸。"⑨这就是启蒙的辩证法。启蒙的统一理想变成了不平等的压制,"启蒙精神都始终是赞同社会强迫手段的。被操纵的集体的统一性就在于否定每个人的意愿"⑩。数字成了启蒙的规则,数学方法成了思想上的仪式,也支配着资产阶级的法律和商品交换。"理性成了用来制造一切其他工具的一般的工具"⑪。与《启蒙的辩证法》相呼应,马尔库塞的《单面人》也对启蒙以来的工具理性作了犀利的批判,"技术逻格斯被转化为持续下来的奴役的逻各斯。技术的解放力量——

物的工具化——成为解放的桎梏;这就是人的工具化"⑫。

如果我们把启蒙运动以来的现代性当作前期现代性,那么,关于何时进入后期现代性,这是一个颇有争议的问题。如果我们把现代主义艺术的出现视为一个标志,那么前后期的分界可以用现代主义来标识。但问题的难处在于,现代主义本身又是一个争议很大的问题⑬。依据美国社会学家伯曼的看法,现代性可以区分为三个阶段,第一阶段是16—18世纪,这时人们刚开始体验到现代生活,但对这样的生活却知之甚少。第二阶段是1790年代法国大革命之后,公众有一种生活在革命年代的感觉。社会生活的方方面面都面临着深刻的变动,物质和精神的传统联系断裂了,人们感到自己好像生活在两个分裂的世界中。第三阶段是20世纪,现代化过程在全球范围内的扩张导致了社会的碎片化,可沟通性丧失了。人们发现自己处于一个与现代性根源失去联系的现代世界中⑭。依据这种模式,前后期现代性的分野在于第二至第三阶段。不过,这又带来了一个更令人难解的问题,即前期现代性往往又和所谓的后期现代性(后现代主义)纠缠在一起⑮。美国哲学家卡弘通过对法兰克福辩证理论的解读,提出了一个值得注意的看法,他认为,对前期现代性的否定就是后期现代性的出现。而这个否定的标志在于:在前期现代性中,文化具有一种调节主体—对象、外在—内在、精神—物质的机能。但是,随着现代性的发展,这时社会—经济—管理系统的扩张消解了文化的这种调节机能,因而文化走向了社会的对立面,成为"反文化"("自恋文化")。这就是现代主义⑯。更进一步,假如我们把前后期的现代性视为本身存在巨大差异的现象,那么,尽管在早期现代性中已经出现了对现代性反思批判的声音,但从总体上说,现代性自身的矛盾或张力,可以从历时的角度看作是前后期现代性之间的历史转变,是后期现代性(在一定程度上也包括所谓的后现代性或后现代主义)对前期现代性的否定。我们把19世纪下半叶以来现代主义文化当作后期现代性的典型形态,这就意味着,现代主义作为一种对抗文化或反文化,究其历史的脉络来说,乃是对前期现代性的工具理性和形而上学本质主义的断然否定。

现代性的冲突：逻辑的分析

如果我们把历史的描述转换成逻辑的分析，那么可以说，现代性从它呱呱坠地之始，就已经内在地冲突了，只不过这种冲突在19世纪下半叶以来凸现出来，因而转化为前后期现代性之间的历史牴牾而已。换言之，现代性自身就含有两种彼此对立的力量，或者说，存在着两种现代性及其对抗逻辑。随着西方社会现代化进程的加速，它们处于越来越尖锐的冲突之中。这是我们透视现代性的另一个视角。

说存在着两种现代性的冲突，在晚近西方现代性论争中是一个值得关注的动向。卡林内斯库在其《现代性的面孔》一书中提出，现代性作为西方文明史的一个阶段，存在着无法消除的分裂：第一种现代性是资本主义发展的产物，即科技进步、工业革命、经济与社会急速变化的产物；第二种现代性，他称之为"审美的现代性"，即现代主义文化和艺术，它反对前一种现代性，因此，"规定文化现代性的就是对资产阶级现代性的全面拒绝，就是一种强烈的否定情绪"⑰。卡林内斯库在这里实际上提出了资产阶级的现代性和文化（审美）现代性之间的对立，后者是对前者的否定。这个看法是符合现代主义的实际的。文化的现代性反抗资产阶级现代性，或者说审美的现代性对抗社会的现代化，这是我们把握现代主义内在逻辑的一个重要层面。英国社会学家鲍曼也提出，现代性实际在西方历史上体现为两种规划，一种是伴随着启蒙运动一起成长的文化规划；另一种是伴随着工业（资本主义和社会主义）社会一起发展的生活的社会形式。虽然他也指出现代性不等同于现代主义，但他同时强调，在现代主义中，现代性反观自身并力图获得一种清晰的自我意识，即呈现出现代性的不可能性，而正是这一点为后来的后现代主义的出现铺平了道路⑱。鲍曼分析现代性问题的一个独特视角在于，他道出了现代性的不可能性。换言之，在鲍曼看来，现代性，无论是文化的规划还是社会的规划，就其本质而言，实际上是在追求一种统一、一致、绝对和确定性。一言以蔽之，现代性就是对一种秩序的追求，它反对混乱、差异和矛盾。所以，从本质上说，现代性是和矛盾相抵触的。但鲍曼发现，现代性对统一秩序的追求,又必然带来一个秩序和混乱的辩证法:秩序对混乱既排斥又依赖。秩序是暴力和不宽容,必然导致对这一倾向的反抗。总之,"典型的现代性实践,即现代政治、思想和生活的本质,就是根除矛盾:努力精确地界定——压制或根除一切不可能被精确界定的东西"。但问题在于,这种对秩序的追求,反过来又产生了"秩序的他者"。"秩序的他者"就是纯粹的否定性,就是对秩序本身构成的一切因素的全面否定。它体现为不可界定,不一致,不可比较,非逻辑性,非理性,含混,混乱,不确定性和矛盾状态。"现代思想的他者就是多义性、认知不和谐、多价性界定和偶然性"。"现代国家和现代思想都需要混乱——但也不断地创造秩序"[19]。正是由于秩序和混乱的辩证法,现代性的两个规划便出现了断裂。鲍曼敏锐地指出了现代性的内在矛盾,那就是现代存在(即社会生活形式)和现代文化(在相当程度上反映为现代主义)的对抗。

> 因此,现代存在和现代文化之间,有一种既恨又爱的关系(呈现为某种自我意识非常发达的形式之中),一种与内战共存的关系。在现代,文化就是女王陛下那难以驾驭的清醒的反对派,正是它使得政府得以运作。在现代存在和现代文化之间,并不存在想象中的和谐,不存在镜像式的相似性——只有一种互补性,它并不来自于对抗,而就是对抗。虽然现代性痛恨对它的批判,但它无法使这场战争平息下来。[20]

我认为,鲍曼在揭示现代性的内在矛盾性以及秩序和混乱的辩证法方面,是颇有见地的。但他在强调现代性和现代主义既有联系又有区别时,忽略了把现代主义作为现代性文化规划的主要形态的可能性。其实,在现代性的矛盾中,现代社会存在与其文化的对抗,秩序和混乱的对立,恰恰反映在资本主义政治—经济—科技的设计、操作、管理和工程特性,与现代主义文化那典型的"他者"形态之间的尖锐对立上。鲍曼对"秩序的他者"的种种描述,显然都可以非常恰当地运用于现代主义艺术和审美的现代性。正是现代主义揭露了现代性的不可能性以及它的专制和暴力。

从现代性自身的话语逻辑上来区分两种现代性及其矛盾,意在揭示现代性本身的问题。不同于古典传统,现代性在其滥觞之初,就存在着对它的批判和怀疑。法兰克福学派的传人魏尔默正是从这个角度来理解的。他提出了两种现代性冲突的问题,并把现代世界描绘成一个由两种因素构成的图景:一个是"启蒙的规划,就像康德所构想的那样,它关心的是人性从'依赖自我欺骗的'条件下解脱出来,但是,到了韦伯的时代,这个规划已所剩无几了,除了不断发展的合理化、官僚化过程,以及科学侵入社会存在那冷酷无情的过程",另一个因素是,"这个现代世界已不断地揭示了它可以动员一些反抗力量来反对作为合理化过程的启蒙形式。我们也许应把德国浪漫主义包括在其内,但也包括黑格尔、尼采、青年马克思、阿多诺、无政府主义者,最后是大多数现代艺术"[21]。魏尔默区分了"启蒙的现代性"和"浪漫的现代性",这里的"启蒙"和"浪漫",并不是特指作为历史范畴的启蒙运动和浪漫主义,也包括这些历史上出现的文化运动。值得特别注意的一点是,在魏尔默的分析系统中,所谓浪漫的现代性不包括上述倾向,尤其是现代主义,而且包括了后现代主义[22]。他写道:

> 对现代性的批判从一开始就是现代精神的一部分。如果后现代主义中有某些新东西的话,那并不是对现代性的激进否定,而是这种批判的重新定向(redirection)。具有讽刺意味的是,随着后现代主义的出现,以下情形变得显而易见了,对现代性的批判由于深谙其决定因素,所以其目标只能是扩展现代性的内在空间,而不是超越它。因为后现代主义质疑的正是这种激进的超越立场。
>
> 因此,我以为,最好把后现代主义视为一种自我批判的——怀疑的,反讽的而非宽容的——现代主义形式;视为一种超越乌托邦主义、科学主义和基础主义的现代主义;简而言之,一种后形而上学的现代主义。一种超越形而上学的现代性将会是现代性的一种新"格式塔";或许我们正在目睹这种"格式塔"的出现。后形而上学的现代性是没有最终和谐一致梦想的现代性,但它仍保持现代民主、现代艺术、现代科学和现代个性主义那理性的、颠覆的和实验的精神。就其道德和思想的本质而言,它是欧洲启蒙运动伟大传统的继承而非终结。第二种现代性也具有以下萦绕在现代精神之中的种种诱

惑和新理解——极权主义,民族主义,科学主义,"工具主义"——同时也具有民主普遍主义和多元论新的非同一性理解和实践,这种普遍主义和多元论也是现代性传统的一部分。㉓

假如我们顺着这个思路进一步深究,一个十分有趣的现象便会呈现出来。两种现代性的特征和基本形态,如果用一些人类基本的心智活动类型加以概括的话,那么许多睿智的西方学者似乎都不约而同地作了这样的选择:启蒙的现代性的最典型方式是数学,而文化的现代性代表则是艺术。韦伯认为,资本主义的基本精神之一就是"计算";霍克海默和阿多诺说,启蒙的基本精神就是思维和数学的统一;鲍曼断言:"几何学是现代精神的原型"㉔,而与此相对立的正是以现代主义艺术为代表的另一极。如果说前者体现了理性的逻各斯力量,代表了那种理性化的统一的秩序和总体性的追求的话,那么,后者却正好表征了非理性、混乱、零散化和多元宽容的反动。用鲍曼的话来说:几何学是现代精神的原型。分类学、分等级、清单、目录和统计学是现代实践的基本策略。现代控制就是这样一种权力,亦即在思想、实践、思想实践和实践思想中进行分割、分类和分配的权力。这就是对理性和秩序的追求。贝尔指出,"现代主义是一种秩序,尤其是对资产阶级酷爱秩序心理的激烈反抗。它侧重个人,以及对经验无休止的追索。……他们把理性主义当作过时的玩艺儿"㉕。

贝尔从社会学角度对现代性的内在冲突逻辑,作了另一种分析。他认为,资本主义经济冲动与现代文化发展,从一开始就有着共同的根源,这就是关于自由和解放的思想。虽然两者在传统的批判上是一致的,但它们之间却很快出现了一种敌对关系。当工作与生产组织日益官僚化,个人被贬低到角色位置时,这种敌对性冲突就深化了。因为自我发展和自我满足难以和资产阶级的理性化相一致。于是,现代主义的文学艺术就代表了一种冲突性的历史线索。他的另一种形象表述是:在资本主义社会,企业家和艺术家有着共同的冲动力,即寻找新奇,再造自然美。两者的合力开拓了西方世界。但很快两种力量变得互相不信任,并企图摧毁对方。于是,两种现代性之间出现了紧张关系。

冲突：从同源到对抗

　　文化的（或审美的）现代性反抗启蒙的现代性（或社会的现代化），这是一个使人深感困惑的问题。因为有一点是显而易见的，审美的现代性本身就是启蒙的现代性之后果。没有后者绝无前者，这是不争的事实。这个事实可以从几个不同角度加以说明。首先，审美现代性的一个基本标志是艺术的自律性。我们知道，艺术的自律性完全是一个现代的观念，依据西方学者的看法，这一观念起源于启蒙运动。康德是这一观念的始作俑者，而唯美主义、象征主义和形式主义等现代主义艺术流派，则是这观念的实践者。关于这一问题，韦伯的看法尤为值得注意。他认为，西方文化的现代性是一个不断分化的过程，是从早期宗教—形而上学的世界观向世俗的自身合法化的文化转变的过程。虽然艺术的起源和发展和宗教密切相关，但随着宗教的和世俗的以及社会的和文化的事物的分化，艺术和宗教之间既紧张又和谐的关系出现了变化。艺术从服务于宗教的那种"应用艺术"转向了"自身合法化"的艺术，形式从被宗教艺术所排斥的地位转而成为艺术的基本存在形态，宗教自身的博爱伦理和审美及感性刺激特征的紧张，随着两者的分化变得不那么严重了。

　　　　生活的理智化和合理化的发展改变了这种状况。因为在这些条件下，艺术变成为这样一个世界，它越来越有意识地把握住那些本身有其权利存在的价值。无论怎样来解释，艺术确实承担了一种世俗的拯救功能。它把人们从一种从日常生活平庸刻板中拯救出来，特别是从理论的和实践的理性主义那不断增长的压力中拯救出来。㉖

　　韦伯这段话非常重要，因为它指出了几个审美现代性的前提：一是审美现代性是世俗化、理性化的产物，虽然他没有直接点出与启蒙运动的联系，但这一点是显而易见的。第二，韦伯指出，艺术在世俗的社会中又不同于其他日常活动领域，他特别加以区分的是理论和道德实践领域，后来哈贝马斯把这个分化界定为文化现代性的基本特征,即科学的认知—工具理性,伦理的道德—实践理性和艺术的审美—表现理性的分离[27]。第三,韦伯强调了艺术在分化基础上形成了自己的价值,用他的话来说,就是艺术存在的根据不再从艺术之外来寻找,而是在艺术自身,即艺术的"自身合法化"。这就是艺术的自律性。从这个意义上说,启蒙现代性既是审美现代性形成之因,又是导致审美现代性反过来与之对抗之果。或许可以这样来表述,如果艺术仍服务于宗教目的或伦理的道德的理性,那么,它要获得对抗的力量和基础是根本不可能的。

一些对现代性有专门研究的西方学者充分注意到这一关节点。德国哲学家魏尔默发现,"如果作仔细的审视,那么,有一点是显而易见的,那就是反对现代'理性主义'的'浪漫主义'对抗力量,令人惊异地保持着对现代性理性主义神话的依赖,至少在某种程度上,它在理论上和政治上表现出和审美上完全对立的姿态"[28]。美国社会学家伯曼也注意到审美现代性一方面反对启蒙的现代性,另一方面又依赖于这种现代性。他令人信服地证明了现代主义对资产阶级价值观的否定,在相当程度上又受惠于这种价值观[29]。如果用英国社会学家鲍曼的观点来看,这种既依赖又对抗的关系其实正是现代性自身的内在矛盾和辩证法所致。"现代文化的积极性就在于它必然的否定性。现代文化的功能混乱就是它的功能。现代权力为建立人为的秩序的努力需要一种可以探究人为权力界线及其局限的文化。建立秩序的努力激发了这种探求,反过来又从其发现中有所获益"[30]。这就是说,启蒙的现代性在确立统一、绝对和秩序的过程中,对其自身的不足和缺憾的反省和批判的需求,是不可或缺的,而这种对抗的文化角色恰恰是由现代主义的审美现代性承担了。

如果我们顺着这样的思路深究下去,便可以找到审美的现代性与启蒙的现代性为何同根同源,却又反目成仇的内在根据。从历史角度说,现代主义文化显然属于资产阶级文化的一部分,而它反过来又反对资产阶级制度和价值观本身,这正是现代性的内在矛盾所致。从逻辑的角度来看,审美的现代性是启蒙现代性的必然结果,后者使前者反对自己成为可能和必然,即"现代存在迫使其文化站在其对立面。这种不和谐恰恰是现代性所需要的和谐"(鲍曼语)。如果我们把启蒙的现代性视为以数学或几何学为原型的社会规划,那么,现代主义所代表的审美现代性则是对这种逻辑和规则的反抗;如果我们把启蒙的现代性视为对秩序的追求的话,那么,审美的现代性就是对混乱的渴求和冲动;如果我们把启蒙的现代性视为对理性主义、合理化和官僚化等工具理性的片面强调的话,那么,审美的现代性正是对此倾向的反动,它更加关注感性和欲望,主张一种审美——表现理性;如果我们把启蒙的现代性当作一种对绝对的完美的追索的话,那么,审美的现代性则是一种在创新和变化中对相对性和暂时性的赞美;假如我们把启蒙的现代性看成是对普遍性片面强调的话,那么,审美的现代性则显然是对普遍性的反动,是对平均一律的日常生活的冲击,因为它更加关注的是差异和个别性;如果说启蒙的现代性把意义的确定性作为目标的话,那么审美的现代性则是对意义不确定性与含混多义的张扬,甚至是对意义的否定;倘若我们把启蒙的现代性界定为对人为统一规范的建立的话,那么,审美的现代性无疑是以其特有的片断和零散化的方式反抗着前者的"暴力",它关注的是内在的自然和灵性抒发;假定启蒙的现代性造就了日常生活的合理化和刻板性的话,那么,审美的现代性正好提供了一种"救赎"和"解脱"。现代主义的审美现代性,作为源于启蒙现代性的文化产物,它的存在似乎正是为了破坏导致它诞生的那个根基。所以,代表这种审美现代性的现代主义,又被西方艺术家和学者称为"打碎传统的传统"(劳申伯)、"对抗文化"(屈林)、"否定的文化"(波吉奥利)、"反文化"(卡弘)、"自恋文化"(拉什)等等㉛。一言以蔽之,现代主义所代表的审美现代性,本质上是一种否定性,它不但否定了源于希腊和希伯来的西方传统文化,更激进地否定了现代资本主义社会的价值观。阿多诺说得好:

> 艺术是社会的,这主要是因为它就站在社会的对立面。只有在变得自律时,这种对立的艺术才会出现。通过凝聚成一个自在的实体——而不是屈从于现存社会规范进而证实自身的"社会效用"——艺术正是经由自身的存在而实现社会批判的。纯粹的和精心构筑的艺术,是对处于某种生活境遇中被贬低的无言批判,人被贬低展示了一种向整体交换的社会运动的生存境况,在那儿一切都是"他为的"。艺术的这种社

会偏离恰恰就是对特定社会的坚决批判。㉜

如果说阿多诺的理论代表了思想家对审美现代性的理解的话,那么,法国艺术家杜布费的看法可以说代表了许多激进的艺术家的观念。他认为,西方文明到现代许多看法都是值得疑问的。他激烈地批判了西方文明的以下六个方面:第一,认为人不同于其他物种;第二,坚信世界的样态与人的理性形态是一致的;第三,强调精致的观念和思想;第四,偏好分析;第五,语言的至上性;最后,追求所谓美的观念。杜布费主张,如果拿西方现代文明人的这些观念和原始人相比,后者的许多看似野蛮愚昧的观念其实更合理,更可取。"从个人角度说,我相信原始人的许多价值观;我的意思是:直觉,激情,情感,迷狂,和疯狂"㉝。这种看法在现代主义艺术家中是很有代表性的。假如说启蒙理性强调的是世界的秩序和统一,强调与理性的一致,那么,杜布费的偏激之言显然是一种强有力的颠覆。对原始野性的赞美和颂扬,不过是颠覆启蒙现代性进而批判其恶果的一个有效策略而已。

从现代主义到后现代主义的历史逻辑

自 80 年代末以来,国内学术界曾对后现代主义热闹过一阵子。一种常见的观点是把后现代主义视为现代主义的终结。这种理论有一定道理,但我认为有必要更加关注现代主义和后现代主义的历史联系。利奥塔曾说过一句令人费解的话:后现代主义是现代主义的早期阶段㉞。德国美学家比格尔也提出过一个颇有见地的看法,他坚持认为,现代主义不同于先锋派,因为前者主张艺术的自律性,而后者则反对自律性。因此,先锋派其实就是达达主义和超现实主义。㉟从现代主义所代表的审美现代性对启蒙现代性的颠覆,到先锋派作为现代主义潮流中的不和谐之声,或把后现代主义视为现代主义的初期阶段,这些似乎都在提示我们一种看待审美现代性的新角度。我以为,从现代性内在冲突的逻辑来看,后现代主义在相当程度上是现代主义的延伸和发展,而不是现代主义精神的终结和衰落。无论是后现代主义强调不确定性、非中心化,或是差异和宽容,还是从宏大叙事转向微型叙事,转向多元化和不可通约性,关注反基础主义和反本质主义,这些基本精神其实在现代主义阶段,尤其是在先锋派中,已是初见端倪。由此来看,审美的现代性实际上仍在后现代主义中生长,并达到了成熟。不妨借用鲍曼的一段陈述来结束本文:

> 后现代性并不必然意味着现代性的终结,或现代性遭拒绝的耻辱。后现代性不过是现代精神长久地、审慎地和清醒地注视自身而已,注视自己的状况和过去的劳作,它并不完全喜欢所看到的东西,感受到一种改变的迫切需要。后现代性就是正在来临的时代的现代性:这种现代性是从远处而不是内部来注视自身,编制自己得失的清单,对自身进行心理分析,寻找以前从未表述过的意图,并发现这些意图是彼此抵消和不相一致的。后现代性就是与其不可能性达成妥协的现代性;是一种自我监控的现代性,它有意抛弃那些曾不自觉地做过的事情。㊱

注释:

① 波德莱尔《现代生活的画家》,《波德莱尔美学论文选》,人民文学出版社1987年版,第485页。
② 引自 Peter Burger, *The Decline of Modernism*, University Park: The Pennsyvania State University Press, 1992.
③ 卡尔《现代与现代主义》,吉林教育出版社1995年版,第1—2页。
④ 引自贝尔《资本主义文化矛盾》,三联书店1989年版,第95页。
⑤ Zygmunt Berman, *Modernity and Ambivalence*, Cambridge: Polity, 1991, P.10.
⑥ 同上,P.4.
⑦ 梯利《西方哲学史》,商务印书馆1995年版,第421页。
⑧ 引自 Marshall Berman, *All That is Solid Melt into Air: The Experience of Modernity*, New York: Penguin, 1988, P.18.
⑨ 霍克海默、阿多诺《启蒙的辩证法》,重庆出版社1990年版,第1页。
⑩ 同上第10页。
⑪ 同上第26页。
⑫ 马尔库塞《单面人》,湖南人民出版社1988年版,第136页。
⑬ 关于现代主义的形成时间,一种较常见的看法是出现在1860年代(如杰姆逊的《后现代主义和文化理论》,陕西师范大学出版社1986年版)。另

一种看法认为现代主义主要是1880年代到1930年代这一时的时段中出现的文化运动(参见布拉德布里等《现代主义》,上海外语教学出版社1992年版)。

⑭ Marshall Berman, *All That is Solid Melt into Air: The Experience of Modernity*, New York: Penguin, 1988, pp. 16—17.
⑮ Anthony Giddens, *The Consequences of Modernity*, Cambridge: Polity, 1990.
⑯ Lawrence E. Cahoone, *The Dilemma of Modernity*, Albany: SUNY Press, 1988, P. 201.
⑰ Matei Calinescu, *Fances of Modernity: Avant-garde, Decadence, Kitsch*, Bloomington: Indiana University Press, 1977, P. 4.
⑱ 同⑤,第4页。
⑲ 同上,第7—9页。
⑳ 同上,第9页。
㉑ Albrecht Wellmer, *The Persistence of Modernity*, Cambridge: MIT, 1991, pp. 86—87.
㉒ 在这一点上,魏尔默的观点和鲍曼的看法非常接近,两人都主张现代性没有断裂,后现代主义是一种激进的现代性的体现。与此主张相近的还有英国学者吉登斯,他宁愿使用"后期现代性"而不是"后现代主义"。
㉓ 同㉑, p. Ⅷ.
㉔ 韦伯《资本主义与新教伦理》;霍克海默和阿多诺《启蒙的辩证法》,第21页, Zygmunt Bauman, *Modernity and Ambivalence*, P. 15.
㉕ 贝尔《资本主义文化矛盾》,三联书店1989年版,第31页。
㉖ H. H. Gerth & C. Wright Mills, (eds.), *From Max Webber: Essays in Sociolgy*, New York: Oxford University Press, 1946, P. 342.
㉗ 详见哈贝马斯《论现代性》,王岳川、尚水编《后现代主义文化和美学》,北京大学出版社1992年版。
㉘ 同㉑,第87页。
㉙ 同⑧。
㉚ 同⑤,第9页。
㉛ 依次见 Harold Rosenberg, *The Tradition of the New in Horizon* (1959), P. 81; Lionel Trilling, *Beyond Gulture*, New York: Viking, 1965, P. Ⅷ; Renato Poggioli, *The Theory of the Avant-Garde*, Cambridge: Harvard University Press, 1968, P. 111; Lawrence E. Cahoone, *The Dilemma of Modernity*, ALBANY: SUNY Press, 1988, P. 203; Christopher Lasch, *Culture of Narcissism*, New York: Wamer, 1979, P. 49—55.

㉜ Theodor W. Adorno, *Aesthetic Theory*, London: Routledge & Kegan Paul, 1970, P. 321.
㉝ 该演讲见 Wylie Sypher, *Lossod the Self in Modern Literature and Art*, New York: Vintage, 1964, pp. 170—176.
㉞ 利奥塔《何谓后现代主义?》,同㉒,第 50 页。
㉟ Peter Burger, *Theory of Avant-Garde*, Manchester: Manchester University Press, 1984, pp. 47—54. 另见拙译比格尔《先锋派对艺术自律性的否定》,载《国外社会科学》,1998 年第 4 期。
㊱ 同⑤,第 272 页。

原载《文学评论》1999 年第 1 期

钱中文

文学理论现代性问题

现代性及其演变

现代性问题受到文化界的关注,已有十多年了。

在我看来,所谓现代性,就是促进社会进入现代发展阶段,使社会不断走向科学、进步的一种理性精神、启蒙精神,就是高度发展的科学精神与人文精神,就是一种现代意识精神,表现为科学、人道、理性、民主、自由、平等、权利、法制的普遍原则。欧美学术界围绕现代性问题已谈了几百年,在其演变过程中,大致形成了各种马克思主义学派的、韦伯式的自由主义思想学派的以及保守主义思想学派的现代性观念,发展到近期又有哈贝马斯的交往理性的现代性理论派别。欧美等国家在不断追求现代意识、现代性的情况下,建立了高度发展的物质文明与精神文明。但是由于现代性自身固有的内在矛盾性,在理性精神的不断地实现过程中,也造成了种种失衡,使理性精神变为只讲实用的工具理性。科技的飞速进步与物质生产的高度丰富,显示了人的无限潜能,但又形成了人的物欲的急剧膨胀,造成了物对人的挤压与人的精神的日益贫困,并使人在精神上时时陷入生存的困境之中。而在另一方面,近百年来具有锻铸、弘扬人文精神的社会科学,在提供多种知识,扩大人对社会的认识,加深人对自身了解的同时,在不同的人群、集团手里,又使理性变为反理性,并且走向反动,酿成了种种危机与动乱,给社会与广大群众制造了一场又一场的几近毁灭的灾难,从而不仅使自己的权威丧失殆尽,而且也不断加深了人的精神危机。

20世纪的不少欧美哲学家、诗人、作家按照自己对现代性的理解,对上述现象或进行解释与批判,或进行诗意的反抗,揭示资本主义、科技发展和即将到来的信息社会下的种种矛盾。他们对技术至上、工具理性的全面胜利发出惊呼与警告,对人文精神的日益衰落深感忧虑,他们的呼声充溢了人类的悲剧意识。小说家们使用荒诞的手法,显示人的生存中的荒诞现象甚至生存本身的荒诞,艺术地展现人的价值,在物的阴影的覆盖下,不断地被消解与毁灭。现代性的发展,逻辑地从自身酝酿了反现代性的方方面面,并且愈演愈烈,形成了反现代性的思潮,同时这种反现代性方面又遭到现代性自身的批判,特别是人文的、哲学、美学方面的批判。自然,这并非反对现代性自身,而是批判由于现代性的"僭越"而带来的消极的东西,即批判工具理性、伪科学所产生的反现代性所表现出来的方方面面。这种批判表明了现代性本身所具有的科学、理性精神的强大潜力。这种批判性也正是现代性自身所有的特征。

西方学者把20世纪最后几十年前的社会精神、学术思潮的现代性,定位于现代主义,把现代主义看成现代性的最后形式,把现代主义的危机当成是现代性的危机①。标举现代性原则,批判现代性自身无节制的扩张,批判现代性因自身的反向异化而走向堕落,确实是近百年来的现代文化思潮的主导倾向,特别是本世纪的批判哲学,其针砭尤为激烈。不过,现代化的弊端,现代主义以前的非现代主义哲学、美学、文艺流派,都早就有所发现,并进行了一定的批判,所以也不好说,只有现代主义才体现了现代性。我们总不能把批判现代性消极面的多种哲学、美学、文学,都归入现代主义,纳入现代主义的轨道。当语言论哲学、特别是解构主义和与其密切相关的后现代主义思潮兴起之后,现代主义成了批判的对象,人们原有的思维与叙事模式普遍地遭到解构,人的价值与精神进一步遭到解体。当后现代主义宣布替代了现代主义,于是现代性也就被宣布为过时了。然而,我们知道,针对那些反现代性现象所进行的多方面的文化批判,并未停止。要是完全把现代性定位于现代主义,那么对于反现代性的多方面的批判,还能存在下去吗?如果存在什么批判,那是否又一定就是后现代主义的批判了?恐怕未必如此。例如,我们事实上也在对现代性的消极面进行着批判,但这是一种现代文化的批判。

自然,可以说后现代主义就是一种批判。不过,从后现代主义观点出发的文化批判与现代性的文化批判,是并不一致的。现代性的文化批判仍在探索积极的因素,维护人的存在所需要的普遍价值原则与普遍精神,以便使价值与精神在被破坏中获得重建,这里批判是为了丰富与更新;后现代性的批判,则是在颠覆了旧有的价值之后,说要重新塑造人的"自我形象",往往是很聪明、机智地数落了现代性的种种不是,并把它们视为现代性的全部内容,进而把现代性加以否定。"我们可以,而且应该抛弃现代性,事实上我们必须这样做,否则,我们及地球上的大多数生命都将难以逃脱毁灭的命运。"②其实,即使在欧美,如果要使社会获得正常发展,那么现代性以及现代性建立的意识、话语权威,即使一部分过时了,而其基本原则、精神还是常新的,是人们的生存须臾不能离开的。在这方面,也许德国哲学家哈贝马斯认为现代性是个未竟事业的观点,似乎更有道理些。③而反对现代性的后现代哲学,确是看到了人们旧有思维的局限,提出了一些调节人的关系的新观念,它们可以用以说明后现代社会的某些现象以及诸多消极现象产生的原因。在我看来,可以将这些积极因素作为现代意识因素,融汇到现代性中去,丰富现代性,但难以排挤掉仍在支配社会生活的现代性。把现代性从现实生活中驱逐出去,无疑会使现实生活的进展失去指向,即使进入资本主义全球化时代,也无疑会遭到社会正常发展需要的极大的反抗,受到人文、哲学、美学的批判。现今的所谓全球化,就是通过国际金融资本、信息技术的联合与组织,在全球国与国之间形成一种紧密联系、相互制约的政治、经济、文化的关系,它使得全球各国在政治、经济、文化上走向形式上的同一化与一体化。但是对于政治、经济、文化不发达的国家来说,全球化就是一种参与意识,在积极的参与中发展自己。因此,它们心目中的现代性与发达国家所主张的现代性并不是一致的。至于在未来,现代性的内涵可能会有所变化或变得复杂起来,但其原则与精神,无疑还会长期存在下去。

对于我们来说,我想体现了现代意识精神的现代性,是不会过时的。一百多年来,我国社会的现代化的道路十分曲折。我国社会发生过多次巨变,我们可以加速现代化的进程,但是社会的现代发展阶段看来是路途漫漫,难被超越。我们过去早就想超这超那,一蹴而就,结果这些盲目的跃进,却给人们造成了无数物质的与精神的伤痛。我们痛感于一部写于20年代初俄罗斯的反乌托邦小说《我们》,竟有如此巨大的预言力,而不能不引起我们的深思。现代性的原则与精神看来也是如此。

　　现代性遭到多次歪曲,现今需要新的整合。就目前来说,广大的人群在物质上尚未呼吸到充分现代化的生活气息,在精神上也是如此。为了使社会进入现代,国家走上现代化的道路,我们过去有过不少人、现在又有多少人都在塑造各自的现代性。在20世纪里,有的学者把西方社会的现代性,当成我国的现代性加以弘扬,也即寄希望于全盘西化。但是早在19世纪下半期,西方的现代性就已暴露了它的另一方面的种种矛盾,至今更是危机重重。"五四"后一些人照搬照抄,但是这种学风一直受到人们的非议。另一些人把马克思主义理论加以传播,并与中国的实际结合起来,使中国社会开辟了新时代。但是到了50年代,又预设苏联的今天就是我们的明天,并且化成了一系列群众运动,一有不同意见,就进行政治消除,这实际上也是一种典型的照搬。由于现代性被盲目的主观性所替代,由于根深蒂固的东方习尚并未寿终正寝,致使科学沦为现代迷信,理想被扭曲为早就被批判过的乌托邦,人祸连连,从而使现代性走向"文革"的封建法西斯性,走向了反动,使社会发展遭到了极大破坏而濒临崩溃的边缘,人的精神家园几乎败落为一片废墟,并且至今未能使人们在精神上走出其阴影,这已经成了几代人的铭心刻骨的时代感受。无疑,这必定会受到思想史的长期清理。

　　80年代改革、开放的时代,一些人痛感于自己的落后,目光紧盯现代的西方,以为西方的今天就是我们的明天,以为这就是现代精神,于是再度掀起了西化的浪潮,这在我们思想界、学术界都有广泛的表现。就以文学研究来说,不久前读到钱理群的短文④,谈及80年代他与同行提出"20世纪中国文学"的观念。这一观念不在于文字表达本身,而在于对其所作的阐述。倡导者对这一观念的解释,在后来文学史的编写中产生了众所周知的影响,但是在学界是存有不同意见的。80、90年代的现实生活逼人反思。短文作者认为,这一概念本身无需改变,但是根据20世纪文学发展的实际情况,现今必须对其涵义做出新的阐述了;同时承认这一观念的提出,正是受到当时"西方中心论"影响的结果。对于一个学者来说,修正自己的观点是常有的事,有的公开申明,有的暗中进行,有的暗中修正了还得表现自己是一贯正确的。短文作者要修正自己的观点,这已是实事求是的表现,但还和盘托出了思想来源,特别是承认受到西化的影响,却是要有勇气的。说实话,我读完这篇短文后,深为作者坦诚的学风所感动。西方中心论,在我看来,就是这位学者在 80 年代所理解的现代性,而今对现代性有了新的认识。西方一些学者说,当代西方社会已进入后现代社会,现代性已经过时。80 年代中期,此说传到了我国。到了 90 年代,我国一些年轻学者把西方学者的理论搬过来就用,高唱在我国的文化、文学中,已走向"现代性终结"。其实,这是又一种西化论的搬弄了,或是一种真正的"抄袭"、"模仿"了!警惕、批判与避免现代化带来的破坏性后果,跨越它的陷阱,我以为这并不会导致现代性的终结。我们要分析西方学者对于现代性的不同的解释与批判,但又不能局限于他们对现代性所作的阐述。同时,我们也不能重蹈现代迷信所制造的现代乌托邦,来构筑我们所需要的现代性。

　　从现代性的历史进程来看,现代性是一种被赋予历史具体性的现代意识精神,一种历史性的指向。在各个发展阶段,现代性的内涵有着共同之处,但又很不相同。一些学术思想问题,在彼时彼地的提出,看来有违那时现代性的要求,而不被重视,甚至还要遭到批判;而在此时此地,则不仅与现时现代性的要求相通,而且还可能成为现代性的基本组成部分。例如,对于"五四"后的多次学术思想的争论评价,我们从现时的现代性要求出发,可以说与"五四"时期的要求在总体上是一致的,但又是不完全相同的。"五四"新文化运动,是辛亥革命的一次深入,文化上的真正革命。这场运动,意在进一步摧毁封建制度,击溃旧的文化传统,走向更为彻底的现代化。其批判的准则,则是民主主义、科学主义思想,部分则是刚刚传入中国的马克思主义思想。这些思想形成了"五四"时期的现代意识精神,其指向表现为这一时期的现代性。这时期的任何文化现象,在新文化运动面前,在"五四"时期的现代性面前,都将陈述自身存在的理由,而受到检验与被取舍。提倡白话文,是我国文学叙述的一个转折;而当时的国学研究的倾向,与其时倡导的科学精神、人文精神相悖，妨碍了新文化运动的推进。稍后的《学衡》派、《甲寅》派，继续反对文学话语的改革，他们保卫旧文化，批判新文化，声称白话文学不算文学，对改革派极尽嘲弄之能事。毫无疑义，他们自然是时代的落伍者了。

"五四"运动的功绩在历史上彪炳千秋，当时对旧文化所采取的激进态度，从促进历史进步来说，实属必要。但是也正是由于其激进性、绝对性，使得新文化与传统文化之间横亘一条裂痕，这也是事实。一些学者不承认有什么断裂，认为继承得很好，这也是一种意见。我们一面为要赶上时代的发展，摆脱落后愚昧的局面，觉得只有从外国人那里寻找榜样与药方，否则似乎就难以自立。另一方面，特别是在"五四"运动几十年之后，由于我们中断了与传统的联系，总是使我们觉得在文化传统上飘零无依。说是我们有几千年的优秀文化传统，但又不断挞伐古代文化以致焚烧古籍，让人看不见、摸不到的优秀文化传统不知究竟在哪里，从而造成人们文化、精神的贫困。这就是我们近百年来特别是近50年来的心态，虽然近20年来的情况有所改善。

在20世纪即将告终之际，百年来发生的种种事件，今天以历史的整体面貌出现在我们面前，这无疑可以使我们获得一种历史的整体感。对于现在的我们来说，历史的评价已可以不囿于一时一事，可以在历史的联系中了解它们，而成为一种整体性的评价。现代性也即现代意识精神，具有了更为宽阔的视角、宽容的气度。对于过去革命的文化思想的方方面面，将在历史的整体中受到重新的评价与审视，即使在过去被认为是保守的文化思想也是如此。一切有利于当今文化发展的因素、成分，都将被我们采纳、吸收；一切不利于当今文化发展的因素、成分，将被搁置起来。原有进步的现象，可能在与多种其他现象的联系中，由于消除了一时一事的孤立性，显出历史整体的敞亮而发现其中的消极因素，甚至可能见到其走向反面的原因；某些一直被认作是消极的历史现象，同样可能由于消除了一时一事的孤立性，在整体的相互的联系中，因历史面貌的敞亮而可以发现其积极因素。这种现象，我想可以叫做历史整体的去蔽现象。《学衡》派对新文化运动的历史攻击固然不足为训，但今天看来，其研究学术的宗旨，却具有了新意。它自称，"论究学术，阐求真理，昌明国粹，融化新知"。对于国学研究，其态度是"明其源流,著其旨要,以见吾国文化,有可与日月争光之价值;而后来学者,得有研究之津梁,探索之正轨,不至望洋兴叹,劳而无功;或盲肆攻击,专图毁弃,而自以为得也"。又说"本杂志于西学则主博极群书,深窥底奥;然后明白辨析,审慎取择……兼收并览,不至道听途说,呼号标榜,陷于一偏而昧于大体也"⑤。自然,这些宗旨,提倡者其实并未能真正实行,也难以实现,况且走到岔路上去了。但是就这等主张而言,现今抹去其灰暗的历史尘灰,则显出了其现代意识的精神;我们经过几近一个世纪的曲曲折折,今天求索的也包含这种精神与主张,无疑,它们可以成为当今现代性的一个组成部分。历史中存在大量的"盲肆攻击",大量的"专图毁弃",这也是事实。盲目的滥肆攻击与随之而来的种种反理性的毁弃,都被历史发展的现实需要所毁弃了。

历史的整体性评价,是我们所主张的现代性的思维方式,它承认历史发展中的激变时期的一分为二的斗争的必要性,革命的必要性,否则,新的思想、文化以及制度无以自立,难以发展壮大;同时也主张新的文化、思想一旦产生与形成,就应在批判、鉴别的基础上,充分吸收旧有文化传统的精华,铸成自身的血肉。一味斗争、只主张二元对立的思维,导致了社会的灾难。当今的现代性,应是一种排斥绝对对立、否定绝对斗争的非此即彼的思维,更应是一种走向宽容、对话、综合、创造同时又包含了必要的非此即彼、具有价值判断的亦此亦彼的思维。

文学理论的自主性问题与现代性

我国新时期的文学理论20年,是受到现代性的策动,力求新变、不断体现现代意识、精神的20年。由于历史、文化等等的原因,这是在文艺理论上初步更新了文学观念、发生重大变化的20年。

在文学理论中,探讨现代性问题,自然不能把它与科学、人道、民主、自由、平等、权利等观念及其历史精神、整体指向等同起来,但是又不能与之分离开来。文学理论要求的现代性,只能根据现代性的普遍精神,与文学理论自身呈现的现实状态,从合乎发展趋势的要求出发,给予确定。我以为当今文学理论的现代性的要求,主要表现在文学理论自身的科学化,使文学理论走向自身,走向自律,获得自主性;表现在文学理论走向开放、多元与对话;表现在促进文学的人文精神化,使文学理论适度地走向文化理论批评,获得新的改造。

50年代初到70年代末,我国文艺界流行的是"文艺为政治服务"、"文艺从属于政治"的口号。十分明显,这里的主体是政治,文艺完全处于从属地位,文艺自身的主体性完全被否定掉了。结果是,当"文革"政治日益走向封建法西斯化,文艺、文艺理论、批评也就堕落不堪了,一场又一场的政治杀伐,总是从文艺批评开始。70年代末,从"文革"的教训出发,在"解放思想,实事求是"的方针指导下,提出以后不再提"文艺为政治服务"、"文艺从属于政治",而改提"文艺为人民服务"、"文艺为社会主义服务"。这是一个及时的重大的变化,也是一个有力的举措。我们在这里主要分析这两个"不提",因为文艺要成为文艺,首先要从其学理上进行阐明,使文艺真正成为文艺自身,即还其固有的自主性,文学理论同然。

文学与政治的关系,就现代文学理论来说,早在本世纪初,在梁启超的一些论著中已提了出来⑥,这纯属一种理论性的探讨;20年代有关这方面的讨论,也是属于这种性质。后来这一理论就发展到"文艺从属于政治"、"文艺为政治服务"的结论,这在历史非常时期也是必要的,而且也起过良好的社会作用。从50年代起,这一理论逐渐成了一种政治规定,成了一种体现一定政治要求的政策。于是理论被简化成了政策,并要求政治、文化部门、文艺家们都去贯彻。

照我们现在的理解,所谓政策,多半是在某种理论指导下,保证某种政治、社会主张得到实施而制订的一定的措施与手段,这是社会权力、财富分配、再分配的各种规定与限制。政策总是具有集团性,在其实施过程中具有强制性。审时度势,因时、因地的应时性、灵活性、强制性,正是政策的特点。政策是一种权力行为,把文学理论与政策搅混在一起,政策就可能替代文学理论,遏制文学理论自身的不断探讨与前进,消除理论自身的学理与自律性。50年代初以后几十年里,事情正是这样发展的。在我国文艺界,事实上只有文艺政策而无文学理论,虽然文艺界有的负责人以文学、文学理论的名义常常发表讲话,进行种种总结,但实际上不是在探索文学理论自身,而是独霸了这一理论话语的解释权,严酷地、一批又一批地处理文艺思想上的异己分子,文学理论被推入了"风刀霜剑严相逼"的绝境,学理探索实际上被封死了。一切与这一政策的规定有出入的、不相呼应的理论观点、看法,都受到权力的干预而备受摧残。政策与理论是不应混同的,事实上也无法相混,但是权力可以使之一体化。70年代末、80年代初,提出了在文艺中不再提文艺从属于政治,不再提文艺为政治服务的口号,而代之以文艺为人民服务,为社会主义服务,这说明过去几十年里,确实把文学理论与文艺政策相混了,因为政策是可以替代的,而理论的学理可以修正,但似乎没有替代一说。

  理论不同于政策是明显的。理论,特别是成了一种科学的理论,总是出于现实生活的需要、适应人们实践活动的需求而产生,所以理论具有鲜明的实践性特征。理论用来阐明某种自然界的现象,或社会现象,或多种人类精神现象,揭示它的产生,构成它的演变,导出它的结果,预示它的未来,所以具有自律性。理论依靠自身的学理而存在,学理具有自身的逻辑性、严密的推理性,从而构成这一学科自身的科学理论、知识体系。学理就是讲道理,探讨并说出事物真相,尽量去说明事物的普遍性特征及其独特性,所以总是追求真理,以理服人,而不靠虚伪,不靠外力的强制,不靠吓人。人们相信一种理论,是信服其道理,即学理;不相信它,是因为它谬误百出,有悖常理,即没有道理。历史经验证明,依靠权势、震慑性地强制推行的所谓理论,都是靠不住的。强行灌注,可能得手于一时,一旦出现谬误与失败,其后果将是灾难性的。学理具有自身的原则性、适应性、应时性,但原则性是主要的,并且也从来不具强制性。理论具有时代性、历史性的特性,它可以在历史的探讨中不断完善自己,完成自己,在认识的不断深化中形成,在形而上的不断升华中定形,但不致朝令夕改,被随意替代。任何理论的进步与发展,在于它的学理的增值,从而形成理论的增值与创新。可政策是一种手段,它适应需要,可以推动现实关系的协调与发展,体现它的"英明",但无所谓价值的增值。一个有价值的理论体系,只是在某些方面表现得较为合理一些,完整一些,但不可能总是放之四海而皆准,世界上并不存在这样的万应理论。实际上,一种理论往往在这里可行,在别处就未必可行。一定要把某种理论说成万应灵丹,这就是理论的僭越与理论的迷信,这正是工具理性与企图制造愚昧的表现。在这个世纪,工具理性与迷信运动给人们造成的灾难实在太多太多了。同时一个理论体系,由于自己学理的体系过于严密而不能吸收别的理论中的长处,即另一些学理的成分,拒绝丰富与充实自己,这必然导致其排外与自我封闭,使自身的学理发生僵化。那么,这种理论自己的局限就显露出来了,被它说明的事物的普遍性特征的力量就日益缩小了。每当时过境迁,一种理论的学理可能就会失去其魅力,而当新的情况发生和新的社会实践产生需要,新的理论及其学理又会应时而生,并去影响实践。

　　文艺理论的进展,是要靠学理的不断积累的。但如今,其学理被扭曲,积累被中断,而且一中断就是几十年,这理论自然就停滞不前,甚至被破坏殆尽了。文学理论的命运是如此,其他学科也是如此。本世纪的第二个50年与第一个50年相比,特别是50年代初之后的近30年间,文学理论园地极为衰败与荒芜,这也就是为什么这一时期没有出现文学理论大家的原因所在,这在哲学界、历史学界同样如此。在这几十年里,在权力意志的统制下,现代性被反现代性的封建性所替代,并能在这样长的时间里畅行无阻,确实令人深长思之。

　　西方文化真正走向现代,大体始于本世纪第二个10年间⑦,当然,其开始可能要推前到波德莱尔时代。19世纪西方学者包括俄国学者就提出艺术的独立性问题。20世纪初,外国文论自主性的提出,同样是要求文学理论回到自身,但其内容与80年代的我国文论回到自身的要求不同。不同之处在于,我国文论所要求的自主性,是要从政治的束缚下解脱出来,获得自身的独立性,使文学理论成为文学理论,明白自身的学理。西方文论所谓的独立性、自主性,则是指要研究文学自身,摆脱文学批评、研究中的所谓外部研究方法,即摆脱所谓心理学式的研究、历史研究、社会研究、印象研究、作家传记研究等等,使文学研究去研究文学作品自身的问题,如作品构成因素、节奏、格律、文体、叙事、文学类型、评价等,也即使文学研究走向所谓内部研究。由于这一片面性的研究导向,西方文论在后来70年的历史过程中,内部研究占有了主导地位,并在文学作品的研究方面曲尽其妙,多有发明。但是由于这一导向具有极大的片面性,自然并未使文学理论真正回到自身,因为它把属于文学自身的另外一些组成部分否定掉了,使文艺理论仍然残缺不全。但是不同于我国的是,西方文论自身的学理研究,虽然历经各种社会动荡,频受战祸的影响,但并未因强力压制而发生中断,而且派别一个接着一个,各自标榜,赓续不断。直到70年代末,不少学者包括结构主义理论家在内,认为内部研究的局限性已很明显,这类研究,已经不能阐明文学现象诸多方面的问题。80年代,许多学者已不能容忍内在研究方式,纷纷摆脱这一研究方式的框架,而转向了外部研究,或标举多种理论旗号和所谓文化批评,或促成了内外结合的文学研究,使文学理论获得了较为完整的自主性,从而也体现了文学自身、文学研究的学理上的现代性。

70年代末,我们在前面所说的两个"不提",使我国文学理论从失去自我的极端落后的从属状态,开始走向自身,恢复了世纪初曾经有过的学理的探索和文学自律的科学探索。文学理论可以走向自身,走向自律的科学探讨,这是文学理论现代性的起码条件,因此可以说这是文学理论科学理性、现代意识精神、现代性的初步体现。

自然,上述两个"不提",不是说文学与政治无关,而是说两者不是从属关系,这是积极的一面。但由于不能全面理解两者关系,因此在创作与理论中,又产生了一些新的情况。一些作家与论者,痛感于几十年来政治的不协调的关系,纷纷要求文学与政治脱钩,论证文学与政治各自独立,文学审美创作凭作家天性行事,文学政治互不相关,希望政治少干预文学,要求文学与政治离婚,等等,这些情绪都是可以理解的。目前,关于文学与政治关系的上述观点,大致表现为两种倾向,一,通过文化批评的形式,其中一些人实际上在直接探讨政治问题,你可以说,我也可以说,只是要求政治不予干预。确实,这是自由,对于这种自由意见不一,这里我们不予置评。二,在文艺创作思想上,这实际上可以分为两个方面。第一是,舆论上虽说文学与政治要分家,要离婚,但一些作家分明在自己的作品里,调侃、嘲讽政治;或是消解、解构政治,以致走到否定任何价值标准的地步,可又要求评论只能就其高超的文字、风格进行评说,否则就是政治批评,而政治批评就是棍子批评。第二是,在批判政治强力干预文艺时,形成了一种纯艺术倾向,即力图远离政治,甚至社会生活,把文学孤立于其他社会关系之外。一些写作者,一度热衷于话语游戏,进行语言猜谜式活动。当这种写作难以为继时(还会存在下去),又转入形而下的写作,凑合纯粹偶然性的东西,或化解历史,或从"新状态"转向"性状态"的书写。其实,文学作品可以不写政治,与政治分开,但是文学既然与生活密不可分,而政治又是生活的组成部分,因此文学创作也是难以避开政治的。

　　拉丁美洲的"爆炸文学"举世闻名,这是一种社会性、政治性很强的文学,不少著名的小说就是描绘一些社会、政治事件的。但是社会性、政治性强并未影响他们的艺术的独创,倒反使他们在世界文学中异军突起、独树一帜。当然,要充分估计到我国作家的社会、政治条件方面,有自己的难度,和他们的环境是很不一样的。新时期以来,我国不少年轻作家,曾把拉丁美洲的一些著名作家视为自己写作的榜样,刻意模仿。但是他们害怕社会、政治问题,所以也只是皮相地学习,缺少了拉美作家宽大的胸襟、民族与人类的生存意识和透入人性的警策力。他们的作品竭力离开社会性而渴望提高自己的审美层次,但提供的画面,往往在思想上显得十分单薄、干瘪,艺术上缺少光华,不具强大的审美批判力、人性深度的表现力,这是需要有洞透力的思想才能的。据报刊披露,深受我国青年作家崇敬的拉美作家加西亚·马尔克斯与巴尔加斯·略萨曾分别来过我国,但是他们不是来接受我国青年作家的褒奖,甚至传授写作经验,而是来了解中国社会主义的前途的。加西亚·马尔克斯"想了解的是90年代的中国的社会现状,所提出的全是有关社会主义前途和命运问题",据闻,他长期关注的就是这些问题;巴尔加斯·略萨则以为,"文学首先是社会的发言,其次才是文学本身"⑧。在一些人看来,这真是自投罗网,或者简直是庸俗社会学了!大概由于处境、心态不同,思想、魄力各异,所以他们虽然来到我国,竟未能和我国著名作家有过晤见,就纯文学问题进行探讨,没有留下那种像30年代泰戈尔来中国时,会见我国文艺界头面人物的佳话。

审美意识的激变与形成中的现代审美意识

　　当文学从从属于政治的口号下解放出来之前,其实文学审美意识已在发生变化。文学的现代性可以受抑于一时,甚至一个历史时期,但是文学走向现代,走向更为现代意义上的文学,已是"青山遮不住,毕竟东流去",难以阻挡。不再提文学从属政治、为政治服务,而提文艺为人民服务,为社会主义服务,则使文学活动的范围宽泛得多了,这无疑进一步促进了文学审美意识的新变,也即走向现代审美意识。

20年来,文学创作、文学理论求索现代意识精神,向现代审美意识的转变与移位,是不断求新、冲突、论争、更新思维方式、更新审美观念的一个过程。这是现实生活本身的复苏、文学特性讨论、西方文学与文论以及多种哲学思潮影响的结果。形成中的现代审美意识以及文学审美意识的新变,既初步改变了文学创作的面貌,同时也初步促进了文学理论的改造。首先这是文学创作的政治群体意识逐渐解体,不断生成个体的、个性审美意识的过程。

文学从属于政治、文学为政治服务,是出于政治斗争的历史需要而提出的口号。政治面对的是广大人群的事情,不管如何,它思考的是社会千百万人的关系,国家与国家的关系,反映的是集团与集团、阶级与阶级之间的权力、财富分配再分配状况。不是这一集团获得权力,就是另一些人当家作主;不是一些人受到限制,就是另一些人先富起来。政治把人分等划类,一个时候少有家财、尚可糊口的人被认为是资产阶级,对其进行剥夺,那些寄人篱下、贫困度日的知识分子遭到同样待遇;另一个时候,因国情需要资本得到扶持,某些有产者成了社会明星与栋梁。政治十分注意的是各个集团的政治要求与权力分配的方式与程度,共同恪守的政治思想原则;关心的是社会按其愿望建构的历史变革,以便从根本上改变、改善人们的生活方式。政治家看待人物,对其与之共处的同伴,主要着眼于其政治方向和政治主张,赞成还是反对,界限分明。他对于个人的经历与命运、私人的性格特点、操行品德、甚至个人不光彩的私生活等等,都称作个人生活琐事,可以暂置一旁,对于自己同样如此,即所谓看人要看他的本质,要看大节,而不应纠缠于其非本质的东西。他要求于人们的是对于他所提出的思想的认同,是对他提出的主张、理想最一般的本质的把握,是对其有关社会、历史发展学说的预设的本质与必然的赞扬,是对其进行的全国性的、大规模的社会试验的肯定与歌颂。一般说来,他的思考方式,偏重于剧烈变革中政治主张的前途,群体的命运,阶级关系的变化,而无法、也无精力顾及或不大思考单个人的遭遇,虽然他的主张与理想,往往会与历史的现实的发展紧相吻合或南辕北辙。这是一般政治家所具有的政治的群体思维方式。

不少作家在这种政治氛围中,在不断地改造自己原有的思想运动中,也就接受了这种政治的群体思维方式,即对预设的社会发展规律的单一本质感、必然感,学会了对人的分等划类、二元对立的、非此即彼的鲜明区别的方法,对社会和人形成了一种固定的认识,并构建成了一种本质理解。当他进行创作,那朝他涌来的无限生动的生活的新鲜印象,先被政治群体意识之网加以本质地、必然地过滤,然后再将它们分门别类安置于现成的本质、必然的框架之内。文革前的文学创作大体就是如此,即使其中一些尚称优秀的小说创作,自然也难以摆脱时代的群体思维的框架。而一些杰出的作家,他们原有的独创与灵感,则在本质化、必然化的过程中被消解殆尽,因为创作不是直奔本质。

文学创作是一种审美感觉、感受、体验以致审美认识,是一种个人的、极具个体性的感情活动,而感情活动在人身上时时发生,时时会对生活现象产生瞬间感受与体验,因此审美是人的一种自由的感受、体验活动,所以也可以说,审美的本性是自由的。由于审美活动的特征是个人的、个体性的、自由的,同时也是独创的,一种独特的审美发现,所以即使作家关心人类、社会,但进入创作,他瞄准的总是个人,他感兴趣的只是个人的命运与遭遇,而且只是个人的独特的命运与遭遇。更为重要的是,在人物描写中,他要求的、感到兴趣的正是政治家忽视的个人特征、个人活动、个人品德,他注意的是个人在家庭、私人场合的种种活动与表现,甚至是非理性的行为与行动。作家力图传递一种时代的氛围、意味、风尚,但也只能在自己作品里通过众多个人的、具体复杂的相互制约的关系而得以表现。这主要是,历史、现实生活是以纷繁的、偶然的现象表现出来的;而现象总是具体的、甚至是非理性的;具体的、非理性的东西往往寓于偶然,而偶然又不断生成;人对于偶然、具体的体验、认知,是一个相互作用的复杂过程,具有强烈的主观性特征,两者相互交流与相互渗透,进而生成新的现实;所以可以说,"最具体的和最主观的是最丰富的"。文学创作的不断出新,某种意义上就是偶然性的不断更迭与艺术对它的不断发现。个人的、独特的命运总是以偶然的、非理性的形式出现,并得以艺术的体现。只强调本质与必然,要求创作都要表现出本质与必然,创作者的感受与体验,就会落到群体式的、本质化的、必然化的、平均数式的水平上去。这样看来,作家的思维方式,实际上与政治所要求的群体式思维方式是不同的。作家自然可以去了解政治学说和社会设计,进行歌颂,但不是为这种思想设计进行图解与填充。其实,政治社会学说与社会设计,它们规定的本质与必然,正确错误与否,也要经过社会实践的检验,而且这种本质与必然,往往又包含了人们不愿承认、忌讳讨论的合法性危机。政治家要求歌功颂德,可是当"文革"前后灾祸连年、民不聊生、冤狱丛生、经济濒临崩溃,那所谓的金光大道、耀眼光环又在哪里?

作家进行审美创造,不仅在于表达个人感受、传递自己体验、创造独特的艺术形式,同时也在于创造一种审美价值。这是具有语言美感的、愉悦的、具有强烈感受性的、思想认识色彩的审美评价。审美评价也包含了审美判断、审美批判。现今有的文艺理论学派,把审美批判提到社会批判的意义上去了。有价值的艺术创造,也是一种个体性的精神意识的发现。审美评价包含审美批判,审美要求批判,但目前来说,审美批判还难以发挥其功能,条件暂时还未尽具备。

70年代末、80年代初,在清理创作中的政治群体意识的同时,创作中的审美意识的激变终于发生了。

诗歌是审美创作中最敏感的部门,一些青年诗人一反几十年来的假大空诗风,创作新诗,重新把个人自我、独特体验、瞬间感觉,把象征、甚至总体象征、暗示、无意识、意识断裂、深度含蓄的朦胧意象,引入诗作,并被称作"朦胧诗",一些诗作还显示了审美批判的活力。新诗的出现,使诗歌的语言为之一新。这一倾向一下就在诗界与诗评界引起了激烈的争论。争论的问题是,朦胧诗的诗意古怪,读不懂,不反映时代精神,不写英雄主义,不歌战斗精神,不抒人民之情,只面向个人心灵小我,咀嚼个人悲欢。这些反题就是,诗歌要明白畅晓,要写出时代精神,要有战斗精神,要抒人民之情,要写大我,个人悲欢算不了什么。这从过去的文艺理论来说,都是30年来耳提面命、翻来覆去、大写特写的辉煌命题。一些年长的诗人已经习惯于政治群体意识,一见个人抒情、内心悲欢、象征、寓意、怪诞、意象重叠、暗示、多义、瞬间感觉、非理性感受(确实有一些诗作写得十分极端),甚至少量隐晦的批判,深感这无异是对辉煌时代、辉煌命题的反叛。他们对于诗歌的真正精蕴已经淡薄,习惯于放声高唱,以致回到诗歌本身,竟反而不知所措。就像长期处于地下室的人,不断在歌颂阳光的辉煌,可是一旦走进真正的阳光地带,反而对真正的阳光的辉煌感到陌生,责怪阳光的刺眼了。他们的驳论,正是以往的政治群体意识的余韵,这种意识对不少人产生过影响(本文作者亦然)。不少诗人、论者实际上在相当长的时间里停止了个人思索,把思索看成是一件危险的事,或把思索当成是强者的专有品;在艺术表现上,都把诗的象征、暗喻、寓意与政治影射等同起来,把艺术上的标新立异,看成是一种反常现象。其实,60\70年代是濒临崩溃的时代,是腐朽与霉烂掩盖着生活的时代,那么,这时代的时代精神在哪里?所谓英雄主义与战斗精神,也只是一片狂热的乌托邦政治的鼓噪;再说个人悲欢,诗歌已经多年与它断了缘分,什么时候,诗歌吟唱了积郁在人们心里多年的悲痛?它不是总是在"放声歌唱",歌唱那种被愚弄了的愚昧的感情,乌托邦式的、巨大光环的、金光大道的浪漫热情?真正的诗情已经麻木多年了。自然,80年代初持不同意见的一些诗人与诗评家,后来也都明白过来了。确实,那时,提出诗歌不屑于歌唱战斗精神、充当时代号角,也是要有一些理论勇气的。现在看来,这是诗歌最早的反叛,反叛艺术创作中的政治群体意识,回到个人的、个体性的审美意识。简言之,就是回到审美意识自身,并逐渐走向现代审美意识的生成。

  小说创作的审美意识同样发生了激变。先是伤痕文学,一度引起了轰动效应,随后是反思文学、改革文学,酝酿了创作中的群体意识的淡化。特别是反思文学,其中审美意识的个体化特征已很明显,表现在作家开始了对人的命运的关注,人的个体价值意识开始觉醒,同时在审美批判方面出现了生机。阅读这些承受生活煎熬之苦的人的命运的抒写,使人惊心动魄而感同身受。从整体上说,这些作品,显示了文学的现实主义的倾向。这是一种从政治群体意识转向个体审美意识的现实主义,是告别那种倾心于假大空、乌托邦,培植人的愚昧感情的现实主义,是开始探索人的命运的现实主义。接着就出现了所谓寻根小说,它们有的张扬原始生命力,希冀超越现代,寻找民族性格的病根;有的以荒诞的形象与荒诞的手段,批判传统道德的愚昧与败落。但其总的意向,是针对过去创作中强烈的政治化倾向而发的;同时在艺术表现上,确也显示了形成中的现代审美意识,与"五四"后的新文学的审美意识是相呼应的。

80\90年代西方的各种文学理论思潮、文学流派的作品,不断被介绍到我国,激活了我国的艺术思维,自然会被或模仿、学习,或理解、吸收。特别是法国"新小说"派的叙事策略、"零度写作",被一些青年作家移植过来,津津乐道。80年代中期我国出现的实验小说,就是这种时尚的产物,它们显示了现代审美意识的一个方面。这里有现代派式的某种审美主体性的张扬,但更多的是在满足文字游戏中出现的后现代主义式的对主体性的消解。它们思考过人,但据说一无所获;确实,如果在这些作品里出现了人的形象,那往往是它们作者的一些文字、智力游戏的符号。这类作品显示了语言能指的膨胀的可能性,它们扩大了艺术形式的探索,文学作品的形式空前受到重视,作品叙事形式似乎趋向精致。但这类文本,由于作者个人文字游戏爱好,醉心于作者、人物身份随意置换的叙事策略,以及因此在阅读中不断造成的审美中断,却令读者趣味索然。相应地说,在这类作品里,价值、意义开始弱化,并且不断受到嘲弄与消解。随后,在创作与批评里,不仅躲避虚伪的崇高,而且对真正的崇高也出言不逊,进行调侃、讥讽与亵渎。出现了还原生活本色的"新写实"与接近传统的"新现实主义"等流派的创作。此外,还有沉迷于物欲、性欲、金钱欲望、精神虚无描写的自称最得文学精义的小说。与此同时,那些遵循现实主义原则写作的作家,却是扩大了自己的艺术视野,广采博取,吸收了多种新的手法,丰富了自己的写作方式,大大地改变了原有的现实主义的面貌,使现实主义得到了丰富与充实,使现实主义文学流派在80\90年代推出了不少力作,成为新时期文学的主潮。近二十年来,审美意识的个体化的多样发展,渗入到了文学创作的各个方面,并把这一特征发挥到前所未有、淋漓尽致的地步。

现代文学审美意识的再一个生成点是,当政治群体意识不断解体,却极为快速地形成了另一种带有群体性特征的意识,不过这是一种审美的群体意识,也就是大众文学审美意识。

在历史上,大众文学一般也称通俗文学,包括反映知书识字的市民趣味的言情小说、社会小说、武侠小说、说唱作品,以至民间文学。后来提倡文学大众化,要求文学为普通的人民大众服务,主要是认为严肃、高雅的文学作品的阅读圈子狭窄,不利于思想的传播,要求高雅文学向通俗文学靠拢,于是遂有大众化与化大众之争。50年代前的大众文学或通俗文学,相对地说,是当时不发达的市场经济的产物,它们在审美上标榜消遣、找乐;对披露隐私较为热衷,对社会黑暗有所揭露;它们具有娱乐性、趣味性,接近读者,也投其所好,但上乘之作较少。50年代后,文学在政治群体意识的影响下,一部分创作做了大众化、通俗化的努力,同时,此时民间文学也得到大力提倡;而通俗的言情小说、武侠小说,则屡遭贬斥,所以50\60年代,这类作品也就销声匿迹了。

80年代开始,当严肃、高雅文学得到复苏,获得发展之时,一种似曾相识、带有当代市民趣味与很快富有起来的中上层阶级情调的大众文化,日益蔓延开来,其中自然也包括大众文学。大众文学的特点,很大程度上取决于大众文化的特征。大众文化是随着市场经济而同步到来的。由于市场经济日渐全球化,西方的大众文化通过高科技手段,作为商品,开始了向我国的倾销,加上当时港台文化的影响,我国的大众文化也急剧发展起来。

大众文化的重要特征是它的商品性,它完全进入了市场的运转。市场的需求是,我喜欢的、投我趣味的就是好的,我就买,我不喜欢的,别人就难以强逼我买;阅读鉴赏,纯属私事。现今的官员,企业主爱读颂扬其德政的作品,而白领阶层爱读他们的圣经《白领指南》,都是个人趣味使然,这里完全是一种交换、买卖关系。大众文化的另一特征,即它的实用的消费性。报刊书籍、影视节目,要有绝对的轻松性、趣味性,个人趣味,请勿过问,而且这种趣味主要是满足个人的生理上的需要,用以调节劳累,消除疲倦,以利于他第二天以饱满的精力去增殖手里的货币或资本。所以,于我有利,提供轻松,就是价值,其他则一钱不值。消费性特征使文化产品大量的变成一次性处理的东西。大众文化的又一个特征,是它的世俗性,充分的享乐主义。它的原则是,过得舒适、闲适、快活,尽情享受并且更多的是声色官能的享受。大众文化的再一个特征是它的通俗性,通俗性的特点是省力,反对思考,杜绝思索,否则就是说你玩儿深沉;通俗性就是大家都能领会,都能参与,不用气力就能接受,因此,它钟情形而下,拒斥形而上。最后是它的复制性,大众文化作为商品,利用当今发达的科技,快速地成批制造、大量复制影像、光盘,使之迅速传播,并把其中大部分产品变成千篇一律、不具个性的大宗文化产品。大众文化因其广泛传播,极快地改造着社会的风气,左右着社会的行为习俗。可以这样说,现代生产技术、大众传播媒介,制造了大众文化。出版商、出版社看准了各个阶层中的大多数观众、读者这块广大的消费市场,组织生产,标举通俗,迎合世俗趣味,通过报纸、电台、影视的炒作,地摊的展览,使之流行开来。丹尼尔·贝尔描写过美国现代社会改造与大众文化、大众消费的关系,是很有意思的。他说,美国的大众消费始于20年代,汽车则是大众消费和富有的象征。汽车成为中产阶级的私室,放纵情欲的地方。电影的飞快发展,"起到了改造文化的作用"。⑨如今的影视艺术、讯息手段,更是如此。它们诱导人们迷恋色情,放浪形骸,及时行乐。至于广告,则具有一种普遍的渗透力,它刺激需要,劝导人们要穿着考究,追逐名牌,鼓励讲排场、比阔气、饮高级名酒等等,微妙地改变人们的习俗、行为方式、鉴赏习惯。我国的大众文化实际上也具备了上述条件,流行歌曲、通俗的豪华演唱、演不完的电视肥皂剧、教授知识猜谜表演、歌星逃税与明星婚变故事、节目主持人自传、名人内幕、黑幕曝光与情杀报道、描绘打家劫舍、侦缉追杀、隐私窥视的快餐式小报、通俗小说、武侠小说等,正是在这一背景上不断被制作、推行开来的。它确实在影响着人们,改造着当今的文化,改变着人们的行为和培养着人们的文化素质。

  大众文化的上述特征如商品性、消费性、世俗性、通俗性、复制性与广泛的流行性,也就是大众文学的特征。在市场经济机制发挥作用的生活中,读者的阅读成了一种自由的选择,也即商品的选择;别人的赏析、理论话语,可能发生影响,但已无法越俎代庖。这样,就造成了读者审美趣味的严重分化,从单一而走向多样。在80年代初,热衷于大众文学是青少年、追星族一类人,原有的严肃文学、高雅文学的热心拥护者,则显得忧心忡忡,担心因大众文学趣味有失高尚而产生的消极影响。但是时隔不久,这些人在市场经济的影响下,也来欣赏通俗文学,享受它的情趣了。到了 80 年代中期,大众文学即使不被认为是主流文学,实际上也成了民间的主流文学,即它是受到千百万读者青睐的文学,没有一种文学像大众文学拥有如此广泛的读者。过去费了不少气力,提倡文学要大众化,要接近读者,应者寥寥,看来在于违反市场规律。现今在商品经济的推动下,一部分文学自动大众化了,而且大众化得十分彻底。工人、农民、士兵、军官、学生、教授、政府官员、机关职员、总裁经理、老板大亨、外企买办、白领阶层、司机销售人员、外来打工者、小贩、售货员、离退休人员、家庭妇女、运动员等等,凭着各自的爱好,都可以在星罗棋布的地摊、商亭,选择自己爱读的东西。就这点而论,大众文学表现了审美趣味的广泛的民主性,它满足了人们的广泛的审美需求,显示了审美意识的极大的自由度和审美意识激变所能达到的广度。

  在大众文学中,应该出现在内容、艺术上都有上乘表现的东西,这也是一件很有希望的事。我国四大古典小说,都是当时的通俗小说,后来进入了我国文学的主流。读者的阅读需求,自然是一种审美的需求、精神的需求,而审美的需求、精神的需求,是一种极富自由与个性色彩的需求,这不可能是集团行为的需求。作为读者的审美趣味,应该是千差万别的。但是当代的大众文学,由于它尚处在初级发展阶段,商品性、消费性、复制性的特征十分明显,所以一般都很粗糙,表现健康趣味已是不错的了。由于当今强烈的世俗性影响,特别是其浓重的低俗趣味,人的精神的缺席是其最大的特征。放弃了美学对生活的追求,就只能依赖人的本能了。精神的缺失、才华的平平,必然使作家专注于物欲的追逐与玩弄性的本能。因此有意去迎合低级趣味,描绘官能刺激,成了一种十分普遍的现象。在这类作品里,充斥了色情描写;人在这类写者的笔下,两性关系发展到除了双方赤裸裸的、一拍即合的性事游戏之外,已别无任何人性、人情的联系。人在精神上既然无所希冀,于是人在性的追逐的欲望中,就日渐沉沦,一些评论家还要故作高深,声称在多种多样的展览式的性事描写中,有深意在焉!但对这深意始终未说清楚是什么东西。说生活的绝望,迫使人物只好进行性的发泄,这能算作什么深意呢!如今以大量展现隐私为标榜的通俗读物也是不少,那些所谓隐私的吐露,在所谓展示真实的名义下,出卖的也多半是两性关系的隐秘,否则就引不起已经世俗化了的人们的趣味了。除了性欲的追逐,还有就是物欲与金钱的渴求。这几方面的趣味,竟形成了一种广泛的群体性的审美意识,追求粗俗、平庸、平面、生活游戏、戏谈历史、解构历史,反对深度,热衷官能刺激与色情描写。这种群体性的审美意识,成了一种平均数式的审美需求,它失去了个体性的特征和对精神的向往,变得十分粗俗,走向物化;在选择上虽保持了自由,但是其审美色彩已大为减弱,并且时时在渗入严肃文学。严肃文学一面在努力使自己通俗化,力图使自己获得更多的读者,吸取大众文学中的讲故事的长处;同时也往往经不住通俗文学世俗化侵袭,向粗俗化靠拢,因为商品化的后果总是诱人的。人要过得舒适、闲适、快活,去尽情享受,于是在文学是人学的名义下,倾向绝对的感性,大写两性交接,床上把戏,父子同嫖,甚至连作者自己的父母如何有声有色的做爱过程也未能幸免,以此来说明他来到人世,不过是其父母如此这般制造出来的一个"偶然"。这类作品好像带有严肃文学的色彩,但实际上是大众文学中的末流,它们不能提升人的品性,而是贬抑人的精神,只是得力于大众媒介的炒作,才使得这类作品获得呵护与声誉。

审美意识的激变,是现代性的,是符合现代意识、现代艺术发展的需要的。大众审美意识冲破了种种藩篱与限制,体现了人的审美意识的自由;它是真正群众性的,所以显示了它的广泛的民主性一面。但是它又带着与生俱来的弱点,即粗俗性与庸俗化,这使它自身的提升显得甚为困难。

形成中的现代审美意识的意义是多方面的。它带来审美意识的更新,获得自主与自由,使审美意识走向自身,变得丰富与多样,从而成为体现了现代性的现代审美意识。但是我们还应见到,在形成中的审美意识,还带有现代性的负面因素,这就是在大众审美意识的影响下,把文学审美意识世俗化乃至粗俗化了。生存虚无,躲避崇高,亵渎任何崇高,贬斥意义,淡化价值。这种无意义写作表现为,"当写作成了功能性需要,不再指向任何意义之后,就等于否认了写作是一种精神活动,同时也等于否认了写作的精神品质。一种不指向任何意义的写作是虚无的写作,它给这个无意义之痛苦日趋严重的世界出示的是消解一切意义的话语证据,尽管这种证据是虚拟的。"⑩世界是无意义的痛苦,写作不指向任何意义,它消解一切意义;它是身体感官功能的需要,本能的自动动作,它本身不过是一种虚无的写作,而非精神活动。

但是,我觉得,写作不可能不是一种精神活动,不可能像人的胆汁一样,胃里有了食物就会流淌出来;写作是审美的思维的活动,受到某种精神的支持,它本身就是一种精神活动。问题在于写作不是用提高人的精神为支撑,就是被那种把人物化、使人醉生梦死的精神所支配。对于文学的价值与精神,人们的认识可能是不尽一致的。不过,当说到写作不再是一种精神活动,写作表现的只是人的器官的某种功能活动,这实际上是说,一些人的写作不过是一种没有了精神的精神活动。这种写作思想的确是虚无的,这是西方那种反现代性的后现代性的移植,这也就是现代性在现代审美意识形成中表现出来的悖论。在这个到处充溢着市场意识的世界上,如果诗人、小说家果真能用不具精神、毫无意义、全无价值、不少人不屑一顾的东西,交换到有价值的人民币,这就近于当代神话了。其实,他们也是制作了一种精神与价值的,这就是贬抑人的精神的精神,物化人,在精神上使人成为扁平的人、行尸走肉的负价值,这种负价值当今确能投一部分人所好;因为在现代性的策动下,人的生存本身确实也是充满了悖论的!

(本文是作者同名文稿的上半部分)

注释:

① 持这类观点的西方人士很多,如美国学者弗·杰姆逊,在其《后现代主义与文化理论》一书中,将现实主义、现代主义、后现代主义解释为"分别反映了一种新的心理结构,标志着人的性质的一次改变,或者说革命",并把三者与资本主义发展三个阶段市场资本主义、垄断资本主义、多国化的资本主义对应起来。本文将现代性与现代主义视为有联系又有区别的观念。

② 大卫·格里芬编《后现代科学》,第 16 页。转引自大卫·格里芬《后现代精神》,王治河代序,第 19 页,中央编译出版社 1992 年版。

③ 哈贝马斯《论现代性》,见《后现代主义文化与美学》,第 20 页,北京大学出版社 1992 年版。

④ 见《文学评论》1999 年第 1 期。

⑤ 《学衡》杂志简章,《学衡》,1922 年 1 月第 1 期。

⑥ 梁启超《论小说与群治之关系》,《梁启超文选》下,第3页,中国广播电视出版社1992年版。
⑦ 见拙文《会当凌绝顶——回眸20世纪文学理论》,《文学评论》,1996年第1期。
⑧ 见《文论报》1998年10月29日。
⑨ 丹尼尔·贝尔《资本主义文化矛盾》,第115页,三联书店1989年版。
⑩ 见《长江文艺》,1998年第5期。

原载《文学评论》1999年第2期

吴晓东

中国现代文学中的审美主义与现代性问题

20世纪中国文学史正逐渐沦为一部编年史,统摄这部编年史的内在理念是作为一种"普遍主义的知识体系的现代性"。尽管现代性的理念自身可能涵容着矛盾、悖论、差异等复杂的因素,但借助现代性的理念建立起来的文学史观念,却表现出一种本质主义倾向,即把同质性、整一性看作文学史的内在景观,文学史家也总想为文学历史寻找一种一元化的解释框架,每一种研究都想把握到某种本质,概括出某种规律,每一种研究视野都太有整合能力。但是复杂化的甚至充满矛盾和悖论的文学史的原初景观就轻而易举地被抽象掉,整合掉了。本雅明在《发达资本主义时代的抒情诗人》中写到:"尽管编年表把规则加于永恒,但它却不能把异质性的可疑的片断从中剔除出去。"总有一些难以整合的经验碎片,一些彼此冲突矛盾的现象存在于文学史中,而这碎片化的,冲突的,悖论式的图景恰恰是文学史的原初景观。文学史研究正应该回到文学的原初景观中去,直面文学史的复杂的经验世界,直面原初的生存境遇。而20世纪中国文学研究尚远远没有穷尽中国人的生存境遇、经验世界以及文学景观的复杂性。因此,反思有关现代性的理论预设,对于重新回到经验历史有举足轻重的意义,正如汪晖所指出的那样,"迄今为止,中国的现代历史是被现代性的历史叙事笼罩的历史,传统主义、后现代主义和启蒙主义对现代性的批评或坚持,都是以现代性的历史叙事为前提的。因此,在讨论中国的现代问题时,需要重建更为复杂的历史叙事"。①

如果说,现代性已生成为一种"普遍主义的知识体系",本身就具有强大的整合力量,那么,倘若有某个领域可以逃逸出这种整合的普覆性的话，这个领域只可能是文学的领域。"文学性"天生就拒斥历史理念的统摄和约束，它以生存的丰富的初始情境及经验世界与历史理念相抗衡。"文学性"因此是一个值得我们倾注激情和眷顾的范畴，它是与人类生存的本体域紧紧相连的，或者说，它就是人类的经验存在和人性本身的体现。从这个意义上说，坚守文学性的立场是文学研究者言说世界、直面生存困境的基本方式，也是无法替代的方式。

一旦重新面对原初的文学史语境，以现代性理念为支撑的一元化图景就被打破了。异质性和差异性上升到文学史的前景中来。而其中最难以整合的是审美的领域。本文的写作即试图思索几个小问题，以期反思中国现代文学的审美视域与现代性问题的盘根错节的内在关系，还原中国现代文学中审美主义的固有的复杂景观。

一

中国现代文学的观念体系中一直隐含着"传统—现代"的二元论模式。这种二元论"建立在以'进步'的目的论为内涵的线性的时间观念之上"②，从而在价值判断上体现为新与旧的鲜明的分野。现代性的理念为历史理性注入了价值论的依据，因此，那些无法纳入革新、进步、未来范畴的事物，都可能因其保守、落后、垂死而逐渐丧失存在的合理性，最终被历史的记忆所淡忘。这种新与旧分野的价值理念深刻地影响了中国作家的审美主义立场。线性的价值准则从而导致了单一的审美判断和取向。我们很难看到那种新与旧杂陈的繁复的美感，也很难看到超越于传统—现代之外的更具兼容性的审美视角。这种单一的审美认同趋向尤其体现在现代作家对一些审美范畴的态度上。文学天生就具有某种感伤、颓废、游戏、为艺术而艺术的禀性，文学艺术的更本原的、更根本和更持久的魅力可能恰恰隐含在这些范畴中。从价值中立的立场出发，上述范畴更能体现人性的渴望和深度。但在中国现代文学的历史语境中，上述范畴却表现出负面的价值，是进步的作家需要小心翼翼绕开的，是"落后"的作家需要百般自我申辩和自我批判的。所谓中国现代文学缺乏艺术性，其实缺乏的可能是对生存经验的复杂化观照以及对审美体验的丰富性的传达。单一的美感内涵可能是现代文学艺术的最致命的缺失。

在上述视野中,有研究者重新发现了沈从文的小说《新与旧》的价值所在。《新与旧》的上下两部分的开头都有"编年史"式的时间标示("光绪某年"与"民国十八年"),两个时间标识毫无疑问具有一种寓言性,暗示着"传统"与"现代"的界分。尤其是后一个时间近乎于作者写作的当下时间,直接表征着小说题旨中所谓"新"的一维。然而,当沈从文把这两个时间并置在同一个文本中之后,所生成的总体意图却发生了偏转,新与旧的对垒被打破了,两者间的本来鲜明的界限变得模糊了,"'新'并不是与'旧'截然对立,'旧'的渗入掺杂,与'新'招牌'旧'货色,倒是更为普遍的;因而,历史不是直线进化,'新'不如'旧'的历史倒退(迂回)是经常发生的"③。而从历史主义的角度上看,所谓新与旧的价值内涵在沈从文这里也趋于消解,用沈从文所习用的语汇来说,即"常"中有"变","变"中寓"常",常与变打成一片,不再有绝对的价值分野。

应该从中国现代文化寓言的角度重新审视沈从文的《新与旧》。它揭示的是一个新旧错杂的时代,对于消解单一的线性历史时间,消解现代性的有关"进步"的整一性图景,建立审美主义的多重视野,是一个不容忽视的文本。

《新与旧》叙述的是一个刽子手在两个不同的历史时段价值错位的故事。砍头是他的职业,也是他的事业,最终则奇异地成为他生命价值的唯一支撑。当刑罚手段从"野蛮"的砍头进化为现代的枪毙时,此刽子手便不可避免地丧失了从砍头中所获得的美感甚至神圣感。从福柯的意义上说,沈从文消泯了刑罚史的进化理念,很难说枪毙就一定比砍头更为进步抑或人道。但《新与旧》的更耐人寻味之处还在于沈从文似乎采取了价值无涉的立场。在面对诸如砍头这样大是大非的问题时,沈从文居然显示出在别的作家那里很难想象的"高蹈"般的姿态。同样是写砍头,沈从文显然缺乏鲁迅式的义愤,毋宁说,他竟带有几分鉴赏和审美的观照心态,而且一如既往地沿用他那典型的田园牧歌般的抒情文体。在这里,文体的以及审美的层面与题材和内容间就有一种不协调的张力。是沈从文失去了对题材内容和文体形式之间互动关系的敏感性吗?还是他有着更深的用意与图谋?这一点,王德威在《从头谈起》一文中有着非常精辟的论述。他认为:"'亲民爱物'式的人道主义辞令,不足以解释沈写那些最残酷血腥人事的动机。从他对语言修辞上的强烈寓意特征,我们或能揣摩他出入生命悲欢仁暴之间,而能不囿于'一'的原委。砍头当然是极其可怖的暴行。但不像鲁迅对砍头所赋予的唯一象征内涵,沈从文自其中还看到许多'意料以外'的意义,同样需要我们的关注。既然他无意自头的断裂中,引申一环环相扣的象征危机,他的反应在悲悯之余,竟多了一层宽容。既然他不汲汲预设一道统知识的始原中心,他的视界因可及于最该诅咒詈恨的人或事。"④沈从文笔下形式与内容的张力正使他的言说超越了"一",超越了中心主义的一元论,最终恰恰返归到历史的有待无穷拆解的本真的领域。

二

王德威把沈从文小说中的审美想象,称为是一种"寓意(allegorical)的想象":"在寓意的想象中,等列并行的类比取代了灵光'再现'的象征阶序;而罅隙与圆融、断裂与衔接都还原为修辞的符号,为散乱的世界,暂时作一注脚。"可以说,沈从文作为一个文体家,在文本形式层面的确自觉地寄寓着审美化的冲动。寓意式的想象,首行是一种文本修辞,沈从文对世界的关怀与眷顾,借此转化为一种叙事的激情,"在文学叙述的起承转合形式中,他见证意义涣散、重组、衍生的无尽过程。"然而,叙述的世界毕竟是与外部世界同构的,作家的文学想象最终言说的仍是世界本身。因此,"沈从文书写砍头的故事,或许是求借着叙述的力量,化解他不说也罢的生命创痛;但更重要的,因由叙述绵延不尽的寓意格式,他将碎裂的、分割的众生百相,组合起来。在意识形态狂飙的二三十年代,我们失落的终极信仰和生命寄托'也许永远不回来了,也许明天回来!'(沈从文《边城》结语)但对沈而言,处在或长或短的等待状态里,哪怕是虚构的希望也还得有。生活还得过,命还得活,'故事'也还没有到头。故事就是延续生命的基石。"⑤

"故事"的价值因此在沈从文这里获得了某种本体性和自足性,故事的叙述事关生命的拯救,故事的延续则是生命的延续。这也正是文学性在人的存在中所具有的本体意义。从这个意义上说,文体家的沈从文所建构的文本世界,是最具有审美主义意义上的自足性的世界。而他的文本世界中的内在的异质性和丰富性,又使得从寓言诗学的角度进行多重诠解成为可能。

寓言诗学是当代诗学形态中最有效的诗学方式之一。20世纪是一个中心离散的世纪,正如叶芝的诗所写:"一切都四散了,再也保不住中心/世界上到处弥漫着一片混乱。"卡西尔则说这个世界的"理智中心"失落了,阿多诺称资本主义时代使小说丧失了"内在远景",本雅明指出世界失却了"统一性",卢卡契则认为在我们的时代,"总体性"成了难题,只是一种憧憬和向往。那些对现代人的生存经验保持关切和敏感的小说家所面对的必然是一个分裂的世界,一个支离破碎的世界,一个只有漂泊没有归宿的世界。正是在这个意义上,卢卡契认为现代小说已成为小说家"直觉漂泊感"的写照。他们借助小说的经验世界所呈示的更多的是异质性和差异性。因此,象征主义时代现实和意义之间凭借象征范式获得的那种整一性已不复存在了,传统的象征主义解释框架已变得困难重重。正是在这种解释的困境中,现代寓言诗学以及寓言批评开始勃兴。批评家们认为寓言所禀赋的多重指涉性和复义性与现代世界的分裂性是一致的。寓言构成了物与意义、自我与世界相分裂的现代生活的最恰当的表现方式。如果说,"象征"所对应的是一部理想的总体性的历史,那么,"寓言"则对应着颓败与破碎,歧义与断裂的历史。正像杰姆逊所说:"寓言精神具有极度的断裂性,充满了分裂和异质,带有梦幻一样的多种解释,而不是对符号的单一的表述。"⑥不妨说,现代寓言批评在分析现代小说与世界的关系时具有很强的解释力和生长性。

而寓言诗学的视野对于审视沈从文的有效性,从根本上说则源于他的小说世界的复义性特征,源于那种新与旧杂陈的繁复的美感,源于那种"见证意义涣散、重组、衍生的无尽过程"的叙述策略,以及他为经典的抒情小说文类所带来的新的审美可能性。以寓言批评的方式解读沈从文的小说,当然并不是说其小说就是寓言,这种类比毕竟太简单、太肤浅了;而是说沈从文的小说具有某些寓言性质,或者按王德威的说法,有一种"寓意格式"。这种寓言性对中国现代文学的审美领域构成了新的挑战,借此也许渴望生成中国现代的寓言诗学。而最终我们强调沈从文小说世界的寓言维度,并不是以一种新的一元论的解释框架代替以往的所有解释,而恰像杰姆逊所说的那样:"重视矛盾并不意味着矛盾是看得见摸得着的东西,或我们可以画出一幅矛盾的图示。强调寓言因而便是强调再现深层现实的艰巨性甚至不可能性。""寓言是一种知其不可为而为之的再现论。"⑦

三

当现代性作为一种同质性、整一性的理念作用于现代世界的历史叙事的时候,一元论的价值体系的生成便是不可避免的事情。但是,现代性的悖论在于,"现代性是对'他性'(otherness)与变化的承诺,它的整个策略由以差异观念为基础的'反传统的传统'所塑造,这使它无法忍受无限的重复和'乌托邦的厌烦'。现代性与对重复的批判是同义词,这就是为什么只能用一种悖论的方式来谈论现代传统"。⑧ 进步、变革、求新是现代性理念所拟设的社会发展的必然趋势,但诚如本雅明指出的那样:"这些趋势越是经久不变,它们的过程所涉及的一切标着'全新'的东西便越发显得陈腐过时。"⑨ 求新与变革因此是一把双刃剑,它总会反过来刺伤自己。这就使得"现代性的知识体系最终显现出理论的深刻矛盾、范式危机和自我解构的因素"。⑩ 其结果,必然是导向现代性理论体系的开放性。而"美学现代性"尤其构成了现代性的知识体系自我解构的重要力量。这恰恰是波德莱尔的伟大的历史意义之所在。

波德莱尔作为美学现代性的辩护士,毕生对资本主义文明保持一种批判的姿态。然而,假如波德莱尔对现代文明的态度只此一端的话,现代性理念演进的历史就十分简单了。波德莱尔的复杂性在于,在表象上他游离于巴黎这个现代大都市所象征的现代生活世界,仿佛巴黎街头游手好闲的张看者和局外人,而在骨子里,他却比任何人都深爱着现代都市生活,他从现代都市的内里所感受到的"忧郁",正是他对巴黎深深地投入、沉溺的结果。正因为如此,波德莱尔才无可替代地贡献了现代都市生活的哲学和美学。他的内在的审美的悖论,构成了美学现代性的最为珍贵的部分。

张爱玲在中国现代文学史上的位置大约可以与波德莱尔一比。这里并不是指张爱玲对待现代都市的立场和态度与波德莱尔是否一致,而是指张爱玲同样贡献了现代都市的哲理与美学,这对于考察中国现代文学中的审美主义问题有着不容忽视的意义。

　　吴福辉称"中国特色的都市是旧的拖住新的",⑪中国现代性历史进程的新旧交杂与错乱在诸如上海这样的大都市中获得了惊心动魄的体现。如果说,30年代的新感觉派小说家们还只停留在对现代都市的震惊体验,晕眩于琳琅满目的都市表象的话,那么,到了张爱玲这里,现代都市的繁复的感性内容则向美学层面生成与积淀。孟悦在《中国文学"现代性"与张爱玲》一文中指出张爱玲的智慧"表现在,她知道怎样为并未整体地进入一个'新时代'的中国生活形态创造一种形式感,或反之,怎样以细腻的形式感创造对中国生活和中国人的一种观察,一种体验,一种想象力。"⑫这种"形式感"正是张爱玲的审美经验和美学理想在文本中的具体实现,因而,文学想像力便衍生为文本中的形式因素,正是在文本化的形式中,张爱玲以她特有的"参差的对照的手法"协调着诸种美感情调。

　　"意象化空间"是张爱玲赋予小说以"形式感"的核心美学技巧,这是研究者们的共识。孟悦则进一步引申出"意象化叙述"的范畴。她分析了《茉莉香片》中的一个细节,写聂传庆对着床头的屏风想他死去的母亲的一生:

　　　　她不是笼子里的鸟,笼子里的鸟,开了笼,还会飞出来,她是绣在屏风上的鸟——抑郁的紫缎子的屏风上,织金云朵里的一只白鸟,年深月久了,羽毛暗了,霉了,给虫蛀了,死也还死在屏风上。

孟悦认为:"这叙述既不是抒情又不是说理,却靠着'把颜色大量地堆上去,油画变了浮雕'的方法,把'物'和'用品'转化成'意象',日常空间转化成了'表意'空间,借用她描绘人们衣着的字眼,空间和物品是'一种言语',一种'随身带着的袖珍戏剧',它们随遇而'兴',有点近似古诗歌写作的睹物起兴手法,但又实实在在是'叙述'——其'意象'由人们眼前的场景和细节化出,丝毫不打断故事的行进,或许可以把这称为一种'意象化叙述'"。"这种手法使空间和日常物品以一种相当特殊的身份参与了叙事:它们从'中性'

的外在物质世界变成了叙事意义的生产者。"⑬由此,日常空间也就生成为文本中的"有意味的形式",生成为审美化的空间。

从这个角度审视张爱玲小说中的典型空间场景,我们会发现在"公寓"和"街道"这种普普通通的日常空间中,浓缩着直觉的、体验的、审美的、社会的、文化的诸种形态的内涵,从中可以透视张爱玲对现代经验特有的感受和把握方式。"公寓"表征着具有现代意味的"私人空间",而"街道"则象征着由普通人组成的大千世界,"是一个容纳着各种生活方式的开放的'人民'、'群'和'公众'的空间"。本雅明曾对比过霍夫曼的小说《表弟的街角窗户》和爱伦·坡的《人群中的人》。他认为,两篇小说都是较早试图捕捉大城市街头景象的作品,而两者间的不同则更值得注意。坡笔下的咖啡馆窗子后面的观察者被窗外街道上蜂拥而过的熙熙攘攘的人群所吸引,最终听任自己走出去卷进了大众的旋涡。而"霍夫曼的表弟从他的街角窗户中看,像个瘫痪人似的动弹不得,即使他身在大众中也不会跟随他们的"⑭。两篇小说由此代表了对待现代大都市以及对待"人群"和"公共空间"的两种基本态度。而张爱玲似乎与上面两种态度都有所不同。尽管坡的观察者最终汇入了街道的人流,但他似乎仍是一个都市的陌生者,观察者,张望者,我们始终能感受到他和现代大都市之间的隔膜;而张爱玲则从容自如地出入于公寓和街道之间,她把自己完全看作一个普通人,看作群体中的一分子。"在《道路以目》和《中国的日夜》等散文里可以看到'个人'和'群体'如何在街道这个异质共存的平凡空间里形成某种和谐和交流。"⑮尽管张爱玲把公寓看作"最理想的逃世的地方",但"街道"的世俗化的公共空间,同样构成了她的归宿。譬如她的《更衣记》中的这段文字:

> 秋凉的薄暮,小菜场收了摊子,满地的鱼腥和青白色的芦粟的皮与渣。一个小孩骑了自行车冲过来,卖弄本领,大叫一声,放松了扶手,摇摆着,轻俏地掠过。在这一刹那,满街的人都充满了不可理喻的景仰之心。人生最可爱的当儿便在那一撒手吧?

张爱玲正是从街道小菜场这样的世俗化的寻常图景中发现和

感悟到审美化的意趣。这是一种"走向世俗"的入世精神。它最终关涉着我们对张爱玲的小说美学以及她所选择的所谓"新传奇"的文体形式的理解。张爱玲这样锚定她的"新传奇"的视野："在传奇里面寻找普通人，在普通人里寻找传奇。"譬如《倾城之恋》可以说是一个典型的浪漫传奇的题目，然而，张爱玲本人却以这样的口吻谈及由这部小说排成的话剧：

> 流苏与流苏的家，那样的古中国的碎片，现社会里还是到处有的。就像现在，常常没有自来水，要到水缸里去舀水，凸出小黄龙的深黄水缸里静静映出自己的脸，使你想起多少年来井边打水的女人，打水兼照镜子的情调。我希望《倾城之恋》的观众不拿它当个远远的传奇，它是你贴身的人与事。⑯

所谓传奇，原来就发生在你自己的身边。它不是一个遥远的浪漫的时空中演绎的浪漫的故事，它不过是每个人都可能会碰到的贴身的俗世里的故事，是普通人的故事，也是静静地上演了多少年了的故事。因此，张爱玲消解了"传奇"的经典语义，或者说，她赋予了这一传统文类以新的期待视野，使现代传奇生成了更丰富的可能性，并使文学想象力"打开了一个左翼文学实践和一般'大都市风'作家都不曾深入的写作领域：即一个'没有完成'的'现代'给中国日常生活带来的种种参差的形态，以及在这个时代中延续的中国普通社会"。

前面引述的张爱玲的自述中，她把流苏以及流苏的家，视为"古中国的碎片"。这种古旧的"碎片"并不是以古董和文物的形态存留在现代大都市的社会生活中，而是作为现代文明的结构性因素参与到现代历史进程中。"多少年来井边打水的女人，打水兼照镜子的情调"就是这样参与到了现代性的美感生成之中。张爱玲艺术直觉和美感意向的复杂性也许正来自于"古中国"的情调与现代都市美感的混合。很难说张爱玲的审美趣味是否有一种倾向性，也很难厘清这种混杂的美感中孰者为旧，孰者为新，真正有意义的话题在于，究竟是哪些历史因素与文化因素参与了对张爱玲笔下的繁复的美感生成的塑造？"古中国"的传统美感是怎样与现代都市的美学形态水乳交融在一起的？这是值得进一步思索的课题。张爱玲可以说以她对"半新不旧"的转型期的中国的文化想象和文学想象,为考察中国现代文学中的审美主义的历史形态提供了一个弥足珍视的个案。

我个人则迷恋于多少年来井边打水兼照镜子的女人所具有的悠长的情调,以及"古中国的碎片"中可能隐藏的一种挽歌般的美感。这种挽歌的美来自于张爱玲对已逝和将逝的传统与现代文明形态的荒凉体验。正是这种荒凉体验最终超越了新与旧,雅与俗,传统与现代,东方和西方的对峙和分野,使张爱玲的文学想象汇入了地老天荒般的人类具有原型性质的经验世界之中。

四

挽歌的情怀是张爱玲创作的一种内在的审美维度。对文明颓败的敏锐的领悟和深刻的预感造就了这种情怀:"时代是仓促的,已经在破坏中,还有更大的破坏要来。有一天我们的文明,不论是升华还是浮华,都要成为过去。"因此,当她一方面享受现代生活,向大都市的生活沉溺的同时,又深深地感到这一切都是转瞬即逝的,充斥她的笔端的那种亘古荒凉,即是一种文明的末世图景的折射。如果说"波德莱尔在'忧郁'和'过去的生活'中把握住了真实历史经验的消散的碎片",[17]张爱玲则在"苍凉"和"传奇"中传达着一种挽歌的情调。

"挽歌"在中国现代审美主义的发展轨迹中是一种带有普遍性和总体性的美感情调。这种情调的产生,具有一种基于中国现代历史境遇的必然性。作为一个后发展的国家,中国首先面临的是应对现代性的挑战,建立现代民族国家的历史使命。然而,中国历史语境的复杂性在于,在很大程度上,中国是"被"现代化的民族国家,因此,在追求现代化的同时,又伴随着对现代性的深深的疑惧,而更重要的方面则是,在现代性的强大冲击之下,本土的固有传统,传统的价值体系以及传统美感正无可挽回地在一点点丧失。在象征着进步、未来和必然性的一元化"现代"理念面前,传统逐渐失去存在的合法性和最终依据似乎是一种必然的历程。然而,如果说历史理性是以目的论和决定论作为基本法则,那么,人类的审美经验却表现出执拗的悖反意向,以对生存的原初境遇的直观领悟,呈示着历史语境本有的复杂性。从审美主义的角度出发,那些已经丧失和即将丧失的事物却可能是更具有审美意味的。更容易令作家们感怀的,正是那种易逝的以及丧失的深刻体验。中国现代作家普遍感受到的,正是本土的传统诗意在丧失的过程中所透露出的挽歌意蕴。

由此我们重新发现了中国现代文学中关于小城的故事。

小城在"乡土中国"的总体生存格局中有一种独特的地位,堪称是传统中国的象征。⑱因此,师陀在《果园城记》里"有意把这小城写成中国一切小城的代表,它在我心目中有生命,有性格,有思想,有见解,有感情,有寿命,像一个活的人"。⑲"果园城"也因此成为中国现代文学中一个著名的小城。它和萧红的呼兰城,沈从文的边城一起,讲述着传统中国的失落的故事,最终构成了对大变动过程中的乡土中国的文化学以及人类学意义上的忠实见证。

沈从文的《边城》精心构建了一个湘西世界的神话,从这一角度上看,似乎它讲述的是一个传统意义上的牧歌式的乐园故事。然而,当我们把现代性的维度引入到边城世界之中,田园牧歌的自足性便被打破了。正像研究者曾经指出过的那样,表面似世外桃源的湘西,在时间的洪流中,最终蜕变为一个"失乐园"。⑳小说中多次出现的"白塔"可以说是边城世界的一个标识,"碧溪岨的白塔,人人都认为和茶峒的风水大有关系"。但从沈从文的创作意图上分析,这座白塔显然不仅仅局限于风土与民俗的价值。它关涉的是小说的总体性主导动机。在《边城》的结尾,白塔在祖父死去的那个暴风雨的晚上轰然圮坍,它象征了一个关于湘西的世外桃源的神话的必然性终结,正像祖父躲不过生老病死的自然选择一样。从白塔的轰然倒掉中,我们分明能够体验到一种挽歌的情调。

"失乐园"也同样是《呼兰河传》的母题。这部回忆体的小说是萧红在沦陷时期的香港抱病写就的。在萧红的缅想中,呼兰城是一个记忆之城。它是困厄之际的作者的生命归依之地。尤其是只属于作者和她的祖父的"后花园",更是逸出了意识形态的色彩,是生命中一块原生的本真的乐土。因此,与《生死场》时期的严峻审视和强烈的民族国家意识略有不同,《呼兰河传》倾情讲述的是个体生命与出发地之间血缘般的维系以及作者揖别故土的失落感受,我们从萧红生命深处发出的低回隽永的吟唱中,捕捉到的仍然是一阕挽歌的旋律。

与几座小城的故事同样值得重视的,是废名的小说《桥》。以往的研究大体上从流派的角度出发,把《桥》定位为乡土田园小说。而从类型学的意义上着眼,《桥》则是一部乌托邦化的幻象文本,具体表现为《桥》在语言形式层面的语言乌托邦以及在意义层面的观念乌托邦。简单地说,废名的小说语言总体上具有一种指喻性或隐喻性,小说中的具体意象并不停留在现实层面,而是指向一个观念域,最终生成为一种虚象,用周作人的话说即一种"梦想的幻景的写相"。㉑ 这说明废名的小说语言在本质上是一种隐喻性的幻象语言,最终指向的是一个理念的乌托邦世界。这就为《桥》笼罩上一层缥缈的彼岸色彩。它的资源前景是温李的晚唐诗以及《红楼梦》、《镜花缘》一类的女儿国、理想国的传统。当我们从文化语义上重新观照《桥》的时候,可以说它最终构筑的是一个东方理想国的人生图式。而它镜花水月般的空幻感则把中国现代文学中挽歌与幻象的母题推向了极致。

挽歌所具有的一种令人心碎的美感从帕乌斯托夫斯基笔下的勃洛克那里可以获得最深切的印证。勃洛克是一个为正在消亡的古老而贫困的俄罗斯唱挽歌的诗人:

> 需要有恢宏、坚韧的心灵和对本国人民的伟大的爱,才能眷恋这些阴忧的农舍、哀歌以及灰烬和莠草的气息,并透过这种极度的匮乏看到被森林和荒山所包围的俄罗斯那种病恹恹的美。勃洛克的许多前人也看到了这种美。然而这个俄罗斯在消亡。勃洛克哀悼它,为它唱着挽歌。㉒

从勃洛克这里,我们分明可以感受到,挽歌是一种审美精神,是一种热爱和眷恋的情怀,其中沉积着人类关于失落与眷恋的普泛化、经典化的体验,浓缩着人类只有经过丧失才能最终获得的心灵历程。

如果说,一切美好的东西在丧失的过程中都具有一种挽歌性,那么,中国现代文学中这种贯穿性的挽歌情怀究竟有什么样独具的特质?这涉及的是后发国家所面临的文化和审美的双重困境的问题。在中国这样一个后发的民族国家中,挽歌的美必然与一种对现代性的焦虑错综复杂地交织在一起。双重的文化和历史因素的叠合铸就了审美倾向的复杂性。沉迷在"过往的东西"中的小说家们一方面获得的是易逝以及丧失的深刻体验,这种挽歌般的怅惘体验中有一种天然的感伤性和抒情性;然而,消逝的并不是全然美好的,乡土中国自有其荒芜肃杀的一面,正像萧红记忆中的呼兰小城既覆盖着温馨也同时覆盖着荒凉一样。而师陀从果园城中挖掘出了更为复杂的感受,这些都是单纯的挽歌情怀无法涵盖的。同样,对现代的渴望也伴随着对现代的警惕和疑虑,现代性固有的一种内在紧张也潜移默化地作用于小说家们的文化和审美的感知领域,从而带给他们文化和审美的两难困境。而正是这种两难境地,最终成为中国现代审美主义的一大幸事。单一化的美感由此被繁复甚至复杂的审美意蕴所替代。而这种复杂的审美意蕴正是与现代中国历史与文化的原初的语境相同构的。我们所渴望描述的,正是这样一种审美主义的复杂景观。

当年读帕乌斯托夫斯基的《金玫瑰》(又译成《金蔷薇》),读到写亚历山大·勃洛克的一段,作者称"我不大理解勃洛克对俄罗斯和人类将会遇到的考验所怀有的那种先知式的、神秘的恐惧;至于他那种宿命的孤独感、毫无出路的怀疑、灾难性的沉沦以及他对革命的过于复杂化的理解,更是我无法理解的",当时我也觉得很难理解这位勃洛克的复杂性。如果人们建构的是一种一元化的历史理念图景,就无法理解勃洛克式的充满悖论和吊诡的思想。而我们力图重建更为复杂的文学史叙事以及重建更为复杂的中国现代审美主义的历史脉络,正是力图理解人类复杂的思想和历史复杂的原初境况本身。

注释:
① 《汪晖自选集》序,广西师范大学出版社 1997 年 9 月版。
②⑧⑩ 汪晖《韦伯与中国的现代性问题》,《批评空间的开创》,东方出版中心 1998 年 7 月版。
③ 钱理群《〈新与旧〉里的历史、哲学与心理》,《沈从文名著欣赏》,中国和平出版社 1993 年 6 月版。
④⑤ 王德威《从头说起》,载《批评空间的开创》。
⑥ 杰姆逊《处于跨国资本主义时代中的第三世界文学》,《当代电影》1989 年第 6 期。

⑦ 杰姆逊(詹明信)《晚期资本主义的文化逻辑》代序,三联书店 1997 年 12 月版。
⑨⑭⑰ 本雅明《发达资本主义时代的抒情诗人》,三联书店 1989 年 3 月版,第 110 页、第 144 页、第 158 页。
⑪ 吴福辉《老中国土地上的新兴神话——海派小说都市主题研究》,载《20 世纪中国文学史论》第二卷,东方出版中心 1997 年 11 月版。
⑫⑬⑮ 孟悦《中国文学"现代性"与张爱玲》,载《批评空间的开创》。
⑯ 张爱玲《罗兰观感》,载 1944 年 12 月 8 日、9 日《立报》。
⑱ 参见栾梅健《小城镇意识与中国新文学作家》,载《中国现代文学研究丛刊》1997 年第 4 期。
⑲ 师陀《果园城记》序。
⑳ 王德威《小说中国:晚清到当代的中文小说》,台北:麦田出版有限公司 1993 年 6 月版。
㉑ 周作人《桃园》跋。
㉒ 帕乌斯托夫斯基《金玫瑰》,百花文艺出版社 1987 年 6 月版,第 274 页。

1998 年 8 月 5 日于北京大学

原载《文艺理论研究》1999 年第 1 期

金惠敏

尼采与中国的现代性

尼采说过,伟大人物往往是因被误解而成就其伟大的。

此话也许不够那么尼采,因为"误解"的提法暗含了"确解"的存在,而依照尼采的透视主义解释学,一个绝对的真理或"自在之物"是不可思议的,"同一个文本允许有无数的解释,不存在一种'正确的解释'"①。他断言,这个世界"没有事实,只有解释!"②也就是说,我们所拥有的世界构型于无尽的解释之中。既然最终的解释不可能,那么解释者的所有价值当在于其解释本身,即是说,解释是一种行为,一个过程,一段无所指称的独白。

我们不想完全尊奉尼采这种虚无主义的解释学,因为世界或文本的存在是不容置疑的事实,其意义之多元性、不定性完全是人类自己的创造,但是透视主义的基本精神却可以启发我们阐释尼采在现代中国(正确的"现代"概念应指鸦片战争以来)的阐释,这就是决定着甚或构成着阐释者的特殊的社会历史语境或透视角度,并据此论定其阐释的功过是非,而对于本来的尼采不再过分执着,我们认为本来的尼采是通过一系列的不断的阅读和阐释而逐渐地呈现出来的——解释链上的尼采即是本真的尼采。

一 中国的现代性:"末人"的超人梦想

尼采自 1902 年在梁启超的《进化论革命者颉德》一文见知于中国知识界以来差不多有百年的历史了。依循透视主义解释学原则,我们必须首先搞清楚,百年来中国历史发展的性质,即尼采之被阅读、被阐述的社会历史语境的性质。我想将这个语境概括为

"中国的现代性"。尽管如美国汉学家艾恺(Guy S. Alitto)所看到的:"现代化过程在不同的时代、社会和文化背景下出现了不同的形式,然而其实质都是相去无几的。"③但是对于我们来说在不忽视其共性的同时强调其特殊性也许是理解中国尼采接受史较为妥当的方法,这个共性就是世界范围内的现代化进程,这个特殊性就是现代化进程的中国特色。

关于20世纪中国社会的性质,一种非常流行的说法是前50年半殖民地半封建,后50年的社会主义(新时期的改革开放并不意味着根本地改变了社会主义的颜色)。按着这种诠释模式,我们的任务当是民主主义革命时期的反帝反封建而后建设社会主义的新中国。我们并不打算否定这种解释,在政治学的范围内它是合理的。不过仍然有着他种角度解释的可能性空间:例如思想家李泽厚先生将反帝反封建重新表述为"启蒙与救亡",看似没有多大改动,实则已经由政治学的视角转换为思想史的视角了。如果我们能够超越党派的斗争、阶级的恩怨,甚至民族的矛盾,而采取"现代化进程"这一较少拘执的社会学视点,那么对于百年来的中国社会发展将会获得一种新的和更加综合的认识。史学界曾经讨论过中国有无可能独立地走上资本主义道路,这应当是一种与史学不相宜的无谓的争辩,因为它是纯粹假定性的。我们看到的历史事实却是:中国没有独立地走上资本主义道路,而是在帝国主义炮舰的驱逼下被迫踏上资本主义行程的。因此,中国的现代性进程,既是一种现代性,就必然地与英、法等典型的现代化相通,而同时既是在中国的现代性,因而就具有中国的特别的历史载荷。要理解尼采在中国的回应和接受就必须将其置入"中国的现代性"这种特殊的社会历史语境。

尼采辞世的时间即在世纪的转折点上是颇有思想史意味的,他是否已自觉为新世纪的到来做了足够的思想准备而可以放心地离去?我们不能破译这种历史事件的密码写作,但可以指出尼采于1902年传入中国这一时间的历史蕴涵:我们知道甲午战争发生于1894年,更知道战争标志着洋务运动"师夷长技以制夷"的科技救国方略的彻底失败;更为重要的是,因着这一失败,从前为人所不屑的制度文化方面的改革宏谟终于在1898年的"百日维新"中以"变法"的形式严肃而壮烈地实施出来:中国的现代化运动从此由器物层面推进到制度文化层面。当然,尼采不可能为中国的现代化制订什么大政方略,但在思想文化上却可以大显身手。1902年,无论对于梁启超本人还是对于 20 世纪中国思想史都是一个值得纪念的年份:这一年梁启超在日本横滨创办了《新民丛报》,以"欲维新吾国,当先维新吾民"为宗旨,并连载其专著《新民说》(当年发表 15 节,全书凡 20 节),系统地提出改造国性民德的启蒙纲领;也是在这一年,他提出了"小说界革命",创办《新小说》杂志,把小说纳入"新民"运动;还是在这一年,他以惊人的高产写出了大量评介西方思想家的文章——柏拉图、亚里士多德、培根、笛卡儿、孟德斯鸠、康德、边沁、孔德、达尔文等在其召唤中纷至沓来。这一切把维新失败后的思想文化启蒙推向了一个新的高潮,并启蒙了嗣后的启蒙者,如邹容、陈独秀、胡适等。尽管梁启超当时并无多少关于尼采的知识,甚或这些许的知识还掺杂着过多的误解④,但是其欲"新民"的迫切愿望,其对于传统的摧枯拉朽的破坏精神,以及对于古典文学缺乏发扬蹈厉之气的批评,与尼采的"超人"说和破除偶像论则是息息相通的。当然,我们并非说其时他对此已有了清晰的认识,大约 20 年以后,他甚至是尼采的严厉的批判者。

所谓现代化或现代性,就是经济上的工业化和自由贸易,并与此相适应的政治上的民族国家和哲学上的理性主义、作为个体性的主体性等等。笛卡儿哲学与启蒙运动在思想上为西方的现代化开辟了道路。对于中国的现代化来说,固然我们需要发展民族资本主义,需要能够保证本土资本主义得以发展的主权政体;但深层地说,我们更需要关于人的观念的转变,更需要笛卡儿和启蒙运动。而这一切在现代中国是多么来之不易啊!从前我们过多地责备清廷在政治上的腐败无能,其实我们忽略了清廷的社会基础和思想基础在现代化浪潮席卷而来时的不堪一击。我们并不缺乏先知先觉者,并不缺乏睁开眼睛看清了世界的人,但就是没有一个相应的成熟的社会群体的支持。中国现代化的真正障碍终于为梁启超等维新派所察觉到:这就是人的问题。梁启超认为,只有新的国民才有新的社会、新的国家(而不是相反,如革命派所坚持的),这样的人应当具有"独立"、"自由"、"自信"、"利己"和"破坏"等品格。⑤主要地作为一种人生哲学,尼采的思想在中国的现代化过程中找到了悠深的共鸣。尼采说:"我教你做超人。"试想对于屡战屡败、备遭凌辱、积弱不振的中国人来说,这是多么振奋人心的消息啊!

我们认为,只有沿着"立人"、"立国"这条思路,我们才能理解尼采在中国的反响。一般说来,现代化必须以具有现代观念的人为前提,必须有胜任现代化工作的人的诞生。就此而言,中西方现代化初期都面临着这样的问题,但"立人"、"立国"在中西方有着不同的涵义:在西方是要把人的个性、自主性、对利益的追逐从宗教的压迫下解放出来,确立利己主义的合理性,个人对自然的主体性位置。这些对中国来说同样是必要的。例如,王国维、鲁迅这些较早地介绍尼采的知识分子都注意到尼采的个人主义。王国维言尼采"唱绝对之个人主义"⑥,鲁迅称尼采为"个人主义之至雄桀"⑦,李大钊将尼采哲学归结为"天才个性主义"⑧,鲁迅还更明确地提出"掊物质而张灵明,任个人而排众数"⑨这种尼采式的主张。但是,中国知识分子所欲立之人主要地说并不是与自然或客体相分离的理性主义的笛卡儿主体,也不是单纯地从宗教束缚中挣脱出来的自由个体,而是浪漫主义类型的与社会对抗的个人主义,这个社会就是孔孟文化传统,就是这种传统所驯化出来的奴隶道德;这个社会就是为帝国主义所侵凌、所压榨的弱国细民,就是围观同胞被帝国主义砍头而无动于衷、麻木不仁的不幸不争者。因而"立"个人主义之人与"立"独立富强之国是统一在一起的,即在个人主义的张扬背后是爱国主义的拳拳之心。这种中国特色的现代性诉求是西方的现代化运动所不曾具有的。

检视近百年中国知识界对尼采的评论,我们发现,"立人"、"立国"是尼采所以被接受的最重要原因或尼采在 20 世纪中国的阐释主线。鲁迅毕生都在追求一个强者的形象,早期直接地呼唤"超人"的出现:"惟超人出,世乃太平,苟不能然,则在英哲","与其抑英哲以就凡庸,曷若置众人而希英哲?"⑩后以"末人"形象的创造,如孔乙己、华老栓、阿Q、闰土、祥林嫂等,反向地表达了对强者的期盼;虽然后期发现"尼采式的超人……太觉渺茫",但仍以其"超人"精神鼓励青年"只是向上走,不必听自暴自弃者流的话。能做事的做事,能发声的发声。有一分热,发一分光,就令萤火一般,也可以在黑暗里发一点光,不必等候炬火"⑪。他自述在"彷徨"时,曾借着"一点读过尼采的《Zarathustra》的余波"⑫而振奋精神。对于鲁迅而言,尼采的"超人"不仅可以鼓舞他人,也可以激励自己。1916年李大钊在介绍尼采时,特别欣赏"其说颇能起衰振敝,而于吾最拘形式,重因袭,囚固于奴隶道德之国,尤足以鼓舞青年之精神,奋发国民之勇气。"⑬这与鲁迅的着眼点可谓不谋而合。

年轻一辈的李石岑仍是看取于尼采学说对于"立人"、"立国"的价值,例如他在《尼采思想之批判》一文中指出:

> 吾国人素以粘液质为他国人所轻觑,既乏进取之勇气,复少创造之能力,乃徒以卑屈之懦性,进而为习惯上之顺氓。此在国家言之,养此顺氓,为金钱之虚掷;若在种族言之,诞此顺氓,为精力之浪费。愚以为欲救济此种粘液质之顺氓,或即在国人所詈之骂之非议之之尼采思想欤?⑭

语虽刻毒,而其意不谬。

40年代"战国策"派陈铨对尼采哲学的宣扬颇受訾议,他有着以尼采的"超人"论吹捧大独裁者蒋介石之嫌,而且所做阐释又往往执于一端,然查其用心并非全无良善之处:"中国处在生存竞争的时代,尼采的哲学,对于我们,是否还有意义,这就要看我们愿意作奴隶,还是愿意作主人,愿意作猴子,还是愿意作人类。"⑮陈铨的话听起来似乎特别地刺耳:"超人就是勇敢的战士……战争是无情的,然而战争的好处就在无情,因为它淘汰弱者,使强者生存"⑯"强者应征服弱者,智者应支配愚者,对于弱者愚者我们不当有任何的同情,因为他们根本不应该生存在世界,他们在世界占的地盘,应当让更优秀的人类来代替他们……假如我们立下一种制度,使弱者愚者得着充分的发展,那么世界的文化,一定会停滞、腐化、不可救药。"⑰联想到40年代日本侵略者也就是当时的"强者"正在我们贫羸的土地上肆意横行,陈铨的话真不啻对强盗日本的邀宠献媚。不过,陈铨不是汉奸,因而我们宁愿从另一角度理解他的强者哲学:如同严复、梁启超等对社会达尔文主义做逆向的使用一样,他将尼采的超人学说逆向地转变为对"末人"的鞭策。⑱这就是说,承认强者对弱者的控制并不等于承认现有的强/弱体系或者其永恒性,他期待着中国人作为当时的"弱者"能够有朝一日成长为强者。《尚书·商书》曾言:"兼弱攻昧,取乱侮亡",——孔氏传:"弱则兼之,暗则攻之,乱则取之,有亡形则侮之。言正义。"⑲而今我们更是接受了这一古老的"正义"观念,就是"落后就要挨打",我们并不同意相反的原则,即"落后就应该受到怜悯和保护"。我们认为,陈铨即便对尼采哲学做了一些政治性的篡用,但仍具有一些超越党派政治的意义,即具有"立人"、"立国"的旨向。

80年代中后期在我国知识界和青年学生中又掀起了一股"尼采热"。这次"尼采热"的根本原因,诚如周国平先生所发现的,是遭遇"精神危机"的青年学生和青年艺术家在尼采的"上帝死了"的宣告中所找到的精神共鸣,"尼采思想是西方社会精神危机的哲学表达,它之引起强烈共鸣,的确反映了当代中国青年知识分子的一种心态。"但是,他却将尼采对于他们的价值表述为与物质性追求相对立的精神求索:"西方现代化的进程业已表明,单纯的物质繁荣并不能使人真正幸福。中国式的现代化难道不正应该照取前车之鉴,一开始就重视人的精神生活问题?"⑳中国尼采接受史研究者成芳先生将这次"尼采热"概括为对"超越性"的追求,其所谓"超越性"就是对商品社会的功利主义的超越。"尼采热"之发生原因是复杂的,我不否认尼采可被用于高远超迈的精神求索。但应当注意到,这种求索尚不是"觉醒"了的"形而上的要求"(周国平语),而是具体的、现实的个人主义追求,不是反资本主义的追求,而是对资本主义精神如理性、个体和实用主义的追求。青年人当时所以喜欢尼采,不仅是由于消极意义上的"上帝死了",在信仰危机方面他们经受着与尼采相似的空虚感,更是他可以教他们怎样做"超人",在日益以商品经济为基础的社会中搏击,将潜能发挥出来,实现自我的价值。当时尼采与存在主义哲学家萨特一道担当了这一重任。前半世纪对于尼采的"立国"(爱国主义)的借取方式,这次突出地表现为"立人"。请回想一下,那时青年学生是多么地热衷于讨论"自我设计"啊!汝信先生说得好:"尼采鼓吹的悲剧精神不是叔本华主义,也不是华格纳主义。它究竟是什么?据我看,在某种意义上说,它倒像是浮士德精神的一个特殊的畸形的变种。"㉑我认为正是这种带着浓厚的个人主义色彩的"超人"精神即所谓"畸形"的浮士德精神给当时的青年学子以极大的震撼和纵容。

进一步说,80年代中期正值改革开放在跌跌撞撞、摸摸索索中前进,远未于前半世纪完成的"启蒙"任务仍然是迫切的、当下的。其时人道主义与异化讨论刚刚被政治性地结束,但又以"人的主体性"讨论而顽强地继续着,"理性"、"个体"、"自由"等话题仍旧是那么牵扯人心,如李泽厚的主体性哲学以及刘再复的文学主体性论纲在当时都是如火如荼。关键的是,如所共识,封建主义在"文革"期间甚至更长远的历史时段假借"社会主义"之名而还魂,并肆虐于世。这是由于我们深长的文化传统、心理构成使之然。这是20世纪第二次的启蒙运动,而只要启蒙的任务没有完结,尼采的"重估一切价值"、破除偶像和张扬个人主义的欢呼就仍然具有相当的号召力。总而言之,在80年代中后期的第三次"尼采热"中,尼采又一次地发挥了他的现代性的作用。与商品经济(后来叫"市场经济")初起时人文知识分子的抵拒世俗、反抗异化似乎并无多少真正的联系,恰恰相反,资本主义精神在中国还远未成熟,因为其阶级基础即使在目前都还不成气候。按照马克斯·韦伯的意思,资本主义精神与海盗行径、贪污受贿、不讲信用、奢侈浪费原则上无缘,相反它应当是理性主义的另一种表述。韦伯的原话是:"资本主义精神的发展完全可以理解为理性主义整体发展的一部分,而且可以从理性主义对于生活基本问题的根本立场中演绎出来。"㉒理性主义在中国还不够发达,这恐怕是我们比较容易接受的一种说法。

二 日神精神抑或酒神精神

尼采对20世纪中国发生现代性的影响,除了从上述人生哲学以及以此为基础的政治哲学、社会哲学等方面之外,另一条线索就是他的艺术哲学或者说美学。尼采在西方向有"诗人哲学家"之称。对此中国人颇有同感,例如王国维在1904年就说过:"尼氏常借斩新之熟语与流丽之文章,发表其奇拔无匹之哲学思想。故世人或目之为哲学家,或指之为文学家。……言乎著想之高,实不愧为思索家;言乎文笔之美,亦不失为艺术家。"㉓茅盾评论说:"我们只将 Thus Spoke Zarathusrta 一部书来看,便知尼采实在有诗的天才,与其说他是大哲学家,不如说他是大文豪。"㉔"战国策"派的林同济进一步说:"我觉得读尼采,第一秘诀是要先将它当作艺术看。"㉕而单就其文学创作论,有梁宗岱甚至称:"在德国底抒情诗里,我敢大胆说他是歌德以后第一人。"㉖但是讨论尼采的文艺价值并不是我们此处的主要任务,虽然我们也关心尼采写作的艺术性或艺术性创作与其美学思想究竟有着怎样的联系。现在我们的主要任务是找出尼采有哪些美学思想对中国的艺术家或美学家发生了影响,并试图评价这种影响及其与现代性的关系。

按常识说,关于尼采对现代中国美学的影响,我们最应该讨论并寄以期望的似乎是尼采与王国维、与朱光潜的关系,前者是因其对叔本华美学的汲取与改造,因而也免不了对尼采的阅读和研究,后者则因其在晚年直接地表白:"一般读者都认为我是克罗齐式的唯心主义信徒,现在我自己才认识到我实在是尼采式的唯心主义信徒。在我心灵里植根的倒不是克罗齐的《美学原理》中的直觉说,而是尼采的《悲剧的诞生》中的酒神精神和日神精神。"㉗但是遗憾得很,他们二人与其说是尼采的信徒,毋宁更准确地说是叔本华的信徒。在王国维那篇著名的长篇论文《叔本华与尼采》中,他所着力证明的是"尼采之学说,全本于叔氏",即尼采对叔本华的师承关系或者说两种学说的统一。他选择叔本华的天才论与尼采的超人学说作为主要的切入口,认定叔本华的"天才论与知力的贵族主义,实可为超人说之标本者也","要之,尼采之说乃彻头彻尾发展其美学上的见解,而应用之于伦理学。"㉘我承认叔本华的天才与庸众的对立以及其贵族主义的倾向,因而可能对尼采的超人理论有所启发,但二者的区别则是根本性的:天才之所以为天才乃在于其对充足理由律的超越,对庸众的认识方式即在关系中、利欲中认识对象的超越,但这种"超越"实际上是对生命原则的否定,而尼采的超人则是生命原则的执行者,是对意志的肯定。王国维并非不知道这个根本区别,那么他何以要不辞劳苦地证明二者的同一呢?这种乖谬只能使人猜测其真实意图或在于扬叔本华而抑尼采欤。我们知道,王国维的美学深深地浸淫了康德—叔本华的审美无利害的思想,而尼采的超人式的对生命、对现实生活的执着则是不为他所取的。

朱光潜说在他心中植根的是尼采的"酒神精神和日神精神",但是问题的关键是,酒神精神与日神精神在尼采文本里具有怎样的关系?在朱光潜的阅读里又呈现出怎样的关系?我们先看朱光潜的解释：

> 他认为人类生来有两种不同的精神，一是日神阿波罗的，一是酒神达奥尼苏斯的。日神高踞奥林匹斯峰顶，一切事物借他的光辉而得形象，他凭高静观，世界投影于他的眼帘如同投影于一面明镜，他如实吸纳，却怡然不起忧喜。酒神则趁生命最繁盛的时节，酣饮高歌狂舞，在不断的生命跳动中忘去生命的本来注定的苦恼。从此可知日神是观照的象征，酒神是行动的象征。依尼采看，希腊人的最大成就在悲剧，而悲剧就是使酒神的苦痛挣扎投影于日神的慧眼，使灾祸罪孽成为惊心动魄的图画。从希腊悲剧，尼采悟出"从形象得解脱"（redemption through appearance）的道理。世界如果当作行动的场合，就是罪孽苦恼；如果当作观照的对象，就成为一件庄严的艺术品。㉙

引文出自于他于 1947 年 7 月发表的《看戏与演戏——两种人生理想》，更早在 1933 年初出版的《悲剧心理学》中他就有如此的说法：

> 尼采用审美的解释来代替对人世的道德的解释。现实是痛苦的，但它的外表又是迷人的。不要到现实世界里去寻找正义和幸福，因为你永远也找不到；但是，如果你像艺术家看待风景那样看待它，你就会发现它是美丽而崇高的。尼采的格言："从形象中得解救"，就是这个意思。酒神艺术和日神艺术都是逃避的手段：酒神艺术沉浸在不断变动的旋涡之中以逃避存在的痛苦；日神艺术则凝视存在的形象以逃避变动的痛苦。㉚

显然在朱光潜看来，第一，无论酒神还是日神都是对生活痛苦的逃避，所不同只在于一是在"看戏"中逃避，一是在"演戏"中逃避；或者说，一是在"凝视"即"观照"中解脱，一是在"沉浸"即借着"忘却"的方式解脱。但是第二，朱光潜所看重的是，在古希腊悲剧中，酒神的痛苦挣扎在日神的慧眼映照或观照中变成了一幅可供欣赏的美丽而崇高的图画。因此对于朱光潜来说，日神精神是整合从而也是高于酒神精神的力量的。不限于悲剧,他甚至将此信马由缰地发挥为适用于中外古今一切艺术的通则:"不仅在悲剧里(如尼采所说的),在一切文艺作品里,我们都可以见出达奥尼苏斯的活动投影于阿波罗的观照,见出两极端冲突的调和,相反者的同一。但是在这种调和与同一中,占有优势与决定性的倒不是达奥尼苏斯而是阿波罗,是达奥尼苏斯沉浸到阿波罗里面,而不是阿波罗沉浸到达奥尼苏斯里面。所以我们尽管有丰富的人生经验,有深刻的情感,若是止于此,我们还是站在艺术的门外,要升堂入室,这些经验与情感必须经过阿波罗的光辉照耀,必须成为观照的对象。"[31]朱光潜也知道在一般的意义上说,日神有赋予情感以形式的功能即艺术的形式化作用,但形式化是否等于对人生的静观那是另须探讨的问题。我们现在须要指出的是,"观照"或者说"距离"并不是尼采之成为尼采的决定性论点,那是属于康德的思想,甚至都不完全属于叔本华,因为在叔本华看来重要的不是艺术家的眼睛,而是他究竟看到了什么。即是说,美不是一般的外象,而是直接地圆满地呈现了自在意志的理念,这理念除了作为客体之外与其他任何表象没有共同之处。要言之,美是客体性的,而非主体性的。[32]

固然尼采有过那个著名的断语,即"只有作为审美现象,人世的生存才有充足理由"[33],似乎结论性地诠释了朱光潜对日神与酒神之关系所做的如上诠释,但是他更核心的思想则是为他后来所充分发展了的"权力意志"。即使在《悲剧的诞生》这本早期著作中,如多数尼采研究者所看到的,酒神精神也是较日神精神更本质也更重要的东西:"达奥尼苏斯因素比起阿波罗因素来,显示为永恒的本原的艺术力量,因为正是它使现象世界得以存在。"[34]酒神的行为代表着作为世界本源的意志的冲动,或者说是意志的自我感觉,是刺破生存幻象而直达生命本质的行为。悲剧英雄能够不避意志的残酷,借着日神的观照和自身的投入而战胜意志对人的摧残。悲剧英雄最终失败了,但他的抗争却证明了意志的永恒。这种永恒通过悲剧英雄永不停止的斗争和毁灭而展示出来。这就是尼采悲剧学说中形而上学的乐观意义,即悲剧所给人的"玄思的安慰"。而这正是对生命的肯定,对充满坎坷与磨难最终乃至毁灭的人生的礼赞。朱光潜不理解酒神精神的形而上学方面,因而他将"玄思的安慰"比喻为"好比孺子重归慈母的怀抱所感到的快乐"㉟，其中悲剧的快感仿佛是"静"，而不是"动"，即悲剧并没有鼓励悲剧观众积极向上、奋进不止。这种解释实际上又一次地用日神统合了酒神，或者说酒神又一次地被日神化了。进一步如果往深里追究，我们还想说，朱光潜对日神与酒神关系的解释可真有点"中体西用"的味道了，因为尼采的日神精神作为一种外来的东西只是激活了本就存于中国文化结构中士大夫的隐逸情绪。这种"我注六经"的西学研究方法，或可能赢取"中西合璧、融会贯通"的美誉，但老实说并不能为中国文化本身增添多少新的内容，它可能"激活"我们本有的文化积存，而不会"激发"出我们未曾拥有的新的东西。

但是从王国维和朱光潜的立意来看，他们的超功利主义的美学思想在另一种意义上又是功利性的。在王国维看来，超功利主义之意义首先在于它可能提供一种对盛行于中国传统文化中的功利主义的批评张力，例如他批评说："披我中国之哲学史，凡哲学家无不欲兼为政治家者，斯可异已！孔子，大政治家也；墨子，大政治家也；孟、荀二子，皆抱政治上之大志者也；汉之贾、董，宋之张、程、朱、陆，明之罗、王，无不然。岂独哲学家而已，诗人亦然。"㊱这说到底是一种"官本位"思想在知识分子中的表现。而只有抛弃这种"学而优则仕"的传统观念，才可能为现代教育展开广阔的职业前景，即是说学而优不仅可以仕，也可以工、农、商、科技甚至致力于纯粹形而上学之探讨。这无疑是开辟中国现代化道路最需要的教育观念。第二，超功利主义之意义还在于能够为国民提供一种精神的慰藉，因为这是人之需要："人之所以异于禽兽者，岂不以其有纯粹之知识与微妙之感情哉？"㊲非常有趣的是，他把清末流行的吸食鸦片与此联系起来，以为"此事虽非与知识道德绝不相关系，然其最终之原因，则由于国民之无希望、无慰藉"，"故禁鸦片之根本之道，除修明政治，大兴教育，以养成国民之知识及道德外，尤不可不于国民之感情加之意焉。"而艺术则可以在这方面有所作为，即"供国民之慰藉"。㊳绕了一个圈子，原来哲学与美术终究还是有补于世的。朱光潜虽然倡导超功利主义美学不遗失力，而实际上他则是抱定了如梁启超、鲁迅那样改造国民性的良苦用心的。在他看来，美学在一种特殊的意义上也是可以济世的。在写于30年代初的《谈美》一书里,他说:"我坚信中国社会闹得如此之糟,不完全是制度的问题,是大半由于人心太坏。我坚信情感比理智重要,要洗刷人心,并非几句道德家言所可了事,一定要从'怡情养性'做起,一定要于饱食暖衣、高官厚禄等等之外,别有较高尚、较纯洁的企求。要求人心净化,先要求人生美化。"㊴此处应该特别提及当时的历史背景:1931 年"九一八"事变日本侵占我东北三省,1932年"一·二八"日本鬼子挑起淞沪战争,民族存亡已界关头。朱光潜说:"在这个危急存亡的关头,我还有心肝来'谈风月'么?是的,我现在谈美,正因为时机实在是太紧迫了。"㊵此处以美学济世的一片痴情和着忧国忧民的焦迫真可谓透穿纸背!不过以纯粹学理言之,王国维、朱光潜所借取的旨在改造国民精神的超功利主义与其说是尼采的,毋如说是康德—叔本华的;或者宽容地说,是尼采思想的一个非主流方面。说真的,尼采思想愈发展,其日神精神就愈减分量。不必讳言,王国维、朱光潜没有阐发出尼采那些真正尼采的思想。

我们发现,事实倒是另外一些在美学上相对不那么重要的人物清楚地看到了更属于尼采的酒神精神对于"立人"、"立国"这一现代化要求的满足程度。在这一方向上,活跃于 20—30 年代哲坛的李石岑可谓最典型的代表。他有两篇短文专论日神与酒神在尼采哲学中孰轻孰重,并特别强调酒神对于改造中国文化传统与国民性格的巨大价值和意义。一篇是发表于 1921 年的《爵尼索斯之皈依》,一篇是发表于 1926 年的《美神与酒神》。在前一篇文章中,他发现,酒神无论在作用的广度或强度上都要高出日神一筹:"阿婆罗的梦幻,仅足以刺激视觉与想象力;爵尼索斯的酣醉,足以兴奋、感动系统之全部。……故爵尼索斯的生活,足以达到生活之最高潮。"这原因在于日神主"静",酒神主"动",而"动"在他看来是更关乎人之本能或本性的力量,——酒神于是就能够充任"吾人之'还我本性'之导师","训练吾人之本能","指示生命表现必由之途径"。㊶如果说此篇的比较还囿于学理的层面的话,那么在后一篇中,他则将尼采对日神与酒神的区别转用并扩大指两种截然对立的文化取向和人生取向。从本体哲学上说,"美神"即日神代表"观念的世界",酒神代表意志的世界。而进一步从人生哲学上说,日神"不过是平凡的、颓废的、无勇气的人生之表示,不过对于人生加以一种廉价的肯定而已,其结果只有陷人类于堕落。所以人生的第一意义,是对于人生取挑战的态度,结果非借酒神的魔力不可。换句话说,非有赖于权力意志不可。"李石岑的意思是,日神代表着颓废的人生,酒神代表着进取的人生。再者,结合于中国文化说,"中国人永是观念里面希望幸福和安逸,换句话说,中国人永是借着美神的荫庇以求内心的慰安。中国国民性的特征……便是幻想的、妥协的和因袭的。"作者概括地说:"东方的人生思想,偏向于美神,而西方人的人生理想,却倾向于酒神。"基于以上的分析,作者提议:"所以我们目前第一步工作,就在于打破中国人的固定观念,这便是改变中国人的因袭性而代以创造性。……所谓现实性、革命性、创造性,固完全是酒神的思想,完全属于意志的世界。我们要在这个世界里面活动活动,才可以唤醒不进步的中国人,才可以救济带有粘液质的中国人,才可以根本改正中国人消极的解脱和廉价的肯定的人生。"㊷此与王国维尤其是朱光潜以日神精神净化人心、改造国民性即前所谓的"美学济世"截然相反,这里倡导的是以酒神扫荡颓靡之气、重振民族雄风,对尼采的解读迥异,而"新民"之意、报国之心却是难分伯仲的。进一步,如果我们不限于字面上的"酒神精神"而以尼采在《悲剧的诞生》之后从中发展出来的"权力意志"寻找其在中国知识分子中的回应,那么即使在文艺家包括批评家中也可读到炙热的赞美。例如,茅盾称颂尼采的权力意志,视其为惟人类所独有的高贵品质:"我们可说尼采过分称扬强权,以为强权是人类进化的阶段,未免错了;但他说人类生活中最强的意志是'向权力',不是求生,实在有些意思。我们谁能说人类只是求能生活便满心足意呢?谁能说大战士,大艺术家,大殉道者,大英雄的视死如归的心理,不就是 Will to power 的心理么?谁能说懦弱不能振作的民族,有正当的 Will to power 呢?//惟其人类是有这'向权力的意志',所以不愿做奴隶来苟活,要不怕强权去奋斗,要求解放,要求自决,都是从这里发出;倘然只是求生,则猪和狗的生活一样也是求生的生活,我们要求什么改良生活呢?"㊸又如陈铨说:"叔本华哲学中间最严重的问题,就是怎样摆脱意志,尼采哲学中间最严重的问题,就是怎样鼓励意志。尼采发现,人类除了生存意志以外,还有一个最伟大的生命力量,就是'权力意志'。人类不但要求生存,他还要求权力。生存没有权力,生存就没有精采。权力意志最强烈的时候,人类可以战胜死亡,生存意志再也不能支配他。要解除人生的束缚,不应当勉强地摆脱生存意志,应当强烈地鼓励权力意志。"㊹这自然都是有感而发的忧愤之论,即针对着中国人不思进取或者套用鲁迅的话就是以做稳了奴隶而知足的保守性格而来的交织着爱与怨、哀与怒等多味情感的诤语。

尼采的日神精神与酒神精神,这两种在中国美学家的解读中显示为截然对立的文化价值取向和人生价值取向,竟共同地效力于中国现代性的一个计划,真堪称尼采接受史和现代中国思想文化史的一大谜语了。不过细按起来,终还是有径可寻的:谜语的形成第一在于中国现代性工程的特殊性,第二则源自于尼采思想本身的复杂性。

我们已经说过,戊戌维新以后制度文化的更新已经被意识为推进现代化进程的一个迫切的任务,而"新民"或"立人"则是文化更新的最重要的内涵。考中国人之国民性,既无王国维所推崇的纯粹形而上学兴味、无朱光潜所想望的"别有较高尚、较纯洁的企求",更乏锐意开拓、昂扬奋发的进攻性、征服性,即茅盾所酷评的仅有家畜般的求生本能,所尚最是实用智慧型的人物,如诸葛亮、(皈依后的)孙行者等,而非西方鲁滨孙、浮士德那样外向征服型的形象。因此,无论是前一种消极的方案,即净化人心,抑或后一种积极性的呼唤,即刺激意志,对于重塑国民性来说都是必要的。而尼采思想本身的复杂性也默许着这种相反阅读的可能性。在尼采思想中既有对现代性的支持,又有着对现代性的批判,既有对形而上学的吁求,又有对形而上学的拒斥,既有审美主义的乌托邦,又有功利主义的务实,既有达尔文主义的倾向,又有反达尔文主义的意识,等等。这种学说的混杂性客观上鼓励人们对它进行各取所需的阅读。这里我想斗胆提出,甚至希特勒这样的读者也决非无中生有地嗅出尼采的法西斯主义思想。不必惊诧,在德国思想史上本就有源远流长的法西斯主义观念,尼采只是将其发挥到一个醒目的程度而已。不过另一方面,尼采仍可作反法西斯主义的后结构主义阅读。他就是这么矛盾,这么复杂!

三 未完成的现代性图案

在对尼采近百年的解读中,令人颇感遗憾的是,尼采作为一个现代性思想家的形象尚未被中国知识界认真而充分地刻画出来。"新民"或"立人"与"立国"的思想更多地为"救亡"所导向(而非流行的所谓"压倒",李泽厚的"救亡压倒启蒙"根本上是一种虚构,宽容地说,是一种肤浅的观感,因为第一,"启蒙"总是服务于"救亡"的;第二,就西方现代思潮而言,"启蒙"并不是单义的),而作为其深层支持的哲学、政治学、社会学理论则未及从学理上建树性地开拓过,即我们没有借着尼采这一契机而构造出自己的理性主义、个人主义以及功利主义思想体系。除此而外,自然还有其他方面的原因,例如资本主义的欠发达限制了社会对现代性或工业性理论的需求,又例如文化传统中纯粹理性趣味的淡薄,等等。我们能够说,尼采的现代性,套用哈贝马斯的语式,因而就是一个未完成的计划。换言之,尼采具有丰富的现代性思想资源。其"权力意志"根本上就是一个现代性概念,即强调对自我、对感性个体的张扬,将自然(包括社会)视作客体而进行主体性的征服。尼采抨击基督教,不知其"权力意志"概念是否曾得力于《旧约·创世记》的一个思想:"我们要照着我们的形象,按着我们的样式造人,使他们管理海里的鱼、空中的鸟、地上的牲畜,和全地,并地上所爬行的一切昆虫。"圣经的意思是说,人生来就被赋有主宰自然的权力。现代资本主义正是以此为其最基本的哲学精神的,这是一种科学的精神,也是一种主客体对立或分裂的观念,简言之,就是笛卡儿的主体观念。

如果说尼采的思想形象在西方是复杂的话,那么在中国则要单纯得多。尼采思想在两次世界大战中陷进军国主义或法西斯主义的泥潭,许多德国人至今还对尼采讳莫如深,以之为德国的耻辱。但是在中国,尽管从"五四"时期就有蔡元培、胡适等将其与军国主义相联系,更有40年代左派文人在批判"战国策"派时将尼采思想视作法西斯主义的同义语,事实是尼采并没有被某个强有力的"法西斯主义者"所利用,中国也并没有在汲取了尼采的营养之后而自我膨胀,并给其他民族带来什么战争的灾难——"战国策"

派对尼采的阐释与其说是进攻型的,毋宁说是自卫防御型的,即借尼采以"立人",借"立人"而救亡。由于这种论争以国共两党的政治斗争为其背景,所谓"民主"、"科学"或"独裁"都不再固守其本来的语义了。祛除了这层顾虑,即认识到尼采的法西斯主义思想倾向并未在中国稍微发展出来,我们就可以轻松地断言:尼采对20世纪中国的影响一直是积极的、健康的,具体说就是为中国的现代性工程贡献了一份特殊的思想素材。

我们承认现代性即使在高度现代化的国家里也是一个未完成的方案,而在中国现代性的道路肯定更要漫长,但是作为反现代性的后现代主义却不可能只是在充分地现代化之后才表现出它的必要。现代性形成和展开自身的过程既是其魅力的展示又是其丑陋的暴露,因而就后一方面而言,后现代主义就有了用武之地。尼采作为现代性思想家已经为中国的现代性事业工作了近百年,而随着中国现代化的进一步发展,尼采作为反现代性思想的意义也将逐步显露出来。我们坚信,尼采将以其意味深长的复杂性而成为一个永不枯竭的思想源泉。

注释:
① 《尼采全集》第13卷(莱比锡,1903年),第69页。
② 尼采《权力意志》(原编)第481节。
③ 艾恺《世界范围内的反现代化思潮——论文化守成主义·前言》,贵州人民出版社1999年版,第2页。
④ 如邵立新(音译)所说:"他对这位德国哲学家的知识没有超出颉德的那一著作(指《西方文明的原则》——引注),可能还有一些百科全书或课本。如果不是误把颉德当成精神知己,他就不会在《新民丛报》中提及尼采。他之所以需要尼采和马克思是为了突出颉德的重要性,正如他之需要颉德是为了抬高他自己的逆向社会达尔文主义和革命民族主义一样。"(Shao Lixin, *Nietzsche in China*, New York: Peter Lang Publishing, Inc., 1999, P. 11)
⑤ 梁启超《十种道德相反相成义》,1901年《清议报》第82、84期。
⑥ 王国维《叔本华与尼采》,1904年《教育世界》第84、85号。
⑦ 鲁迅《文化偏至论》,《鲁迅全集》第一卷,人民文学出版社1993年版,第52页。
⑧ 李大钊《东西文明根本之异点》,1918年7月1日《言治》季刊第3册。
⑨ 鲁迅《文化偏至论》,《鲁迅全集》第一卷,第46页。

⑩ 鲁迅《文化偏至论》,《鲁迅全集》第一卷,第52页。
⑪ 鲁迅《随感录第四十一》,《鲁迅全集》第一卷,第325页。
⑫ 鲁迅《我和〈语丝〉的始终》,《鲁迅全集》第四卷,第168页。
⑬ 守常(李大钊)《介绍哲人尼杰》,1916年8月22日《晨钟报》。
⑭ 李石岑《尼采思想之批判》,1920年《民铎》第二卷第1号。
⑮ 陈铨《尼采的思想》,1940年《战国策》第7期。
⑯ 陈铨《文学批评的新动向》,正中书局1943年版,第145—147页。
⑰ 陈铨《从叔本华到尼采》,在创出版社1944年版,第117、124页。
⑱ 依据邵立新的解释,严复和梁启超的"逆向社会达尔文主义"就是将社会达尔文主义的强者控制弱者逆向地转变为鼓励弱者通过自强而达到与强者的平等(Nietzsche in China, P.7)。毫无疑问,这种逆向性也适用于陈铨对尼采超人思想的借取。
⑲ 《十三经注疏》上册,《尚书正义》卷八,中华书局影印,1979年版,第49页。
⑳ 周国平《尼采与现代人的精神危机》,1988年7月22日《中国青年报》。
㉑ 汝信《论尼采悲剧理论的起源》,《外国美学》第一辑,商务印书馆1985年版。
㉒ 韦伯《新教伦理与资本主义精神》,于晓等译,三联书店1992年版,第56页。
㉓ 王国维《尼采氏之教育观》,1904年《教育世界》第71号。
㉔ 雁冰《尼采的学说》,1920年《学生杂志》第七卷第一至四号。
㉕ 林同济《我看尼采》,载陈铨《从叔本华到尼采》,作为该书之序言。
㉖ 梁宗岱《尼采的诗》,《文学》第三卷第3号,民国23年9月1日出版。
㉗ 朱光潜《悲剧心理学》"中译本自序",人民文学出版社1983年版,第1—2页。
㉘ 雁冰《尼采的学说》,1920年《学生杂志》第七卷第一至四号。
㉙ 《朱光潜美学文集》第二卷,上海文艺出版社1982年版,第554页。
㉚ 朱光潜《悲剧心理学》,第148页。
㉛ 《朱光潜美学文集》第二卷,第558页。
㉜ 参见金惠敏《意志与超越——叔本华美学思想研究》,中国社会科学出版社1999年版,第6—10章。
㉝ 尼采《悲剧的诞生》,周国平译,三联书店1987年版,第275页。
㉞ 尼采《悲剧的诞生》第25节,周译第107页,此处译文有改动。
㉟ 朱光潜《悲剧心理学》,第149页。
㊱ 王国维《论哲学家与美术家之天职》,1905年《教育世界》第99号。
㊲ 王国维《论哲学家与美术家之天职》,1905年《教育世界》第99号。
㊳ 王国维《去毒篇》,1906年《教育世界》第129号。

㊴《朱光潜美学文集》第一卷，第 446 页。

㊵《朱光潜美学文集》第一卷，第 445—446 页。

㊶ 李石岑《爵尼索斯之皈依》，1921 年 1 月 23 日《时事新报·学灯》。

㊷ 李石岑《美神与酒神》，1926 年《一般》第一卷第 2 号。

㊸ 雁冰《尼采的学说》，1920 年《学生杂志》第七卷第 1 至 4 号。

㊹ 陈铨《尼采与红楼梦》，载《文学批评的新动向》。

原载《文艺研究》2000 年第 6 期

李 杨

毛泽东文艺思想与现代性

毛泽东《在延安文艺座谈会上的讲话》发表以后,一个引人注目的现象即是解放区文学出现了叙事文学的繁荣。这种繁荣随着革命的不断胜利和人民共和国的建立而不断扩展,构成了40—50年代"社会主义现实主义"文学的主要艺术形式,这一艺术形式直至50年代后期才开始逐渐衰落,而为抒情文学所取代。

小说,尤其是长篇小说是叙事文学的主要体裁。这一时期的优秀小说有《小二黑结婚》、《李有才板话》(赵树理)、《暴风骤雨》(周立波)、《太阳照在桑干河上》(丁玲)、《高干大》(欧阳山)、《风云初记》(孙犁)、《三里湾》(赵树理)、《山乡巨变》(周立波)、《红旗谱》(梁斌)、《青春之歌》(杨沫)、《林海雪原》(曲波)、《小城春秋》(高云览)、《三家巷》(欧阳山)、《红日》(吴强)、《保卫延安》(杜鹏程)、《铁道游击队》(知侠)、《苦菜花》(冯德英)、《铜墙铁壁》(柳青)、《战斗的青春》(雪克)、《创业史》(柳青)、《红岩》(罗广斌、杨益言)、《上海的早晨》(周而复)、《政治委员》(刘白羽)、《黎明的河边》(峻青)、《党费》(王愿坚)等。

这一时期优秀的诗歌也基本上是叙事诗。有《王贵与李香香》、《菊花石》、《杨高传》(李季)、《漳河水》、《圈套》(阮章竞)、《赶车传》(田间)、《王九诉苦》、《死不着》(张志民)等。

戏剧作品也以叙事为主,如《白毛女》(鲁艺)、《茶馆》(老舍)、《豹子湾战斗》(马吉星)、《洪湖赤卫队》(湖北省实验话剧团)、《江姐》(严肃)等等。

熟悉当代文学的读者不难发现,以上这个名单几乎包括了"社会主义现实主义"文学范畴内的所有优秀叙事作品。为什么是叙事文学,而不是抒情或象征文学成为"社会主义现实主义"的第一个高潮呢?

　　西方马克思主义批评家杰姆逊在其著作《政治无意识》中提出的"形式的意识形态"概念已经引起中国批评家越来越多的关注。杰姆逊指出:"在某种既定的艺术过程及其一般社会结构中,共存着不同的符号系统,它们所包含的指定信息之间的主导矛盾,就是所谓的'形式的意识形态'"。这里必须强调的是,在这种意义上,"形式是作为内容来理解的。"①

　　研究"形式的意识形态",关键在于指出艺术形式的演变与意识形态的关系。按照福柯的话语理论,任何话语的产生都有它的权力基础,因此,由"五四"发端的中国现代文学文类纷呈、形式各异的景观在《讲话》后不复再现,叙事文学成为惟一的主导形式。这一文学形式的变革无疑有着它的意识形态内容。这一时期中国的主导意识形态本身带有叙事性,它的主题在于组织一个现代民族国家。

　　　　谁是我们的敌人?谁是我们的朋友?这个问题是革命的
　　　　首要问题。②

　　这是流传数十年的《毛泽东选集》第一卷的第一篇文章《中国社会各阶级的分析》的第一句话。作为一个现代的发问,它摆在了所有中国人的面前。它的目的在于找出"我们"的性质,而要找到"我们"的性质,就必须设定"他们"——"我们"的"敌人"。

　　在某种意义上,《中国社会各阶级的分析》可以说是一篇真正拉开现代中国帷幕的文章。这篇文章以"阶级"这一现代性概念对中国社会进行了细致的分析,第一次全面地设定了"我们"与"他们"。"综上所述,可知一切勾结帝国主义的军阀、官僚、买办阶级、大地主阶级以及附属于他们的一部分反动知识界,是我们的敌人。工业无产阶级是我们革命的领导力量。一切半无产阶级、小资产阶级,是我们最接近的朋友。那动摇不定的中产阶级,其右翼可能是我们的敌人,其左翼可能是我们的朋友——但我们要时常提防他们,不要让他们扰乱了我们的阵线。"③

　　非常明显,在这里,"他们"是西方的影子。这些敌人——"军阀、官僚、买办阶级、大地主阶级以及附属于他们的一部分反动知识界"的性质在于"勾结帝国主义",他们是西方在中国的工具,是西方的象征。

这个时候,"他者"无疑已经存在了,问题是如何以"他者"的眼光看出"我们"的本质。这不是个人的本质,因为西方是一个整体性的概念,不仅包括西方自身在内,而且还可以包括在非西方的西方势力;因此,与西方相对的,只能是一个整体性的概念,这就是"中国"的概念。

因此,必须把"中国"造出来,将处于自然状态、纷纭复杂的传统中国社会讲进一个有开头有结尾的故事中去,也就是说要找到"中国"在"历史"上的位置。这个时候叙事就开始了。

竹内好在谈到现代性的问题时曾指出:"对非西方民族而言,现代性首先意味着一种自己的主体性被剥夺的状态。"④ 在西方世界化的过程中,非西方的本质——主体性实际上是被西方"看"出来的。西方来到非西方时,正处在一个寻找自我的过程中,所以需要造出"东方"、"中国"这些概念,在这种基础上,他们才可能找到和建立自己的主体性。这正如白培德指出的:"没有东方,西方就不存在了。"⑤ 因为这个原因,在相当长的时间内,对东方国家性质的研究成为西方人类学的基本课题,许多西方学者、传教士写下了以"中国的国民性"与"日本的国民性"为标题的许多著作——他们要造出"中国"、"日本"、"东方"来。杰姆逊在谈到这个过程时指出西方知识分子只能是在世界资本主义总体制度里的文化基础上强有力工作着的努力的一部分。

对西方的物质与文化入侵,非西方的反抗是不可避免的。但问题在于,在这种关系中,非西方在历史上是不可能有主体性的,它在论证自身时必须使用西方的话语。"虽然东方一直在进行对这种剥夺的反抗,但反抗本身又包含着一种危险。如果你要以西方的话语反抗西方,你就是又一次把它确定化了。问题在于你非用它不可!"⑥

也就是说,非西方国家要反抗西方,就必须组织起"我们"的性质,即建立起一个现代民族国家。而一个现代国家的组织过程,就完全是一种认同西方的过程。非西方国家对自己的人民只能采取西方式的手段,使国家成为主体,国家承认每个人的特殊性,但这种特殊性的确认又是以国家作为主体的普遍性为目的的。

造出"我们",实际上就是造出"中国"来,即找出"我们"的共同本质,只有找到这个本质以后,个人的生存才会具有意义。

这个抽象的共同本质就是现代"国家"。现代民族国家与古代的国家意义是不同的。作为西方启蒙运动的产物,它是现代性的重要组成部分。与古代的国家不同的是,它是建立在"历史"之上的一个概念。现代国家的组织过程是十分抽象的,它的存在特征就是黑格尔所说的所谓"普遍同质领域"。黑格尔的精神哲学分为三个大阶段:主观精神、客观精神和绝对精神,而在"客观精神"中又有三个阶段:抽象法,道德和伦理。国家是在"伦理"这个阶段出现的。"伦理"的本质决定了国家——现代国家的本质,"是自由的理念","是调整个人生活的力量"⑦。国家是这种理念的现实,是普遍与特殊的统一。⑧

现代民族国家产生于欧洲,更确切地说产生于法国和英国。现代国家通过一个很长的孕育过程,通过法国革命出生到人世间,并且由编写了身份卡片的黑格尔命了名。与古代国家的性质完全不同的地方在于,现代国家建立的整体性不是建立在土地和地租的基础上,而是建立在抽象的权力基础之上,这种抽象的权力又被一种实际权力——军队变得具体化了。

在法国革命中,通过以叛国罪砍掉了国王的头,革命者使这个国家脱离国王个人。他们粗暴地把国家与自然分开,把抽象与现实分开。不可能再有人说:朕就是国家。在法国革命的混乱后,在这个混乱中出现了新的秩序——拿破仑建立的国家秩序。在这种秩序中,国家,这个具体的抽象,除了在哲学里存在,不可能在它自身和通过它自身存在。

著名启蒙思想家卢梭尽管以向往自然状态著称,但对国家的信念同样不可动摇。他认为,"敢于为一国人民进行创制的人——可以这样说——必须自己觉得有把握能够改变人性,能够把每个自身都是一个完整而孤立的整体的个人转化为一个更大的整体的一部分,这个个人就以一定的方式从整体里获得自己的生命与存在,能够改变人的素质,使之得到加强;能够以作为全体的一部分的有道德的生命来代替我们人人得之于自然界的生理上的独立的生命。总之,必须抽掉人类本身固有的力量,才能赋予他们与他们本身以外的,而且非靠别人帮助便无法动用的力量。这些天然的力量消灭得越多,则所获得的力量也就越大,越持久,制度也就越巩固,越完美。"⑨

由此可见,在卢梭看来,公民应该失去其自然性,通过消除他身上的那些能使其个体独立的自然素质来改变其生理生命。也就是说,应当把"他敢于承担创建一个民族的任务"这句法国人的名言灌输给公民,以求得一种全新的社会道德特征。卢梭的公民必须是人为的,公民的美德也必须是人为的,因为只有如此,个人才真正依赖于国家这一高级的人造物。

启蒙运动以后,出现于法英的这个高级人造物不断向外扩张,通过德国,通过俄国,蔓延到全世界。到 20 世纪,已经没有一个人不是生活在国家中了。与国家有关的概念,诸如祖国、爱国主义、民族精神,统一和不可分割性等等,都成为非西方国家的共同追求。从此,国家与民族不再是一个自然概念,而是一个抽象的范畴,它依靠一种叙述而存在。可以说现代国家主义是一种思考状态,就是认为个人必须向民族国家效忠。在现代之前的历史时期,个人对其乡土、地方传承、已经存在的地域性权威力量等的依赖早就存在了,但一直到 18 世纪末,作为这个词的现代涵义的"国家主义",才逐渐变成了塑造个人公私生活的公认准则。只有到了 19 世纪,才产生每个民族应该建立一个与这个民族分布相一致的国家这种要求。在 18 世纪前,整个世界,一般人要效忠的不是国家,而是各种不同的政治组织,社会权威或意识形态,如民族、家庭、宗教、教会、城邦、封建主等等。以中国古代为例,爱国忠君常常是一致的。

《资治通鉴》卷二九谈到西域副校尉陈汤与西域都护甘延寿谋矫诏发乌孙兵攻郅支单于,延寿欲奏请之,汤曰:"国家与公卿议,大策非凡所见,事必不从。"胡三省注曰:"此时已称天子为国家,非至东都始然出。"可见,在古代,至少从西汉起,人们便已把皇帝和国家视为一体了。历史地看,这种观点是有其合理性的。因为,在封建社会,皇帝是人民的天然尊长,代表着国家的尊严和荣誉,在某种意义上,甚至能够决定整个民族的命运,所以忠君往往就是爱国的表现,特别是在民族被压迫和国家被侵略时,由于封建政权已作为整个民族的象征,而封建君主又是这个政权的最高统治者,因此,忠君就能够起到维护民族利益的作用,与爱国也是密不可分的。

这种爱国与现代的"爱国主义"性质不同。古代爱国的事迹很多,但把这些事迹称为"爱国主义"则是近代以后的事。在启蒙运动时代,法国与英国建立现代国家时,他们也总是谈到古代国家的意义,强调古代罗马的经典对历史了解的意义。事实上,在这里他们将古代罗马当成了一种历史现象,解释它,使这些"历史"变成他们革命的理论。这种依靠古代来建立现代的方法恰好是现代性的重要组成部分。也就是说,爱国主义是现代性通过古代的材料创造出来的,并不是古代就有的。

美国学者韦克曼比较过这种现代国家与古代中国的区别,他指出古代中国的国家虽然是一统天下而不是混合而成的,但是它的独立性程度还没有达到一块磁铁的程度。"皇帝的任务在于德化,而不在于政治上的吸引力,这是一种扩大道德力量的领域以便在适当场合改造他人的责任。"⑩

"社会"和"现代性"范畴实证意义的互解,也导致了对"民族国家"作为历史表象的可靠性的怀疑。正如"社会"和"现代性"为欧洲资产阶级产生及其在世界范围内的霸权配备了空间和时间上的自我规定形式,"民族国家"也在现实法权和文化表象之间,为它们开辟了最终的会聚场所。在某种意义上,"民族国家"是"社会"和"现代性"的最终表达,非但作为人际组织原则的"社会"把"个人"从诸如家庭、种族等传统社会组合中剥夺出来,迫使他们成为"民族国家"这个话语结构和经济现实中的成员,"现代性"作为一种特殊的话语技术(discoursive technology)同样也在社会经济文化生产标准化和一体化过程中服务于"民族国家"的产生。⑪

以上这段话是一位华裔学者对最近在美国召开的一个学术会议的述评中的一段。其中谈到的观点是很有代表性的。自爱德华·赛义德在《东方主义》一书中站在非西方的角度非常严厉地批判了19世纪的西方按照自己的意愿把东方塑成想象中的东方为所欲为而震撼了美国学术界以后,近年来,对"东方"与"国家"话语性的了解已经成为越来越多的文化批评家的共识。

"现代"本身是从"创造"开始的,因此,"创造"是现代的同义词。现代意味着主体对历史的创造,但要成为创造者,必须首先拥有主体性。也就是说创造只能是历史中的创造,而个人要找到在历史中的位置,必须通过国家才能实现,必须首先找到国家的位置。因此,对于所有非西方而言,在进入创造之前,必须首先建立起国家。如果说创造意味着一种抒情,就必须首先通过叙事来建立抒情的主体——国家。

巴赫金谈到这个问题时指出,现实主义不仅仅是一种历史时间,它还是一种国家历史的时间。也就是说每一个民族都必须先确定自己的国家概念,有了国家才能确定自己的时间领域,才可能在历史逻辑中找到自己的位置,也就是找到自己的本质。⑫

对非西方国家而言,建立国家的过程无疑是对西方反抗的过程,因为非西方是通过以西方为"他性"——"敌人"的方法来建立国家的。这无疑是一种反抗,一种对西方挑战的反应和反抗,但又是以西方话语对西方进行的反抗。

现代的国家主义、民族国家和现代化都是在英、法两国发生的。英法一旦开始现代化,建立了官僚制度的民族国家,世界的其他国家就算只为了自卫,也被迫非跟着改变不可。没有国家主义就演不出民族国家;没有民族国家,现代化就不会进行得那么快速。

在建立国家的过程中出现了大规模的战争,而战争直接推进了科技和经济的进展。国家需要金钱来支持这些战争,也就迫使国家将自身结构进一步效率化。对战争工具的物质上的需求也刺激了经济的发展,在攻防上需要有效的武器刺激工业和发明。

包括中国在内,几乎所有的非西方国家在建立现代国家的过程中都出现过这种对西方的反抗。美国学者艾恺把这种"世界范围内的反现代化思潮"称为"文化守成主义"⑬。对国家进行一种谱系学的分析,就会发现所有国家的这种话语性,当然,这种话语性是建立在一个更大的元话语——"西方"与"东方"的对立关系之上的。西方总是需要不断造出东方来确认自己。在 18 世纪末期以启蒙思想为核心的现代性展开的时候,最早的西方只包括启蒙运动的真正母国——法国和英国,而在现代性向世界扩张的过程中,非西方不断通过以这个西方为他性使自己进入现代,到20世纪末,"西方"才扩展成今天这样的庞然大物。

最早受到"现代"冲击的是德国。当时的德国被普鲁士王国统治着,整个国家被分裂成许多小邦,由三百个自主的君主和一千五百个半自主的君主统治着,对发生在法国与英国的变革置若罔闻。直到普法战争中法国打败了普鲁士国,德意志被拉入到一个"历史"进程中,建设一个现代民族国家的任务真正落到了德国的头上,只有国家才能使德国人具有一种本质。造出一个现代国家,成为启蒙逻辑展开的第一步。

黑格尔的哲学与当时的普鲁士国家极为密切地联系在一起,因为这个哲学是建立在思想万能的基础上的。事实上,"国家"这个概念也建筑在文化和知识的力量的基础之上。在《法哲学》一书中,黑格尔宣称国家的发展对促进公民的利益是至关紧要的。因为国家不是为公民而存在,是公民为国家而存在。国家观念成为正在崛起的这一代人的中心思想,这种理想就是由作为活生生的机体的国家去实现它所有公民在情感上的要求。在当时的青年人中所进行的无数次关于哲学、神学和美学的争论中,国家和它改革的必要性一直是这些探讨的要点。这些争论为国家思想的发展做了准备,对今后的德国有着重要的意义。一位黑格尔式的革命者拉萨尔曾大声疾呼:"你们不要诽谤国家!国家,它就是上帝。"这是非常有代表性的。

艾恺谈到过一个非常奇怪而又是非常合理的现象,德国的民族主义者大都是从最早的启蒙主义转变过来的,他们开始都是英法的崇拜者,继而都变成了英法文明的激烈反对者。⑭这种转折并不奇怪,西化越是强烈,自我认同的愿望就越加迫切。就民族主义,国家主义的教育和生活方式而言,他们都是西化的知识分子,大多数人年轻时都以不同的方式献身于他们的祖国和他们本身生活与事业的西化,"在他们早年生活的一定点上,他们经历了一个情绪危机,一个精神的转折点,一种类似于宗教'改宗'的经验,从那以后,他们都全然投身于爱国主义的使命之中"⑮。在中国,这种"改宗"的出现是带有普遍性的。知识分子大都是以启蒙主义始,以爱国主义终,由年轻时的崇拜西方转向成熟后的回归传统,这并不是以往我们理解的"年龄"的原因,而来自一种心灵结构的逻辑发展。

1840年以后,中国知识分子越来越意识到中国的首要任务就是建立一个现代民族国家,这一任务经过了无数仁人志士的传递,到毛泽东这里才真正得以实现。

与梁启超、闻一多这些"改宗"者不同,毛泽东是从马克思理论中了解现代性的意义的。毛泽东早年受教于曾留学西方多年、具有启蒙思想的杨昌济等人,广泛地阅读了近代郑观应、冯桂芬和康、梁等人的启蒙著作,受到近代启蒙思想的濡染和熏陶,很早就产生了强烈的"中国"意识。在他成年以后,他曾谈到过青年时代一本"关于列强瓜分中国的小册子"对他认识到个人与国家关系产生了"特别影响","它叙述了日本占领台湾的经过"和"朝鲜等被外国侵占的情况",他读了以后,"对国家的前途感到沮丧",并"开始认识到,国家兴亡,匹夫有责"。⑯

国家危亡的原因何在？冯桂芬认为,主要是"受制于小夷"⑰,外国的入侵与压迫造成中国的危亡,这是"有天地开辟以来,未有之奇愤"。对此,"凡有心知血气"的人,"莫不冲冠发上指"。为什么出现这种危局？"人而已矣"。如何摆脱？"自强"⑱。何以自强？郑观应作了明确回答:"人尽其才"、"地尽其利"、"物畅其流"。为此,必须"育才于学校,议政于议院",以使"君民一体,上下同心"。此外,还须讲究"船坚炮利"⑲。郑观应认为,前者为体、后者为用,体用的解决,关键在于兴学。郑观应的这个思想对毛泽东产生了不小的影响。他在后来的回忆中说,《盛世危言》这些话,"激起了我恢复学业的欲望"⑳。

毛泽东恢复学业的目的在于为国家兴旺、人民富足尽匹夫之责。但要使国家兴旺,人民富足,必须首先使它摆脱外国的侵略,免于衰亡。为此,毛泽东特别希望英雄出世,富国强兵。1910年秋,他读了《了凡纲鉴》和《世界英雄豪杰传》,书中的华盛顿等英雄人物深深地吸引了他。他说:"中国也要有这样的人物,讲求富国强兵之道,才不致蹈安南……的覆辙",但要达到这个目的,"我们每个国民都应该努力"㉑。寻求兴旺途径的关键在于找出衰败的原因。中国的衰败除了外因外,还有其内在的原因。梁启超认为,这内因在于国民"愚昧落后"、"道德败坏",缺乏"国家思想"、"权利观念"和"自治能力"。毛泽东所崇拜的老师杨昌济力主民德、民智、民力三育并重。毛泽东受二者的影响是无可怀疑的。他认为，中国积弱不振的根本原因是国民"思想太旧"、"道德太坏"，而"思想主人之心，道德范人之行"，要是"二者不洁"，必然"遍地皆污"。因此，救国必先救民，救民必先"改造民心道德"，以"变化民质"，造就"身心并完的新人"。㉒为此，毛泽东认为必须用"大力"来"摧陷廓清""伪而不真、虚而不实"的旧思想旧道德。"大力"是什么？哲学。如何"摧陷廓清"？借"大哲学革命家，大伦理革命家……以洗涤国民之旧思想，开发其新思想"。要如此，"天下之心其有不动乎？"心动便能救国，"天下之心皆动，天下之事可为，国容有不富强幸福者乎？"㉓

非常明显，毛泽东很早就意识到了话语——哲学的力量，在这一点上，他与"五四"那一代启蒙思想家是非常一致的。由于年轻，他尚未成为启蒙运动的领袖人物，但他无疑是在"五四"的精神氛围下成长起来的。据他的同学周士钊的回忆，《新青年》1915年创刊后，当时尚在湖南第一师范学习的毛泽东即成为它的热烈崇拜者。在很长一段时间，每天除上课、阅报之外，"看书看《新青年》；谈话谈《新青年》；思考也思考《新青年》上所提出的问题。"㉔

建国以后，由于有的评论家担心研究毛泽东与"五四"的关系会有损他作为马克思主义者的形象，因此很少谈及他通过"五四"与"现代"的联系，而另一类评论家则倾向于把他与中国农民文化联系起来，因此也较少考察这种联系。事实上，毛泽东不仅是"五四"新思想的接受者，而且还是"五四"运动的积极参加者。他组织的新民学会、主编的湖南学生联合会会刊《湘江评论》都是"五四"运动的组成部分。绝大部分文章都由他亲自写作的《湘江评论》虽然只出了五期即被查封，但它的现代风格与现代思想立即受到北京《每周评论》的高度赞扬，《每周评论》曾在三十六期上指出："武人统治之下，能产生我们这样的一个好兄弟，真是我们意外的欢喜。""《湘江评论》的长处是在议论的一方面。《湘江评论》第二、三、四期连续登载的《民众大联合》一篇大文章，眼光很远大，议论也很痛快，确是现今的重要文字。"

陈述这些情况，目的在于我们试图说明毛泽东由启蒙主义者向马克思主义者的转移，就如同我们讨论的知识分子的"改宗"一样，是在"现代"范围内的转移。马克思主义提示了一条具体的建立一个现代民族国家——新中国的道路。"在我第二次到北京期间,读了许多关于我国革命的书籍。我热烈地搜寻一切那时能够找到的中文的共产主义文献,使我对马克思主义建立了完全的信仰,接受了马克思主义唯物史观的正确理论。从此以后,从没有动摇。到了1920年夏天,在理论上也在行动上,我成了一个马克思主义者。"㉕

按照现代的逻辑,非现代国家如果试图变成"现代"国家的话,它的首要任务就是叙事,即把处于自然状态的社会组织到一个按照"我们"与"他们"的划分有序,层次分明的现代话语中去。在中国,这个话语表现为"阶级"话语,"中国"的本质就是从"我们"阶级中生长起来,"我们"的确认就靠不断地消灭"他们"阶级。使复杂多义的传统社会变成"无产阶级"、"资产阶级"、"小资产阶级"、"封建主义"、"资本主义"等等现代的概念,这些意义明确的概念是组成一个现代民族国家的基本条件。

从20年代开始,毛泽东一直在进行这种话语分析工作。在1926年的《中国社会各阶级的分析》中,他已经确定了中国的"地主阶级和买办阶级"、"中产阶级"、"小资产阶级"、"半无产阶级"、"无产阶级"的范围。在1933年的《怎样分析农村阶级》的文件中,又直接提出了如何划分"地主"、"富农"、"中农"、"贫农"、"工人"的具体标准。这些名词,在我们已经习惯使用半个多世纪之后,已经很难看出它的话语性了,好像"地主"、"工人"、"农民"这些词是本来就存在的。事实上,在中国到来之前,虽然中国早已存在各种社会分工,但把这些分工不同的中国人叫做"地主"、"工人"、"农民"却是一件非常现代性的工作。因为这些名词都不是单独存在,可以自己说明自己的意义的。相反,每个词都显示出一种关系,即每个词都意味着一个与自己相对的词的存在。所有这些名词通过一定的关系组合起来,就构成了对一个历史过程的叙事。在这个叙事的基础上,一个现代民族国家孕育生成。

指出毛泽东的阶级分析的叙事性,并不是试图取消这种分析的客观性。事实上,现代人不可能不生活在叙事中。在这一点上,叙事又是客观的。毛泽东本人对这一点有着明确的意识,他从不认为阶级这些概念是在中国自然地、客观地生长出来的。在《中国革命和中国共产党》一文中,他明确指出了以阶级理论为主要内容的马克思主义的外来性、话语性:"马克思列宁主义思想在中国的广大的传播和接受,首先也是在知识分子和青年学生中。"㉖在《五四运动》一文中,他进而指出:"在中国的民主革命运动中,知识分子是首先觉悟的成分。辛亥革命和五四运动都明显地表现了这一点,而五四运动时期的知识分子则比辛亥革命时期的知识分子更广大和更觉悟。"㉗可见,毛泽东并没有反对主要从事话语活动的五四运动和五四知识分子,他只是觉得"知识分子如果不和工农民众相结合,则将一事无成"㉘。

也就是说,只有知识分子接受现代性是远远不够的。知识分子接受的还是西方的话语,而西方需要的是一个"中国"。如果知识分子完不成创造"中国"的任务,他们掌握的话语无任何意义。现代人只能生活在国家之中,以国家为主体进行创造。因此,摆在我们面前的首要任务是通过叙事去建立一个现代国家。

毛泽东的现代思想在30年代后期趋于成熟,与他这一时期大量阅读西方现代哲学著作尤其是马列著作有关。井冈山时期,他被王明等人指责为"狭隘经验论","'我因此,到延安就发愤读书'。他想方设法收集已译成中文的马列的书,不分昼夜,发愤攻读,特别是发愤学哲学。"㉙忻中在《毛主席读书生活纪实》中也有类似的记录:"在延安的艰苦岁月中,毛主席工作异常繁忙,但他还是争分夺秒地读书学习、阅读,批注了大量的马列著作和其他政治、经济、哲学、历史、文学、军事以及一些自然科学书刊。批阅较多的马列著作有《共产党宣言》、《资本论》、《列宁选集》、《列宁关于辩证法的笔记》、《哥达纲领批判》、《国家与革命》、《斯大林选集》等等。这些著作毛主席都反复研读,许多章节段落都作了批注和勾画。"㉚

这次大规模的阅读西方哲学产生了丰硕的成果。发表于1937年的《矛盾论》,标志着毛泽东已经完全掌握现代性的基本逻辑——"唯物辩证法的最根本的法则"——对立统一的法则。而且,毛泽东已能将这一原则运用到对中国革命道路的判断中。发表于40年代初的《新民主主义论》和《在延安文艺座谈会上的讲话》就是这种"唯物辩证法"在他的政治思想与文艺思想中的具体体现。

"我们要建立一个新中国",新民主主义的理论是一种"创造"理论,也就是一个建立一个现代民族国家和发展一个现代民族国家的理论。按毛泽东的表述,就是中国共产党变革中国社会、把半殖民地半封建的旧中国改造成为这样一个新国家的整个理论体系。

在《新民主主义论》中,毛泽东指出:

> 中国革命的历史进程,必须分为两步,其第一步是民主主义的革命,其第二步是社会主义的革命,这是完全不同的两个革命过程。而所谓民主主义,现在已不是旧范畴的民主主义,这不是旧民主主义,而是新范畴的民主主义,而是新民主主义。
>
> 很清楚的,中国现时社会的性质,既然是殖民地、半殖民地、半封建的性质,它就决定了中国革命必须分为两个步骤。第一步,改变这个殖民地、半殖民地、半封建的社会形态,使之变成一个独立的民主主义的社会,使革命向前发展,建立一个社会主义的社会。中国现时的革命,是在走第一步。㉛

非西方建立现代民族国家的任务必然采取这种以西方为他性的方法才能完成。因此,尽管新民主主义革命分为两个阶段,但反西方的这一主题却一贯始终。对此,毛泽东鲜明指出:"在世界资本主义战线已在地球的一角(这一角占全世界六分之一的土地)崩溃,而在其余的角上又已经充分显露出腐朽性的时代,在这些留存的资本主义部分非更加依赖殖民地半殖民地便不能生活的时代,在社会主义国家已经建立并宣布它愿意为了扶助一切殖民地半殖民地的解放运动而斗争的时代,在各个资本主义国家的无产阶级一天一天从社会帝国主义的社会民主党的影响下面解放出来并宣布他们赞助殖民地半殖民地解放运动的时代,在这种时代,任何殖民在半殖民地国家,如果发生了反对帝国主义,即反对国际资本主义,反对国际资本主义的革命,它就不再是属于旧的世界资产阶级民主革命的范畴,而属于新的范畴了,它就不再是旧的资产阶级和资本主义的世界革命的一部分,而是新的世界革命的一部分,即无产阶级社会主义世界革命的一部分了。这种革命的殖民地半殖民地,已经不能当作世界资本主义反革命战线的同盟军,而改变为世界社会主义战线的同盟军了。"㉜

显然,在这里,作为现代民族国家——"新中国"的共同本质,社会主义就是通过与"留存的"资本主义的对立中成长起来。在新民主主义革命的"第一步"与"第二步"之交,即共产党基本上在形式上完成了新国家的构造之时,这种突然加剧的自我认同感引起了对西方空前激烈的批判。它表现在毛泽东在1949年写作的《丢掉幻想,准备斗争》、《别了,司徒雷登》、《为什么要讨论白皮书》、《"友谊",还是侵略》、《唯心历史观的破产》等文章中,这些文章激烈地批判了国内一部分人对于西方,尤其是西方的代表美国的"幻想",毛泽东揭露了美国的本质,认为"最近三年来表面上是蒋介石实际上是美国进攻中国人民的战争,"并且指出:"所有这一切侵略战争,加上政治上,经济上,文化上的侵略和压迫,造成了中国人对于帝国主义的仇恨,使中国人想一想,这究竟是怎么一回事,迫使中国人的革命精神发扬起来,斗争团结起来。斗争,失败,再斗争,再失败,再斗争,积一百零九年的经验,积几百次大小斗争的经验,军事的和政治的、经济的和文化的、流血的和不流血的经验,方才获得今天这样的基本上的成功。"对此,毛泽东精辟地指出:"这就是精神条件,没有这个精神条件,革命是不能胜利的。"㉝

最后这一句话非常重要,没有西方,也就不会有现代中国,西方的存在变成了中国产生的"精神条件"。毛泽东的目标正如他自己所说:"多一些困难怕什么。封锁吧,封锁十年八年,中国的一切问题都解决了。"㉞

如果说《新民主主义论》展示了建立新中国的政治道路,那么,发表于1942年的毛泽东《在延安文艺座谈会上的讲话》则是指出建立新中国的相应的文化道路。它的反西方性质即是通过毛泽东着重论述的文艺的"工农兵方向"来体现的。在新文艺活动中,毛泽东特别强调了它的普及性,也就是文学艺术的非西方性、民族性、中国性,对那些"偏爱小资产阶级知识分子的乃至资产阶级的东西"的文艺家进行了激烈的批评,他指出:"什么是文艺工作中的普及和提高呢?这两种任务的关系是怎样的呢?普及的东西比较简单浅显,因此也比较容易为广大人民群众所迅速接受。高级的作品比较细致,因此也比较难于生产,并且往往比较难于在目前广大人民群众中迅速流传。现在工农兵面前的问题,是他们正在和敌人作残酷的流血斗争,而他们由于长时期的封建阶级和资产阶级的统治,不识字,无文化,所以他们迫切要求一个普遍的启蒙运动,迫切要求得到他们所急需和容易接受的文化知识和文艺作品,便于他们同心同德地去和敌人作斗争。对于他们,第一步的需要还不是'锦上添花',而是'雪中送炭'。所以在目前条件下,普及工作的任务更为迫切。轻视和忽视普及的态度是错误的。"㉟

毛泽东的这一论断常常成为那些否定毛泽东的现代性的评论家所一再引用,尤其在新时期我们再度打开通向西方的大门之后,《讲话》越来越变成了一个"传统"的文本,人们往往忽略了毛泽东是一个熟练地介绍了辩证法的浪漫主义者。事实上,《讲话》的基本意义是在以下这一段。

> 人类的社会生活虽是文学艺术的唯一源泉,虽是较之后者有不可比拟的生动丰富的内容,但是人民还是不满足于前者而寻求后者。这是为什么呢?因为虽然两者都是美,但是文艺作品中反映出来的生活却可以而且应该比普通的实际生活更高,更强烈,更有集中性,更典型,更理想,因此就更带普遍性。革命的文艺,应当根据实际生活创造出各种各样的人物来,帮助群众推动历史的前进。(着重号为引者加)㊱

这一段话既是"社会主义现实主义"的经典意义,也是"中国"的意义。"中国"就是"社会主义现实主义"的最大作品,要把"中国""写"出来,文学家(政治家)就必须站在一个比普通的实际生活"更高,更强烈,更有集中性,更典型,更理想,因此就更带普遍性"的位置上——也就是在超验的位置上"写作"。这个位置无疑是"历史"的位置。因为只有在"历史"中,只有在一个线性的过程中,才会有"更高"、"更理想"的位置,"更高"是相对于"较高"和"不高"存在的。而"历史"这个位置本身就是超验的,是西方从18世纪的启蒙运动之中运用浪漫手法和抒情创造出来的,无疑是现代性的产物。

将"社会主义现实主义"建立在"历史"上,本身就使"社会主义现实主义"具有了抒情的性质。也可以说,"社会主义现实主义"实际上是一种浪漫主义,抒情是它的本质。

正因为这个原因,毛泽东才以"提高"揭示出"普及"的真正意义：

> 普及工作和提高工作是不能截然分开的。不但一部分优秀的作品现在也有普及的可能,而且广大群众的文化水平也是在不断地提高着,普及工作若是永远停止在一个水平上,一月两月三月,一年两年三年,总是一样的货色,一样的"小放牛",一样的"人、手、口、刀、牛、羊",那末,教育者和被教育者岂不都是半斤八两?这种普及工作还有什么意义呢?……我们的提高,是在普及基础上的提高,我们普及,是在提高指导下的普及。㊲

在这种关系中,普及只是基础,提高是指导思想,普及是手段,提高是目的。普及是为提高而存在的。这种解释,实际上表明了"社会主义现实主义"在最终意义上的浪漫本质。

以反现代开始,以现代为终结;也就是说,以反现代为手段,以现代为目标,这就是二元对立这一现代逻辑形式展示的真实意义。

现代辩证法与古代辩证法是不同的,古代辩证法是一种循环,而现代辩证法表现的是"事物的发展过程",就是说矛盾在这种辩证关系中是不断提高的,它有自己的发展方向和目的,有开头就必然有结束,"就中国范围来说,革命和革命文化的发展不是平衡的,而是逐渐推广的。一处普及了,并且在普及的基础上提高了,别处还没有普及。因此一种由普及而提高的好经验可以应用于别处,使别处的普及工作和提高工作得到指导,少走许多弯路。"㊳

由此可见,毛泽东真正关注的是"提高",事实上,在一个非西方国家进行"社会主义革命"只能是一种"提高"。正因为他关注"提高"的意义,因此才分外注意"普及"——只有在"普及"的基础上才能"提高",只有先通过叙事建立起一个现代国家之后,才可能创造与抒情。它同时意味着浪漫主义只有在现实主义基础上才能出现。

然而,意识到这一点,并没有使问题得到真正解决,反而使问题更加复杂化了。因为,"现实"这个词是如何出现的呢?自然生活是如何变成"现实"的呢?它只能是浪漫主义,即抒情的结果。在这个意义上,我们只能承认,叙事本身就是一种抒情,因为我们根本无法将叙事和抒情真正分开——正如我们一再讨论的,"现实"这个词的用法意味着对一个主观抒情前提的默认。卢卡契早就将"现实主义"与像镜子一样反映生活的自然主义区别开来。

如我们一再说明的,现代的特征在于,当我们面对一种"主义"的时候,我们并不只是面对着这个主义本身,而是面对着这个"主义"与其他多种主义的复杂关系。

这也就是我们在具有深刻浪漫本质的"社会主义现实主义"中首先见到了一个持续近20年的漫长叙事阶段的原因。

注释:

① 杰姆逊《政治无意识作为社会符号行为的叙事》,纽约:康乃尔大学出版社,98—99页。
② 毛泽东《中国社会各阶级的分析》,《毛泽东选集》第一卷,1页。
③ 同上,9页。
④ 见〔美〕米约斯、哈罗塔尼编《后现代主义和日本》,美国杜克大学出版社1989年英文版,115—119页。
⑤⑥ 白培德语,见《文化与文学:世纪之交的凝望》,国际文化出版公司1993年版,108页、98页。
⑦⑧ 〔德〕黑格尔《法哲学原理》,商务印书馆1961年中译本,165页、253页。
⑨ 〔法〕卢梭《社会契约论》,商务印书馆1980年修订第二版,54页。
⑩ 〔美〕弗·韦克曼《毛泽东思想的哲学透视——历史与意志》,中央文献出版社1992年中译本,389页。
⑪ 《理论与历史:柏克莱"'东方主义'之后全球文化批评中的东亚"研究会述评》,《今天》杂志1992年第3期。
⑫ 〔俄〕巴赫金《说话类型与其他晚期论文》,得克萨斯大学1990年英译本,10—59页。
⑬⑭⑮ 〔美〕艾恺《世界范围内的反现代思潮——论文化守成主义》,贵州人民出版社1991年版。
⑯ 《毛泽东一九三六年同斯诺的谈话》,人民出版社1979年版,13页。
⑰⑱ 《校邠庐抗议》下卷70页,光绪丁酉岁聚丰坊校刊北京大学图书馆藏。
⑲⑳ 《盛世危言增订新编》(一),台湾学生书局,中华民国六十五年三月影印再版,26页、11页。
㉑ 《毛泽东的青少年时代和初期革命活动》,中国青年出版社1980年版,26页。
㉒ 《毛泽东给黎锦熙》(1917年8月23日)。

㉓《毛泽东的初期革命活动》,中国青年出版社 1957 年版,78 页。
㉔《毛泽东早期哲学思想探源》,中国社会科学出版社 1983 年版,11 页。
㉕《毛主席的青年时代是德智体全面发展的典范》,周士钊文,1977 年 10 月 11 日《光明日报》。
㉖㉗㉘《毛泽东选集》,人民出版社 1966 年横排本,第 2 卷 604 页、523 页。
㉙ 郭化若《毛主席抗战初期的哲学活动》,《中国哲学》第一辑,32—34 页。
㉚ 忻中《毛主席读书生活纪实》,《社会科学战线》1981 年第 4 期。
㉛㉜㉝㉞㉟㊱㊲㊳《毛泽东选集》,625 页、629 页、1373 页、302 页、818 页、818 页、819 页、819 页。

原载《抗争宿命之路》,时代文艺出版社,1993 年

张颐武

对"现代性"的追问

——90年代文学的一个趋向

一

  1993年2月8日,在中国美术馆门前的广场上,安放了一座巨型的雕塑,它是罗丹的《思想者》,这座在中国大陆曾被无穷复制而家喻户晓的作品突然真的呈现在我们的面前。在80年代,它几乎可以说是我们的文化寻求的象征,曾如此地激动了我们。今天它真的和我们对视着。这个沉默的灵魂离开了它的故乡巴黎,穿越了巨大的空间距离,奇迹般地走进了巨型的国际化的第三世界都市,它一定会感到震惊吧。这里有与欧洲完全不同的古老的文明,而它背后的中国美术馆是一座仿古的中国式的建筑,与《思想者》构成了一种无法和谐的、尖锐的对比。《思想者》无言地看着北京喧闹的街市,而我们也会在北京喧闹的大街上和它相对而立。高技术的奇迹消弭了时空的距离,但其实这个和周围的环境不太和谐的、突兀地立在街头的雕塑恰恰又在强化着它和我们之间的距离。对我来说,《思想者》曾是我青春时代最崇拜的艺术品。我还清楚地记得1980年的炎夏,我从当时流行的《罗丹艺术论》中看到《思想者》的照片时的激动。那种精神的焦虑与灵魂的搏斗,那种灵/肉分裂的痛苦如此强烈地冲击了我。它和我们在"新时期"所感受的激动不宁的时代氛围是如此一致。可以说,《思想者》在那时成了我们的文化话语的象征,它体现了"新时期"中国文学的精神。它在照片、复制品和绘画中呈现的巨大的形象、浑然一体的和谐都构筑了一种梦想中的辉煌,让我们对那似乎不可企及的原作心往神驰。

但现在,《思想者》真的矗立在北京的街头了,然而它在美术馆前的广场上并不具有强烈的震撼力。人们依在它旁边拍照,尽情地消费着它的形象。它似乎仅仅是一个奇观,一件新奇的东西而已。我在复制品面前遭遇过的激动,在原作面前竟然没有再次被体验。是《思想者》让人失望,还是我们本身发生了变化?《思想者》奇迹般地来到我们身边,但却并没有给我们奇迹般的启示,这本身就是一个极其明确的象征:我们和《思想者》都发生了变化,都不再可以重温旧梦了。《思想者》原作的到来恰恰给了我们一个机会,让我们在大师的作品面前向过去告别。我们的周围是卫星电视的节目、MTV、广告、电子游戏机和燕莎、赛特这样的巨型购物中心。我们不再是80年代的寻觅激情的人们,而是在第三世界话语中"后现代"的人们。我们经历了跨出"新时期",进入"后新时期"的巨大变化。于是,《思想者》不再提供激情和焦虑,而是一个后现代的空间奇迹。它的来临逼使我们去追问我们自己的过去。

有关我们处身其中的"后新时期",人们有过种种不同的讨论。但它标志着一个以商品化和大众传媒为主导的多元话语的形成则已成为一种较为普遍的共识①。这种多元话语具有明显的"后现代性"的特点,是"后现代性"在中国大陆的第三世界文化语境中的独特的展现。它既构成了一种本土化的消费文化的新形式,也构成了对80年代的"新时期"话语的超越。在文学写作中,传统意义上的高级文学进一步受到威胁,出现了王朔式的填平雅/俗文化鸿沟的、受到广泛关注的本文,而高级文学内部也出现了复杂的情况。首先,对"作者"创造力给予神圣地位的"实验小说"和"后新诗潮"等激进文学运动的消退,使"写作"的经典地位受到动摇。其次,"新写实"小说开始由对市民文化的批判走向了对它的皈依和顺从。这些新的倾向构成了对"新时期"话语的超越和逆反。而在这种对"新时期"话语的超越和逆反中,对"现代性"的追问业已成为"后新时期"文化的最重要的潮流之一。"现代性"在汉语文化中究竟居于何种位置?"现代性"赋予我们的激情和诗意是如何作用于我们的身体/语言的?我们如何跨出"现代性"的门槛?这些问题突然被置于90年代汉语文学发展的中心,被众多的本文所书写,它已成为我们必须正视的现象,成为我们探索"后新时期"文化特性的重要方面。这其实是对《思想者》的再思想。

二

何谓"现代性"？这是一个极其复杂,牵涉多种社会和人文学科的概念。作为一个学术研究的关键术语,它的运用具有极其复杂的理论和文化背景。②按法国理论家利奥塔的说法:"以'现代'一词来指称那些科学,那些把自己的合法性建立在一种特殊的元话语之上的科学。这一种元话语毫不隐讳地诉诸一些伟大的叙事,如精神辩证法、意义的解释、理性主体或劳动主体的解放、财富的创造。"③

利奥塔的说法将"现代性"归为一种整体性的话语。这种话语是以18世纪西方的启蒙话语为开端的。它包含着以"主体"为中心的一整套意识形态,它创造了"理性"的合法性的神话,它构筑了灵/肉的二元论的知识体系和文化立场。它提供了两大支撑现代文化的神话,一是人文独立解放的思考模式,二是对整个知识系统作纯思辨式的思考。"现代性"并不仅仅指向一种历史的分期概念,而且指向一种与传统对立的新文明。这种"现代性"的话语带来了"个人主体"和"民族国家"的观念。这些来自西方的话语自"五四"以来就已经深刻地影响了中国文化,它已成为中国人文话语的中心。同时,"现代性"也意味着新的时间的开始。④它标识着在传统/现代、旧/新、黑暗/光明等一系列的二元对立中的肯定性的方面。"现代性"不是文学中的"现代主义",而是现代西方文明的价值论与认识论的总体,而知识分子则始终处于话语的中心。

"五四"以来的中国文学中,"现代性"一直是一个被肯定的观念。它是20世纪中国文化的合法性的前提和基础。"现代性"贯穿了整个新文学发展的历程。"五四"时期的"救亡"/"启蒙"的双重思想正是现代性的"个人主体"/"民族国家"观念的表征。在1949年以来的中国当代文学中,十七年文学的经典本文如《创业史》、《红岩》、《青春之歌》、《放声歌唱》等,都是对现代"民族国家"形成的史诗式的展示,试图对独立的、有尊严的民族国家建立的奋斗历程的展现,赋予"国家"以神圣的主体性。而在新时期文学中,"现代性"则更多地呈现为对"个人主体"的探索,像刘心武的《钟鼓楼》、张炜的《古船》、宗璞的《我是谁》、张洁的《爱,是不能忘记的》都强调了"个人"在文化中的位置,强调了个性和个人幸福的中心地位。它们构成了一对鲜明的二元对立,但这种二元对立并不是旧/新之间的对立,而是现代性的不同侧面间的对立,是"现代性"的不同展示方式的对立,这其实是一枚金币的两面。"现代性"处于当代中国人文话语的中心,它从未受到过怀疑和反思,它象征着文化的进步和历史的发展。特别是对于"新时期"文化来说,"现代性"及主体的观念更是文化的中心。我们已经习惯于将汉语文化划定为传统/现代两个方面。而传统被认为是"愚昧"的,现代则是"文明"的。所以,当季红真用"文明与愚昧"的冲突概括80年代中国文学的基本主题时,才会引起广泛的认同。而陈思和的概括则更加直率,他把新文学的基本主题归纳为"现代文明的呼唤"。这些论点其实都明确指出了"新时期"文学在"五四"以来中国文学中的不可分割的延续性及其"现代性"的特征。"现代性"提供了终极的价值和梦想。

但是在90年代以来的"后新时期"文化中,对"现代性"的追问已成为一个主要的趋势。告别"现代性"的文化神话业已成为文学写作的重要潮流。刘心武的长篇小说《风过耳》中有一个带有象征性的情节,似乎喻示了这种深刻的文化转型。作品里有一个少年蒲如剑,他是一个精神充满焦虑的、尚有十分真诚的"现代性"信仰的少年。这个少年在周围文化语境的巨大变化的冲击下感到了深刻的失落,他也受到了新的商品化的消费话语的吸引,因而处于巨大的矛盾之中。在这个本文中,蒲如剑始终在画《青春的门槛》:一个少女在门槛之外召唤门内的小伙子,小伙子在犹疑着,准备跨出门槛。蒲如剑在不停地变化手法,尝试以写实、变形等各种手法刻画这个图景,试图将他的青春的焦虑凝聚在这幅画中,也试图以整体性的"伟大的叙事"的策略概括一个时代。但在小说结束时,蒲如剑最终发现自己的创作完全无法获得对时代的整体性的表现,他所获得的能指无力去捕捉所指,他发现了语言/世界间的分裂的关系,他发现了任何"现代性"表意方式面对的危机。这使他最终撕毁了这幅画,却也使他的精神焦虑得以平复。这个关于蒲如剑的故事最好地说明了在"后新时期"文化中"现代性"所面对的表征危机。

"后新时期"文化正是从这个角度去追问"现代性"本身的,它与"新时期"文化形成了完全不同的认识态度和文化立场。应该说,这种对"现代性"的追问并不开始于 90 年代。在 80 年代后期的"实验小说"和"后新诗潮"等文学潮流中,业已包含了对"现代性"的反思。在余华、洪峰、格非、马原等作家的本文中都对"主体"的幻想和神话作了解构式的表述,他们打破了叙事的整体性,消除了对能指的似真性的幻觉,并由此而消除了对"历史"和"真实"的单纯的信仰,这无疑已经跨向了"后现代性"的写作。但在他们的本文中,对"作者"的创造力和主体的信念却仍未打破,"作者"仍是一切创新的"始源","作者"是本文的前卫性的保证。他们对本文的神话的破坏却被对作者的创造力和想象力的神话所取代。"作者"是有能力的"主体",他创造了本文的能指的游戏,他编织了故事的迷宫,他打破了有关"小说"、"诗歌"的众多禁忌。这样,"实验小说"和"后新诗潮"实际上走向了"现代性"的最后的终结点上。他们以"现代性"去编码一种反思"现代性"的本文,因此,他们还是在"现代性"的内部反思"现代性",尚未进入"后现代性"。他们还保持着"现代性"的知识态度和价值观念,但他们的写作无疑提供了新的可能性。像马原的名作《西海无帆船》,以极其复杂的叙述游戏对"作者"的创造力做了惊人的展示。其中第 23 节竟加入了小说的人物之一姚亮的一段声明,抗议作者马原对他的肆意虚构和编造。这段对"作者"的戏耍当然是由作者书写的,这是作者的"主体"创造力的极端的展示。在小说的第 24 节中,更有作者本人的直接表述:"姚亮说什么没有关系,这出戏他说了不算——这一点他总该明白。""虚构是我的天分。事实如此,这一点没法谦虚(好像也用不着谦虚),是吗?"这里,人物的"主体"幻觉被彻底击碎了,而作者对能指的控制力却已被发挥到极致。在解构人物神话时,却使"作者"的神话般的力量推到了核心的部位,它将原本通过精心编码、刻意隐抑的"作者"加以呈露、展示。而余华、格非的诡异的、独特的故事也充分地表现着"作者"的原创力的神话。我们可以把这种立场与刘恒最新的长篇小说《苍河白日梦》稍加对照。

《苍河白日梦》是一部以"×月×日录"的日记形式书写的本文,它的第一部标明"1992 年 3 月",第二部标明"1992 年 3 月至 4 月"。但这些 1992 年 3 月至 4 月记下的故事,却是一个百岁老人讲述的自己过去的经历,而且也仅仅是讲述他早年的一个片断的经历。这个百岁老人的故事是对中国"现代性"的百年沧桑史的寓言。但"作者"在小说中仅仅是一个无言的倾听者,他的位置似乎难以确定,他既无法判断故事本身,也无力与这个名叫"耳朵"的百岁老人的讲述对话、争辩、质疑。而是仅仅在小说前的"题记"中透出他的犹疑与不确定的位置,这使得作者和故事都变得无法确定了。"老人家,我拿它怎么办呢?"的题记里包含着对"故事"和百岁老人的讲述的怀疑,也有对作者身份的怀疑。这种怀疑构成了对任何主体话语的追问。在王安忆的最新长篇小说《纪实与虚构》中,这种情况也同样出现了。这个小说有两条线索,一是对自己家族的隐秘历史的探究,一是对自己以往的经历的探究。但这里的叙事者"我"既不强调自己的虚构和编码的能力,也不强调故事的真实性,而是使两者处于含混不清的状态:

> 最后我认定,干脆将我创造这纸上世界的方法,也就是所谓"创世"的方法公诸于众,那就是"纪实与虚构"——创造世界方法之一种。有了名字,一个降生才变成真实的存在。现在,谁也无法取消或否认它了。

在这里,纪实/虚构的固有的二元对立被彻底解构了,"作者"的创造力的神话也被彻底解构了。这个带有"自传"色彩的故事变成了一种"反自传"的写作,"作者"和"本文"都不再具有神圣性了,寻找全知的作者或本文的整体性的尝试已被取代,"现代性"已从根本上受到了质疑和追问。刘恒、王安忆的最新本文最终将"作者"主体的解构,标识了新的认识态度和文化观念,也标识了对语言和文化的新的表述。在王朔的《一点正经没有》等本文中也正存在着这样的表述,"作者"已丧失了最后一点尊严和体面,变成了几个消费文化的痞子和混混可以自由使用的代码。福柯在他的《何谓作者》一文的最后冷峻地发问:"谁在说话有什么关系"在这里似已成为第三世界文化后现代性的表征。这种"作者"神话的死亡也体现在"海马"群体的写作之中,他们匿名地成批制作可供消费的小说、肥皂剧等文化产品,"作者"在这里仅仅是一个代码,一个有法律效用的文化运作功能而已。这种"作者之死"的趋向,正是整体性破裂和元话语溃解的征兆。

　　与"作者"神话的消失同时出现的,是对"启蒙"话语本身的重新反思和追问。这里的追问来自两个方面,一是对这一话语的书写者和传播者的知识分子的重新思考,二是对启蒙话语在当代中国的价值和位置的重新思考。这两个方面相互纠结,构成了重新追问"现代性"的新的潮流。

　　王安忆的《叔叔的故事》即是一篇对知识分子的角色和文化使命的重新追问的本文。在这篇作者自称包含着"对一个时代的总结与检讨的企图"⑤的本文中,王安忆层层剥开了一个神话般的知识分子的偶像。"叔叔"从事写作,试图对文化和历史进行"伟大的叙事"。王安忆巧妙地将"叔叔"为之受难的故事的三个不同的叙事方式加以分析。这个"以一头小驴子的第一人称,描写农民走上合作化道路"的故事,曾被已成为知识分子的偶像般的英雄的叔叔三次"重述"过。这首先是一个真诚的歌颂却被误解和迫害的故事,然后变成了人类宿命感的象征,最后它变成了一个对当时政治进行反讽的启示录式的作品。在这样的重述中,"叔叔"在幻想中变成了圣者。王安忆尖刻地将启蒙的知识分子幻想加以击破。叔叔的"现实生活不再是真实的,而是为小说创造素材,艺术才是他全部的真实的生活。叔叔沉浸在他的小说世界里,观望着现实世界,好像上帝俯视着苍生"。叔叔沉溺在一个能指的世界中,失掉了对现实的把握,但那个德国女孩对他的拒绝和他的儿子大宝对他的愤怒却最终打破了叔叔神话般的自由的幻想,他是一个第三世界的无能为力的知识分子的表征,他试图改变世界,却无力改变自身。王安忆无情地破除了"五四"以来传统的对知识分子的表述,将"他"置于话语的网络之中,使其幻想的"代言者"的神圣角色被解构了。在刘恒的《苍河白日梦》中,"二少爷"曹光汉的经历更是一个知识分子的"寓言"。这个怀抱理想的人物要在苍河建起火柴厂,传播文明,最后又铤而走险,试图以激烈手段刺杀旧官僚,但他却在社会中和私生活中都遭到了彻底的失败。他的拯救与启蒙的宏愿最终都化做了无望的幽梦。而刘心武的《风过耳》中的蒲志庋,老实、认真、执着,却毫无生活能力,只好在紫禁城外的黄昏里无所事事地漫步。"知识分子"一向以反思者的面目出现,而在"后新时期"的文学中,其自身受到了追问。

在中国的现代性话语中,知识分子一向以一种双重性的角色出现。他首先是为民众说出真理的人,他掌握语言并成为没有表达权力与能力的群众的代言人,他受民众的委托来表达民众的意志。其次,他从民众身上获得启悟和力量,民众给他激情和灵感。他不一定处于社会地位的中心,却始终处于话语的中心。他是洞悉文化/历史/语言的人,他提供终极的价值和意识形态。但现在,这种全知全能的知识分子受到了深刻的批判性的质疑,在一个大众文化社会中,传统知识分子的角色已无法维持,来自"现代性"的启蒙话语受到了激烈的冲击。王朔的说法也许过于尖锐,但毕竟说出了一些道理:"我觉得咱中国的知识分子可能是现在最找不着自己位置的一群人。商品大潮兴起后危机感最强的就是他们,比任何社会阶层都失落。""现在在大众文化、通俗小说、流行歌曲的冲击下,文化上的优越感也荡然无存了。"⑥知识分子的被质疑也是"现代性"话语本身的被质疑。

与此同时,"现代性"所创造的拯救意识和启蒙意识本身也受到了追问。陆文夫的《享福》就寓言式地对"现代性"的焦虑做出了反应。这里一开始就出现了一个令人惊悚的场景,一群外国人在拍摄一个可怜的送煤老太太,老太太好像是苦难的象征。这时出现了一个拯救者刘一川,他发现老太太的儿子和儿媳都有很好的收入,他认为老太太的人格和尊严未被尊重而上告法庭。他遇到的对手是老太太的儿媳,一个在宾馆任职、在商品和消费文化中如鱼得水的褚桂芳。这里陆文夫用了反讽的语调,老太太倒被放在一边,变成了刘一川/褚桂芳之间的争夺。原来老太太并不缺少钱,也不是褚桂芳不养她,而是拉煤生涯是老太太生存的唯一意义。老太太最后在争夺中不拉煤了,却也很快就死去了。陆文夫给我们的是一个"现代性"的拯救话语的虚幻性的表述。池莉的《凝眸》和刘震云的《故乡天下黄花》也都从历史的风云变幻中,质疑了拯救的话语。他们都把普通人的日常生活本身视为一种真实的价值,以此质疑现代性话语所带来的震撼和惊悚。

在这样的质疑中,也包含着第三世界文化对自身文明的焦虑和对西方文化与价值的失望和困惑。这种将我们的文化置于一个全球性的后殖民语境之中的思考,是对"冷战后"新世界格局中第三世界的价值和意义的再思考。当代作家意识到世界的变化并未带来超越历史的"福山"式的福音,而是第一世界/第三世界间的深刻的分裂。在陈丹燕的《吧女琳达》中,她写了一个大学生/吧女双重身份的少女在上海这个第三世界的巨型都市中的经历。洋人约翰的贵族/烂水手的双重表现击碎了这个沉溺于金钱的中国少女的最后的幻想。在这里,梦是多余的,有的只是赤裸裸的金钱交易,它穿透了西方价值的神话的本质,西方式的"现代性"的梦想没有带来拯救。在《风过耳》中那像纽约或东京一样灿烂的北京都市景色中,还有无情地击碎那"环球大同"之梦的"穿梭如鲫"的自行车,它们将一个民族的第三世界处境清楚地显示了出来。对"现代性"的追问也包含对世界性的文化分裂、对立关系的追问。正是在这种追问中,中国的作家才如此急切地追寻母语和传统的认同⑦。

我们讨论了作者神话的溃解、对知识分子的反思、对拯救意识的批判和对西方文化与价值的失望,这些都是 20 世纪最后岁月中汉语文化对"现代性"的反思。这种反思和追问体现了 90 年代文化的特点,也显示了"后新时期"文化与"五四"以来的文学发展不同的趋向。

三

在这种对"现代性"的追问中,表现了知识分子开始怀疑和探究自身,以及对超验的价值和终极目标的困惑,这是"后现代性"在第三世界文化中的独特展现。它既是文化商品化的结果,又是对"冷战后"新世界格局的一种文化反应,它象征着一种世俗日常生活意识形态的崛起,一种与消费文化相适应的新话语的崛起。最近李银河在几篇文章中对这种新价值作了直接的表述,她将"现代性"话语归结为一种意识形态和乌托邦,然后直截了当地宣称:"我们已落后于人几十年。到了我们彻底抛弃这些过于热衷意识形态和乌托邦的激情的时候了。我们也不需要任何新的意识形态和乌托邦,只需要一步一步走向我们的目标,争取人民的幸福生活。"⑧李银河提出了以个人幸福为目标的新价值。这是一种无主体的个体的观念,是那喀索斯(古希腊的自恋者)式的观念。在严肃文学对"现代性"话语的追问中,我们也可以看到这种以实际的生活目标为中心的话语的影响。这似乎是后新时期严肃文学/通俗文化间的价值鸿沟的填平。这使得大众文化的产品如梁凤仪的"财经小说"、周励的《曼哈顿的中国女人》、流行的肥皂剧与严肃文学形成了互补和共谋的关系,它促使我们不得不重新思考。因此,在第三世界文化中对"现代性"的追问,既应和着利奥塔式的激进风貌,也更认同于罗蒂式的"后哲学"的新实用主义观念,形成了复杂的辩证关系。这种对"现代性"的追问,无疑构成了90年代汉语文化的独特景观。

对《思想者》的思考会把我们带向何方?

注释:

① 可参阅拙作《后新时期文学:宁静与喧哗》,《人文杂志》1993年第2期。
② 有关这一概念运用的情况可参阅《国外发展理论研究》第1—44页,人民出版社1992年版。
③ 《后现代状况》第XXIII页。
④ 有关这一点可参阅《比较文学讲演录》,陕西师范大学出版社1987年版,第44—48页。
⑤ 《文艺争鸣》1992年第5期,第63页。
⑥ 《文艺争鸣》1993年第1期,第65页。
⑦ 有关此点可参阅拙作《论"后乌托邦"话语》,《文艺争鸣》1993年第2期。
⑧ 《读书》1992年第9期,第102页。

原载《天津社会科学》1993年第4期

王泽龙

中国现代文学的历史分期与现代性特征

我们所要讨论的中国现代文学,包括了从"五四"文学革命开始,到 80 年代末期的文学,即我们习惯意义上称作的中国现代文学与中国当代文学两个时期的文学。近几年来,将中国现代、当代文学合一纳入到"20 世纪中国文学史"的文学史概念已得到较普遍的认可,并已有多种 20 世纪文学史问世。我们也认为从时间范畴上给近百年文学史命名是比较科学的。我们的文学史仍然采用现代文学之名,主要是表明我们主要描述的文学史对象是 20 世纪文学中的一个阶段,20 世纪初期的文学我们仍视为现代文学发生的源头与背景,"五四"之后的文学与它有着质的区别。而文学史下限我们只讨论到 80 年代末期,是因为 90 年代以来的文学思潮相距太近,进入文学史需要一个沉淀的时期。将现代、当代文学合一,也是根据教育部新颁布的中文系教学大纲的需要,而这两个时期文学的连续性意义已为学术界所公认。

关于中国现代文学的历史分期

首先,我们需要辨识近代文学与现代文学的关系。中国文学由古代向现代的转变不是在"五四"新文学运动中突然实现的,它经历了从鸦片战争以来,尤其是 20 世纪之初十多年的社会变革与文学变革的酝酿与准备。梁启超在 1923 年撰述的《五十年中国进化概论》中,用进化论观点,把近代社会的历史描述为社会实践重心频繁转移的过程,这就是经历了一个由"器物"变革,"制度"变革到"文化"变革的实践过程。他将"文化"变革纳入到了近代社会变革的整体框架之中,但是他没有看到"五四""文化"变革的全新意义。胡适在《五十年来中国之文学》(1922年)中,将晚清的语文革新运动和诗界文界革命的实践,作为中国古代文学的终结与白话文学的资源准备。一方面我们必须肯定近代文学作为"五四"新文学的先导性与过渡性的意义,另一方面,我们必须看到"五四"文学运动所带来的中国文学观念的新的质变。这种新旧的质变既体现在对封建文学思想体系的全面批判中,也体现在对传统文学形式规范的否定中。

中国现代文学的历史阶段的划分一直与社会的政治变革历史联系在一起。有不少文学史家或学者希望从文学自身演变的规律中来划分文学的历史,这无疑是有道理的。但是中国近百年的文学一直处在政治风云际会的社会剧变之中,它的变化无不与中国社会的变动休戚相关。20世纪的中国社会是中国历史上不多见的,一直处于社会大变动的一段特殊的历史时期,它几乎没有给作为精神生产形态的文学提供相对余裕充足的条件,使其从纯文学的意义上来自觉自足地发展,这就决定了近百年文学历史的分期整体上难以游离于社会的历史变动的特征之外。

从1917年"五四"文学革命开始到1927年这十年是现代文学的发生期。这个时期的文学特征突出表现为在对传统文学的批判性变革中,中国文学的现代性特征初步确立:以体现人性的自觉、个性的解放为核心的启蒙主义文学思潮表现了科学民主的现代理性精神,鲜明地显示了与封建专制文化思想体系的分野。白话文对文言文正宗地位的取代所带来的文学语体形式的根本变革,各种新型文学样式的出现及其文学实绩的初步显示,有力地宣告了中国现代文学的地位的确立。在面向世界的广博采纳中,全面开通了中国文学与外来文学交流融汇的渠道,中国文学开始获得了现代视野。

1928年至1949年是现代文学的发展期。这一阶段的文学特征,首先体现为多元化文学思潮的整体发展状态,并且围绕着社会变化与政治斗争,形成了不同文学思潮的对立竞争与不同区域文学面貌相对自成格局的文学局面。这20余年的文学格局主要由三方面的文学潮流构成:一是从20年代末期开始出现的普罗文学思潮,经历了由左翼文学到40年代的工农兵文学思潮而形成的革命文学思潮；二是代表国民党政府行为，体现国家权力意志的官方文学思潮，包括从 30 年代的民族主义文学到 40 年代的"战国策"派倡导的文学思潮，以及 30 年代后期与 40 年代的部分国统区其他官方文学；三是无党派的知识分子作家构成的民主主义文学思潮和自由主义文学思潮；从后期新月派文学到 30 年代现代派创作，从 30 年代京派文学到 40 年代海派都市传奇，还有三四十年代巴金、老舍、曹禺、钱钟书等人的创作，大都属于这一文学思潮范畴，而从区域范围来看，这一文学思潮主要由沦陷区与国统区的文学创作构成。其次，三四十年代的文学形成了多元化的文学价值观念，从文学的主题到文学的形式建构与审美风格的追求呈现为多元化的倾向，这也是现代文学逐渐发展成熟的一个标志。再次，长篇叙事文学的丰收与成熟是这个阶段的突出成就。一批文学大家的创作走向成熟，文学新人成批涌现，构成了这一时期文学繁荣兴旺的发展局面。抗日战争的爆发并没有阻碍现代文学的多元化发展。抗战文学的主题在 30 年代初期东北沦陷区文学以及东北文人的流亡文学中就开始奏响，包括茅盾 30 年代上半期的一系列社会分析小说，艾青 30 年代的部分诗歌等，皆表现了殖民主义文化统治下的社会悲剧。抗战后文学主题相对集中，但是文学思潮的演进并不是在某个区域内单一演进的，像钱钟书、张爱玲等人的小说，冯至、九叶派诗人的现代主义诗歌，国统区与沦陷区的都市通俗文学，以及大批散文、杂文作家的创作，皆体现了文学的多元化的发展。这也是我们将现代文学三四十年代作为一个整体阶段来描述的主要原因之一。

我们把 1950 年至 1978 年近 30 年的文学作为现代文学发展的第三阶段，即现代文学的曲折变化时期。这一时期的文学主要继承了上一时期革命文学思潮的传统，是现代文学思潮的一元化文学时代 。从第一次文代会对解放区文学方向的提倡，到第二次文代会明确提出"社会主义现实主义"口号，第三次文代会将革命现实主义与革命浪漫主义相结合作为"最好的创作方法"，这一时期对现实主义的一贯倡导与实践，都更加突出体现了意识形态化的政治性影响。如果说建国初期十七年的文学较多体现了现实主义文学思潮的积极影响的话，那么，"文革"十年便呈现为"左"倾思潮对现实主义文学生命力的严重侵蚀。70 年代末期文学的拨乱反正,仍带有过渡性的特征。

70年代末期的思想解放运动带来了80年代文学的复兴,这一阶段的文学突出表现为文学重新步入了多元化的文学历史的发展轨道。现实主义文学经历了文学本质意义上的复归、深化与发展过程。一度中断了的现代主义文学思潮以其文学变革与文学复兴的先锋姿态出现在80年代的文学思潮中。从意识流小说、荒诞小说、新笔记小说、新历史小说到朦胧派诗歌、新生代诗歌,再到探索性、实验性戏剧等,在80年代文学中都结出了丰硕的果实。这一时期文学的另一特征,是大众化文学思潮与文学的商品化趋势在80年代后半期开始影响文坛,处于文学中心的"纯文学"或"精英文学"位置受到动摇,文学的边缘化趋势已初现端倪。

关于现代文学的现代性历史特征

在对现代文学性质的描述中,较长时期,大都借用了毛泽东在《新民主主义论》中对中国新民主主义文化性质的经典阐释,即"所谓新民主主义的文化,就是人民大众反帝反封建的文化",因而中国现代文学的性质就是人民大众的反帝反封建的文学。若从文学的时代精神与文学反映历史的本质特征来看,这一论述是完全符合中国现代文学前三十年的历史面貌的。我们把现代文学从时间范畴上延至80年代末期,也就无法再用新民主主义时期的文学性质来概括社会主义时期的文学了。再则,作为文学性质的界定,既要有对文学与社会历史关系的规律性特征的认识,又应该体现文学审美地作用于社会历史特征的描述,以及文学自身嬗变规律的总结。近些年来,有学者试图从现代化的意义上来概括总结现代文学的特征,又由于人们对现代化内涵理解的分歧,也没有达成统一认可的价值判断标准。而且,中国社会与中国文学的现代化仍处在初期探索性时期,要定义现代文学的性质,也是困难的。鉴于此,我们仅对中国现代文学在历史嬗变中所呈现出来的某些现代性特征作一些概括性总结与阐释。

鲜明的政治意识与历史使命感是中国现代文学最为显著的特征之一。

20世纪的中国历史是在经历了深重的忧患与灾难的沧桑岁

月中,逐步走向兴盛的民族自立自强的历史。中国现代文学始终是与民族的生存发展紧密相关的。可以说,中国现代文学就是一部近百年来中国社会大动荡、大变革、大阵痛的产物。1900年八国联军攻占北京,中国进入20世纪的历史的第一页,就是民族的屈辱史与愤怒史。中国社会日益殖民地化的现实与民族危机,迫使中国现代知识分子开始重视思考探索救亡图存,振兴民族的道路。"五四"时期的启蒙主义文学思潮体现的就是一批先觉的精神界战士对历史责任的自觉而庄严的承担。他们扮演着思想启蒙与文学启蒙的双重角色。在双重角色中,他们首先充任的是思想启蒙的精神界战士的角色。他们深知,只有有了人的觉醒,"沙聚之邦"才可成为"人国",只有先"立人",才能后"立国"。他们大都是为了思想启蒙而走上文学启蒙道路的。"五四"时期的启蒙主义文学思潮是与民族兴衰的忧患联系在一起的,文学的变革与社会的变革休戚相关。新文学从一开始,就奠定了文学要自觉承担民族忧患的历史使命的传统,这是由中国社会的历史境遇与现代知识分子的生存境遇所决定的。

"五四"后的中国社会并没有因为新文化运动与新文学运动从黑暗走向光明。而后的三十年,随着阶级矛盾、民族矛盾的日益尖锐,中国社会一直处于动荡不安、危机重重的艰难岁月中。"五四"后,中国现代文学经历了阵营的分化,整体上逐步强化了文学的政治倾向性与功利主义色彩。20年代最有影响的是文学研究会与创造社作家群的创作,前者标举的是真实地观照现实,表现人生,改造人生的文学价值取向;而后者虽然标榜的是为艺术的文学,但是他们的创作又是最具时代精神的产物。30年代影响文坛的是左翼文学思潮与以现代派为代表的现代主义文学思潮。新兴的左翼文学公开主张文学为无产阶级斗争服务,突出强调文学的阶级性倾向,而现代派文学在所谓"纯艺术"的追求中,低吟的依然是与民族前途、个人前途相关的心灵苦闷,含蓄地表现的仍是梦醒了无路可走的精神迷惘。抗日战争中的文学呈现出悲壮的战斗气息。国统区、沦陷区与抗日民主根据地的文学汇合成反帝爱国的主潮,"抗日御侮","抗日救国"成了全国民众的头等政治。这一时期的文学主潮演绎着苦难受辱,反抗斗争,光明与黑暗交战的共同主题。40年代共产党领导下的解放区文学汇聚成工农兵文学的潮流,坚持文学为政治服务的方向,文学的政治化倾向得到了政策性的强化。国统区40年代的文学较多历史题材的创作与讽刺文学,作家的政治倾向性在一种隐晦的叙事中表现出来。

　　解放后,第一次文代会突出地强调了解放区的革命文学传统,把文学看作是"无产阶级整个革命事业的一部分",将为工农兵服务的方向作为"新中国的文艺方向"。1953年召开的第二次文代会规定了文学艺术的基本任务,要以文学艺术的方法来促进人民生活中的社会主义因素的发展,反对一切阻碍历史前进的力量,帮助社会主义基础的逐步完成。1954年对《红楼梦》研究的批判,1955年对胡风文艺思想的批判运动,大大地强化了文学服从无产阶级的政治意识。这一时期,广大作家自觉遵从共产党的文艺政策,在文学与政治的关系中,努力追求文学与政治的艺术融合,加上长期的斗争生活的积累与一代知识分子从黑暗走向光明的心灵变迁,50年代后期,作家们为新中国贡献了一批较优秀的艺术成果,像《红旗谱》、《红日》、《红岩》、《创业史》、《林海雪原》、《山乡巨变》、《青春之歌》等长篇小说,《放声歌唱》、《回延安》等诗歌,以及《茶馆》、《蔡文姬》、《关汉卿》等剧作。无疑,这一批作品,是与共产党在50年代的文艺政策与文艺方向一致的,也是作家在服务于现实的政治中,较好地融入了自己对生活的艺术感受的产物,是政治思想性与艺术的创造性较好地结合的成果。文化大革命的十年是文艺横遭反动政治摧残的时期,自然是文艺的凋零时期。

　　进入新时期后,第四次文代会提出了文艺为人民服务,为社会主义服务的方针,这比文艺为政治服务的内涵要深广得多,宽松得多。由于拨乱反正,思想解放的社会政治思潮的过渡性特征的影响,80年代的文学仍体现着较鲜明的政治色彩与政治倾向,从侧重政治控诉的"伤痕文学"到侧重政治批判的"反思文学",从着眼政治经济体制变革的"改革文学"到把艺术触角伸向古老文化传统的"寻根小说",都在为民族的复兴尽着文学赤子的舐犊之情。在疗治岁月的创伤与心灵的创作中,新时期80年代的文学再次承担了文学的思想启蒙的历史责任,并且整体上呈现为文学与政治的艺术融合,作家心灵的体验与时代精神的共鸣,再不是政治对文学的干预,也较少文学对政治的理性图解。

　　鲜明的政治意识与历史使命感赋予了中国现代文学史诗性的

品格,在对封建专制制度与文化思想体系的批判与否定中,建构起了以现代科学民主意识为核心,争取个性发展与民族发展为基本内容的现代性文学思想体系。但是,政治意识与历史使命感的功利性倾向不同程度地制约了中国现代文学的审美变革与艺术创新。在文学与政治的艺术融合,作家心灵的审美体验与时代的精神产生共鸣时,文学的政治意识与历史使命感则构成了中国现代文学的现代品格与宏大气象;当政治硬性干预文学,文学理性地图解政治,被动地服从政治时,中国现代文学史上也就产生了一批文学赝品或教条主义的文学读本。中国近百年文学与政治关系的复杂性,留给了我们丰富的启示。

现代文学史是一部逐步走向人民大众的文学演变史,大众化是现代文学一个重要特征。

1917年文学革命发难时,陈独秀提出的响亮口号就是要建设"平民文学",推倒"贵族文学",用"明了的通俗的社会文学"代替"迂晦艰涩的山林文学",其实质就是要根本改变旧文学,把文学从少数人手中解放出来。以白话文代替文言文的"五四"文学变革主要包含了两个方面的内容:一是开通民智,启蒙大众;二是推倒旧文学,建设新文学。在近代维新改良运动中,就有了一批先进的知识分子开始向文言文发难。戊戌变法的领袖之一,近代白话文运动的前驱裘廷梁在《论白话为维新之本》中道:"愚天下之具,莫文言若;智天下之具,莫白话若。吾中国而不欲智天下斯矣,苟欲智之,而犹以文言树天下之的。"维新派把改革文言,采用白话作为开通民智的重要手段。作为"五四"文学革命发难宣言的胡适的《文学改良刍议》,并不满足于用白话文作为改良社会的工具,而是要"用白话来做文学的工具",以白话文为正宗,直接建设白话文学。他的"八不主义"是从文学的本质意义上变革文学的纲领。

在"五四"文学革命中提出的"平民文学"口号,在30年代开展的大众化文艺运动,以及抗战时期的关于文艺的"民族形式"问题的讨论,40年代以来的工农兵文艺思潮等,它们不仅仅是从文学的语言及其他形式方面来展开的大众化讨论与实践,而是一个包括了文学与大众生活,文学与大众的情感、趣味,文学创作主体与大众的角色位置等丰富而复杂的具有文学思潮意义的重大问题。正是从上述关系中,鲜明地反映出现代文学与中国古代文学具有本质性区别的现代性特征。概括来说,"五四"以来的文学从根本上改变了旧文学的价值观念。首先,将平民化的大众人生作为了各个时期最主要的描写对象,结束了"帝王将相,才子佳人"主宰文学的时代。现代文学整体上以对大众生活的贴近体现大众的意志,受到人民大众普遍关注,这是中国文学史上从没有过的。其二,新文学从一开始就融入了平民主义、人道主义、个性解放的现代思想,创作主体整体上的价值观念与情感态度是与广大民众为一体的,作家与大众的角色位置在变化调整中,基本呈现为平等关系。其三,现代文学主要采用的是人民大众日常生活中的现代口语,各种现代文学形式在不断改造中,为大众所理解接受。

近百年来,通俗文学的不间断性的发展也是现代文学大众化特征的体现。现代文学发生期文学的倡导者们对鸳鸯蝴蝶派小说、黑幕小说、武侠小说等消闲文学是持全面批判态度的。新文学一开始倡导的为人生的文学,反映现实的文学也正是在突破了统治文坛的封建主义载道文学与消闲文学之后获得现代性意义的。从 30 年代开始,言情小说和武侠小说等通俗文学受西方文学的影响,受时代变迁与同时代新小说的影响,也不同程度地获得了现代性新质,出现了一批较为受读者关注的通俗小说家和通俗文学作品。特别是进入 80 年代后,受商品经济大潮与港台文学影响,大陆文学中以小说为主要形式的通俗文学构成了文学的一大潮流,成为了文学史上不可忽视的一个重要文学现象。

现代文学是在现代化的追求中不断变革传统的新的民族化的文学。传统文学的现代化与外来文学的民族化,构成了现代文学的又一个重要特征。近百年的中国文学历史可以说是一个在外来文学的影响下,求新求变的重新解构的过程。中国现代文学是在借鉴西方文学的过程中获得不同于中国传统文学的某些本质性特征的。然而中国文化与中国文学根深蒂固的传统在西方文化与文学思潮的涌入中不可能无所作为地被淹没、被摧毁,中国现代文学之所以不是西方文学的拼盘移植,依然呈现出现在特有的中国化特征,也主要是固有的文学传统作用的结果。中国现代文学是对外来文学自觉选择,对外来文学加以中国化改造的产物,是中西方文化与中西方文学互动交融的结晶,是具有中国特色又具有现代性意义的民族的新文学。它既不是一种中西方文学简单地对立冲突的产物,也不是简单化地与传统文学彻底决裂的结果。

"五四"时期的文学思潮与"五四"新文化思潮一样,以激烈的批判方式甄别传统,反思传统,扬弃传统,从而得以在新文学建设中继承真正的优秀传统。对传统的偏激态度,是重建新文学的一种变革策略。唐弢的《在民族化的道路上》一文指出:"五四"新文学"并不像守旧派忧虑的那样,将中国古代文化冲洗净尽,丝毫不留","古典作家中一切有用材料,包括仍然保持生命力的文学语言和艺术表现方法,不仅受到尊重,而且作为民族的优秀遗产,被继承,被吸收,消化生发,融汇贯通,成为新的机体的一部分"。"五四"是一个思想文化全面转型的历史时期。"中国的新文化是在中国文化系统的开放过程中产生的新的文化,这种文化是在对中国固有文化传统的解构过程中建立起来的,没有这个解构过程,中国的文化无法成为开放的文化,旧文化无法成为新文化,但这种解构又绝对不是抛弃,不是砸烂,中国固有文化传统是通过与外来文化的对立、斗争、汇合、融合继续在中国新文化的系统中得到传承、再生和发展的。"①一个封闭、停滞的旧文化与旧文学系统是无法提供变革自身的思想武器的。因此,"五四"新文学不得不向西方借鉴,必须把中国文学纳入到开放的,动态的,与西方文学的发展相融的新文学系统中去。近代文学维新运动之所以没有实现对旧文学的取代,也正是由于将改良纳入了传统的躯壳,这就不能不被旧体式、旧风格所淹没。传统的母体中是不能脱胎出异质的新文学的。鲁迅对新的文学的建设构想是,"外之既不后于世界之思潮,内之仍弗失固有之血脉,取今复古,别立新宗"。②他主张在中西古今文化的贯通融合中创造新文化与新文学,这一构想为现代文学的历史所证实。

发生期的中国现代文学一开始就置身于世界文学的多元格局中全面开放,广纳百川,现实主义、自然主义、浪漫主义、现代主义,西欧文学、北欧文学、俄国文学、日本文学等纷纷涌入,形成了新文学蔚为壮观的崭新气象,全面实现了对旧文学的变革与取代。20年代对西方文学的大量引进并以之为参照来建构新文学,并没有形成对民族"固有之血脉"的舍弃。代表这个时期文学成就的鲁迅、郁达夫的小说,郭沫若、闻一多、徐志摩的诗歌,朱自清、周作人、冰心的散文等,都鲜明地映现着民族传统文化精神与传统文学审美机制对他们创作的影响与制约。新文学从一开始,就体现了现代性与民族性融合的特征。

进入三四十年代的文学选择,在面向世界文学的总体格局中,较突出地取向于苏联无产阶级文学与欧洲的现实主义文学,这一倾向的形成受到了国内外政治格局与社会关系变化的直接影响。从30年代的左翼文学思潮到40年代的工农兵文学思潮,在面向世界革命文学思潮时,更加突出了与中国革命的具体实践的结合,"使之在其每一表现中带着必须有的中国的特性"③。这一时期革命文学思潮在中西文学关系的认识上,存在着某些较片面的倾向,对传统的东西继承的多,改造的少,对西方文学的选择也较多受到了现实主义文学一元化观念的限制。

在三四十年代,西方现代主义的文学思潮也一直影响着中国现代文坛。这一股外来文学思潮的影响,侧重在对中国传统文学的现代性改造方面。现代主义的文学思潮希望尽快完成中国现代文学与西方现代文学的接轨,然而,这一股西方思潮的影响实质上也没能完全脱离中国传统文学的制约,像30年代现代派诗人戴望舒、何其芳,主要接受的是法国象征主义诗歌的影响,但是从他们诗歌的表现情绪到意象的群体构成以及审美风格,都明显地打上了传统文化的烙印,显示了中国古典诗歌传统的潜在的深厚的影响。这一阶段,还有一批作家自觉地接纳多种西方文学思潮的影响,在古今中外文学的融汇中探索民族的新文学,像曹禺、李健吾的戏剧,艾青、冯至的诗歌,钱钟书、张爱玲的小说等,可以说都不同程度地体现了多元化文学选择的价值取向,是对新的民族文学形式建构的较成功的探索。

新中国建立后的50年代至70年代的文学,强化了三四十年代的革命文学传统。文学实践中,中西文化价值观念的对立倾向日益严重,除苏联的社会主义现实主义文学外,对西方文学思潮基本上采取的是回避或排拒的态度。至"文革"十年,将大量的古代文学的艺术精华作为封建主义文化予以了否定,新文学的民族化逐步走上了一条脱离现代化改造的道路。到80年代,文学又重新回归多元化,现代文学重新站到了面向世界,面向现代化的基础上。中国古代文学的优秀传统与西方现代文学的艺术经验得到了同样重视,"五四"以来的现代文学自身的优秀传统得到了弘扬。

至80年代中后期,现代文学呈现出新的繁荣景象。

中国现代文学的现代化与民族化探索经历了曲折的历史过程,但是总体上在综合中外古今文学的基础上,实现了对中国文学的现代性改造。它既不失"固有之血脉",又"别立新宗",把中国文学纳入到了与世界文学大体同步的潮流中。中国现代文学是在现代化的探索与建设中逐步走向成熟的新的民族的文学。

注释:

① 王富仁《走向独立过程中的中国文化》,《王富仁学术随笔自选集》,福建教育出版社2000年版。
② 鲁迅《坟·文化偏至论》,《鲁迅全集》第一卷,人民文学出版社1981年版,第56页。
③ 毛泽东《中国共产党在民族战争中的地位》,《毛泽东选集》第二卷,人民出版社1991年版,第534页。

原载人大复印资料《中国现代、当代文学研究》2001年第2期

伍方斐

现代性:跨世纪中国文学展望的一个文化视角

对跨世纪中国文学的展望,是以世纪末以至整个20世纪中国文学的文化语境为背景展开的。把握这一文化语境对新世纪文学的潜在意义及其可能的规定性,尤其是以影响世界现代进程至深的"现代性"概念为参照,在分析近代以来中国社会与文化的总体的"现代性"特征及其缺失的基础上,探究20世纪特别是当前中国文学的文化意蕴和艺术与审美趋向,无疑对跨世纪文学发展具有一定的认知价值。

一 "现代性"概念和20世纪中国社会与文化的"现代性"特征

"现代性"一词在中国的首先使用,据学者考证,源自周作人发表于1918年1月《新青年》9卷1期的文章。但对"现代性"概念本身的真正系统的思考,在中国思想界则迟至80年代末才开始。[①] "现代性"(Modernity)这一概念,在它的诞生地西方起源甚早,它与现代、现代化、现代主义等流行词汇有明显的词源学和语义学联系。[②] 尤其在本世纪下半叶"现代"与"后现代"之间激烈的文化论争发生之后,"现代性"作为一种文化标尺,更成为西方学术界的核心术语和概念之一。

在西方理论界,"现代性"通常被认为包括两层含义,即所谓"现代性的两重性":一是"社会现代性",又称"世俗现代性"或"资产阶级现代性",它表现为和社会的现代化与工业化进程相关的占主流地位的价值观念和社会规范,如启蒙主义、工具理性与科技万能观念等等；二是"审美现代性"或"美学现代性"，它以主体性和个体性为内核，对工业主义和资产阶级市侩主义及其观念进行批判，文学上的现代主义是这种富于批判性的美学精神的集中体现。③在西方，"审美现代性"以其对现代化和"社会现代性"的疏离构成与后者的分裂，从而本质上具有反现代的一面。这是"现代性"自身发展中意义深刻的悖论。

20世纪以至近代以来的中国社会与文化，尽管在现代化进程中历尽曲折，但其对"现代性"与社会现代化的追求始终是一条主线，只不过表现形式与文化特征在各阶段有所侧重。近代至清末，以洋务运动和维新运动为代表，"现代性"的表达通过中西、新旧之争确立其在工具理性与科技主义等方面的"现代性"品格。严复对洋务派的"中体西用"观和在传统文化中寻找现代化的合法性的思路的否定④是这一阶段有关"现代性"的最高的思维成果。他创立了以差异性和异质性为基础的中西文化比较模式，把西方的现代化理解为一个具有普遍性和完美的内在逻辑结构的人类文明，从而以中与西、个别与一般的矛盾置换传统与现代的矛盾，指出现代化乃中国的必由之路。这与辜鸿铭把"中国人的精神"当作某种区别于"动物性"的"人类性"，⑤构成了有意味的对照。

由新文化运动发端的中国现代文化，在日益高涨的"救亡图存"的民族主义主旋律中，以启蒙、理性、主体性等观念为内核，大大丰富了"现代性"的具体的历史内涵和现代化的民族内涵。从"五四"前后的东西文化论战，到20年代科学与玄学论争，到30、40年代的大众化与民族化运动及民族解放运动，"现代性"从不乏冲突的多方面得到新的确认：陈独秀、鲁迅、胡适等倡导的民主与科学，陈序经文化激进主义的"全盘西化论"，国粹派、学衡派文化保守主义的"国故新知论"，张东荪文化自由主义的"多元文化论"，梁漱溟、张君劢等标举中国文化主体性的现代新儒学，毛泽东强调民族化的"新民主主义"……其趋势是由确立个人主体性的"启蒙"，逐渐转向确立民族主体性的"救亡"。⑥这是"现代性"在现代中国的逻辑主线。

沿着这一轨迹，随着主权国家的建立和强化，民族主义、工具理性和民粹主义（大众化）成为20世纪中期中国占主流地位的文化意识，成为"现代性"在当代极具中国特色的表现形式。到80年代初,"现代性"以对主体性的重新发现进入了人们的视野。此后,在改革开放与市场经济的背景下,科技理性和可持续发展观成为"现代性"与现代化运动的核心观念。进入 90 年代,经济现代化的稳健发展和各种文化热与文化论争的出现,使这一时期"现代性"的突出特征,不仅表现为对 20 世纪中国社会与文化发展的两大主题即科技主义与民族主义的概括,更表现为多元文化景观的渐露端倪。20 世纪中国"现代性"的发展进入其总结时期。

二 "现代性的两重性"与 20 世纪中国文学的文化母题

文学史界对"20 世纪中国文学"的整体观照和这一总体文学概念的提出,是在 80 年代中期,它对后来的"重写文学史"思潮和各种文化重估思潮有开风气之先的作用。当时倡导者的理论根据是"对 20 世纪整个中国文学的发展来说,许多根本的规定性是一致的"⑦。这种对中国近代、现代、当代文学一体性的把握,表面看来似乎是文学史界早已有之的"新文学整体观"思想的延伸,实际上有其"现代性"根源。它与同一时期的另一本风行一时的著作《走向世界文学》意味相似。该书编者强调现代中国文学与世界文学的一体性,认为"人类未来的一体化世界文学时代将是人在审美方式上的个体化时代,将是文学在世界结构上的一体化时代"⑧。由此看来,"20 世纪中国文学"和"走向世界文学"这两个重要概念,都是以对一体化和文化普遍性的认同为前提的。此外,前一个概念暗示了"社会现代性"对 20 世纪中国文学的规定性;后一个概念更进而意识到"审美现代性"的个体性原则。它们既是对中国人百余年来追求"现代性"的总体历程的揭示,又体现了论者本身对"现代性"的相同信念。

"现代性的两重性",尤其是"审美现代性"在现代中国文化构成中的地位如何,是一个有争议的问题。李欧梵认为,在现代中国基本上找不到前述两种现代性的区别,因为现代中国的大部分诗人,"确实将艺术不仅看作目的本身,而且经常同时(或主要)将它看作一种将中国(中国文化,中国文学,中国诗歌)从黑暗的过去导致光明的未来的集体工程的一部分"。⑨尽管这一说法其结论有待商榷,但论者至少把握了一个重要方面,即现代中国文学或中国的现代主义文学,与20世纪中国的现代化进程具有一体化和同质性的一面。即是说,这一时期中国文学的本质,不在其"审美现代性",而是以对现代化主流话语即"社会现代性"的表述为中心内容,后者很大程度上规定了现代中国文学的文化母题以至形式抉择。

这种规定性对"审美现代性"的抑制及其对整个20世纪中国文学的正面和负面影响,情形自然要复杂得多。但有一点可以肯定,"现代性的两重性"不仅存在,而且二者之间的盘根错节的关联及其不可调和的矛盾,时至今日仍是不少文学与文化论争的重要渊源。本世纪中国文学的文化母题在几组构成悖论的"现代性"主题之间的剧烈摇摆和宿命般循环,就是这种两重性持续冲突的多样化表征。

启蒙主题与民粹主义主题 从梁启超强调小说与"群治"和"改良社会"的密切关联,到鲁迅试图以小说"改造国民性"的创作实践,以知识分子为主体的自上而下的启蒙("化大众"),成为本世纪上叶最突出的文学与文化主题。此后,随着文化语境的政治化和知识分子的边缘化,启蒙话语的"权威性"与"合法性"逐渐发生动摇,以解放区文艺和新中国文化为标志,"大众化"观念从形式(通俗性)到内容(民粹主义精神)渗透并主宰文坛,这一倾向在"文革"时期达到顶点。"文革"后的新时期文学首先以重返"五四"启蒙传统自我定位,80年代更是出现了声势颇巨的"新启蒙"运动,启蒙主题的回归一度成为文学界与思想界的盛事。抛开与鲁迅《狂人日记》美学上的不可比性不谈,刘心武的《班主任》发出的仍是"救救孩子"的呐喊,二者的相似之处在于他们对大众"童稚"状态的揭示,这和康德以使人摆脱不成熟状态界定"启蒙"的含义⑩是相通的。问题是与"五四"时期相比,对大众的状态和知识分子的心态已有不同理解。于是80年代末以来的中国文学,"第三代诗歌"(包括海子)、"新写实主义"、"新市民小说"等,基本上恪守的是一条民间路线,民粹主义态度。实际上,在西方,民粹主义的"现代性"非常有限,它主要表现在现代之初对世俗化运动的推动作用。⑪在中国,除此之外,在当前它还具有一定的对主流文化与精英文化的消解作用。因此,本世纪中国文学中的上述两种启蒙主义和两种民粹主义,其"现代性"的性质与作用又各有不同,前一种启蒙主义和后一种民粹主义,由于其个人主体性立场,因而较具

"审美现代性"。

个性主义主题与民族主义主题 个人主体性最突出的体现是个性主义。在文学中,个性主义或个体化是"审美现代性"对传统或现代中的一体化倾向的抵抗。与西方文学相比,本世纪中国文学的个性主义主题极度匮乏,这也是它被认为缺少"审美现代性"的重要原因。从"五四"时期郭沫若追求"绝端的自由,绝端的自主"的《女神》和郁达夫发现自我、固守自我的《沉沦》,到40年代路翎在与环境和自我的搏斗中"举起整个生命的呼唤"和穆旦以"带电的肉体"在民族苦难的背景上对自我的拷问,中国现代个性主义的道路及其归宿,可以用郭沫若告别个性主义时的一段话来作解释:"在大众未得发展其个性,未得生活于自由之时,少数先觉者,无宁牺牲自己的个性,牺牲自己的自由,以为大众人请命,以争回大众人的个性与自由。……这儿是新思想的出发点,这儿是新文艺的生命。"⑫这就是人们常说的从个性解放到社会解放、从个人解放到民族解放。此后,个性主义主题在中国文学中基本被抑制,70年代末的朦胧诗和80年代中期的荒诞派小说(徐星、刘索拉等),算是其遥远的不合时宜的微弱回声。个性主义主题先后让位于两种大相径庭的民族主义:一种在本世纪中叶达到顶峰,以政治为本位;一种诞生在本世纪下叶,以文化为本位。政治民族主义以殖民时代西方列强(包括日本)的军事威胁为背景,各种张扬"民族性"的文学创作,如抗战文艺、"十七年"文学以至"样板戏"等,都以其鲜明的政治倾向和民族主义情绪,本质上发挥着广义的"国防文学"的作用。这或许也表明,"现代化同现代社会中的民族国家之兴起的所谓新国家主义有着不可分割的千丝万缕的联系"。⑬文化民族主义则以"后殖民"时代西方的文化渗透为语境,韩少功、阿城等的寻根文学和文化小说,张承志、张炜等基于地缘政治和文化批判的一系列长篇作品,甚至王蒙等的文化反思小说……他们第一次通过文学作品对"民族"概念与"民族"神话进行反思,但无论他们对民族文化的态度如何,是激进主义还是保守主义、自由主义,他们大抵都恪守着民族主义的文化决定论立场,个人主体性在文本中只是对民族主体性的一种富于个性的叙述。在目前的后殖民文化语境中,文化民族主义极大地丰富了"民族"、"本土"等概念,算是对各种文化热与文化论争的文学发言。

线性进步主题与反现代化主题 对线性发展观与进步的信仰,是20世纪中国社会发展的动力之一。它以现代化为目标,主要表现为对科技主义(或唯科学主义)、工具理性和统一市场化的无条件肯定。20世纪中国文学,科学精神的弘扬是一大起点。陈独秀肯定科学是"一种武器、一种瓦解传统社会的腐蚀剂",胡适强调"科学方法"的普适性和"以科学为基础的人生观",⑭郭沫若礼赞轮船烟筒"开着了朵黑色的牡丹",是"20世纪的名花,近代文明的严母",连戴望舒、施蛰存等现代主义者也鼓吹文学应着力表现"汇集着大船舶的港湾,轰响着噪音的工厂,深入地下的矿坑,奏着Jazz乐的舞场,摩天大楼的百货店,飞机的空中战,广大的赛马场"之类的"现代生活"。⑮本世纪中叶之后,这种唯科学主义进步观由科技理性普及为对工具理性的倡导,科学与人,一切都是促成进步的工具。文学的工具与武器作用得到强化。文学为政治(进步阶级的政治)服务的时代如此,文学为社会(社会进步)服务的时代亦如此。从伤痕文学到反思文学到改革文学,到80年代中后期的报告文学热,线性进步的主题被以线性进步的形式空前充分地展示。进入90年代,在市场经济大潮的冲击下,有关"进步"的信念与对"统一市场化"的信念结为一体,从王朔到何顿,从池莉到方方,向市场认同被评论界誉为带有"后现代"色彩的"先锋"行为,为20世纪中国文学对以线性进步为核心的现代化主题的"宏大叙述"(Grand Narrative),涂下了浓墨重彩、画龙点睛的一笔。与此同时,文坛的各种论战也趋于鼎沸。这些论争的实质,不是人们惯常所解释的现代与后现代之争,而是"社会现代性"与"审美现代性"之间的冲突。中国的反现代化思潮,在思想界主要盛行于现代时期,辜鸿铭、晚期梁启超、梁漱溟、张君劢等是著名代表,他们采取的是对现代化、对"社会现代性"进行直接批判的方式。在文学界,反现代化主题的表达则要隐晦婉曲得多,它借助于艺术化的"审美现代性",往往以极富诗意的形式,通过对城/乡、社会/自然、现代/原始、理性/非理性等二元对立关系的隐秘内涵的揭示,肯定人性中自然、温情、淳朴、野性和富于生机的一面,彰显现代文明本质上的非人性。沈从文、汪曾祺、贾平凹、张承志、莫言、刘毅然等的作品,把中国文学的"审美现代性"对现代化与"社会现代性"的负面效应的诗性批判,发挥到他们处身的时代所能达到的高度,从而促进了20世纪中国文化的"现代性的两重性"格局及现代文化的自我批判机制的形成。

中国文学的"审美现代性",除通过上述文化母题在深刻的悖论中展开其丰富性和局限性之外,还表现在对传统艺术规范的反叛和现代美学形式的不断创新,而且在当代,这一艺术自觉和"形式革命"的倾向正具有越来越重要的精神意味。"五四"白话文运动确立了"现代性"的语言文体与符号体系,但由于它的形式自觉主要是基于语言上的大众化、口语化目标,加上对形式以至整个文学的工具化理解和日益紧张的环境因素,新文学的形式革新和形式完善问题一直未能得到基本解决。直到80年代中后期,新一轮的文体革命才以"先锋派"文学的面目展开:先锋派小说(从马原、残雪到余华、林白)、先锋派诗歌(从韩东、于坚到翟永明、西川)、先锋派戏剧(从高行健到牟森)……"先锋"以对传统形式、读者习惯、社会趣味的全面挑战,把对语言和文体的个人化创造,同对生命的独特体验和个性表述融为一体,从而发挥了"审美现代性"的主体性、个体性与实验性精神。中国先锋派文学,也因此较其他文学潮流,具备了更多的艺术上的"后现代"气质。这是21世纪中国文学将要面临的一个崭新课题。

三 现代性及其他:跨世纪中国文学发展的几点思考

面对人类文明空前世界化的图景,21世纪,几乎毫无疑问,将是中国社会与文化发生深刻变革和转型的时代。跨世纪中国文学,同样面临着机遇和挑战,危机与生机,这不仅是因为它肩上扛着20世纪中国文学的负担和遗产,而且还因为它眼前是21世纪既一体化又多元化的"全球化"的未知世界。围绕"现代性"观念,我们主要从三个方面,提出对跨世纪中国文学发展的几点思考。

1. 现代性与现代化:跨世纪文学的社会立场与文化立场。如前所述,20世纪中国文学对"现代性"文化母题的表达,其分裂性一面,在世纪末演变为各种文学论争,其潜在的主题,即是现代化与反现代化之争。跨世纪文学必须超越这种混淆社会文化层面与文学审美层面的二元论争模式,恪守社会文化层面的现代化立场。

因为世界性的、不以人或地区的意志为转移的现代化运动,已成为不争的事实,即使是激进的反现代化论者,也已经认识到"现代化一旦在某一国家或地区出现,其他国家或地区为了生存和自保,必须采用现代化之道。……现代化本身具有一种侵略能力,而针对这一侵略力量所能作的最有效的自卫,则是以其矛攻其盾,即尽快地实现现代化"⑯。这是一切批判所必须接受的前提。因为现代化不是个人的选择,而是社会的选择,对于中国这样的欠发达国家尤其如此。在此基础上,跨世纪文学才能以客观的精神和主体的个性,更好地发挥其"审美现代性",全面揭示和深刻批判现代化所带来的弊端。

2.现代性与世界性:跨世纪文学的世界文学意识。对于跨世纪中国文学,有关文学的民族性与世界性关系的传统命题,应放在"现代性"的背景上重新审视。从前文对本世纪中国社会与文化的"现代性"和中国文学的文化母题的分析,可以看出20世纪中国极为突出的民族主义特征,它实际上已成为中国"现代性"中主宰或抑制其他因素的核心要素。这种状况在"救亡"的时代,自然有其迫不得已的苦衷和客观上的积极作用。但在民族主权国家建立近半个世纪的今日,"现代化"这一世界性的主题已成为各民族的共同主题,倘仍然以"民族的就是世界的"为借口,就无异于漠视或逃避世界的一体化进程。因此,调整传统的"现代性"结构,已成为我们的当务之急。只有当我们敢说:"世界的就是民族的",大胆汲取世界文化与世界文学的优秀成果,我们才能真正了解和发挥本土文化和民族文学的优势,把我们的创造贡献给世界,说"民族的就是世界的"。

3.现代性与后现代性:跨世纪文学的宽容品格与多元格局。世纪之交中国社会与文学面临的一个新的课题是世界范围内的后现代文化的兴起。"后现代性"(Postmodernity)以它对"现代性"的解构,以它对多元性、差异性、消解中心、不确定性等概念的强调,被西方现代主义者视为洪水猛兽。⑰在中国,人们对后现代主义的误解,主要源于一种哈贝马斯式的线性化理解。实际上,"后现代"与"现代",不只是简单的时间关系,更不是现代与反现代的关系,而是二元对立和多元共生两种思维模式及其文化的并峙。因此,对于世纪之交的中国文学,后现代主义,如同现实主义和现代主义,同是一种重要的文化资源和值得借鉴的、富于个性的美学形式。

注释:

① 参阅汪晖《韦伯与中国的现代性》,《学人》第 6 辑,江苏文艺出版社 1994 年;李欧梵《现代性及其问题:五四文化意识的再探寻》、《知识源考:中国人的"现代"观》,分别见于《学人》第 4 辑、《天涯》1996 年第 3 期;张颐武《现代性的终结:一个无法回避的课题》,《战略与管理》1994 年第 3 期。

② 参阅柯林达《现代性观念》,《知识分子》1993 年夏季号。

③ 有关"现代性的两重性",参见卡林内斯库《现代性的几张面孔》(1977)、哈贝马斯《论现代性》(1980),后者收入王岳川等编《后现代主义文化与美学》,北京大学出版社 1992 年版;另可参阅李陀等《漫谈文化研究中的现代性问题》,《钟山》1996 年第 5 期。

④ 参见韩毓海《中国现代性修辞方式的建立及其批判》,《战略与管理》1997 年第 2 期。

⑤ 参阅辜鸿铭《中国人的精神》,海南出版社 1996 年版,第 29—77 页。

⑥ 参阅李泽厚《启蒙与救亡的双重变奏》,《走向未来》1986 年创刊号;汪晖对此有不同看法,见《预言与危机》,《文学评论》1989 年第 4 期。

⑦ 陈平原、钱理群、黄子平《二十世纪中国文学三人谈》,人民文学出版社 1988 年版,第 29 页。

⑧ 曾逸《论世界文学时代》,《走向世界文学——中国现代作家与外国文学》,湖南文艺出版社 1986 年版,第 70 页。

⑨ 见贺麦晓(Michel Hockx)《中国早期现代诗歌中的现代性》,《诗探索》1996 年第 4 辑。

⑩ 参阅康德《什么是启蒙?》,《历史理性批判文集》,商务印书馆 1996 年版,第 22 页。

⑪ 参阅俞可平《现代化进程中的民粹主义》,《战略与管理》1997 年第 1 期。

⑫ 郭沫若《文艺论集·序》,《洪水》1 卷 7 期,1925 年 12 月。

⑬⑯ 艾恺(Guy S. Alitto)《世界范围内的反现代化思潮》,贵州人民出版社 1991 年版,第 2、3 页。

⑭ 参阅郭颖颐《中国现代思想中的唯科学主义》,江苏人民出版社 1995 年版。

⑮ 见《现代》4 卷 1 期,1934 年 1 月。

⑰ 参阅哈桑《后现代主义转折》,王岳川等编《后现代主义文化与美学》,北京大学出版社 1992 年版。

刘慧英

女权/女性主义

——重估现代性的基本视角

在谈论正题之前,先就题目作点说明。Feminism 这个术语于 19 世纪 80 年代首次出现于英文中。① 作为理论与实践,它既是一种男女平等的信念,又是一种社会变革的意识形态,"旨在消除对妇女及其他受压迫社会群体在经济、社会及政治上的歧视"。中国对西方这一名词和理论的翻译起始于本世纪初,虽然在一二十年代出现过多种译法,但使用最广泛的汉译是"女权主义"。80 年代初中国大陆实行改革开放以来,妇女研究界出现了对西方女权主义理论新的兴趣,有人按港台及其他华文文化圈的通行译法为"女性主义",也即"女性性别主义"。目前有人认识到在翻译及阅读的政治背景中两种译词的涵义所存在的问题,而采用了"女权/女性主义"这样一种形式,② 本文以此作为规范。

在中国(也许在整个世界范围内亦如此)妇女问题的正式提出与"现代化"一同起步,是一个有目共睹的事实。但由于历史的原因,它始终未被真正地重视过,最多也只是作为一种"边缘"存在。也许是因为父权制文化形态在中国更为坚固、繁复,也许是因为 1949 年以后中国大陆妇女的状况发生了出乎世人、更出乎广大国人(亲身经历了一系列"革命"的男女公民)的意外变化,妇女问题已变成一种被漠视、被悬置、被无限期延宕的话题。

众所周知,长期处于父权制最底层的中国广大妇女是在中国现代化进程中逐渐被解放、被唤醒的,特别是和中国作为一个现代民族国家形成以及民族主义意识形态兴起密切相关。从最早提出的"废缠足、兴女学"的口号至康有为、梁启超关于妇女解放的种种设想和倡导,以及本世纪初关于贤妻良母与"女国民"的热烈争论……无不贯穿着救亡图存的宗旨,也就是说,妇女的解放始终是被看作增强国力、抵御外侮的一种战略步骤。例如,最早提出废缠足的是19世纪中期来华的基于西方基督教文化立场的外国传教士,而中国的有"识"男士之所以与此认同并不遗余力地向民间传播和倡导这一口号,最后使之成为一种被广大国人认可的价值尺度,最根本的依据是:中国由于国力的落后和人种的衰弱(其中妇女缠足是重要的原因)而被先进强大的西方国家所打败,要改变这种被动挨打局面并免遭西方人的耻笑和侮辱,首先必须"强种"——"废缠足"作为"妇女解放"的一个步骤便被提到了议事日程。

与西方女权思潮的发生和渊源不同,中国妇女问题的被提出在很长一段时间内没有女性的直接参与,更准确地说,中国女性的自我意识觉醒得很晚。至本世纪初,妇女刊物和各类女校的诞生此起彼伏,但真正代表女性的声音微乎其微,不要说创刊人、撰稿人、女校的倡办者绝大多数是男人,就是少数女撰稿人或女活动家在关于妇女的各种讨论中也大都与男性发出同样的声音。又如,从本世纪初以来所发生的各次"妇女运动"也可看出,现代史上的中国女性所组织的团体,起因几乎均属维护和争取民族国家的强大和完整,根本性地缺乏争取女性群体自身利益的愿望。如何来估量中国妇女解放进程中男性的作用以及整个民族国家利益对女性命运的"左右",如何来审视中国妇女处于这种"喷薄而出"历史境遇中的"失语"现象,这都是关注中国"现代性"的人们应该而且必须正视的。我相信如果展开深入的研究和探讨这都将是极有趣的问题。

然而,面对这一丰富的话题,长期以来中国现代文学研究界(当然也包括现代思想史和社会史学界)几乎无人涉及。1949年至1976年所造成的"空白"是可以理解的。至80年代初,由于"五四"和新时期两次女性作家群的崛起,引起了为数不多的研究者的兴趣,他们把目光移向了女作家作品、女作家心理轨迹乃至女性笔致等等的"女性特点"。③然而,这些研究受当时文学研究和批评的整体框架束缚过深:研究对象严格局限于1919年至"新时期"这一被指定为中国现、当代的时限内;其次,对研究对象的把握过于表面化,大多数所谓的女性文学研究都缺乏对作为客体存在的中国现代女性历史和现状的自觉关注,将生理性别(sex)的女性作家作为一个群体来评说,而从未以社会性别(gender)的眼光来审度妇女与现代化进程的关系,他们可以从女性的"天然特性"出发将女性心理在文学创作上所表现出来的种种特色说得头头是道,但却从未对这种由社会和文化建构起来的"天性"本身有何阐释,更未提出丝毫的质疑。这样的"女性文学"研究说到底只能是一种线性思维的循环往复,它们说得再多也无非是在重复同一"声音":看,妇女也能写出这么出色的作品来。除此而外还有何意义呢?

这种局面在 80 年代末被打破,其关键是西方女权/女性主义批评理论的"引进",这方面的代表作是孟悦和戴锦华合著的《浮出历史地表》(郑州:河南人民出版社 1989 年版)。这部专著无论是在现代文学研究学科中还是对中国现代化进程中女性状态的观照方面都具有转折意义,但它在很长时间内并未引起国内学界的足够重视和起码反响。据说,大陆学界至今没有发表过一篇专门的书评;《中国现代文学研究丛刊》今年第 2 期登载的书评则为一位日本女学者所写,这是颇耐人寻味的。

也许在纯粹关注中国现代文学史料积累和学科建设的学者看来,这部专著"引进"的西方理论概念过多——从女权/女性主义到各种后现代理论词藻、观点,所涉及的领域颇为纵深,但是毫无疑问它所提供的新的学术视角和鲜明的女性立场却给沉寂多年的现代文学研究界带来了一丝新意和震撼。

令人吃惊的是,主流学界不仅对此著反应冷淡,而且对 80 年代初以来整个女性文学研究成果和进展也似乎视而不见,在 1994 年中国现代文学学会第六届年会上,以总结 15 年中国现代文学研究为总主题的各类报告涉及了中国现代文学研究的方方面面,而惟独对这一方面的研究无人提及(有人做了丁玲研究的专题报告,但只是作为作家研究之一种)。"五四"新文化运动中许多男性启蒙大师倡导男女平等、妇女解放,其言论之激烈,其情感之真挚,深为后人所折服。作为直接受"五四"新文化传统熏陶的现代文学研究界学人,他们认同、维护种种"五四"精神和传统,惟独对此精神和传统十分淡漠,实在令人困惑!

无论主流学界如何漠视女性问题的探讨,无论现存的学术规范如何冷落关于中国妇女与现代化问题的进一步探讨,在进入 90 年代以后已有越来越多的女性学者试图冲破限制而对妇女在现代化进程中的意义和作用展开全面而深入的研讨。笔者近来读到的两本书则显示了这方面的信息:夏晓虹的《晚清文人妇女观》和刘纳的《颠踬窄路行》(均为作家出版社1995年3月出版)。夏著从晚清社会妇女观的变化出发,梳理了中国进入现代社会后新的思想因素和社会形态的形成;而刘著则从1900年这一象征着20世纪现代中国苦难和痛楚的年代切入,讲述了当时女性的处境和女作家的写作。如果按照"严格"的学科划分,这两部著作也许都不能被完全划入"中国现代文学研究":从时间上看它们都更侧重"近代"(指1840—1919年这一特定的历史年代)——超越了以1919年作为中国现代社会起点的习惯性界说;与以往的"女性文学"研究的最大不同之处在于,它们都更侧重讲述女性作为一种文化历史现象处于中国现代社会的尴尬和艰难。我认为这两部专著的可贵之处在于:它们通过对一系列历史现象的梳理勇敢而又令人信服地向学界的以往"规范"提出了挑战。更耐人寻味的是,这两位作者都是在近现代文学界从事了多年研究的女性,可正如刘纳在她的著作后记中所说:"身为女性,我却从来没有从女性角度谈论过什么。"我曾留意搜寻夏晓虹前些年的专著和编著中对妇女问题关注的积累,结果大失所望——在她所编的《梁启超文选》(北京:中国广播电视出版社1992年版)中竟连梁关于妇女言论的最著名的《变法通议·女学篇》及《倡设女学堂启》都未收录。可是,在她们步入中年——学术上趋于更成熟和老辣的时候,却专门做起了有关女性的课题,这是一种很值得深思的现象。

我认为,与当初中国妇女问题的被提出相同,推动女性文学批评和研究的关键是西方女权/女性主义理论的"引进"。当然与一百多年前不同的是,这种"引进"不是借助于洋枪洋炮的军事入侵,而是商品经济的"渗透"——它有着一个宏大而复杂的社会、经济、文化背景。虽然,夏晓虹、刘纳与孟悦、戴锦华相比受西方女权/女性主义理论影响的痕迹很不明显,然而这种文化"引进"的背景依旧是很清晰的,读她们的文字,会在不知不觉间感受到那种女性的目光和立场的切入——这是以往的女性文学研究(包括整个现代文学研究)所匮乏的。

无需讳言,女权/女性主义的理论来自于西方,"现代性"的概念也来自于西方,说得更尖刻一点,中国现代化的起步也首先来自

西方的压力和逼迫,那么,现代化究竟是一件好事情还是坏事情,
我想绝大多数人不会去做那种是非或道德判断。正如现代化打破
了中国小农经济的"宁静"和"富足",使中国遭受了主权受侵犯、割
让领土的耻辱,同时又使广大国人睁眼看到了外面的世界,并迈入
了"现代"的行列;"现代化"一方面解放了女性——她们不再仅仅
是男人的奴隶和玩物,她们被赋予了自我意识,获得了种种权益,
同时她们又丧失了作为女性的"原本"意义,无法给自身"定
位"——既不可能再回到那种全然女性化的位置上去,又对自己
"与男人一样"的现状无所适从;她们既为自己摆脱了那种彻头彻
尾的奴隶、傀儡的地位而欢欣,同时又为自身所处的变异着的不平
衡的文化氛围所焦躁。有关妇女和现代性的研究的本意也许在于
寻找我们(指女性和现代性)是如何来的,我们走过了什么样的道
路,还将向哪里走去等等的问题,我想目前的中国现代文学学科
应该能够包容这样一些历史话题和这样一种特定的文化视角
吧?

我这里的表述无意混淆现代文学与现代思想史或女性史的学
科界线,而仅仅是对现代文学学科长期以来那种"画地为牢"的做
法表示不以为然——现代文学研究似乎不仅特指 1919—1949 年
的文学。许多女性文学研究专著和论文已经以它们的成果超越了
有关中国现代时间上的刻意划分,这从一个侧面回应了有关"20
世纪文学"及近、现、当代文学史打通的论点。

对现代文学研究学科的危机感也许绝大多数人都有同感,也
许主流学界所承受的压力更大。危机感如果能转化成一种建设性
的动力便是现代文学研究学科的希望所在。笔者的这篇短论无非
是想提醒现代文学学界:应将女权/女性主义的学术观念作为观照
"现代性"、尤其是中国现代文学的一种基本视角,从而使我们的学
科更富有活力。

注释:
① 〔英〕瓦莱丽·布赖森《女权主义政治理论引论》,见中国社科院社会学所
编《国外社会学》1995 年第 3 期。
② 引自谭兢嫦、信春鹰主编的《英汉妇女与法律词汇释义》(北京:中国对外
翻译出版公司 1995 年 8 月版)有关"女权/女性主义"条目。

③ 这早已引起某些热心于这门学科中的"学科"的资料工作者的兴趣,详见谢玉娥编《女性文学研究教学参考资料》,开封:河南大学出版社 1990 年版。

原载《中国现代文学研究丛刊》1996 年第 3 期

王一川

现代性文学：中国文学的新传统

——兼谈中国现代文学与文学研究

我们所即将告别的 20 世纪文学，将会为源远流长的中国文学史留下什么？换言之，这个世纪的文学在浩浩中国文学史长河中将占据怎样的位置和做出怎样的贡献？这是近十多年来文坛关注的焦点之一。一些学者于 1985 年提出"20 世纪中国文学"概念，试图把一向从属于政治划分的中国现代和当代文学统合起来研究，引起学术界的广泛关注。然而，这并不表明 20 世纪中国文学研究趋于终结，而只是掀开了新的一页。因为从那时以来，人们关于"20 世纪中国文学"的讨论连绵不绝，形成杂语喧哗局面。我们在这里也只是想从中国文化的现代性这个特定角度，加入到这场有关 20 世纪中国文学及其相关问题的世纪末喧哗之中，提出别一种观察，以就教于方家。

一

中国文化的现代性或现代化，是在现代进行的一项长期而根本的"工程"。这种"现代性工程"（project of modernity）起于何时？学术界有不同意见。我们虽然认为它根源于中国文化内部的种种因素的长期复杂作用和演化，但在做具体划分时，还是不得不把目光沉落到 1840 年鸦片战争这个影响深远的重大历史事变上。我们所谓现代性工程，大体以鸦片战争为明显的标志性开端，指从那时以来至今中国社会告别衰败的古典帝制而从事现代化、以便获得现代性的过程，这个过程涉及中国的政治、经济、法律、教育、宗教、学术、审美与艺术等几乎方方面面。当这个闭关自守的"老大帝国"在西方炮舰的猛烈轰击下急剧走向衰败时,按西方先进的现代化指标去从事现代化,"师夷长技以制夷",似乎就成了它的惟一选择。确实,面对李鸿章所谓"三千年未有之变局",中国的古典"中心"地位和幻觉都遭到了致命一击,只能脱离传统旧轨而迈上充满诱惑而又艰难的现代化征程,以便使这"老大帝国"一变而为"少年中国"或"新中国"。李伯元在小说《文明小史》(1903—1905)楔子里,就把走向现代化的"新中国"比作日出前的"晨曦"和风雨欲来的"天空":"诸公试想:太阳未出,何以晓得他就要出?大雨未下,何以晓得他就要下?其中却有一个缘故。这个缘故,就在眼前。只索看那潮水,听那风声,便知太阳一定要出,大雨一定要下,这有甚么难猜的?做书的人,因此两番阅历,生出一个比方,请教诸公:我们今日的世界,到了甚么时候了?有个人说:'老大帝国,未必转老还童。'又一个说:'幼稚时代,不难由少而壮。'据在下看起来,现在的光景,却非幼稚,大约离着那太阳要出,大雨要下的时候,也就不远了。"这里可以说同时展示了中国眼前的衰败景致和即将到来而又朦胧的现代化美景。现代化(modernization),在这里就是指中国社会按照在西方首先制定而后波及全世界的现代性指标去从事全面而深刻的社会转型的过程。而相应地,现代性(modernity)则是指中国通过现代化进程所获得的或产生的属于现代的性质和特征。

要在这个具有数千年文化传统的"老大帝国"实施空前宏大而艰巨的现代性工程,必然会牵涉到方方面面。对此,原可以从不同角度加以分析。在这里,我们不可能面面俱到,而只能选取一种特定角度。在我们看来,中国的现代性问题,可以从中国文化对于其在现代化进程中所遭遇的种种挑战的应战行动角度去考虑。在这个意义上,现代化意味着被迫纳入现代化进程的中国旧体制经受了一系列尖锐、严酷而持久的挑战,如产生"道"与"器"、专制与民主、巫术与科学、科举与教育、王法与法律、传统思维与现代思维等等剧烈而持久的冲突。有挑战,就不得不有应战。应战就是面对挑战而采取必要的应对措施,在现代性内部的种种冲突中尝试和寻找适合于自己的现代化道路。因此,可以说,中国的现代性集中而明显地体现在面对现代化过程的种种挑战而显示的应战行动上。这就需要我们从挑战性课题与应战行动的角度去理解现代性所牵涉的种种复杂问题。

　　大体说来,现代性涉及这样一些主要方面:其一为科技现代性,主要体现为如何师法西方现代科学和技术而建立中国的现代科学和技术体制,并且在这种现代科学和技术体制参照下重新激活中国古典科学和技术传统;其二为政体现代性,要求把奉行天下一体的古典帝制转变为现代世界格局中的一个"民族国家"(nation-state),这引发种种政体变革;其三为思维现代性,涉及古典宇宙观与现代宇宙观、中国哲学与西方哲学、中国思维与西方思维等冲突及其解决上;其四为道德现代性,要确立中国人的现代道德规范,涉及人际交往、礼仪、感情、恋爱和婚姻等方面,如破除"三从四德"、"三纲五常",规定个人恋爱和婚姻自由及社会义务等;其五为教育现代性,意味着借鉴西方教育制度而在中国建立现代教育制度以取代衰落的中国古典教育制度(但后者作为传统仍有其生命力);其六为法律现代性,要求把古典王法转变为现代法治;其七为学术现代性,即把古代学术体制翻转为以西方学术体制为样板的现代学术体制,涉及从学术观念、学术思维、治学方式到学术机构等一系列根本性转变,如从古典文史哲到现代文学、历史、哲学和美学等;其八为审美现代性,表现在从古典审美—艺术观到现代审美—艺术观的转变,面对新的现代生活的审美表现能力,及如何借鉴西方艺术样式如文学、绘画、电影、音乐、舞蹈和戏剧等方面;其九为语言现代性,主要指汉语现代性,体现在从古代汉语到现代汉语的转变中,如现代白话文取代古代文言文和古代白话文。可以说,这仅仅是不完全列举。同时,其中任何一个方面都需要运用专业知识去作专门论述,而在这里由于个人能力和兴趣所限是不可能的。我们只能讨论与我们的论题密切相关的后两方面——即审美现代性和汉语现代性。

二

　　审美现代性,在这里是审美—艺术现代性的简称,即它既代表审美体验上的现代性,也代表艺术表现上的现代性。在现代性的诸方面中,审美现代性是看来非实用或非功利的方面,但这种非实用性属于"不用之用",恰恰指向了现代性的核心——现代中国人对世界与自身的感性体验及其艺术表现。审美,西文作 aesthetic,本义为感性的或感觉的。审美现代性(aesthetic modernity),就是指中国人在现代世界感性地确证世界与自身并加以艺术表现的能力,或感性地体验现代世界和自身并加以艺术表现的能力。它涉及这样的问题:在现代世界上,中国人还能像在古代那样自主和自由地体验自己的生存状况、寻找人生的意义充满的瞬间吗?这样,正是审美现代性能直接披露作为现代人的中国人的存在体验状况、整体素质和能力,从而成为中国现代性的一个极为重要的方面。

审美现代性往往表现在如下几方面:从古典审美意识向现代审美意识的转变,即确立属于现代并融合中西的审美情感、审美理想和审美趣味等;以现代审美—艺术手段去表现现代人的生存体验,涉及从旧文学到新文学的转变,国画与西画之争,国乐与西乐之辨,戏曲与话剧的关系,及新的表现手段如广播、摄影、电影和电视的引进等;参照西方现代美学或诗学学科体制而建立现代美学或诗学学科,从而出现中国现代美学或诗学。就上述方面而言,以现代审美—艺术手段去表现现代人的生存体验,是尤其值得关心的。单从文学角度说,以现代审美—艺术手段去表现,首先就意味着以现代汉语为书写形式、以相应的现代审美—艺术语言规范去表现,如实现从古典章回体小说到现代小说、从旧体诗到新体诗、从文言散文到新散文、从戏曲到话剧等的转变。由于这里都无法绕开古代汉语文言文与现代白话文的关系这一"纽结",因而要谈论文学的审美—艺术表现即审美现代性,就不得不涉及汉语现代性问题。

三

如果可以说汉语是显示中国人生存状况的基本场地或方式,那么,说现代汉语是显示现代中国人生存状况的基本场地或方式,则是顺理成章的事了。因为,近一个世纪以来的事实已经清晰地告诉我们,当古典文言无法表达或无法尽情表达现代中国人的新的生存体验时,呼唤并创造新的属于现代的汉语形态,使其击败并替代衰朽的古代汉语而登上正统或主流宝座,就成了汉语现代性的主要课题。人们有理由发出疑问:正像古代汉语成为显示中国人的生存状况的有效和有力方式一样,新生而稚嫩的现代汉语还能同样有效和有力地表现中国人的现代生存体验吗?还能帮助中国人在现代世界重新树立自己的那份自信、自主与尊严吗?所以,可以说得集中点,汉语现代性的焦点,正在于现代汉语作为显示现代中国人的生存状况的方式的有效性和魅力问题。

汉语现代性问题,约略说来,集中表现在如下方面:一是从汉字结构来说,由繁体字变为简体字,虽然对中国人的古典汉字形式美感无疑构成极大的挑战,但却是汉语为适应现代生活的表达需要而采取的一个重要的和有效的步骤;二是就汉语书写格式来说,从竖排右起形式到横排左起形式,标志着汉语书写格式与现代世界通行语言书写格式形成统一;三是就汉语表述来说,从无标点句到标点句,和从不分段到分段,使汉语表述增加或获得了现代语言所需要的逻辑性和精确性;四是就汉语语法来说,从古代"文法"到现代"葛朗玛"(grammar),建立起汉语的现代语法体系;五是外来语的大量引进、仿造和新词的创造,满足了现代生活的交往需求。

而从语体分类来说,汉语现代性具体体现在为适应现代表达需要而出现的新的分类形态中——科学语言、新闻语言、官方语言和文学语言成为现代汉语的基本语体。首先,作为科学语言,现代汉语能否像现代西方语言如英语那样表述和创造中国现代科学知识?当古代汉语无法完满地完成上述任务时,现代汉语中的科学语言就必然地承担起这项使命了。其次,作为新闻语言,现代汉语能否完善地和准确地报导和评述错综复杂的新闻事件,以便满足现代人对新闻的特殊敏感和消费渴望?再次,作为政府或官方语言,现代汉语能否完满地完成传达现代政府指令、治理和动员大众的任务?最后,作为文学语言(这里特指艺术语言),现代汉语能否像古代汉语表现古代人的生活状况那样,完满地和创造性地表现现代人的生活体验?而同时,作为文学语言的现代汉语,是否也像古代汉语那样,在文学表现中本身就具有特殊的"美",而这种美正是现代文学的美的有机组成部分?这最后一个问题正是这里需要讨论的。

四

　　这里，作为汉语现代性的重要方面之一，以现代汉语去表现现代人的生活体验问题，是必须同前述审美现代性问题紧密联系在一起考虑的。审美现代性要解决现代人的生存体验及其表现问题，而汉语现代性正是意味着把这一问题落实到具体表现方式——现代汉语上，于是就出现了一个崭新的问题：如何创造新的现代汉语以便表现现代人的生存体验？这正是中国文学的现代性问题。这样，正是在审美现代性和汉语现代性相交叉的坐标点上，出现了以20世纪中国文学为代表的新型文学，更确切点说，中国现代性文学。这种新型文学致力于以新的现代充沛形式去表现现代中国人的生存体验。

　　现代中国人不得不遭遇这样的问题：面对新的陌生的现代世界，中国人自我还能真正进入自己的生存隐秘处，在那里获取人生的意义充满的瞬间吗？要完成这项审美现代性课题，古代汉语已落伍了，需要求助于新的汉语形态，这就有汉语现代性要求。这样，问题就来了：曾经运用古代汉语去书写生存体验、并创造了辉煌灿烂的古典文学的中国人，还能运用新的现代汉语去书写现代生存体验并创造堪与古典文学媲美的具有现代性的新文学吗？面对这个空前难题，中国现代作家开始了自己的艰难历险，结果是创造了20世纪中国文学，或者不如说，中国现代性文学。

　　从中国的审美现代性与汉语现代性相交叉的角度看，所谓"20世纪中国文学"实际上带有与古典性文学不同的现代性性质，从而属于中国现代性文学，或者说是中国现代性文学的一个主体部分。所谓古典性文学，在这里是与现代性文学相比较而言的，或者是从现代性角度去追认的，指1840年鸦片战争之前的以古代汉语（包括文言文和古代白话文）为基本书写形式的中国文学。中国古典性文学具有自身的源远流长而又辉煌灿烂的"美"或审美特征，这是任何人都无法否认的。然而，与此相对照，似乎只是仓促出生、且生长艰难的中国现代性文学，还能有属于自身的独特的"美"或审美特征吗？人们当然有理由持怀疑态度。而确实，长期以来，人们总是把现代性文学同古典性文学和西方现代文学相比较，并且总是得出中国现代性远不及后两者的结论。果真如此吗？

中国现代性文学，是从鸦片战争以来至今的中国文学的基本美学形式和精神风貌的通称。如果说，从1840年至戊戌变法(1898)的半个多世纪，属于中国古典性文学的衰落期和现代性文学的酝酿期，从戊戌变法失败至"五四"新文化运动的十余年属于中国现代性文学的滥觞或开端期，那么，"五四"以来至今的八十载则属中国现代性文学的发展期。这样，"20世纪中国文学"在此也就是指中国现代性文学的发展形态。它不是在"五四"运动中突然"蹦"出来的独立形态，而是从鸦片战争以来就一直在缓慢地孕育和生长着的中国现代性文学的一部分，一个主体部分。如果我们否认它同之前数十年文学发展的联系，就意味着把它同文学的现代性进程以及更根本的文化现代性进程割裂开来，仿佛是一个自我生成的"怪物"。在这个意义上，人们提"20世纪中国文学"诚然是可以的，并且曾经产生过一定积极意义，但却是不大合理的，不如提"中国现代性文学的发展期"。

五

作为中国现代性文学的发展形态，20世纪中国文学已经形成了自身的独特的审美特征。这自然需要从若干方面去作综合考察，这里不妨单从它所创造的现代汉语形象去作初步考察。在中国文学中，汉语并不是单纯的意义表达工具，而是审美对象的当然而基本的组成部分——它是文学中的一种艺术形象。具体地说，汉语在其意义表现中本身就能展现出丰富而意味深长的审美的艺术形象（如语音形象、文法形象、辞格形象和语体形象等）；并且可以说，文学也只有凭借这种基本的汉语形象，才能把艺术形象总体及其意义创造出来。汉语形象不是文学的艺术形象系统的多余的装饰部分或次要外壳，而就是它的直接和基本的美学"现实"。因为，中国文学毕竟是汉语的艺术，确切点说，是汉语形象的艺术。如果没有了汉语形象，文学的艺术形象总体及其意义又如何创造出来呢？不是艺术形象总体及其意义需要借助汉语形象去表现，而是汉语形象把艺术形象总体及其意义创造出来。

确实，不再是沿用伟大而衰落的古代汉语、而是自无而有地创造稚嫩而伟大的现代汉语,以便表现现代中国人的新的生存体验,这是中国文学史上前所未有的艰巨而辉煌的事业。试想,在古代中国人已经把古代汉语的表现能力伸展到最大限度从而使其必然地走向衰落后,置身在新的世界格局中而急切地寻求表现的现代中国人,就别无选择地只能另创新语了。孕育过李白和杜甫的诗文土壤而今不可能再度孕育他们了。纵使李杜再生,他们也不可能再度成为创造过辉煌的古代汉语形象的现代李杜,而不得不面对一个新难题——如何创造和运用新的现代汉语去写作,去表现现代人的生存体验。这无疑是李杜们不可能遭遇的一项名副其实的"前无古人"课题。

这项前无古人的课题进展怎样呢?可以说,从"五四"白话文运动到90年代,现代汉语在表现现代中国人的生存体验方面已经和正在取得令人瞩目的美学成就,同时,它作为汉语的现代形式,也已经和正在形成与古代汉语不同的独特的美或审美特征。古代汉语具有自身独特的美,而现代汉语也正在把自己独特的美打开来。汉语的古今两种美之间,当然存在着内在根本的继承关系,但同时,相互间的差异也是明显的。约略地说,具有独特的美的现代汉语形象,从三方面吸取"美的资源"(爱德华·萨丕尔语①):一是汉语内部的古代传统语言"流",即中国古代文学所传承下来的古代汉语遗产,它作为内在汉语形式为现代汉语形象提供古代汉语传统的强大支援;二是外来的语言"流",即以先进和科学语言面目出现并产生深刻影响的西方现代文学语言,这使得中国人在创造现代汉语形象时有了可以仿效的现代理想典范;三是基本的语言"源泉",这是最为重要的,即现代中国人对于自身生存体验的当下语言把握方式,这为现代汉语形象确立了新的、基本的、活生生的和永不枯竭的语言资源。现代汉语形象正是这三方面融汇的结晶。

现代汉语形象与文化现代性存在着密切的、多方面的联系。而从总体上讲,文学中这些现代汉语形象的出现,恰恰是要适应文化现代性的需要,并且实际上成为现代性工程的一个不可缺少的方面——新的丰富而意味深长的现代汉语形象不正构成了中国现代性工程的动人的想象性"镜象"吗?正如前面所说,这是审美现代性与汉语现代性相交叉的坐标点。现代汉语形象所达到的美学高度,是现代性文化所想象的高度的一个凝缩模式。而就文学来说,正是现代汉语形象的美,有力地支撑起中国现代性文学的美。如果我们承认现代汉语形象的美的独特性,那我们就必然会引出如下认识:以现代汉语为"美的资源"的现代性文学,也已经开始展现出自身独特的美,这是与古典性文学的美不尽相同的新的美。如此,从现代汉语与现代性文学的关系而言,中国现代性文学其实可以表述为中国现代汉语文学。

这样看来,今天的所谓中国"近代文学"、"现代文学"和"当代文学"研究学科,就应当在中国现代性文学(或中国现代汉语文学)这一新框架中统合起来,这是它们各自的学科建设所急需的。因为,正是这种综合研究有可能帮助人们打消内心对于这三种学科的学科根基或立足点的长久怀疑。把所谓的"近代文学"、"现代文学"与"当代文学"这三个基于政治话语划分而产生的领域统一起来研究的时日,应当说已经来临了!它们不都是现代汉语文学或现代性文学的组成部分和研究领域吗?不都是与现代性相连的中国现代文化的组成部分吗?这三者相互打通的时刻,也即中国现代性文学获得全面而综合研究的时刻,无可否认地来临了!

中国现代性文学并不只是以往中国文学传统的一个简单继续,而是它们的一种崭新形式。即,它不是为既往五千年或三千年传统续上一百五十年"尾巴",而是在五千年或三千年传统衰落之后另辟蹊径,另创一种新的形态,从而使中国文学呈现与古典性文学不同的另一种"美"。如果说,以古代汉语为书写形式的古典性文学代表中国文学的古典性传统,那么,以现代汉语为书写形式的现代性文学则代表中国文学的新的现代性传统。这是中国文学所具有的两种彼此相连而又不同的"传统"。遗憾的是,由于传统学术成见的限制,人们对于伟大而衰落的古典性传统似乎所知颇多,然而,对于同样伟大而有待成熟的现代性文学传统却所知甚少;相应地,人们对衰落的前者大加推崇,却对有待成熟的后者严加苛责。所喜的是,我们正开始形成对于现代性文学的新眼光。无疑地,现在已到了正视这种堪与古典性传统媲美的新传统,并同它对话的时候了。

六

由于中国现代性文学远不是单纯的诗学或美学问题,而涉及远为广泛的文化现代性问题,因此,有关它的研究就需要依托着一个更大的学科框架。也就是说,它是一个涉及现代政治、哲学、社会学、心理学和语言学等几乎方方面面的文化现代性问题,因而需要作多学科和跨学科的考察。有鉴于此,需要有一门更大的学问,去专门追究中国文化的现代性或现代化问题,从而为中国现代性文学研究打下坚实的学科地基或学科立足点。这个专门研究中国现代性或现代化的更大的文化学科,在我们看来,应是中国现代学。中国现代学是我们的一个新构想,它能否成立呢?

中国现代学应是与时下流行的"国学"、"汉学"(Sinology)和"中国研究"(Chinese Studies)三个概念不同的。"国学"在今天通常指中国古典学术,或以中国古典学术方式而对中国古代文化的研究。这样的国学当然有其价值,但对中国文化的现代性问题却很少涉及,或者说,在处理现代性问题时缺乏行之有效的办法。"汉学"一词则有广义和狭义之分。广义的"汉学"把所有有关中国文化的研究都包容在内。凡是研究中国文化的,无论是国人还是外国人,都可以称为"汉学家"。但这种用法由于过于宽泛,实际上不大被采用。常用的倒是狭义"汉学"。它常用来指 16 世纪以来外国人(尤其是欧洲人)从语言、历史、地理、宗教和哲学等方面系统地研究中国的学问,可以说是"东方学"的一个组成部分。② 这种研究的规范和目的都是属于外国的,虽有参考价值,但毕竟无法充分满足中国人研究自己的现代性问题的需要。"中国研究"(或译"中国学")是近十余年来引进国内的,它是二战以来兴起于美国的一门以现代中国为研究对象、以历史学为主体的学问,属于美国学术中的"区域研究"(Regional Studies)范畴。其奠基人是近年去世的知名美国学者费正清(John King Fairbank)博士。"中国研究"正是要突破欧洲"汉学"重视传统而轻视现实的旧模式,把中国现代问题作为基本研究对象。③ 这种研究虽然以中国的现代问题为主,富有一定参考意义,但实际上是欧洲"经典汉学"(Classical Sinology)在现代问题上的一种延续形式,其根本目的仍是像经典汉学那样服从于和服务于西方自身的利益需要。

那么,在国学、汉学和中国研究之外,还有没有一门新学问,它由现代中国人自己建立、能跨越通常学科界限而把中国现代性作为中心问题加以通串性研究?显然,中国现代学正是为弥补国学、汉学和中国研究所留下的空缺而产生的。它致力于研究鸦片战争以来中国在古典性文化衰败以后寻求全面的现代性过程时的种种问题。换言之,中国现代学是包括现代政治学、经济学、社会学、哲学、历史学、语言学、艺术学等众多学科在内的研究中国现代性问题的通串性学问。而这些现代性问题的重要方面之一,就是由审美现代性和汉语现代性交织成的文学现代性问题,即如何创造新的现代汉语以适应表现现代中国人的生存体验的需要。在这个意义上,中国现代性文学研究不过是中国现代学这个包罗广泛的现代文化学科中的一个环节。

当然,在我们看来,中国现代学与其说是一门严格意义上的专门学科,不如说是一个灵活自如的通串性研究领域。通串,不是把若干独立学科综合成一个宏大的有机整体,而是在尊重各学科独立的前提下从事适当的相互通连或串连。例如,要从中国现代学角度研究20世纪中国文学,则需要走出单纯现代文学和现代诗学的限制,借助社会学、语言学、历史学和心理学等多种学科的优势,从事通串性研究。这样做,才可能真正形成中国现代学的研究视野。而如果把中国现代学固定为一个专门或独立学科,则它的特色就势必都丧失掉了。说得明白点,中国现代学应是一种在现代性问题框架中思考具体学科问题的通串性研究视野。

其实,中国现代学正是严格意义上的"中国学"。在古典时代,当中国人对于自己在世界上的中心地位充满自信、固执地相信自己就是全世界的"中心"时,就自然地把"中国"当成"世界"或"天下"。那时的"中国"还不是一个"民族国家"的国体称谓,而是一种"文化主义"或"天下主义"意义上的文化中心名称。谁在文化上强盛,谁就是"中国"(即天下之中央)。所以,那时的"中国学"(如果有的话)与"世界学"是重合的,或者干脆就是一回事,并不需要专门针对中国的"中国学"④。只是在现代(鸦片战争以来),当中国的古典中心权威无可挽回地走向衰败、中国作为现代世界若干民族国家之一员这一事实被确认后⑤,在新的视野格局中重新认识或想象中国、重建中国在世界上的地位,才成了一种必然要求。也只有在这时,才真正需要一门专门研究中国现代性的学问,这就是中国现代学即中国学(当然,如果要对译成英文的话,它显然不宜译作 Sinology 或 Chinese Studies 了,而需另创新词,如 Chinese Studies of Modernity)。

到今天为止,有关中国现代学的研究虽有开展,其历史甚至可上溯到魏源、龚自珍和严复等对中国现代问题的最初认识,但毕竟一直缺乏真正明确的意识和筹划。这种情形的原因是多方面的,其中自然包括如下缘由:在许多人眼里,鸦片战争以来的现代化进程不过一百五十余年,与中国几千年辉煌的古典文化史相比似乎算不了什么,它不过就是这古典文化史的现代延续而已,因而重要的是研究这古典文化的现代复兴,而不是把它看作与古典文化不同的一种新的文化的诞生。依此类推,人们以为古典文化取得很高成就,与世界任何一种优秀文化相比毫不逊色,而现代文化才刚刚开始,无甚成就,至多也只是它的一个不起眼的"尾巴"而已。

这种偏见既存在于中国,也存在于外国。外国人一提起中国,往往首先想到的就是它的古典形象。但是,只要我们从西方介入前后新旧中国形象的巨变角度考虑,就可以发现,这种现代性进程所标明的变化、带来的震撼和取得的成就,是怎么估价也不算过分的。以文学中的"中国形象"为例,鸦片战争好比一个分水岭,划分了两种中国形象。如果说,在这之前,古典性中国形象凝聚了中国人有关自身与世界的第一次定义,使"中国"呈现出世界之中心权威的形象;那么,在这之后,现代性中国形象则代表着中国人对自己和世界的第二次定义,此时的"中国"转而承认西方为世界之中心,自己则被放逐到边缘。然而,第一次定义出的古典性中国形象并没有因新的定性的出现而消逝,而是以新的方式更强烈地显示出来;当古典中心形象被消解而现代边缘形象顽固地挺立后,对昔日中心地位的渴望非但没有因此而减弱,相反是被极大地激发起来了,形成再度中心化渴望,因为长期的中心地位造成了这样的文化习惯或定势,以致中国人难以忍受被长久地放逐边缘的巨大苦痛;而当再度中心化渴望在现实中一再难以实现时,就往往被压缩到集体无意识深层,再通过多种渠道被置换出来。在文学中创造"新中国"、"少年中国"等现代性中国形象,不过是多种置换渠道之一。一部现代文学史,可以说正是新的中国形象的创造史⑥。相应地,现代性标明一种旧的文化时代的结束和新的文化时代的开端,因而不能简单地从时间的前后延续上看待现代性同古典性的区别,而要看到这种区别所揭示的文化传统上的根本差异:这是两种文化传统或文化状况的分水岭。而从文学上讲,这就需要我们在这种基点上回头重新审视现代化进程,认真考察这种现代化进程所引发的巨变对中国人的生存状况造成的震惊效果。这种审视和考察自然会不断回头涉及中国古典文化状况和古典性中国形象,在两者的比较中进行。而中国现代学正是要把中国形象问题置于中国文化的现代性这一更广泛的问题领域之中。

由于如此,中国现代学应是多方面研究的集合。例如,它可以包括哲学现代学、社会现代学、汉语现代学、心理现代学、教育现代学、审美现代学等等。与中国现代学相对应,今日有关中国古典文化的学问可以称为中国古典学,这自然包括关于中国古典性文学的研究。然而,中国古典学并不能等同于"国学",它不过是现代中国人出于理解现代文化的需要而对自身古典传统作新的研究的产物。这种有关中国古典传统的现代研究必然地是在中国现代学框架中进行的,目的是服务于现代人的现代性工程。因而严格说来,中国古典学其实应是中国现代学的一个关系密切的旁系或支系。同时,与中国古典学一样地同属中国现代学的旁系或支系的,还有中国外国学。中国外国学是由中国人开展的关于外国的学问,包括中国东方学、中国西方学等。为了了解中国的现代性问题,了解外国、尤其是西方自然是十分必要的。这样,中国现代学同它的主要旁系中国古典学和中国外国学一道,承担起研究中国的现代性的任务。

但我们不能在中国现代学问题上走得过远,需要赶紧回到本文的论题上来:中国现代性文学在中国现代学中的位置如何呢?中国现代性文学应主要属于中国现代学中的审美现代学与汉语现代学的交叉领域——这不妨暂且称为中国文学现代学。文学现代学要处理如何以新的现代汉语形式(如"新小说"、"现代白话文"和"新文学"等)去创造和确证现代人的生存体验的问题。这意味着把现代性文学纳入整个中国文化的现代性进程去考察,发现现代性文学与现代性文化的密切联系。

这样把中国现代性文学置于中国现代学框架中加以研究,其意义是显而易见的。这里尤其重要的是,它应当可以为目前仍旧彼此疏离而飘无定所的中国近代、现代和当代文学研究提供一个共同的学科立足点或生长点,在此基础上考察它们的共同的审美特征。这必将有助于消除长期以来有关中国现代性文学的种种偏见,使其独特审美价值展现开来。这种偏见在于,与人们标举古典文化而轻视现代文化相应,古典性文学被认为具有独特审美价值和伟大成就,而现代性文学据说则由于废除古典语言而采取西化的现代汉语形式,被认为尚处在失去古典根基的无根或虚空状态,因而不存在独特的审美价值,更不可能取得什么值得一提的成就。美国汉学家孙康宜所披露的西方事例或许具有一定代表性:数十年来美国汉学界一直流行着一种根深蒂固的偏见,那就是:古典文学高高在上,现代文学却一般不太受重视。因此,在大学里,中国现代文学常被推至边缘之边缘,而所需经费也往往得不到校方或有关机构的支持。一直到90年代,汉学界才开始积极地争取现代文学方面的"终身职位",然而其声势仍嫌微弱。有些人干脆就把现代中国文学看作是古代中国文学的"私生子"。⑦而依我们从中国现代学角度所作的审视,正像古典性文化与现代性文化之间的关系一样,古典性文学与现代性文学的比较绝不应看作五千年文学与其自身随后的一百余年文学的自我比较,而应视为同一种文学的两种不同形态之间的比较。也就是说,中国现代性文学已经开始获得了堪与古典文学媲美的独特而伟大的审美风格,它们虽在审美精神上是一致的,但在表现形态上却有明显不同。它们好比同一文学之树上的两株奇葩:一株在古典性传统中生长、盛开和衰败,另一株则在现代性氛围中迎风怒放。古典性文学虽然伟大却已衰败,而现代性文学尽管幼稚却已初显其独特审美特征与伟大前景。因此,要充分显示现代性文学的独特审美特征和伟大前景,就需要大力倡导和开展中国现代学,把现代性文学置于中国文化的现代性问题框架之中。

中国现代学以及中国现代学框架中的中国现代性文学的有关问题甚多,这里只是提出初步研究提纲,以期引起国内人文学界,尤其是美学界和各门艺术学界同仁的探究兴趣。希望这个视界能够为研究包括现代性文学在内的中国文化现代性问题开拓出一种新的意义空间。

注释：

① 萨丕尔《语言论》，陆卓元译，商务印书馆1985年版，第202页。
② 参见阎纯德《汉学和西方学研究》，载阎纯德主编《汉学研究》第1辑，中国和平出版社1996年版，第1—3页。
③ 参见侯且岸《当代美国的"显学"——美国现代中国学研究》，人民出版社1995年版，第7—10页。
④ 冯友兰《中国哲学简史》，美国麦克米伦公司1948年版，此据涂又光中译，北京大学出版社1985年版，第221—222页。
⑤ "中国"作为一个主权国家术语，是直到1689年9月7日《中俄尼布楚条约》中才首次以拉丁文、满文和俄文文本形式出现的，而它的第一次汉语表述则要等到1842年8月29日《中英南京条约》签订时才出场，参见王铁崖编《中外旧约章汇编》之五，上海人民出版社1957年版，第130页。
⑥ 见拙文《中国人想象之中国——20世纪文学中的中国形象》，《东方丛刊》1997年第1、2辑。
⑦ 孙康宜《"古典"或"现代"：美国汉学家如何看中国文学》，《读书》1996年7期，第116页。

原载《文学评论》1998年第2期

於可训

中国当代文学的现代性问题论纲

一

在 20 世纪中国文学中,1949 年以后的当代文学,是一个特殊的发展阶段。在这个阶段上,不但影响文学发展的社会历史和思想文化背景发生了根本的变化,而且文学自身从组织形式到活动方式、从指导思想到理论原则,乃至从创作方法到艺术风格,也与前此时期完全不同。尤其是在这个阶段上,出现了统一的作家组织,和带有极强的"计划经济"色彩的文学体制,以及"有计划、按比例"的文学生产与消费方式,文学开始接受统一的意识形态规范,遵从统一的理论原则,奉行统一的创作方法,追求统一的时代风格,如此等等。这些方面的表现,都使得这一阶段的文学与 20 世纪前此各阶段的文学呈现出巨大的历史反差。虽然这种"统一"的文学历史在这一阶段上,也发生了例如"文革"结束后的新时期文学那样的变化,但就其内在规定和一些基本形态而言,并无本质上的差别。即使是发生了变化的那一部分,对作为一个整体的当代文学这一历史阶段来说,也只是增加了它的发展变化的复杂性和曲折性,并未改变这一阶段文学历史的特殊性质。正因为这一阶段的文学存在着这样的特殊性,所以如何对它作出恰当的历史阐释,并以之为依据在 20 世纪中国文学中给它一个恰当的历史定位,长期以来,也就成了 20 世纪中国文学研究中的一个有待深入探讨的理论问题。

众所周知,对这一阶段文学历史的阐释,在一个相当长的时间内,是取一种单纯的政治视角,这种单纯的政治视角的特点,是从文学的意识形态属性出发,把当代文学看作是当代政治思想和社会意识在文学领域的表现,一方面通过这种表现与被表现的关系,追溯文学的形象世界中所表达的思想意识之所由来,另一方面又根据文学的形象世界所表达的思想意识的普遍性和深刻性程度,判定文学作品的意义和价值。而且这种单纯从政治视角出发的阐释角度,又常常被纳入到一个时期国家机器的运作程序之中,作为这一时期党所领导的国家文化生活的一个重要组成部分,以对文学活动的阐释,来印证国家机器运作的效能和党的文化政策的正确与否。这种本质化和政治化的文学阐释甚至通过一些官方文本(例如有关文学问题的方针政策和一些领导人对文学问题发表的讲话)和半官方文本(例如历次文代会的主体报告和文学机构对文学活动所作的其他形式的总结和评价),影响到这期间的文学史叙事和文学史建构,以至于在今天通行的当代文学史中,仍然沿袭的是这种本质化和政治化的阐释所规定的叙述框架,所选择的叙述对象,乃至所作出的判断和评价。这种单纯从政治视角出发的阐释方式所造成的一个有害的结果,是把文学史变成了政治史的附庸,变成了文化史的注脚,却忽略了文学的历史阐释必须有真正属于文学自身的独特视角。

对这一阶段文学历史的这种本质化和政治化的阐释,直到80年代中期20世纪文学的整体研究观念的提出,才有所改变。为一整体研究的观念力求从走向世界的20世纪中国文学中,找到一种贯穿始终的某些内在的文学因素,例如"以'改造民族灵魂'为总主题","以'悲凉'为基本核心的现代美感特征","由文学语言结构表现出来的艺术思维的现代化进程"等,以便说明20世纪中国文学的整体有机性,为20世纪中国文学构造成一个新的整体研究的文学史框架。这种整体研究的观念和方法,一方面改变了20世纪中国文学研究的割裂状态,给20世纪中国文学研究带来了一个革命性的变化;另一方面对20世纪中国文学所作的历史阐释,却仍然囿于某种单一的角度(例如上述"改造国民灵魂"的角度、"悲凉"的美感的角度等)。这样,某些适宜于这种阐释角度的文学对象和文学时期,就被凸现于文学历史的前台,否则,则隐没于文学历史的深处,或被这种单一的阐释视角所肢解。作为20世纪中国文学的一个特殊的发展阶段,当代文学在这一整体的研究方法中,所遭遇的就是这样一种阐释的命运。在80年代中期以后,关于20世纪中国文学的阐释,还有诸如"庙堂"、"广场"、"民间"鼎足三分和"共名"与"无名"二元对立的框架,大体都未走出上述整体观观照下的单一视角,因而也就未能从根本上解决当代文学在这种阐释视角中被隐没或被肢解的命运。

把现代性问题引入20世纪中国文学研究,无疑使当代文学获得了一个新的阐释角度,这种新的阐释角度,尽管也不能完全解决前此阶段对当代文学阐释的全部局限,但却把握住了20世纪中国文学发展的一个总体趋向。这种总体趋向是一种被称为现代的(相对于古典的)文学新质随着社会的现代化进程不断生长发育的过程,并不受制于某种确定的政治或文化本质,更不是某种政治革命或文化潮流的本质外化。把现代性问题引入文学研究,使文学阐释摆脱了前此时期流行的政治或文化本质论的控制,给文学研究预设了一个广阔的阐释空间。90年代以来,对20世纪中国文学的现代性阐释,同时也给当代文学研究带来了新的变化。这一变化不仅表现为对一些具体的文学对象和文学史现象的现代性阐释,更重要的是,当代文学作为20世纪中国文学的一个特殊发展阶段,从整体上进入了现代性研究的视野,吸引了人们研究现代性问题的目光。毫无疑问,当代文学研究将因此而别开一个新的生面,当代文学与20世纪中国文学的整体性联系和对20世纪中国文学现代化进程的意义,也将因此而得到新的确认。

二

现代性问题在西方是一个十分复杂的社会学问题,它的形成、提出和发展演变经历了一个漫长的过程,对这个问题本身的辨析和研究,无论在西方还是在近期中国的学术界,都已经成了一门专学,其中的曲折隐微,自是一言难尽。但是,尽管如此,我认为它所拥有的一个基本含义,即它是西方社会现代化的一种综合的价值体现,却是不容否认的。如同西方社会的现代化从本原的意义上说,是属于西方社会在告别中世纪以后的文明发展历史一样,现代性问题既然是西方社会现代化的产物,理所当然地也应当是一个属于西方的社会问题（或社会学问题），但是，同样也如同率先在西方发生的现代化最终以它的强势力量推及世界，成为在世界范围内被普遍接受的一种文明形式一样，现代性问题也因此而成了世界各国在各自的现代化进程中，不能不面对的一个普遍性的问题。正因为现代性问题如同现代化问题一样，存在着这样的一个由西方而世界的普遍化过程，因此就不能把现代性问题在西方现代化过程中形成、提出和发展演变的历史（包括它的一些现代性标准），简单地套用于世界各国，尤其是一些被西方的强力将现代化楔入其历史进程的"后发外生"型的现代化国家。对这些国家的现代性问题的研究，首先要解决的一个前提问题是：它的现代化是在什么情况下发生的，经历过怎样的一个历史过程；然后才能谈到它有怎样的现代性，它的现代性表现为怎样的形态。对当代文学的现代性阐释，首先要解决的正是这样的一个前提问题。

就整个 20 世纪中国社会和中国文学的现代化历史而言，大约可分为两个长的历史时段，这两个时段以 50 年约记，恰好把一个世纪分为上、下两半。从 1898 年戊戌维新前后通常被我们称之为近代文学的真正起点算起，到 1949 年中华人民共和国成立，约 50 年，为上半个世纪的一个长时段。在这半个世纪中，中国社会自鸦片战争以后，被西方列强的坚船利炮轰开了大门，在西方已经运行了二百多年的现代化列车呼啸而入，将古老的东方帝国裹挟进在世界范围内正在发生的现代化进程。因为是在西方社会已经发生的现代化历史中滞后发生的现代化，而且又是通过一种强力的作用从外部注入的现代化（"后发外生"），故而中国社会一方面虽然因此而加入了整体的世界历史发展的进程（现代化的历史进程），但另一方面同时又成了在西方首先发生的现代化历史的扩张对象。在这种情势下，中国社会既要接受现代化这个已经在世界范围内普遍化了的文明形式，又要使这种文明形式真正通过自己的方式得以实现，避免成为西方的现代化在海外的扩张形式，唯一的选择就是要建立一个独立自主的现代民族国家。从戊戌维新到辛亥革命到中国共产党领导的新民主主义革命，在这半个世纪中，中国的现代化历史所要解决的，就是这个在"后发外生"型的现代化国家（主要是东方国家）实现现代化的前提问题。

从 1949 年迄今，又 50 年，是为下半个世纪的一个长时段，相对于上一个时段而言,以中华人民共和国的成立为标志,表明中国的现代化已经完成了建立一个独立自主的现代民族国家的前提问题,由此才结束了被动地被裹挟进西方的现代化进程的历史,开始启动了真正属于自己的现代化进程。虽然用这种长时段的眼光来看中国现代化的历史,难免要抹去许多引人注目的时间细节,略去许多至关重要的历史事件,但只有用这个长时段的眼光看问题,我们才能够明白,中国的现代化历史,与一些先期启动现代化进程的西方国家在一个独立自主的近代民族国家内循序渐进地完成的现代化,该有多么的不同。

　　正因为中西方的现代化历史存在着这样一个根本的差异,所以对文学历史的现代性阐释也不能一概而论。由于上述因素的影响,在20世纪上半期,中国文学一方面虽然也接受了西方社会在已经经历过的现代化进程中所创造的全部精神文化成果,包括从文艺复兴到启蒙运动乃至19世纪末到20世纪初正在兴起的现代主义文化思潮,并且利用这些精神文化成果所独具的现代性特质,所包含的现代性因素,完成了反对封建文化、建立现代理性的启蒙任务。从这个意义上说,西方社会的现代化所创造的精神文化成果,对中国社会的现代化进程,确实起到了一种开启作用。但是,也应当看到,中国社会的现代化仅有这样的文化和思想启蒙还远远不够,它还必须最终挣脱西方的殖民统治,获得独立发展的权利和自由。这样,这些从西方接受的精神文化成果又常常被转换成反对西方的精神文化资源(中国传统文化中不存在真正与西方对抗的思想资源)。尤其是对西方的现代化已经表现出某种批判性因素的思想文化(包括文学)潮流,更被引为反西方的思想文化同谋。这种转换从近代就已经开始("师夷长技以制夷"的思想中就包含有这种转换的逻辑结构),经过"五四"到三四十年代尤为突出,以至于逐渐形成了一种占主导地位的思想潮流。这种思想潮流也不能不影响到文学的现代性生长,在中国的现代化尚未获得一个独立发展的前提的时候,文学中就已经表现出了对于资产阶级的(西方的)现代化所造成的各种社会后果(尤其是意识形态)的强烈批判倾向。在上、下半个世纪,即我所区分的中国社会现代化进程的两个时段之交,中国当代文学最初承接的,正是这种对西方的现代性(现代化)进行全面批判的思想理路。

如果说在争取建立一个独立自主的现代民族国家、创造属于中国自己的现代化发展前提的过程中,对西方的现代性(现代化)所进行的批判,有助于确立现代化的民族主体身份,选择属于自己的现代化发展道路的话,那么,当这个前提问题已经得到解决,已经建立了一个独立自主的现代民族国家之后,仍然坚持对西方现代性(现代化)的这种全面批判,就主要是由于一种历史的惯性和战后东、西方对抗的冷战格局的影响。从 50 年代到 70 年代中期,中国当代文学把对于西方的现代性(现代化)所进行的这种全面批判,通过从批判资产阶级(包括小资产阶级)思想到批判修正主义思想的转换,逐步发展到了一种极端状态。这应当看作是 20 世纪中国文学的现代化追求从前一个时段到后一个时段的一种过渡状态。在这个过渡状态结束之后,新时期文学又开始了"启蒙现代性"的重建,从 70 年代末到 80 年代中期,文学中奔涌突进的人道主义主潮,就是这种"启蒙的现代性"重建的一个突出表现。这种"启蒙的现代性"重建,又一次使西方从文艺复兴到启蒙运动的思想文化潮流,成了 20 世纪中国文学在新的阶段上的现代化追求的思想文化资源,西方现代化所创造的某些普遍的价值原则,在中国文学中,又一次得到了历史的确认。如果说,在我所区分的前一个时段,西方"启蒙的现代性"的诸多思想文化资源,曾经帮助中国社会在创造现代化的前提条件(即前述建立一个独立自主的现代民族国家)的过程中,完成了反对封建文化、建立现代理性的历史任务的话,那么,这一阶段"启蒙的现代性"重建,就是在已经具备了这个前提条件,并且完成了上述从前一时段到后一时段的历史过渡的情况下,为启动真正属于中国自己的现代化进程,确立新的价值理性。这一阶段"启蒙的现代性"重建,因而较之从 50 年代到 70 年代中期极度张扬的"批判性",就更多地表现为对于自身的现代化追求(包括对前此阶段极度张扬的"批判性")的历史反省,而相对减弱了对于西方的现代性(现代化)的批判锋芒。这同时也表明,这种"启蒙的现代性"重建,开始以一种与西方平等的主体身份,认同西方现代化的某些普遍的价值观念。从逻辑上说,这应当意味着中国在启动真正属于自己的现代化进程的同时,也在经历如同西方的那样的早期现代性(即"启蒙的现代性")阶段。

但是,历史不总是以逻辑的方式运行的。在 70 年代中期结束

"文化大革命"以后,当中国开始以一个平等的主体身份真正加入世界范围内的现代化进程的时候,世界范围内尤其是西方社会的现代化进程,却早已进入了一个全新的发展阶段。这个阶段不但由于科学技术的迅猛发展,尤其是现代资讯的空前发达而被人称之为"后工业社会"或"信息社会",而且也由于因此而带来的人的生存环境和生存状态的改变,而出现了许多与启蒙运动以来的现代理性完全不同甚至根本对立的新的人生观念和社会价值观念。这些新的人生观念和社会价值观念,从19世纪后期发生的现代主义文艺运动以来,在西方社会就与启蒙运动以后确立的现代理性频繁地发生冲突。虽然这种冲突就已经意味着随着现代化的发展,现代性观念也在发生历史性的转换,但真正集中突出地体现这种"后工业社会"或"信息社会"的价值理性与启蒙运动以来建立的现代理性的本质区别,并以此标示现代性发展鲜明的历史界线的,毫无疑问应当是冠以"后现代"名目的各种思想文化(包括文学)潮流。这股思想文化潮流虽然学界一般认为是滥觞于30年代现代主义向后现代主义转换之时,但真正体现其鲜明的反"启蒙现代性"(包括现代主义中某种发展了的"启蒙现代性")特质,却是以战后科学技术和现代资讯迅速发展的"后工业社会"或"信息社会"为背景的。中国社会在结束"文化大革命"的70年代后期加入世界范围内已经进入后工业时代或信息时代的现代化进程的时候,所遭遇的正是由这种后工业时代或信息时代所孕育的"后现代"(在80年代一般误读为"现代主义")的文化情境。这样,这期间的文学在重建"启蒙现代性"的同时,又不能接受这种反启蒙的后期现代性的影响。虽然关于后期现代性的时间界定学术界还存在着很多分歧,但"后现代"的思想文化潮流无疑是属于后期现代性的范畴。在重建"启蒙现代性"的同时,又接受这样的思想文化影响,就使得这期间文学的现代性追求不能不面临着一种无法克服的矛盾和悖论:一方面重建"启蒙的现代性",不能不高扬理性的旗帜;另一方面,接受反启蒙的后期现代性的影响,又难免要瓦解这种"启蒙的现代性"赖以成立的理性基础——形而上学和本质主义。在新时期文学中,以现实主义为代表的理性主义文学思潮,和以各种冠以"现代主义"或"后现代主义"的先锋、前卫的文学实验为代表的非理性主义的文学思潮之间的冲突和对立,正是这种共时地存在的前后期现代性因素在文学中的具体表现。

进入90年代以后,由于"冷战"格局的瓦解和全球化进程的加速,中国社会的现代化与世界各国包括西方国家的现代化进程,不但在诸如经济、科技、法制、管理、资讯和公共事务等等方面获得了许多共同性的基础,而且在诸如对待我们这个时代普遍流行的消费文化潮流和一些全球性的问题(例如环境、人口、宗教和文化冲突等等)上,也获得了许多共识,出现了许多价值上的认同。所有这些共识和价值上的认同,都是建立在对现代化在现阶段的表现(即全球化进程)所带来的一系列社会文化问题的批判性审视的基础上的。而且这种批判性的审视又不是如50至70年代那样,主要是基于一种政治和意识形态立场,从社会主义与资本主义的根本对立出发,由外部对资本主义的现代化所作的一种否定性的批判,而是从现代化(包括资本主义的现代化)内部对因现代化而造成的诸多负面效应所作的一种反观和自省。由于这种批判性的审视仍然是来自于现代化进程的内在驱动,因而仍然是现代化的一种特殊的价值体现,是现代性问题在现阶段的一种特殊的表现形式。90年代的文学虽然并不完全涉及这一范畴的问题,但就其中的一些新锐创作(例如邱华栋和大多数"60年代出生"作家的创作、女性文学和它的最新发展等)所涉及到的问题而言,却大多是这种摒弃了政治和意识形态遮蔽的现代性因素的体现。90年代文学涉足这种普遍的现代性观念同时也表明,随着中国社会迅速加入全球范围内的现代化进程,中国文学对于现代性问题的意识,也开始站到了一个新的起跑线上,开始与世界各国共同面对全球化进程所带来的一些共同性的问题。

三

但是,尽管如此,这种在90年代发生的与世界同步的现代性效应,仍然是以中国文学长期以来一种激进的现代化追求和由这种追求所造成的历史断裂为代价的。如同整个社会文明的发展不能随意超越必不可少的阶段性一样,现代化的进程也不能不遵循一定的必经过程。但是,如前所述,对于像中国这样的一个"后发外生"型的现代化国家来说,因为它的现代化是滞后发生的和从外部注入的,所以其现代化进程也就注定只能是超阶段的(从中段进入)。这种从中段进入的超阶段的加入现代化进程的方式,同时也就注定了中国现代化从一开始就存在着一个补课的任务,即要把西方国家在前此阶段几百年内发生的历史,在很短的时间内重演一遍,而且这种重演又不同如西方国家在经历这一段现代化的历史那样从容不迫、循序渐进,而是始终处在西方国家正在加速发展着的现代化进程的力量牵引之中。在这种力量的作用之下,中国的现代化一方面要向后完成补课的任务,另一方面同时还要向前追赶现代化的最新发展进程。无论是完成补课的任务,还是追赶最新的发展进程,由于中国的现代化发生的历史文化传统和社会经济基础等方面的条件,与西方国家有诸多不同,因而其行进的速度也不可与西方同日而语。即使是与西方国家等速前进,中国的现代化在解决了补课的任务之后,要赶上西方国家的现代化发展步伐,也注定是一件不可能的事。由于这些原因,在一个"后发外生"型的现代化国家,解决这个发展滞后的矛盾,往往容易刺激一种激进的现代性想象。这种激进的现代性想象,在当代中国的主要表现,就是利用马克思主义批判资本主义的思想资源,对资本主义的意识形态进行全面彻底的批判,在这个基础上,建立属于无产阶级和社会主义的现代性想象,期望通过这种现代性想象,在观念上超越资本主义现代化的历史阶段性,提前到达在这种想象中预设的现代化目标。

受这种激进的现代性想象的影响,中国当代文学在"文革"前的一个时期内(通称十七年),一方面不遗余力地批判各种资产阶级(包括小资产阶级)思想意识,尤其是所谓资产阶级人道主义思潮和与之相关的人性论,企图通过这种批判,从根本上摧毁资本主义现代化的价值基础,在观念上与资本主义的现代化实行彻底的决裂;另一方面同时又高扬一种远离现代化进程的农业社会的社会理想(对无产阶级或社会主义现代性的想象),期望通过这种理想所激发的道德热情和精神力量,去填补由于超阶段的追求所造成的物质缺陷。这两个方面到"文革"期间都发展到一种极端状态,结果就使得这期间的文学陷入了一种双重的现代性断裂:一重断裂是与西方现代性的断裂,另一重断裂是与自身现代性的断裂。与西方现代性的断裂,是指它全盘否认由西方资本主义现代化的既往历史所创造的,事实上已经成了现代化的一种普遍的价值体现的启蒙理性的各种思想观念(包括后期现代性的某些萌芽的现代主义因素),从而割断了与一种普遍的现代性观念的精神联系。与自身现代性的断裂,是指它背离了现代中国革命的目标:建立一个独立自主的现代民族国家,是为了创造中国自身的现代化发展的前提,而不是退回到一种自给自足的封闭的农业社会的社会理想(包括一种封闭的工业化理想的变体)。因为这种双重的断裂,结果就使得这期间的中国文学完全淡出了现代性的历史地表,因而也就完全淡出了现代化追求的历史。

正因为在这种激进的现代性想象驱使下的激进的现代性追求,造成了"文革"期间中国文学的现代性断裂,因而在"文革"结束后,就有必要重新接续因这种断裂而中断了的中国文学现代化追求的历史。但是这种重新接续又不是对既往历史的一个简单的回归,而是同时还要对这种断裂的时间本身进行一种历史的修复。这种历史的修复也就意味着结束"文革"以后的新时期文学,也面临着一个"补课"的任务。于是,世纪初出现的那种在很短的时间内就将西方在几个世纪发生的各种文化思想(包括文学)潮流,都重演一遍的现象,在临近世纪末的80年代文学中又再一次出现。而且这一次重演所遭遇的历史情境,与世纪初又有诸多不同。如果说世纪初吸纳西方"启蒙现代性"的各种思潮,虽然与西方早期现代性的形成、发育和生长的历史之间存在着一个巨大的时间差,但西方社会基本上还处在早期现代性历史的最后阶段,因而二者之间还存在着某种共时性的关系的话,那么,临近世纪末的80年代文学重续现代性追求的历史,吸纳西方各种现代思潮,就处在西方社会已经完成了从早期现代性向后期现代性的转变,同时后期现代性在经历了从现代主义到后现代主义的发展过程之后,也在日渐发育成熟。这样,80年代文学所吸纳的西方现代性的思想资源,就不仅仅是与其共时地存在的后现代主义的各种思潮(如前所述,当时被普遍地误读为现代主义),同时还有被前此时期的文学批判和否定的"启蒙现代性"和现代主义的各种思潮。这些在现代性的形成、生长和发育的不同阶段上的思想资源,以一种层累地积淀的方式集中浓缩在"文革"后的新时期文学这个特定的历史时段,因而就使得这期间的文学出现了一个多层重叠的现代性背景。

新时期文学的现代性追求,也因此而不可能不呈现出一种多重的价值取向。这种多重的价值取向的一个积极的结果,是使新时期文学具有丰富的现代性内涵;它的消极结果,则是同时也造成了一种现代性的混乱。

这种现代性混乱的主要表现,其一是继续坚持"文革"及其前一个时期对现代性问题的一种极端批判立场,把西方现代化的所有价值体现,从早期的启蒙主义到后期的现代主义,统统归结为一种"反动的"资产阶级的意识形态,归结为"腐朽的"资本主义制度的产物,完全无视作为资本主义现代化的产物的文化(文学)的现代性,本身就包含有对于资本主义社会的现代化的批判性因素,而且这种批判性的因素,愈到后期愈益强烈,它与马克思主义对于早期资本主义社会现代化的批判相为表里,二者之间存在着许多共同性的因素。这种对现代性问题的极端批判立场,源于一种对现代性问题进行意识形态提纯的天真幻想,其结果却因为抽去了现代性问题的阶级和制度的承载,而把现代性问题变成了一种纯粹意识形态的空洞幻想。其二,与这种对现代性问题进行意识形态提纯的幻想形成对比,这期间在现代性问题上的另一个极端倾向,是把现代性问题人为地理想化。由于中国社会在"文革"后加速启动现代化进程,不能不刺激对于理想文化(包括文学)领域的现代化追求,这种追求自然而然地就把对现代性问题的想象引向西方社会的现代化,于是,西方现代的各种思想文化(包括文学)思潮,同样被想象成是与整个资本主义的现代化互相适应的,是促进其发展的,以此推断中国的现代化也必然要催生类似于西方的各种现代(甚至是现代主义)的思想文化潮流。这种对现代性问题的想象从表面上看来,似乎与上述极端批判立场完全不同,在新时期文学中甚至因此而引发了几次激烈的争论,但从根本上说,却同样忽视了资本主义社会的现代化与思想文化(包括文学)的现代性之间的矛盾与悖论。正是这种矛盾和悖论,不允许我们在追求社会的现代化的同时,对文学(包括所有思想文化)的现代性作丝毫理想化的期待,而这种期待在新时期文学中,几乎是一个普遍存在的精神现象。

一个"后发外生"型的现代化国家,要从根本上消除这种现代性的混乱,是一件十分困难的事情。一方面现代化毕竟是西方国家首先创造的一种文明形式,是资产阶级革命造成的结果,是与资本主义制度相伴相生的。从这个意义上说,现代化属于特定社会特定的历史范畴,甚至具有我们习惯所说的阶级性。但另一方面,当西方资本主义的现代化以其先进的生产方式、发达的科学技术和一种新型的文化与生活方式,给人类社会带来的巨大历史进步而推及全球的时候,就成了为世界各国所接受的一种普遍的文明形式,在这种情况下,现代化又超越了社会、阶级和时代的具体范畴,成了人类文明发展的一个新阶段的标志。由于现代化由西方而推及世界,基本上是采取一种强力的方式,因而造成了现代化在世界各国发展的不平衡性,尤其是在一些历史古老、经济落后、基础薄弱的东方国家,这种不平衡性更成了它自身的现代化追求的一种无法挣脱的历史的宿命。在这样的东方国家,不但整个社会的现代化容不得任何激进的幻想,而且其文化和文学的现代性追求,也宜于采取一种审慎的态度。从这个意义上说,中国当代文学既不可拒绝西方现代化的历史所积累的现代性的全部思想资源(其中包含有许多普遍的价值因素),又不可以西方现代主义和后现代主义为中国文学现代性的最新追求目标(其中存在着许多与中国社会的现代化要求相悖的因素)。中国当代文学最终面对的应该是而且也只能是,在中国自己的历史文化传统和中国社会自身的现代化进程中形成、生长和发育着的现代性问题。

原载《福建论坛》(人文社科版)2001年第1期

吴秀明

转型期文学叙事现代性的递嬗演进及特征

一 叙事的拟权威、反权威、无权威模式

在中国当代文学的形式传统中,对叙事的漠视是导致文学作品艺术质量和审美价值低落的一个重要因素。20世纪80年代以后,当文学经过一段痛苦的嬗变,渐渐地从"内容决定论"(重内容轻形式)那里解放出来,许多作家很快觉察到叙事话语的重要性,叙事形式问题日甚一日地被提到了非常突出的地位。用作家李陀的话来说,它俨然成为艺术创作的一个"焦点"①。这说明了传统的重内容、轻形式或重思想、轻艺术的创作观遭到了怀疑,于是,"怎么写"重新浮出水面,引起了人们的高度重视。的确,对一部作品来讲,要想提高自身的艺术质量和审美价值,"怎么写"往往比"写什么"更重要,更有实在的意义。当然,我们这里无意于讨论叙事的重要性,而是想重点考察一下它在世纪之交转型期的具体表现,它的现代性的递嬗演变及其基本特征。这种递嬗演变和表现特征从叙事权威性与否的角度来看,归纳起来大致有以下三种模式:

一是拟权威模式。这是一种拟政治权威的叙事,它带有鲜明的意识形态色彩乃至党史的叙事立场。往往一个人所作之文似乎总是代表党、阶级、主义,有意无意地以时代、社会的代言人自居。因此,文本结构中鲜有私人化的自我,一般都融涵着强烈的政治意识形态的理念。新时期开初的文学创作大多就属于这么一种情况,这也是那个时期基本的文化氛围和文化习惯。如新时期文学

的发轫之作《班主任》,就通篇充斥着训诫的色彩:

> 张俊石从分析《牛虻》开始,引导谢惠敏运用马列主义、毛泽东思想的立场、观点、方法去解答一系列互相关联的问题:应当怎样认识生活?应当怎样了解历史?应当怎样对待人类社会产生的一切文明成果?应当怎样批判地看问题?应当怎样识别真假"马列主义"?应当怎样辨别香花与毒草?应当使自己成为一个什么样的人?应当怎样去为祖国和四化、为共产主义的灿烂未来而斗争?

这与其说是文学的叙事,不如说是拟政治权威的叙事。文中涉及大量的政治概念、权威话语,若作家不是对此非常熟悉并在艺术构思上给予理性的契合,是很难写好的。这种叙事模式在 20 世纪 70 年代末至 80 年代初很盛行。"当时,国家和人民都需要肃清极'左'思潮的流毒,每一个作家(小说家)也都自觉地通过作品(小说)来完成政治上的功能和意图。既然是为了实现某种意识形态的意念,作家(小说家)就和叙述者合二为一了,只剩下一种声音,一种指令他人遵循某种原则的神圣声音。那个时代也委实需要这种定于一尊的声音。"② 从文本的构造和功能上看,这种叙事模式普遍采用将强势意识形态和道德规范强行纳入作品文本话语当中的作法,它基本上不考虑读者的接受与否,也不向读者敞开可与之对话的大门;并且严格遵循结构主义二元对立的功能模式,始终以某种外在的、绝对的参照物为中心点和出发点,追求现象背后的逻辑,关注整体、系统、真理、主义、本质、必然、中心、结构。这样,作品的叙事也就有意无意地被强加上了对读者耳提面命的指导或说教的成分。就像刚才所举的《班主任》这段原文一样,内中充满了"马列主义"、"毛泽东思想"、"祖国"、"四化"、"共产主义"等词语,还有"你应当怎样……"之类的词句。作家俨然是以政治家代表的身份在发言,他在文本里面无时无刻不拥有一种拯世济民的凌驾姿态,叙述者与接受者之间没有什么平等的沟通,有的只是居高临下的指导和传达。

二是反权威模式。最为典型的是 20 世纪 80 年代中期刘索拉、徐星、陈村等人的创作,那是一种反抗正统的行为标准和道德规范、反抗既定的文化秩序和意识形态的叙事模式,带有强烈的叛逆精神。挑战权威,消解正统,构成了他们基本的叙事立场。为此,其文本叙事广泛采用反讽的表达技巧,被肯定的价值往往以被否定的形式出现,反之亦然。用叙事学原理讲,就是在一个文本中同时有传统叙事话语与反传统叙事话语两套代码同时出现,造成文本内部话语冲突的滑稽的喜剧效果,直到最后,在揶揄调侃中达到对传统叙事话语的颠覆和消解。这种通过反讽手法来进行反文化、反权威的叙事模式,在中青年作家那里一度非常流行。如徐星的《剩下的都属于你》,通篇运用反语来表现现实世界中的不公平现象。陈村的《少男少女,一共七个》,把成串的政治用语、书面用语无标点地串成一大段,追求一种正话反说、反话正说的效果。不过,话又要说回来,反权威并不是不要权威。事实上,这些作家自己仍然坚持一种权威,只不过这种权威是以西方现代文明和文化为尺度,以个性至上为准绳的权威罢了。它与上面的"拟权威模式"相比较,严格地讲并无本质的区别,而只是"权威叙事"的一体两面:刘心武们的"拟权威"叙事体现为靠拢和模拟正统的、符合社会发展秩序的各项规范,是一种对权威的建立;而刘索拉们的"反权威"叙述则体现为嘲弄和讽刺正统的、正在运行的各种既定的社会秩序和规范,是一种对权威的摧毁。③

三是无权威模式。与前两种叙事模式不同,无权威叙事模式则是一种取消权威、消解中心的叙事模式,它不但反对叙事者将一种外在的东西强加于文本,而且在文本自身内部也不再恪守用等级制或目的论的观点来处理和协调各种话语之间的关系。如马原、格非、苏童、余华、孙甘露以及大多数"新生代"作家的创作,基本可划归于此。甚至像陈忠实的《白鹿原》,其主体叙事框架也分明具有无权威叙事的特点。如该书在叙述"打土豪,分田地"时,一方面,通过描写白鹿原农协的斗争活动,并用铡刀铡死并无什么特别恶行的老和尚、打残在族民眼中德高望重的族长白嘉轩来揭示这场群众运动中夹杂着的混乱、野蛮、血腥的恐怖行为;另一方面,又让维护这场革命运动的另一种声音在文本中发言,这就是通过白灵之口反驳说:"你听没听到贺老大怎么死的?你听过见过把人从高空中磕下来的磔刑吗?共产党就要发动被压迫者推翻压迫者,建立一个没有剥削压迫的自由平等的世界。"可见,在这里,两套话语是并置的,它们都有其自身存在的合理性,不存在一方压倒另一方,它们所构成的冲突是力量对等的冲突。作者本人也并不对两套话语的合法性进行孰优孰劣的选择,而是把这裁决权交给历史,让读者参与文本并根据自己的体验作出评判。落实到具体的叙事层面,往往就表现为削平深度的平面化操作,追求叙事的游戏性,如因果链条的拆除,意蕴构成的不确定性,解构策略的无底运作等等。而这一切与在市场经济文化语境冲击下,文学中统一的历史和美学评判标准失去了其既有的权威性这一特定情况密切有关。

二 叙事视角的变化

选择什么样的叙事视角来让叙事者(作家)把他要讲述的内容展示出来,不同的时代往往有不同的表现。

在传统的文学中,作家为了无所不在地把握描写对象,也为了在此过程中以观念控制故事和人物,全知全能的叙事视角便成为单一的、固定的叙事程式。叙事者类似于洞察一切、通晓一切的"上帝",他超越于故事和任何人物之上,对作品中发生的每一件事的来龙去脉一清二楚,对作品中每一个人物的命运也了如指掌,且无须解释他是怎么知道这一切的。他只是从容不迫,娓娓道来,像摆布奴隶一样地摆布着作品中的人事变化、时序延顿、空间场景的转换,仿佛一切都是宿命。进入新时期以来,开始几年曾亲历了灾难的作家在"重归"现实主义的一片呼唤声中,每人心目中都有揭批控诉的明确主题,加上特有的文化氛围的影响,他们自然地选择了传统的全知叙事视角来表达他们对这段刚刚逝去的生活的认识,力图提出问题并解决问题,试看刘心武的《班主任》、王亚平的《神圣的使命》、蒋子龙的《乔厂长上任记》、邓友梅的《追赶队伍的女兵们》、从维熙的《大墙下的红玉兰》等作,我们都可明显地感受到此一叙事视角在当时的受宠。即使是在一些有一定艺术价值的作品中,对叙事视角的探索——如《班主任》"通过张俊石这个班主任的眼光"来审视宋宝琦、谢惠敏,也即不是通过叙事者大于人物,而是通过叙事者等于人物的叙事视角——依然难以脱出全知全能的范畴,依然显露出浓郁的全知全能控制的痕迹。一个简单的事实是,作品有关谢惠敏内心活动等细节场面的描写,其叙事空间实际上已经越出了张俊石所能知道的范围,它表明了小说的实际叙事者是大于张俊石这个人物的。有人曾对1978年全国优秀短篇小说中25篇获奖作品作过一个统计,发现16篇采用了叙述者大于人物即全知的叙述者视角。这也许不是一个偶然的数字。

经过几年探索,大概到1980年前后,相当多的作品把叙事者从作家身上分解出来,并把后者设计为角色性演员。于是慢慢地,叙事视角自然便丧失了全知的可能,而转移到叙事者所处的限知的内视角位置,许多作家不约而同地采用第一人称"我"来进行叙事、抒情(小说如张抗抗的《夏》、陈建功的《飘逝的花头巾》等;诗歌方面如舒婷、顾城等人的诗篇),他以目击者的亲身经历和感受者的亲身体验,表达作家对客观世界的认识、感受、思考和领悟。因为运用第一人称的限知叙事,所以这里的"我"就被安置在某一局部位置,其叙事视角和范围受到严格的限制。作家只能从"我"的所见、所闻、所感去描述,"我"不可能知道的前因后果都被摒除在作品之外。"我"的大脑便是叙事者(作家)的叙事视角。因此,叙事者和"我"知道得一样多,叙事者等于"我"(即人物)或小于"我"(即人物)。叙事者必须跟着"我"走,而"我"是正在活动和感知的人物,如果"我"隐退了或不在场,该叙事也就中断了。当然,也有不少的限知叙事视角是以第三人称方式展开的,作品中并未出现"我",但它与上述的全知叙事不同,采用的是某一人物的眼光来叙述故事,读者从中仍可感觉到有一个"我"的诗意存在。如王蒙的《春之声》、《蝴蝶》等小说,乍看无"我",但其实"我"无时不在,无处不存,只不过这个"我"是被第三人称的岳之峰(《春之声》)、张思远(《蝴蝶》)来代替罢了。叙事者实际上是在借助于某个人物(主人公)的眼光来控制叙事层面,他在向我们转述这些人物的意识流动的心理感受。也正因为如此,以至于在这些被称之为"东方意识流"的小说中,作为叙事者的王蒙可以细致入微地描绘这些人物思想演变的轨迹和内心深处的隐秘;而一俟涉及到与之相关的其他人物的内心世界时,就不得不借助主人公的自问、揣摩和感觉,像一个旁观者那样去猜度,不能断然肯定什么。这与《班主任》中有关谢惠敏洞察式的内心描写比较,彼此在叙事视点上的差异就很明显。

整个20世纪80年代,可以说是限知内心叙事视角最受宠的年代。不过从20世纪80年代中后期开始,由于诸多方面因素的作用,它的发展也愈往后愈显得复杂。于是,新的分化和嬗变在所难免。首先,是以新写实为主体的一批"新"字号的作家立足限知叙事又超越限知叙事,有意识地将单一的心理描写纳入具体实在的世俗生活之中,使内视角的心象描写与外视角的物象描写有机结合起来。如池莉的《烦恼人生》、《太阳出世》,方方的《风景》、《祖父在父亲心中》,刘震云的《单位》、《一地鸡毛》等作,内中的"我"或主人公印家厚们已不是单纯的叙事者,而起到了既是叙事者又超越叙事者,既参与文本叙事又超越文本叙事,既目击故事与人物又感悟故事与人物,既写心又写实的双重作用。限知内心叙事视角是有局限的。一来它多少限制了叙事者的视野,当叙事者不再扮演"上帝"的角色,颐指气使地纵观全局、俯瞰一切,而只能和他们的笔下人物知道的一样多甚至更少,那么,这种叙事无论怎样内化、开放,它毕竟留下了很大的叙事盲区,让人感到遗憾。二来限知叙事视角所展示的心灵深处的东西毕竟太难以捉摸、太神秘莫测了,要将它逼真无遗地进行审美转化不仅委实不易,甚至是不可能的。西方某些理论家针对"意识流"小说此弊,提出了"动作流"的命题,即通过外象来表现内象,让读者从动作、表情、言语等来感受人物心灵深处的思想感情。这些"新"字号作品的叙事意义在于能从切实而原生的生活物象入手,尝试将内外视角合二为一,让人物通过自己的言行举止、所思所想,充分展示各自艰难苦涩的生存境遇和精神状况,以避免限知性描写人物的弊端。尽管新写实等作品具有难以掩饰的艺术粗鄙化的缺陷,但它在推进文学叙事由简单的限知向复杂的内视角与外视角融合的转换上所作出的成就,无论如何不可抹煞。此后被评论家们称之为"多元叙事视角"或曰"复调叙事视角"的方法,其实都程度不同地吸纳了新写实的做法,至少与它有相通或一致之处。所不同的只是多元叙事视角涉及的范围更大,方面更广。它往往同时采用几个不同的视角,从宏观立体的高度把握对象,进行综合的艺术描写,从而形成复合交错式的叙事视角。20世纪90年代以来,不要说陈忠实的《白鹿原》等史诗性著作,就是像余华的《许三观卖血记》、《活着》以及乔良的《灵旗》之类小长篇乃至中篇小说,一般都普遍设置多个不同的叙事者,道理即此。因为多个不同叙事者加在一起,它们就能相互补充、相互解释,在叙事上有效地发挥扬长避短的作用,达到对生活整体全方位的反映和把握。

  需要说明的是,多元叙事视角并不是向传统的全知叙事视角的回归。因为它的每个视角都保持着自己的独立性和感官化,相互之间并不受制于一个先验的、大一统的叙事框架。它们是立体的、多向的,同时也是开放的、动态的;有时,甚至不一定集中于同一条线索。高行健曾声言他"在一些多声部戏剧实验中,往往采用复调的叙述方式"④,他的《喀巴拉山口》就由四个演员分别叙述两件全然无关的事件。至于小说在这方面就更为典型。如王安忆的《小鲍庄》,写到了中间,有意无意地、上不着天下不着地地夹进了两行文字:"在一千里外的北京,正进行着一场江山属于谁的斗争。一千里以外的上海,整好了枪,等着发枪了。"又如刘心武的《钟鼓楼》,基本上就由一个四合院、九户人家、三四十个人物及单独成篇的故事联缀而成。它们正是在独立并行而又相互对照的弥散性的叙事中,在同一部作品中才获得了多向的生活内容,从而达到了对传统惯见的全知叙事的叛离和超越。

  不过话又说回来,全知视角、限知视角、内外视角交叉以及多元视角的叙事,都是一种常规性视角的叙事,即叙述人是一个正常思维者。它虽是叙事者创造的"第二自然",但与生活是同构的。与之不同的是,到20世纪80年代中期,有些作品出现了叙事人与作家分离的现象。这种分离现象最突出的表现,就是文本中的叙事人充当着一个颇具"虚构"色彩的角色,他甚至抛弃了正常人的思维模式,以破坏常规的方式叙述着。我们将这种视角统称为非常态叙事视角。寻根文学中的不少作品,如韩少功的《爸爸爸》、《女女女》,扎西达娃的《西藏,隐秘的岁月》,马原的《冈底斯的诱惑》等都具有这样的特点。它们离奇古怪故事的本身就或隐或现地表明着神话世界的存在,未知、模糊、原始、神秘的超验叙事更给作品增添了奇异陌生的效果。而这一切,显然与传统的神话思维和拉美的魔幻现实主义的影响不无密切的关系,这与其说是作家有意识地借用神话故事来支撑小说的结构,倒不如说是借用神话思维这种非常态的叙事模式来表现一种超验的感受,从而达到常态叙事不能达到的艺术效果。类似的情况在嗣后的新写实那里也可找到。例如被评论家们称之为"窥视"的叙事,其中不少就可纳入非常态叙事的范畴。它的打破常规,不仅表现在选择了不那么光明正大、打探隐私且多少有点变异心理的"窥视"方式,更主要的则在于往往推出一个非现实的、带有假定性真实的"虚幻"叙述人来充当窥视的角色。在作品中,这类角色往往站在局外人的立场,用一种超离的、冷观而又病态的眼光躲在幽暗之处,触目惊心地描述个体人的真实的生存状态和生命内容。在这方面,最具代表性的要数方方的中篇小说《风景》,它以一个夭折的婴儿的眼光为"窥视"角度,冷静而又坦白地叙述自己的家族史,把发生在十几平米内的父母、兄长、姐姐等家族成员那诚实的、自由的或虚假的乃至淫邪的生命内容披露无遗,反映了下层百姓生活的艰难和绝望的挣扎,给人以震惊的心理体验和刻骨的真实感。

可见,非常态的叙事视角实际上是一种打破常规的强艺术处理,只要运用得当,是完全可以超出非常态叙事所不能起到的特殊艺术效果的。

三 叙事策略的演进

要说 20 世纪 80 年代至 90 年代转型期文学叙事策略有什么表现的话,笔者认为,首先莫过于它的"暴露性叙事行为"。众所周知,对真实性的追求历来是中国古代以及现当代文学的主流,似真性效果是中国文学叙事策略所追求的主要艺术效果和文体特征之一。尽管人们都知道文学是虚构的,但不同的文学对虚构有不同的态度,因而相应也有不同的叙事策略。传统的文学(主要是现实主义文学)在讲述一个自知是虚构的故事时,总千方百计地隐藏其虚构性,亦即掩盖叙事行为。因为叙事是一种虚构,暴露了叙事行为就等于暴露了文学写作的虚构本质,使文学不能求得似真性效果。而现代的文学(主要是现代主义及后现代主义文学)则不然,它的叙事策略是在讲故事的同时故意揭穿虚构性本质,也就是叙事人故意暴露叙事行为的虚拟性,自己揭自己的老底,从而达到对似真性效果的解构。后者往往又被人们称为"元小说",或曰"元叙事"。

当代文学在相当长的一个时期内,叙事策略严格恪守着掩盖叙事行为这一传统经典的范式,以似真性作为艺术追求的目标。新时期从伤痕文学到寻根文学,尽管思想艺术上均有不少新变,但此一叙事策略基本没变。几乎所有的作家都把创作当作是"以假当真"、"以假乱真"的神圣事业。以至颇先锋的作家王蒙也认为,虚构的小说是为了揭示真实:"小说最大的特点恰恰在于它是'假'的……小说是根据生活真实来的,它本身是假的,这是它最大的一个特点。……这个'假'是非常严肃的假,是从生活当中来的,是根据真的东西变出来的。"⑤难怪那时他创作的《布礼》、《蝴蝶》以及鲁彦周的《天云山传奇》、蒋子龙的《乔厂长上任记》、谌容的《人到中年》等,都煞费苦心地把"假"的故事当作"真"的来写,使人读了为之掉泪,具有强烈的煽情效果。这也反映了20世纪70年代至80年代之际,包括作者与读者在内的整个社会对艺术真假与否的理解还基本停留在哲学认识论的层次,而没看到真实性问题本质上是一个叙事成规和叙事策略问题。

上述情况一直延续了七八年左右。最先打破似真性的大一统格局进行叙事革命,给文坛带来深刻影响的可能是马原。在1984年发表的《拉萨河女神》中,一方面,马原郑重其事地讲述着故事,另一方面,又郑重其事地告诉读者故事的虚构性,并公开展示编织故事的技巧,有意设置迷津式的叙事圈套。这本身就无情地嘲弄和颠覆了传统文学的似真性观念,将其叙事行为的虚构本质从讳莫如深的幕后推到了前台。如《虚构》的开篇就声言:"我就是那个叫马原的汉人,我写小说。我喜欢天马行空,我的故事多多少少都有那么点耸人听闻。"最有意思的是,临近故事结束的时候,作者兼叙事人还直接跳出来与读者对话:

> 读者朋友,在讲完这个悲惨的故事之后,我得说下面的结尾是杜撰的。我像许多讲故事的人一样,生怕你们中间一些人认起真:因为我住在安定医院是暂时的,我总要出来,回到你们中间。我个子高大,满脸胡须,我是个有名有姓的男性公民,说不定你们中间的好多人会在人群中认出我。我不希望那些认真的人看了故事,说我与麻风病患者有染。……所以有了下面的结尾。

如此这般,这仿佛是马原在宣言:小说故事中的人物本来就是纸上生命,断然不是传统小说所言的"来自生活"。在马原的影响下,其他作家如叶兆言、格非、洪峰、王安忆等,也都程度不同地使用了这种元叙事策略。如洪峰在《极地之侧》中的叙述,一开头就供出了小说叙事的虚构本质:"在我所有糟糕的和不糟糕的故事里边,时间地点人物等等因素充其量是出于讲述的需要。换句话说,你别太追究细节,这样大家都轻松。""有个叫马原和一个叫程永新的人写信来说你这篇小说要写得短写得好而且写得比别人好。我可以写短——我说话吃力自然做不来长文章。但我不敢保证这篇东西好更不敢保证它比别人的好。"此外,在小说的中间,作者还时常插入"这是洪峰的想像","后来的事证明洪峰对了"之类解释小说何以这么讲述的话,有意通过暴露叙事行为而达到对似真性效果的消解。

其次,转型期文学叙事策略还在它的"私密性叙事行为"上。所谓的私密性叙事行为是相对于公共性叙事行为而言的。如果说,公共性叙事行为是一种宏大的叙事,它代表了一个阶级、一个民族、一个时代社会和群体,一句话,代表了一个"大我",它往往在意识形态斗争频繁活跃、人文精神高扬时期会受到特别的推重的话,那么,私密性叙事行为则可归结为一种微观的叙事,它代表了某个人,局囿于某个具体的个体行为,一句话,代表了一个"小我",并往往在意识形态和人文精神淡出之际,受到怂恿并流行开来。私密性叙事在20世纪70年代至80年代文学作品中,开始只是作为一个要素存在,它被整合在充满政治激情叙事的公共性的话语之中,被宏大的叙事所遮蔽。那时重"大我",轻"小我",因此,"史诗"性的作品纷纷涌现。政治抒情诗有洋洋洒洒的《中国的十月》、《八一之歌》(贺敬之);长篇小说像《李自成》、《金瓯缺》、《星星草》、《东方》那样动辄二三卷甚至三五卷的绝不是少数;就是短篇也颇流行连缀式叙事的系列写作(如高晓声的"陈奂生系列"、陆文夫的"小巷人物系列"、林斤澜的"矮凳桥系列"等)。当然,更为主要的是这些作品都普遍讲述着有关政治和时代社会的话语。中国作协那些年主办并评选的包括诗歌、散文、报告文学、短篇小说、中篇小说、长篇小说在内的各种获奖作品,基本就属于这种情况。我们在前面提到王蒙的《春之声》、《蝴蝶》等作品,与传统作法不同,其叙事虽明显呈现了由社会外部空间向人物内心精神空间拓展的倾向,但是就叙述人的叙事立场而言,替社会"载道"和代人民"立言"却仍然是它们的主要信念。无论是岳之峰还是张思远,他们都没有个人"小我"的、私密性的行为;即使有那么一点,也均被作者纳入主人公现时社会性、文化性的语码之中。每当叙述的关键或重要转折之处,作者都忘不了要发表诸如"如今每个角落的生活都在出现转机"之类隐喻式的感喟,其艺术用心是非常明显的。也正是基于上述的事实和道理,人们往往用"东方意识流"的概念来命名他的小说,以示与西方乔伊斯等作品的区别。很显然,这里所谓的"东方",主要就在于他有关的私密性叙事行为不仅受到很大的节制,而且从根本上讲是从方法论而不是本体论意义上展开的。20世纪80年代初特定的环境,决定了王蒙等作家往往站在理性或载道的立场上,有限度地进行着"心语"的叙事。

  作为一个过程或实践形式,王蒙式的"向内转"显示了一代作家对几十年一贯制的公共性叙事行为流弊的痛恨之情,这里的意义自不待言。问题是当新时期的文学列车在经历20世纪80年代中期的现代派、20世纪80年代末期的新写实的站台而驶进了20世纪90年代以后,我们看到了在余华、苏童、何顿、韩东、鲁平、朱文、王彪、东西、陈染、林白、海男、邱华栋、张旻等一批年轻的晚生代作家那里,此一情况发生了根本的变化。不同的文化背景,不同的知识结构,使他们大胆决绝而又有些极端地割断了文本中能指与所指的关系,对人的心灵和肉体的独立性给予了足够充分的重视。于是,一种十分主观化和个人性的叙事立场才开始出现,真正意义上的私密性叙事行为才基本成立。如王彪的《病孩》,将病孩在医院里看到的一系列戏剧化冲突场景(如医生与病人之间的交媾、护士与医生之间的隐情、病人自身的骚动)都省略掉了,只留下事件发生之后人物心理的挣扎,包括病孩的内心感受。最有意思的是一些女作家如林白、陈染、海男、虹影以及被称为"另类作家"的上海的卫慧、棉棉等人,她们的写作彻底返回到个人的经验和身体,在原欲和本能的叙述上比男性作家更加裸露。如林白的《致命的飞翔》,写女主人公北诺为了工作向一个掌管权力的秃头男人出卖肉体,一向阳痿的秃头男人服了春药后将北诺折磨得死去活来;而与此同时,也正是这个秃头男人的抚摸和激发,北诺的躯体像六月的荷花忘情开放,真正体验到自己作为女人存在的辉煌极点。

对原欲在文本中加以细致的展示甚至是价值的认同,这是20世纪90年代私密性叙事行为的一大突出景观。这种私密性与"窥视性"视角有关,也与作家个人性的叙事立场甚至边缘性的意识形态写作有关。它的广泛流行,固然使作品在生命内层状态上给人以触目惊心、率真细致的感受,但也多少影响了文本所应达到的深厚的历史内涵和丰沛的文化积淀。就这个意义而言,我们认为,无论从艺术观还是从价值观上看,私密性叙事行为都是需要鉴定的,任何简单的否定或肯定都是不妥当的。

四 叙事时间的转换

叙事时间是文学叙事的最原始的层面,又是文学形式最尖端的操作规程。传统现实主义文学为了追求故事的真实性和现实性,往往把叙事时间全部压制到故事时间里,叙事的时间与故事的时间是完全一致的。新时期之初的文学创作,作家们实践的就是这样的叙事时间观。试看那时的《于无声处》、《丹心谱》、《许茂和他的女儿们》、《芙蓉镇》、《天云山传奇》、《男人的一半是女人》、《犯人李铜钟的故事》、《灵与肉》等作,我们可以发现,不管它们有多少差别,但在叙事时间与故事时间的重叠方面,则具有惊人的相似或一致之处。即使像《天云山传奇》、《爱,是不能忘记的》、《聚会》以叙述人"我"的形式回忆或自叙,叙述一旦展开或切入故事正题,叙事时间也就马上消失了。至于倒叙和插叙,在同一故事单位里,叙事的时间与故事也是并行不悖的。作家的这种实践似乎映证着社会不断进化的历史法则,它向我们昭示了时间之于人类生存及其美丑善恶评判的特殊意义。同时,也反映了其艺术创作和思维观念还停留在紧箍单维的认识论、反映论的层次上,没有将它上升为开放的、多维的审美活动的高度。

后至的现代主义和后现代主义叙事革命之一,就是将叙事时间进行空间化处理。不少作家总是乐意把发生在特定时序中的人事放在一种空间关系中确认和展示,有的甚至有意压缩时间的长度来追求空间的宽度,使作品因此而获得一种多维立体的空间容量。如刘心武的《钟鼓楼》虽非现代主义或后现代主义之作,但它在描写薛家从早到晚12个小时婚宴的时间长度时,致力于对小小四合院9户人家悲欢离合的空间宽度的高度关注,以及由此及彼"最后拓展至全人类全世界的'体'"⑥上的叙事原则,则具有相当的代表性。再如乔良的《灵旗》,它与其说是借青果老爹的记忆叙述50年前那场战争——湘江战役的大悲剧,不如说是用青果老爹的记忆来消融50年的时间,让过去、现在与未来同处于人物的思维空间内,使这场悲剧事件超越时间而存在、而有意义。为此,作家消融了时间的一维性,有意将叙事时间从故事时间那里独立出来,定格在记忆的叙述上。诚如乔良自述,因为"记忆可以打破时空的界限。在这片只被自己感知的舞台天地,人的种种欲望……都可以尽情地上演"。⑦

说到叙事时间的转换,最值得一提的也许是对马尔克斯式的"许多年以前,许多年以后"的叙事模式的借鉴。自20世纪80年代初《百年孤独》荣获诺贝尔文学奖以来,马氏这部名著开篇的第一句话成了中国作家竞相效仿的母题语式:"许多年之后,面对着行刑队,奥雷连诺上校将会想起那久远的一天下午,他父亲带着他去见识冰块。"这一叙述的叙事时间与故事时间呈循环回返的圆周轨迹。叙事时间超越了故事的自然时间,它从久远的过去跨进现在,又从现在回到过去。"许多年以后"这个时间状语,与其说它表达了一个时间长度,不如说它表明了一种时间跨度。借助于这道特殊的语式,叙事突破了故事时间的自然程序而获得了任意转折的自由,它变成了拆解故事结果的逆反时间运动。当然,毋庸讳言的是,故事在发生的时候就被命定了结局,故事因此也被打上某种不可逃脱的宿命色彩。在叶兆言的《枣树的故事》、苏童的《1934年的逃亡》、余华的《难逃劫数》、格非的《褐色鸟群》、刘恒的《虚证》等新潮小说里,我们都可以读出这道语式作为叙事时间所包含的方法论意义。

> 选择这样的洞窟作为藏匿逃避之处,尔勇多少年以后回想起来,都觉得曾经辉煌一时的白脸,实在愚不可及。
>
> 多少年来,岫云一直觉得当年和尔汉一起返回乡下,是个最大的错误。

以上两句均引自叶兆言的《枣树的故事》。前面一句为小说的开头，它一开始就推出故事的结局：尔勇围歼白脸的最后时刻，因插入"多少年以后"，故事在这里突然中断，由"现在"迅速变为"过去"，使"现在"的境遇与"未来"的结局联系起来。后面一句夹在正文中间，它预示性地告知了岫云此后一系列悲剧发生的可能性，这个错误的开端不可避免地导致连续错误的结局。评论家陈晓明因此把它称为"纲领性叙述的判断语式"，认为在这里，"故事时间的突然中断使一个阶段的终结成为另一个阶段的开始"，⑧这是很精到的。不管是安插在开头还是中间，总之，"许多年以后"这道时间语式一旦置身文本，叙事作为独立的一种主体力量在故事中便突现出来，它随时介入故事，改变故事，促使故事时序的转换。这样，故事的线性模式被叙事插入语打断之后，因此获得了立体交叉的组合结构。

　　当然，以上只是个案性的举例。事实上，不同的作家对于马尔克斯"母题语式"的借鉴是不同的。如苏童的叙事时间就比较倾向于主观的诗性感悟，而余华的叙事时间则更像是叙事时间的语感化。限于篇幅，此处就不赘述了。倒是有一点可以讨论的，那就是马尔克斯"许多年以后"的时间语式对中国作家来说，它的普遍效能问题是否受到限制？这个问题之所以提出来，乃是考虑语式背后彼此不同的文化、不同的现实：在马尔克斯等人那里，时间本身是一种观念性的存在，它体现了纯粹抽象的世界观，是古老的经验文化的现代显灵。因为大家知道，循环轮回或存在与不存在之间的混淆，恰恰是拉美地区魔幻现实本源性存在的表现：他们的文化和生存现实就是如此，作家们无非是创造与之相适应的一种叙事形式将它表现出来而已。因此，在它们的叙事中，"许多年以后"并不具有实际的叙事方法的意义，准确地说，它们属于文化观念或生存的世界观问题。而在叶兆言等中国作家这里，无论是传统文化（"子不语怪力乱神"）还是生存现实，原本就缺少超现实的神奇幻想，更何况现代以来的文学一向扬现实主义叙事而抑浪漫主义叙事。这就决定了此种语式的移植显然颇难在中国文化中扎根，而只能作为一种纯叙事策略和某种哲学的形而上思考感悟存在于主流文化之外，它所具有的持续的创造力无疑要受到限制。对此若处理不当，还会失却存在本源性的依托，极易造成叙事的矫揉造作,降低艺术创新的质量,使其原本固有的神奇和诱人的魅力大打折扣。这一点,在上述提到的《枣树的故事》等作品中,也是程度不同地存在着的。

由此,对马尔克斯时间语式的普遍效能问题,我们也就不会持过分盲目乐观的态度。显然,它的被引进移植,一方面为当代文学自由而富有创造的叙事提供了很好的契机,另一方面,也有意无意地为之埋下了某种隐患。

注释:

① 李陀."现代小说"不等于"现代派"[J].上海文学,1982,(8):91—94.
② 秦立德.叙述的转型——对"后新潮小说"一种写作动机的考察[J].文学评论,1993,(6):132—141.
③ 盛子潮.诗和小说的艺术阐释[M].杭州:浙江文艺出版社,1998.146.
④ 高行健.我与布莱希特[J].当代文艺思潮,1986,(4):93—94.
⑤ 王蒙.漫话小说[M].上海:上海文艺出版社,1983,78.
⑥ 毛时安.淡化:一种艺术现象[J].当代文艺探索,1987,(2):71—75.
⑦ 乔良.沉思——关于《灵旗》的自言自语[J].小说选刊,1986,(11):121—122.
⑧ 参见陈晓明《无边的挑战》第88页,时代文艺出版社1993年版。本节有关"许多年以后"的论析,颇多借鉴了陈著的研究,在此向作者致谢。

原载《浙江大学学报》(人文社科版)2001年第1期

余 虹

"五四"新文学理论的
双重现代性追求

"五四"新文学理论是在"五四"文学革命运动中形成的一种理论,这种理论的最大特点是兼容性和混杂性。在梁启超和王国维那里,新文学工具论和新文学自主论是泾渭分明的,至少在王国维那里如此,而在"五四"新文学理论家那里,这种界限就不清楚了。

对"五四"新文学论者而言,有两种牵引似乎难以抗拒,即思想启蒙的道义担当和追求真理的学术关怀。出于前者,文学之为启蒙的工具似不可避免;出于后者,文学之自身存在的价值又不容忽视。"五四"一代新知识分子由于时代的局限性而没能理清这两者的关系,也难以在深入的学理分析上理解彼此的对立。

陈独秀:革命与文学

1. 文学革命论

1932年,胡适曾在一次讲话中谈到陈独秀对"五四""文学革命"的三大贡献:

一、由我们的玩意儿变成了文学革命,变成三大主义。

二、由他才把伦理道德政治的革命与文学合成一个大运动。

三、由他一往直前的精神,使得文学革命有了很大的收获。①

"我们的玩意儿"和"文学革命"的区别何在?

在同一讲话中,胡适谈到"我们"和"陈先生"的区别。"陈先生是一位革命家,那时,我们许多青年人在美国留学,暇时就讨论文学的问题,时常打笔墨官司,但我们只谈文学,不谈革命,但陈先生已经参加政治革命……"

胡适等人在首倡文学革命之时还只是就文学而谈文学。在此,"我们"只是一群纯粹的"文人","我们"并没有将文学革命与政治革命联系起来思考。陈独秀则不同,"陈先生是一位革命家","已经参加政治革命",他敏感到文学革命与政治革命之间的关系,"由他才把伦理道德政治的革命与文学合成一个大运动"。

的确,比较一下胡适的《文学改良刍议》和陈独秀的《文学革命论》就能看出一些端倪。胡适《文学改良刍议》提出文学改良"八事",明显仅就文学而论文学:

> 一曰,须言之有物。二曰,不摹仿古人。三曰,须讲求文法。四曰,不作无病之呻吟。五曰,务去烂调套语。六曰,不用典。七曰,不讲对仗。八曰,不避俗字俗语。②

胡适"八事"明显偏于文学形式之革命,其中涉及精神内容者(一、二、四)也只是泛论,且强调的是自我表现,并未谈到文学之外去。陈独秀的《文学革命论》不仅明确地将文学"改良"改为有强烈政治色彩的文学"革命",并一开始就在欧洲社会政治革命和中国社会政治革命的框架中谈及"文学革命",将文学革命看作整个社会政治思想革命的一部分。陈独秀鲜明地指出"三大主义":

> 曰,推倒雕琢的阿谀的贵族文学,建设平易的抒情的国民文学;曰,推倒陈腐的铺张的古典文学,建设新鲜的立诚的写实文学;曰,推倒迂晦的艰涩的山林文学,建设明了的通俗的社会文学。③

显然,在陈独秀的二元对立模式背后文学与社会的关系被突出强调,并有明显的政治色彩。陈氏之所以要排斥贵族文学、古典文学、山林文学,是因为这些文学"其形体则陈陈相因,有肉无骨,有形无神,乃装饰品而非实用品;其内容则目光不越帝王权贵,神仙鬼怪,及其个人之穷通利达;所谓宇宙,所谓人生,举非其构思所及,此三种文学共同之缺点也。此种文学,盖与吾阿谀夸张虚伪迂阔之国民性,互为因果。今欲革新政治,势不得不革新盘踞于运用此政治者精神界之文学"。④

陈独秀看到了文学内在的伦理、政治特质。在《论〈新青年〉主张》一文中,陈独秀指出:"旧文学、旧政治、旧伦理,本是一家眷属",因为"文学者,国民最高精神之表现也"。由于陈独秀将文学看作政治伦理意识(国民最高精神意识)的主要载体,故而要进行政治伦理意识的革命就必须进行文学革命,而打倒旧文学,建立新文学就成了摧毁政治伦理意识,建立新政治伦理意识的基本策略。

依陈独秀之见,摧毁旧政治伦理意识,建立新政治伦理意识是社会政治革命的关键,亦是"吾人最后之觉悟"。陈独秀认为一定的政治伦理秩序是立足于一定的政治伦理意识之上的,后者是前者的基础。陈独秀指出:"共和立宪制"的基础是"独立平等自由"的价值意识,"君主专制"的基础是"儒家三纲之说"。要真正建立共和立宪制就必须先行彻底摧毁儒家三纲之说(打倒孔家店),确立独立平等自由的价值意识,否则,即使挂了共和立宪的招牌也靠不住,辛亥革命共和失败的经验即是见证。在《旧思想与国体问题》一文中,陈独秀分析了辛亥之后,"一面要行共和政治,一面又要保存君主时代的旧思想"的诸种表现,指出"此种脚踏两只船的办法,必至非驴非马,既不共和,又不专制,国家无组织,社会无制度,一塌糊涂而后已!"⑤在《宪法与孔教》一文中,陈氏一言以蔽之:"妄欲建设西洋式之新国家,组织西洋式之新社会,以求适今世之生存,则根本问题,不可不首选输入西洋式社会国家之基础,所谓平等人权之新信仰,对于与此新社会新国家新信仰不可相容之孔教,不可不有彻底之觉悟,猛勇之决心;否则不塞不流,不止不行。"⑥

在"最后之觉悟"后,陈独秀明确意识到要完成政治革命,必须彻底摧毁旧政治的基础:孔教,输入新政治之基础:平等人权之新信仰。这新旧信仰的一立一破成为政治革命的根本,文学作为新旧信仰的主要载体就成了这一立一破的具体对象。就此而言,在陈独秀的总体思路上,摧毁"旧文学",建立"新文学"就不单是文学本身的问题,而是整个社会政治伦理思想革命的一部分。美国学者格里德曾指出:"文学革命从其发端就是更广阔范围的思想改革运动的工具。"⑦的确,自梁启超倡言"三界革命"之时,我们就看到这样一条文学革命的思路:欲救亡兴国,必先新其政治(新政),欲新其政治必先新其道德(新民),欲新其道德必先新其文学(新诗、新文、新小说)。梁氏的思路由陈独秀再度引入"五四""文学革命",并因后者变得更为自觉(吾人最后之觉悟)。

陈独秀和梁启超都是"革命家",他们在入思立场与方式上都不同于胡适等文人。文人总是就文而论文,革命家则总是就革命而论文。正如梁启超变晚清早期文人化的"诗文革新"为政治化的"三界革命"一样,陈独秀也变胡适等文人式的"文学改良"为政治化的"文学革命"。在谈到陈独秀的"文学革命论"时,胡适说这篇文章有两点值得注意:"(一)改我的主张进而为文学革命;(二)成为由北京大学学长领导,成为了全国的东西,成了一个严重的问题。"

由于陈独秀在当时的地位和影响,由文人胡适在文人圈子首倡的文学改良变成了由革命家陈独秀在全国范围内推行,且事关政治伦理革命的文学革命。更为重要的是,由革命家陈独秀所规划的文学革命方向在当时得到了胡适等文人的认同,这就使政治化的文学革命思路迅速占据了支配地位。

在1922年《答伯秋与傅斯棱两先生》一文中,胡适说:"我们至今还认定思想文艺的重要。现在国中最大的病根,并不是军阀与劣恶官僚,乃是懒惰的心理,浅薄的思想,靠天吃饭的迷信,隔岸观火的态度。这些东西是我们的真仇敌!他们是政治的祖宗父母。我们现在因为他们的小孙子——恶政治——太坏了,忍不住先打击他,但我们决不可忘记这二千年思想文艺造成的恶果。打倒今日之恶政治,固然要大家努力;然而打倒恶政治的祖宗父母——二千年思想文艺里的'群鬼'更要大家努力!"⑧要打倒恶政治,必先打击恶政治的祖宗父母——思想文艺。显然这是一条陈独秀式的思路。在回忆《新青年》同仁最初的思想时,胡适说得更清楚:"在民国六年大家办《新青年》的时候,本有一个理想,就是二十年不谈政治,二十年离开政治,而从教育思想文化等等非政治的因子上建设政治基础。"⑨强调思想文化革命对于政治革命的优先性乃是"五四"时期相当普遍的共识,林毓生称此为"借思想文化以解决社会根本问题的思想方式"。⑩正是这一思想方式将文学革命推到了整个社会政治革命的前沿。关于这一点,另一革命家李大钊说得很清楚:"由来新文明之诞生,必有新文艺为之先声。"⑪

在《开放中的变迁》一书中,金观涛和刘青峰分析了中国现代政治革命和意识形态革命之间的结构性关系。他们认为中国现代政治革命在事实上是以意识形态革命为先导的。之所以如此,是因为中国传统社会的政治结构和意识形态结构是一体化的,并且前者以后者为基础,因此要真正摧毁旧的政治秩序就必须摧毁相应的意识形态信仰。此外,中国现代政治秩序的重构事实上走了一条类似于传统的老路,即通过重建新的意识形态信仰,再度将中国建成一个政治结构和意识形态结构高度一体化的国家。因此,中国现代政治革命在事实上只是更替了政治结构和意识形态的时代内容,其政治结构和意识形态结构高度统一的政教合一模式不变。⑫

对我们的论题而言,《开放》一书的启示在于:20世纪中国政治革命的事实显示为意识形态的更替(革命)是政治结构更替(革命)的杠杆。而我要说的是:意识形态的更替主要是以文学革命的方式全民化的。正因为如此,文学在20世纪中国扮演了十分重要的角色。

2. 文学独立论

值得注意的是,作为革命家的陈独秀虽然将文学革命和政治思想革命联系起来,进一步强化了梁启超式的为政治革命而文学革命的思路,但是陈独秀和"五四"时期大多数的新知识分子一样在理智上又是认同文学自主论的,他们还来不及思索这两者之间的矛盾。陈独秀这方面的看法主要表现在他对"文以载道"这一命题之工具性原则的否定上。

在《文学革命论》中,陈独秀虽然明确地站在政治思想革命的立场上提出文学革命的"三大主义",其中内含的文学工具性意识已如前述,但同时他又明确地反对"文以载道",认为"文学本非为载道而设,而自昌黎以迄曾国藩所谓载道之文,不过抄袭孔、孟以来极肤浅极空泛之门面语而已。余尝谓唐、宋八家文之所谓'文以载道',直与八股家之所谓'代圣贤立言',同一鼻孔出气"。⑬需留意的是,陈独秀之反对"文以载道"不单是从政治思想革命的立场出发反对此一命题的旧政治道德内涵,他还从文学自主论出发反对此一命题的工具性原则。在谈到胡适所谓"须言之有物"的提法时,陈氏表述了这样的意见:"尊示第八项'须言之有物'一语,我不甚解。或者足下非古典主义,而不非理想主义乎?鄙意欲救国文浮夸空泛之弊,只第六项'不作无病之呻吟'一语足矣。若专求'言之有物',其流弊将毋同于'文以载道'之说?以文学为手段为器械,必附他物以生存。窃以为文学之作品,与应用文学作用不同,其美感与伎俩,所谓文学美术自身独立存在之价值,是否可以轻轻抹杀,岂无研究之余地?况乎自然派文学,义在如实描写社会,不许别有寄托,自堕理障。"⑭这段话与王国维的文学自主说已无区别,显然是西方美学影响之下的时论。

在《答曾毅书》中,陈独秀还具体说明了他对文学独立存在之本义的理解:

> 何谓文学之本义耶?窃以为文以代语而已。达意状物,为其本义。文学之文,特其描写美妙动人者耳。其本义原非为载道有物而设,更无所谓限制作用,及正当的条件也。状物达意之外,倘加以他种作用,附以别项条件,则文学之为物,其自身独立存在之价值,不已破坏无余乎?故不独代圣贤立言为八股文之陋习,即载道与否,有物与否,亦非文学根本作用存在与否之理由。⑮

"状物达意"、"美妙动人"为文学之本义,这种文学理论实在浅陋。不过,重要的不在于此,重要的是陈氏依此对文学工具论的彻底否定,以及这种否定之对文学自主论的肯定。此外,陈独秀还明确指出:"中国学术不发达之最大原因,莫如学者自身不知学术独立之神圣。比如文学自有独立之价值也,而文学家自身不承认之,必欲攀附六经,妄称'文以载道','代圣贤立言',以自贬抑。史学亦自有其独立之价值也,而史学家自身不承认之,必欲攀附《春秋》,着眼大义名分,甘以史学为伦理学之附属品。音乐亦自有其独立之价值也,而音乐家自身不承认之,必欲攀附圣功王道,甘以音乐学为政治学之附属品。医药拳技亦自有独立之价值也,而医家拳术家自身不承认之,必欲攀附道术,如何养神,如何练气,方

'与天地鬼神合德',方称'艺而近于道'。学者不自尊其所学,欲其发达,岂可得乎?"⑯

　　意识到学科独立与学术发展的至关重要性是学术现代性意识之根本,这一意识最早在王国维那里有较为深入的表述,在"五四"时期已被相当的一批新知识分子所认同,陈独秀此论就反映了这一新潮。遗憾的是,陈独秀的主要兴趣在政治思想而非学术文学,故而对学术独立以及文学独立的思考并不深入,更没有意识到文学自主论与他从政治革命出发而倡导文学革命的内在冲突,因为后者必然导致文学工具论。

　　就以上所述可见,陈独秀对文学的思考有两条迥然不同的思路,其一是"文学革命论"的思路,其二是"文学独立论"的思路。在前一思路上,作为革命家的陈独秀对政治革命的关怀压倒了一切,文学革命事实上成了政治革命的工具,在此,文学之为政治之工具的设定是内在的。在后一思路上,作为新知识分子的陈独秀受西方美学和现代学术意识的影响而关注文学的存在本身,故而反对任何样式的文学工具论而提倡文学自主论。由于陈独秀主要是一位革命家,他对文学并不特别地关注,因此上述两大思路在他那里都未得到深入的展开。

　　陈独秀思考文学的这种双重性和混合性是"五四"一代新知识分子的共同倾向,他们在不同的现代性追求的支配下认同梁启超和王国维摆出的两条思路,并将之混杂在一起,而对两者的矛盾缺乏理论上的自觉。

胡适:活的文学与工具性立场

　　胡适在为《中国新文学大系·建设理论集》(1935年)所写的导言中说新文学运动的中心理论有二:"一个是我们要建立一种'活的文学',一个是我们要建立一种'人的文学'。前一个理论是文字工具的革新,后一种是文学内容的革命。"⑰将新文学理论概括为"活的文学"和"人的文学"这两大部分应该说是十分准确的。在该导言中,胡适还指出他自己是"活的文学"的理论阐述者,周作人是"人的文学"的理论阐述者,这也不错。

　　有关"活的文学"理论,胡适本人以及后人的说明与阐释很多,但深入探索其入思立论的工具性立场与眼界者则甚为少见,我想分两个方面来谈。

1. 文字与文学的死性与活性

胡适"活的文学"理论主要由两对对立的概念和两对统一的概念交互构成。对立的概念:死文字/活文字,死文学/活文学;统一的概念:死文字/死文学,活文字/活文学。

胡适的思维逻辑是:文字是文学写作的工具,工具的性质决定了作品的性质。汉文字有文言和白话之分,文言是死文字,白话是活文字,因此,文言文学是死文学,白话文学是活文学。要深入理解胡适这种"活的文学"理论,关键在于看清死与活这两大隐喻的喻指。

在胡适的逻辑链条上,作为文学工具的文字的死活决定着文学之死活,因此,我们先从胡适所谓文字的死活上说起。

从胡适论说文字死活的杂多文献中,我们可以抽取出他衡量文字死活的两大特性:(1)能否表达现代人的思想感情;(2)能否在现代人中有广泛的可交流性。能则是活文字,不能则是死文字。

胡适认为:"一切语言文字的作用在于达意表情。"[18]具有这种作用的文字就是活文字,否则是死文字。以此衡量文言与白话,胡适认为文言是死文字,白话是活文字。之所以如此,是因为当代人在使用文言表情达意时遇到了不可克服的时间性断裂,亦即要表达的情意是现代的,用来表达情意的工具则是古代的,这种形式和内容的分离使文言无法表达现代情意。文言的"过时性"注定它不再有表达现代情意的功能,从而不再是活文字。"若要使中国文学能达今日的意思,能表今人的情感,能代表这个时代的文明程度和社会状态,非用白话不可。"[19]白话的"现时性"使它能表达现代情意,故而是活文学。

文言这种"过时性"不仅使现代言述者难以此言述现代情思,纵然有所言述,大多数现代听众也听不懂,因而文言不具有广泛的交流性。以胡适之见,只有让大多数现代听众能听懂的文字才是活文字。胡适曾举例说:"书曰:'惠迪吉,从逆凶。''从逆凶'是活语,'惠迪吉'是死语。此但谓作文可用之活语耳。若以吾'听得懂'之律施之,则'从逆凶'亦仅可为半活之语耳。"[20]从理解的角度看,胡适认为衡量文字死活的标准有二:一是读得懂,二是听得懂。

既读不懂,又听不懂的文字,如"惠迪吉"是死语;仅读得懂,但听不懂的文字,如"从逆凶",是半活之语;只有既读得懂又听得懂的文字才是十足的活语。就此而论,文言通常是死语,至少也是半死之语,唯有现代白话才是活语。

所谓"听得懂"之律,显然是以大众的耳朵为基准的。因为少数文人是可以读懂文言的。但胡适坚决地认为只能被少数人读得懂而为大多数人听不懂的文字只能是死文字,因为文字应是大众交流媒介而非少数人的私产。

再看文学的死活。胡适完全是从文字的死活推出文学的死活的。其推论逻辑是:"文字是文学的基础"㉑,"文字形式是文学的工具","一切语言文字的作用在于达意表情"㉒,所以"文学不过是最能尽职的语言文字"㉓。换句话说,文学就是对文字功能的充分发挥。

按上述逻辑,用死文字(文言)只能创作出死文学,用活文字(白话)才能创作出活文学。

在《建设的文学革命论》中,胡适说:"为什么死文字不能产生活文学呢?这都由于文学的性质。一切语言文字的作用在于达意表情;达意达得妙,表情表得好,便是文学。那些用死文字的人,有了意思,却须把这意思翻成几千年前的典故;有了感情,却须把这感情译为几千年前的文言。明明是客子思家,他们须说'王粲登楼''仲宣作赋';明明是送别,他们却须说'阳关三叠''一曲渭城';明明是贺陈宝琛七十岁生日,他们却须说是贺伊尹周公傅说。更可笑的:明明是乡下老太婆说话,他们却要他打起唐宋八家的古文腔儿;明明是极下流的妓女说话,他们却要打起胡天游、洪亮吉的骈文调子!……请问这样做文章如何能达意表情呢?既不能达意,既不能表情,哪里还有文学呢?"㉔

在《五十年来中国之文学》中,胡适分析了20世纪初的古文革新运动。他指出,这二十年的古文革新虽使古文在表情达意方面有所突破,不再一味拟古载道,但由于古文形式的限制仍只能在少数人之间交流,"他们究竟因为不能与一般的人生出交涉来,故仍旧是少数人的贵族文学,仍旧免不了'死文学'或'半死文学'的评判。"㉕"吾以为文学在今日不当为少数文人之私产,而当以能普及最大多数之国人为一大能事。"㉖因为"这种文学是少数懂得文言

的人的私有物,对于一般通俗社会便同'死'的一样。"㉗

胡适立论的现时立场和大众立场十分明显,这种立场的背后显然是政治现代性追求。在谈到作为死文字的文言何以保留至今,并成为传统主流文学写作的工具时,胡适明确指出那是出于"政治上的需要",而不是文学生命本身的自然延续。"中国的古文在二千年前已经成了一种死文学。所以汉武帝时丞相公孙弘奏称'诏书律令下者,……文章尔雅,训辞深厚,恩施甚美,以专浅闻。不能究宣,无以明布谕下。'那时代的小吏已不能了解那文章尔雅的诏书律令了,但因政治上的需要,政府不能不提倡这种已死的古文;所以他们想出一个法子来鼓励民间研究古文:凡能'通一艺以上'的,都有官做,'先用诵多者'。这个法子起于汉朝,后来逐渐修改,变成'科举'的制度,这个科举的制度延长了那已死的古文足足二千年的寿命。"㉘"二十二个世纪的统一帝国与二十个世纪的文官考试共同维持了一个死去的文字,使它成为一个教育的工具,合法与官用的交通,与文学上——散文与诗——颇为尊重的媒介。"㉙

死文字—死文学的正统化历史是与传统的旧政治需要相一致的,死文字—死文学对活文字—活文学的统治秩序与少数人对大多数人的统治秩序同构。因此,在胡适的"死活"隐喻中深藏着一种政治秩序的颠倒,有一种变少数人政治为全民政治的冲动。

由于死文字、死文学长期寄生在少数文人圈内,并与日益讲究形式化的科举制度相关,这种文学也就愈来愈淡化和忽略文字表情达意的工具性目的,有意无意地倾向于对文字形式的纯审美追求,于是有胡适所谓"综观文学堕落之因,盖可以'文胜质'一语包之"㉚。事实上,几千年的中国古文主要是一种形式化的"美文"。

从文字的工具性推及文学形式的工具性是胡适文学形式观的基本立场,文字是表情达意的工具,文学是文字工具性的充分发挥,因此文学的形式目的是充分地表情达意,即所谓言必有物,"若言之无物,又何用文为乎?"㉛换句话说,不表情达意的形式不是真正意义上的文学形式,只是假文学。在胡适看来,古文恰恰是不表情达意的形式,最典型者莫过于八股文。八股文虽然仍言之有物(比如圣人义理),但"物"在此并不重要,重要的是言的形式。胡适认为文言文学形式上的审美追求取代了工具性目标,使之蜕变为丧失了文学性的假文学。显然,胡适在此将文学形式的文学性等同于表情达意的工具性了。

从工具性的立场理解文学形式的文学性是古老的儒家文论,胡适只是赋予这一立场一种政治现代性内涵,使文字—文学这一工具为现代大众的表情达意和彼此交流服务。

2. 以白话为文学工具的正当性论证

在文字是文学的工具,文字的性质决定文学的性质这一信念的支配下,胡适认定文学革命的首要任务是文字革命。

> 我们认定文字是文学的基础,故文学革命的第一步就是文字问题的解决。我们认定"死文字定不能产生活文学",故我们主张若要造一种活的文学,必须用白话来做文学的工具。我们也知道单有白话未必就能造出新文学;我们也知道新文学必须要有新思想做里子。但是我们认定文学革命须有先后的程序:先要做到文字体裁的大解放,方才可以用来做新思想新精神的运输品。我们认定白话实在有文学的可能,实在是新文学的唯一利器。㉜

在《建设的文学革命论》中胡适说创造新文学必须分三步走:"(一)工具;(二)方法;(三)创造。前两步是预备,第三步才是实行创造新文学。""(一)工具,古人说得好:'工欲善其事,必先利其器。'写字的笔要好,杀猪的刀要快。我们要创造新文学,也须先预备下创造新文学的'工具'。我们的工具就是白话。"㉝胡适认为他的主要工作是为新文学的创造做好准备。

将文学革命的首要工作归结为废文言倡白话,以白话为文学工具的尝试之后,胡适便竭力论证文字革命的正当性。胡适的正当性论证主要有二:逻辑必然性论证;事实已然性论证。

逻辑必然性论证 胡适将"文学"的本质认定为"表情达意"与"能让人懂"。文学的这一内在本质决定了文学必然要选择最具有表情达意功能、能让大多数人听懂的白话作工具而废弃文言。文学实现自我本质的目标性运动决定了以白话为文学工具的逻辑必然性。问题在于:将"文学"的本质作如此之认定是否可靠?将文学运动描画成本质回归的运动是否真实?值得注意的是,胡适时代的这一文学信念几成普遍之常识,以常识作为逻辑推论的前提而不加反省乃是中国文人一贯的思维方式。同时,常识性的推论也往往最能引起共鸣。胡适当年的说服力即在于此。

事实已然性论证 胡适从大量中外历史的翻捡中发现上述逻辑的事实见证。胡适的这一工作主要从两个方面进行。

其一,西方文学史的见证。在言必称西方的"五四"时期,西方的事实性如何就是应当如何和必然如何的根据。在文艺复兴时期,拉丁文字逐渐被各民族文字取代而成为文学写作的工具。胡适以这一事实为根据论证白话取代文言而为文学写作工具的正当性。在此,胡适将文言文与拉丁文,白话文与西方各民族文字等同起来了。

> 欧洲中古时,各国皆有俚语,而以拉丁文为文言,凡著作书籍皆用之,如吾国之以文言著书也。其后意大利有但丁(Dante)诸文豪,始以其国俚语著作。诸国踵兴,国语亦代起。路得(Luther)创新教始以德文译《旧约》《新约》,遂开德文学之先。英法诸国亦复如是。今世通用英文《新旧约》乃一六一一年译本,距今才三百年耳。故今日欧洲诸国之文学,在当日应为俚语。迨诸文豪兴,始以"活文学"代拉丁之死文学,有活文学而后有言文合一之国语也。㉞

其二,中国文学史的见证。胡适认为自汉以来,由于"政治的需要",中国的文字和文学均一分为二:文言——文言文学,白话——白话文学。"简而言之,中国文学有史以来有两个阶层:(1)皇家、考场、宫闱中没有生命的模仿的上层文字;(2)民间的通俗文学,特别是民谣,通俗的短篇故事与伟大的小说。"㉟

经由对中国文学史之事实性考证,胡适断言凡有价值的文学必是白话文学,而文言文学则概无价值。在《建设的文学革命论》中,胡适说:

> 我曾仔细研究:中国这二千年何以没有真有价值真有生命的"文言的文学"? 我自己回答道:"这都因为这二千年的文人所做的文学都是死的,都是用已经死了的语言文字做的。

死文字决不能产出活文学。所以中国这二千年只有些死文学,只有些没有价值的死文学。"

我们为什么爱读《木兰辞》和《孔雀东南飞》呢?因为这两首诗是用白话做的。为什么爱读陶渊明的诗和李后主的词呢?因为他们的诗词是用白话做的。为什么爱杜甫的《石壕吏》、《兵车行》诸诗呢?因为他们都是用白话做的。为什么不爱韩愈的《南山》呢?因为他用的是死字死话……简单说来,自从《三百篇》到于今,中国的文学凡是有一些价值,有一些儿生命的,都是白话的,或是近于白话的。其余的都是没有生气的古董,都是博物院中的陈列品!

再看近世的文学,何以《水浒传》、《西游记》、《儒林外史》、《红楼梦》可以称为"活文学"呢?因为他们都是用一种活文字做的。若是施耐庵、吴承恩、吴敬梓、曹雪芹,都用了文言做书,他们的小说一定不会有这样生命,一定不会有这样价值。㊱

胡适认为,无价值的文言文学之所以能"流传千古",全仗于"政治的需要",而有价值的白话文学虽一再被压抑却凭靠其内在的合理性顽强地发展着。依胡适的文学史调查,中国文学史自汉以后虽是文言文学和白话文学彼此争斗此消彼长而表面上以文言文学为正宗的历史(靠了文学之外的因素),实际上却是白话文学不断战胜文言文学,克服各种障碍,而走向完全的白话文学的历史。"我们要特别指出白话文学是中国历史上的'自然趋势',这是历史的事实。""从文学史的趋势上承认白话文为'正宗',这就是正式否认骈文古文律诗古诗是'正宗'。这是推翻向来的正统,重新建立中国文学史上的正统。"㊲为此胡适写了中国第一部《白话文学史》。在此,白话文学首次作为中国文学的正宗被叙述。

胡适将这一"颠倒"称为"哥白尼式的革命"。"哥白尼的文学革命:哥白尼用太阳中心说代替了地球中心说,此说一出就使天地易位,宇宙变色;历史进化的文学观用白话正统代替了古文正统,就使那'宇宙古今之至美'从那七层宝座上倒撞下来,变成了'选学妖孽,桐城谬种'!从'正宗'变成了'谬种',从'宇宙古今之至美'变成了'妖魔''妖孽',这是我们的'哥白尼革命'。"㊳

十分显然,胡适根据自己认定的文学本质观(表情达意,通俗易懂)和进化观(历史是朝向本质目标的运动)重新对中国文学史进行了叙述,这一叙述将一种"主张"(文学本质观和进化观)叙述成了"事实",反过来"事实"成了"主张"的正当性论证。

由于将文学的历史理解成白话文学取代文言文学的历史,所以文学革命的首要任务便归结为文学工具的革命了。同样,在胡适那里,这一"逻辑"也是作为一种历史"事实"来叙述的。"一部中国文学史只是一部文字形式(工具)新陈代谢的历史,只是'活文学'随时起来替代了'死文学'的历史。文学的生命全靠能用一个时代的活的工具来表现一个时代的情志与思想。工具僵化了,必须更换新的,活的,这就是'文学革命'。"㊴

胡适认为,"五四"文学革命乃是这一觉悟的自觉践行,亦即将文学革命的自然趋势变成自觉行为。不过这反过来也证明了"自觉行为"是顺应"自然趋势"的行为,因而是合理的行为。于是胡适说:"新文学运动,并不是由外国来的,也不是几个人几年来提倡出来的,白话文学之趋势,在二千年来是继续不断的,我们运动的人,不过是把二千年之趋势,把由自然变化之路,加上了人工,使得快点而已。"㊵

为了进一步论证以白话为文学写作工具之文学革命的正当性,胡适还仔细考察了20世纪头二十年古文范围内革新失败的原因,以此指出古文革新之不可跨越的工具性限度。

胡适说,古文在20世纪初因"时势的逼迫,也不能翻个新花样了"。在这个危急的过渡时期,种种的需要使语言文字不能不朝着"应用"的方向变去。胡适将这二十年古文向"应用"方向变化的历史分为四大阶段:

(一)严复、林纾的翻译文章。

(二)谭嗣同、梁启超一派的议论文章。

(三)章炳麟的述学文章。

(四)章士钊一派的政治文章。

经胡适的分析,这四派的古文新变都不成功,其关键在于"士大夫始终迷恋着古文字的残骸,'以为宇宙古今之至美,无可以易吾文者'"。㊶"他们都不肯从根本上做一番改革的工夫,都不知道古文只配做一种奢侈品,只配做一种装饰品,却不配做应用的工具。"㊷换句话说,古文新变的目的是使古文有用于世事人生,但古文的有用性是十分有限的,因此,古文新变的目的无法真正达到。对这种"古文范围以内的革新运动",胡适作了如下概括性的分析:

> 章炳麟的古文,在四派之中自然是最古雅的了,只落得个及身而绝,没有传人。严复、林纾的翻译文章,在当日虽然勉强供应了一时的要求,究竟不能支持下去。周作人兄弟的《域外小说集》便是这一派的最高作品,但在适用一方面他们都大失败了。失败之后,他们便成了白话文学运动的健将。谭嗣同、梁启超一派的文章,应用的程度要算很高了,在社会上的影响也要算很大了,但这一派的末流,不免有浮浅的铺张,无谓的堆砌,往往惹人生厌。章士钊一派是从严复、章炳麟两派变化出来的,他们注重论理,注重文法,既能谨严,又颇能委婉,颇可以补救梁派的缺点。甲寅派的政论文在民国初年几乎成一个重要文派。但这一派的文字,既不容易做,又不能通俗,在实用的方面,仍旧不能不归于失败。因此,这一派的健将,如高一涵、李大钊、李剑农等,后来也都成了白话散文的作者。㊸

"古文范围以内的革新运动"作为古文应时适变的最后努力失败了。胡适认为这一失败的意义重大,因为它打消了人们对文言的最后幻想,它证明了这样一个决断的正当性:必须彻底抛弃文言,以白话代文言,才能为新文学的创作提供有效的工具。

在今天看来,胡适有关以白话为工具的合法性证明显然是大成问题的。这一证明之成问题,关键在于它的前提假定十分可疑。假定一:一切文字都是达意表情的工具,达意表情的有效性以大众口头交流为准。假定二:文字是文学的工具,文学是对文字工具性的充分使用,因此,能充分表情达意又能在大众口头交流范围内有效的文字就是文学。依上述假定断言中国文学史上的文言文学是假文学和死文学,只有白话文学才是真文学和活文学。假定三:文学史的内在目标是文学本质的表现,因此中国文学史的终极目的是白话文学。这一假定并以西方文学史从拉丁语言文学走向民族语言文学为旁证。据此假定,胡适将中国文学叙述成向白话文学进化的历史。从表面上看,胡适对中国文学史的叙述是一种"事实性叙述",实质上却是一种前设性的"虚构叙述"。对胡适有关以白话为文学工具的正当性论证而言,这种表面上的事实性叙述十分重要,因为正是叙述的"事实"反过来证明了内在"假定"的正确。

在现代语言学和现代文学思想的背景下审视假定一和假定二都大成问题,因为文学不只是达意表情的工具,甚至在根本上就不是工具,因此,文学也就不只是对文字的工具性使用,即主观支使,而更是以非工具性的态度对待文字以便让文字本身言说。如果假定一和假定二有问题,假定三就更有问题了。说中国文学史是朝向白话文学目标的运动完全是一种胡适式的"大胆假设",其求证并不"小心"。事实上,废文言而用白话作文学的工具,完全是一种主观意志对文学与文字关系的粗暴干涉,胡适式的正当性论证基本上是一种主观臆断与虚构。在现代语言思想的背景下,我们对文言有更深入的理解。文言不是一种可以随意抛弃的工具,它意味着我们难以断然割掉的历史,它是整个汉语言文学经验的重要组成部分,它和白话一起构成了汉语言文学的语言背景。

在胡适的有关假设中,我们发现这些假设来源于传统的工具性语言观和工具性文学观。这些已成"常识"的观念成了胡适论证的基础。对20世纪中国现代语言观和现代文学观而言,影响深远的与其说是胡适由此"常识"得出的结论:必以白话作文学的工具;不如说是胡适的论证进一步强化了这一"常识":文字和文学都是人支使的工具。换句话说,胡适的论证大大强化了传统信念中有关文字和文学形式的工具性意识,使有关文字和文学的工具之思显得更加合理了。回顾20世纪的历史,我们发现由胡适等人强化的"常识"已经导致了"五四"以后汉语文学界对文字和文学最为粗暴的工具性选择和支使。更为可悲的是,这一选择和支使又是以救亡和革命的名义进行的,因此任何有关文字与文学的非工具性意识都会受到道义上的谴责。就此而言,我们似乎也可以将白话文运动的节节胜利归之于胡适论及文言文学在中国古代居于正统地位的原因:政治上的需要。20世纪的现代政治意志需要现代汉语(白话)作为它向大众表达自己的工具。随着"政治上的需要"逐渐消失或被抑制,在这种需要支配下的白话新文学的非文学性就日益显露了。

周作人:人的文学与个人主义话语

新文学运动在形式上的革命是要以白话取代文言而为文学写作的工具,这一革命除了文学上的考虑外,主要基于更深的大众思想启蒙的需要,这一需要与政治现代性追求相关。正是政治现代性追求的深度目标和大众思想启蒙的需要将文学内容的革命推到了更为重要的位置。对此,最敏感者是周作人。在1919年3月,周作人在《思想革命》一文中指出:"文学革命上,文字改革是第一步,思想改革是第二步,却比第一步更重要。"㊹

1. 从形式革命走向内容革命

有关内容革命的自觉,胡适在《中国新文学大系》第一集的"导言"中有概略的追叙。胡适说他与陈独秀、钱玄同等人在最初论及文学革命时都兼及内容和形式两个方面,但后来(其实主要是胡适)却专注于形式革命,采取了先形式(文字)革命后内容革命的策略。胡适对此的解释有二:其一是"我们认定文字是文学的基础,故文学革命的第一步就是文字问题的解决……我们认定文学革命须有先后的程序:先要做到文字体裁的大解放,方才可以用来做新思想新精神的运输品"。㊺其二是虽然胡适等人明确意识到要以新思想新精神来更新文学内容,但"我们还没有法子谈到新文学应该有怎样的内容。世界的新文艺都还没有踏进中国的大门里,社会上所有的西洋文学作品不过是林纾翻译的一些19世纪前期的作品,其中最高的思想不过是迭更司的几部社会小说;至于代表19世纪后期的革新思想的作品却是国内人士所不曾梦见。所以在那个贫乏的时期,我们实在不配谈文学内容的更新,因为文学内容是不能悬空谈的,悬空谈了也决不会发生有力的影响。例如我在《文学改良刍议》里曾说文学必须有'高远的思想,真挚之情感',那就是悬空谈文学内容了。"㊻

在1918年5月,《新青年》出了一期"易卜生专号",为此胡适写了《易卜生主义》一文。"在那篇文章里,我借易卜生的话来介绍当时我们新青年新一班人共同信仰的'健全的个人主义'。"㊼

《易卜生主义》一文在当时影响很大,因为它首次借阐述易卜生的作品来明确提倡"健全的个人主义",使这种主义话语更深入地融入新文学的内容。在《中国新文学大系》第一集导言中,胡适也显然将其看作是新文学内容革命由悬空而落实的第一步,不过胡适并没有明确将"健全的个人主义"作为新文学的内容设想来谈。因此,胡适才说:"次年(七年)十二月里,《新青年》(5卷6号)发表周作人先生的'人的文学'。这是当时关于改革文学内容的一篇最重要的宣言。"㊽

在新文学运动中,周作人最先意识到内容革命的重要性,且对此作了明确的阐述。在写于1919年3月的《思想革命》一文中,周作人指出:

> ……文学这事物本合文字与思想两者而成,表现思想的文字不良,固然足以阻碍文学的发达,若思想本质不良,徒有文字,又有什么用处呢?我们反对古文,大半因为他晦涩难解,养成国民笼统的心思,使得表现力与理解力都不发达,但另一方面,实又因为他内中的思想荒谬,于人有害的缘故,这宗儒道合成的不自然的思想,寄寓在古文中间,几千年来,根深蒂固,没有经过廓清,所以这荒谬的思想与晦涩的古文,几乎已融合为一,不能分离。我们随手翻开古文一看,大抵总有一种荒谬思想出现,便是现代的人做一篇古文,既然免不了用几个古典熟语,那种荒谬思想已经渗进了文字里面去了,自然也随处出现,譬如署年月,因为民国的名称不古,写作"春王正月"固然有宗社党气味,写作"己未孟春",又像遗老。如今废去古文,将这表现荒谬思想的专用器具撤去,也是一种有效的办法。但他们心里的思想,恐怕终于不能一时变过,将来老瘾发时,仍旧胡说乱道地写了出来,不过从前是用古文,此刻用了白话罢了。话虽容易懂了,思想却仍然荒谬,仍然有害。好比"君师主义"的人,穿上洋服,挂上维新的招牌,难道就能说实行民主政治?这单变文字不变思想的改革,也怎能算是文学革命的完全胜利呢?
>
> 中国怀着荒谬思想的人,虽然平时发表他的荒谬思想,必用所谓古文,不用白话,但他们嘴里原是无一不说白话的。所以如白话通行,而荒谬思想不去,仍然未可乐观,因为他们用从前做过《圣谕广训直解》的办法,也可以用了支离的白话来

> 讲古怪的纲常名教。他们还讲三纲，却叫做“三条索子”，说“老子是儿子的索子，丈夫是妻子的索子”，又或仍讲复辟，却叫做“皇帝回任”。我们岂能因他们所说是白话，比那四六调或桐城派的古文更加看重呢？譬如一篇提倡“皇帝回任”的白话文，和一篇“非复辟”的古文并放在一处，我们说那边好呢？我见中国许多淫书都用白话，因此想到白话前途的危险。中国人如不真是“洗心革面”的改悔，将旧有的荒谬思想弃去，无论用古文或白话文，都说不出好东西来，就是改学了德文或世界语，也未尝不可以拿来做“黑幕”，讲忠孝节烈，发表他们的荒谬思想，倘若换汤不换药，单将白话换出古文，那便如上海书店的译《白话论语》，还不如不做的好。因为从前的荒谬思想，尚是寄寓在晦涩的古文中间，看了中毒的人，还是少数，若变成白话，便通行更广，流毒无穷了。所以我说，文学革命上，文字改革是第一步，思想改革是第二步，却比第一步更为重要。我们不可对于文字一方面过于乐观了，闲却了这一面的重大问题。㊾

周作人的这段文字将内容和形式的关系说得很清楚，对当时偏重形式革命而忽略内容的倾向的确是一纠正。更为重要的是，周作人还首次集中而明确地阐述了新文学应当书写的内容——人道主义，这便将自梁启超到胡适悬空倡导的文学内容的革命落到了实处。

在今天看来，周作人阐述的人道主义还十分粗疏，但在当时却是“一篇最平实伟大的宣言。周先生把我们那个时代所要提倡的种种文学内容，都包括在一个中心观念里，这个观念他叫做‘人的文学’”。㊿在《人的文学》开篇，周作人即明确宣布“我们现在应该提倡的新文学，简单的说一句，是‘人的文学’。应该排斥的，便是反对的非人的文学。”(51)

周作人是从他所理解的“人道主义”来阐述“人”的意义或“人”的真理的。首先，他在进化论的框架内借兽性和神性这对概念来说明人性的内涵。“我所说的人，乃是‘从动物进化的人类’，其中有两个重点：(1)‘从动物’进化的；(2)从动物‘进化’的。”(52)周作人以着重点和引号将“从动物进化的人类”这一“人”的命题一分为二,就此引出有关人性的双重规定:自然性(生物性、兽性)和精神性(进化性、神性)。就此他要强调的是:其一,由于人的生物本能是人所固有的,因而其本能要求是正当的。我们承认人是一种生物,他的生活现象与别的动物并无不同。所以我们相信人的一切生活本能,都是美的善的,应得到完全满足。凡是违反人性,不自然的习惯制度,都应排斥改正。其二,由于人是进化的,他又不同于别的动物,他有"逐渐向上,有能改造生活的力量。所以我们相信人类以动物的生活为生存的基础,而其内面的生活,却渐与动物相远,终能达到高上和平的境地,凡兽性的余留,与古代礼法可以阻碍人性向上的发展者,也都应排斥改正"。周作人既反对极端的享乐主义,也反对极端的禁欲主义。他认为这两者或执于兽性,或执于神性,都因此而未达到人性。真正的人性应是灵肉一致的,是既超越了纯粹兽性又超越了纯粹神性,处于更高阶段的进化样态。

此外,周作人还借个人和人类这对概念来说明他的"个人主义的人间本位主义",以此区别于所谓"悲天悯人"或"博施济众"的慈善主义。周作人的"个人主义的人间本位主义"倡导"一种利己而又利他,利他即是利己的生活"。[53]"所以我说的人道主义是从个人做起。要讲人道,爱人类,便须先使自己有人的资格,占得人的位置。"[54]就此而言,周作人的人道主义主要是一种个人主义。

事实上,新文学在精神内容上进行革命的基础就是一套时而被名之为人道主义,时而被名之为个人主义的话语。细而察之,人道主义是一个比个人主义更宽泛,更高一级的范畴,个人主义只是人道主义的一个方面或一种类型。"五四"时期的人道主义在其基本精神上是一种个体自由主义,这一点在胡适的《易卜生主义》中也有明确的表现。在胡适的改良主义方案中,个体人格的塑造是社会政治改良的基础,社会的拯救有赖于个体的拯救。胡适说:"最可笑的是有些人明知世界'陆沉'却要跟着'陆沉',跟着堕落,不肯'救出自己'!都不知道社会是个人组成的,多救出一个人,便是多备下一个再造新社会的分子。"[55]"社会国家没有自由独立的人格,如同酒里少了酒曲,面包里少了醇,人身上少了脑筋。那种社会国家决没有改良进步的希望。"[56]

2. 新文学内容革命的内在悖论

在周作人和胡适等人以个体自由主义的启蒙为社会改良之基

础的方案中,我们可以看到一条不同于梁启超式的思想启蒙的倾向。对梁氏来说,"新民"的任务主要是对国民进行"公德"教育。梁氏所谓"公德"即从西方引入的一种公民道德。依梁氏之见,中国之落后挨打主要在于国民重私德而无公德,好"束身寡过"而"不关心国事",缺乏现代公民对国家的义务意识,这导致中国一盘散沙而无现代之国力。"新民"就是要以西方之"公德"对国民进行启蒙。在此,值得注意的是,梁启超只注意到公民对国家的义务,而忽略了公民的权利,只注意到公民拧成一股绳的国力,而忽略了公民的权利对国家权力滥用的限制。更重要的是,梁启超以国家利益为现代化的目标,而对个体幸福缺乏意识,因此在他的现代化国家方案中个人只是国家的工具。正是在这样一种现代化方案中,建立现代国家的目标成为变一切为其工具的绝对命令。梁氏文学革命的政治工具性质由此而决定。

与梁氏不同,胡适、周作人等人的现代化目标不是国家主义而是个体人道主义。在此,国家和个人之间的关系被颠倒过来了,亦即国家成了保障个体幸福的手段。此外,更重要的是,胡适等人认为个体独立自由的理性自觉,以及对自身权利的维护是政治社会现代化的动力因素。因此,思想启蒙的核心就不是现代国家主义和民族主义而是个体自由主义,国民性的改造就不是塑造为国家和民族献身的工具,而是塑造自由独立的人格。这一点在胡适的"易卜生主义"和周作人的"人"学中表现得十分突出,事实上这也代表了"五四"思想启蒙的主潮。

沿着个体自由主义的思路对文学内容革命提出的要求显然不同于梁启超,它不再要求作家去宣传什么身外之物,而是提倡文学表现自我;它不再要求作家依据什么原则和外在目标去写什么,而是主张绝对的创作自由。这一思潮不仅与当时引进的浪漫主义和表现主义一拍即合,也与中国文人的放纵传统呼应,从而形成"五四"时期的个人主义文学思潮。

由于在文学内容的革命上坚持个体自由主义的立场,从而使"五四"一代文学革命家天然亲近文学自主论,并将文学自主论与个体自由论联系在一起了。事实上,文学自主论是以政治思想上的个体自由论为前提的。文学自主的问题其实就是一个政治思想的自由问题,是现代生存中个体自由的权利问题,正因为如此,文学自主论者从来就是专制统治的敌人。

尽管如此,"五四"一代的文学革命论者并没有区分个体自由主义中的"主义话语倾向"和"个体自由的原则"。因此,他们对新文学之精神内容的设计具有一种内在矛盾:一方面个体自由的原则要求给个体以充分的思想自由,不能对个体思想提出什么要求,不能要求他信奉什么超个体的普遍真理;另一方面自由主义的启蒙又必然要求每个个体信奉自由主义,以自由主义为普遍真理。

新文学内容革命的这一矛盾在周作人那里有突出表现。一方面周作人大谈"言志",强调文学的独立自由,反对文以"载道";另一方面又认为"人道主义(个体自由主义)"是普遍真理而要求文学予以宣传并要求别人认信。在《人的文学》一文中,周作人开篇就说,既有"人",便有"人道",便有"人"的真理。他认为他谈的人道主义乃是欧洲人发现的客观普遍的真理。为此,《人的文学》一文之通篇都布满了"你必须"、"你应该"的语式,即要求你以"人道主义"为本来从事文学创作和审查文学。

周作人说:"用这人道主义为本,对于人生诸问题,加以记录研究的文字便谓之人的文学。"[57] 换句话说,只有站在人道主义立场的叙事抒情才是"人的文学",反之则是"非人的文学"。

> 譬如法国莫泊桑的小说《人生》是写人间兽欲的人的文学,中国的《肉蒲团》却是非人的文学。俄国库普林的小说《坑》是写娼妓生活的人的文学,中国的《九尾龟》却是非人的文学。这区别就只在著作的态度不同。一个严肃,一个游戏,一个希望人的生活,所以对于非人的生活,怀着悲哀或愤怒。一个安于非人的生活,所以对于非人的生活,感着满足,又多带着玩弄与挑拨的形迹。简明说一句,人的文学与非人的文学的区别,便在著作的态度,是以人的生活为是呢?非人的生活为是呢?[58]

在此意义上,周作人倡导的文学内容的革命乃是一种价值立场或主义话语的革命。以"人道主义为本",就是以"人道主义"的态度眼光和话语逻辑去对生活作出判断与选择。在此,所谓"人道主义"的内涵是先行拟定了的,是要求个体认信的真理。"比如两性的爱,我们对于这事,有两个主张,(1)是男女两本位的平等。(2)是恋爱的结婚。世间著作,有发挥这意思的,便是绝好的人的文学,如挪威易卜生的戏剧《娜拉》、《海女》,俄国托尔斯泰的小说《安娜·卡列尼娜》,英国哈代的小说《苔斯》等就是。"

按周作人"人道主义"的标准衡量中国文学中内在的价值态度与立场,大部分文学作品都不是"人的文学"而只是"非人的文学",这些文学作品"在民族心理研究上,原都极有价值,在文艺批评上,也有几种可以容许,但在主义上,一切都该排斥"。㊾所谓"主义"就是指内在的价值态度与立场。

将"人道主义"(个人主义)的话语逻辑和价值立场明确引入新文学的内容建构是周作人的一大工作,这一工作意义重大。在谈到这一点时,胡适说:"关于文学内容的主张,本来往往含有个人的嗜好和时代潮流的影响。《新青年》的一班朋友在当年提倡这种淡薄平实的'个人主义的人间本位',也颇能引起一班青年男女向上的热情,造成一个可以称为'人的解放'的时代。"㊿

以周作人等人为代表的新文学运动在文学内容意识上的革命究竟如何呢?从文学内容意识本身来看是值得深究的。

在儒家的"文以载道"这个命题中,我们可以看到这样一个双重内容结构。处于表层的是具体的内容指认:孔孟之"道";处于深层的则是抽象的内容设定:普遍真理。孔孟之"道"之所以有权力成为文学的内容,乃是因为它是普遍真理。在"文以载道"这一命题中,具体的孔孟之"道"与抽象的普遍"真理"是合二为一的。而事实上,这两者是可以分离的,其合一纯属人为,正因为如此,在打倒孔家店之后,"文以载道"这一命题就受到了挑战。不过,随着孔孟之道的真理性被取消,文学以孔孟之道为内容的正当性被取消了,但文学以普遍真理为内容的信念并没有消除,换句话说,儒家文论所确立的文学内容的真理性原则并没有被取消。

本来,如果沿着个人主义的思路和改良主义的思路,将建立独立自主的个体人格的目标贯彻到底,彻底的言志观就会颠覆载道观。但由于对普遍真理的迷恋以及将人道主义等同于普遍真理的倾向,个体自由主义的启蒙就变成了新道德的教化。周作人后来对此有所警觉,他说:"我平素最讨厌的是道学家,岂知这正因为自己是一个道德家的缘故;我想破坏他们的伪道德,不道德的道德,其实却同时非意识地想建设起自己所谓的新的道德来。我看自己一篇篇的文章，里面都含着道德的色彩与光芒，虽然外面是说着流氓土匪似的话。我很反对道德的文学，但自己总做不出一篇为文章的文章，结果只编集了几卷说教集，这是何等滑稽的矛盾。也罢，……还是'从吾所好'，一径这样走下去罢。"[61]

在反思了自由主义启蒙中这种反自由的悖论之后，周作人意识到"宽容"是自由主义的精髓。自由并非要求别人如己那样自由，而是让别人以别人的方式自由。从说教式启蒙走向启发式宽容，是周作人20年代以后写作的基本路向。

"五四"时期的文学"自主论"与"工具论"

"新文学"不仅意味着胡适所说的形式与内容上的革命，更主要的是意味着文学观念上的革命。

文学研究会一开始就自觉地以建设新文学观念和摧毁旧文学观念为己任。

在《新文学观的建设》一文中，郑振铎说："文学是人类感情之倾泄于文字上的。它是人生的反映，是自然而发生的。它的使命，它的伟大的价值，就在于通人类的感情之邮。诗人把他锐敏的观察，强烈的感觉，热烘烘的同情，用文字表示出来，使读者便也会同样的发生出这种情绪来。"郑氏还逐一批判了传统的"娱乐说"和"载道说"：

> 娱乐派的文学观，是使文学堕落，使文学失其天真，使文学陷于溺于金钱之阱的重要原因；传道派的文学观，则是使文学干枯失泽，使文学陷于教训的桎梏中，使文学之树不能充分长成的重要原因。

从郑氏对于新文学的阐述和对旧文学观的批判中，我们可以看到一种摆脱市场功利制约和道德功利制约的文学自主论倾向。这种倾向在同为文学研究会主要成员的茅盾那里也有明显的表现。

在《自然主义与中国现代小说》一文中，茅盾指出："我们要在现代小说中指出何者是新,何者是旧,唯一的方法就是去看作者对于文学所抱的态度:旧派把文学看作消遣品,看作游戏之事,看作载道之器,或者作牟利的商品,新派以为文学是表现人生的,诉通人与人之间的感情,扩大人们的同情的。"茅盾将文学的任务和目的规定为"写真实的人生"和"为真实的人生"。受科学实证主义影响,认为要写出人生的真实就必须采取一种超越于现实功利偏见的纯客观的态度,并以实证科学的方法去观察人生,文学是一个自由而超越的领域,它有自己独特的观物方式和表达方式。

　　值得注意的是,在坚持文学独立自主论方面,茅盾与郑振铎并没有什么不同。不同的只是,一个以浪漫主义的文学本体论为出发点谈文学的神圣自在性,一个以自然主义的文学本体论为基础谈文学的独立自在性。

　　创造社的主要人物郭沫若早期曾提倡"新浪漫主义"。这种新浪漫主义是浪漫主义和表现主义的混合物。在郭沫若看来,真正的艺术乃是生命的自然喷发。"Energy 的发散在物如声、光、电、热,在人如感情、冲动、思想、意识。感情、冲动、思想、意识的纯真的表现便是狭义的生命的文学。生命的文学是个性的文学,因为生命是完全自主自律的。"郭沫若也反对文学工具论。他说:"假使作家纯以功利主义为前提从事创作,只是想借文学为宣传的武器,只是想借文艺为糊口的饭碗""都是文艺的堕落"。由此可见,在维护文艺自律这一点上,郭沫若的思路与郑振铎实无根本差别。

　　在创造社中,对文学自主论之论述最有特色者当推郁达夫。郁达夫说:"小说在艺术上的价值可以真和美的两条件来决定。若一本小说写得真,写得美,那这小说的目的就达到了。至于社会价值及伦理的价值,作者在创作的时候,尽可以不管。"郁达夫所谓的"美"指"艺术的最大要素"。"艺术所追求的是形式和精神上的美。我虽不同唯美主义者那么持论的偏激,但我却承认美的追求是艺术的核心。自然的美,人体的美,人格的美,情感的美,或是抽象的悲壮的美,雄大的美,及其他一切美的情素,便是艺术的主要成分。"

　　严格地说,"五四"时期的文学自主论只是一种文艺家式的宣言式论述,它不同于王国维那种学者式的理论。这也许是因为前者的思想资源主要来自西方文学思潮(浪漫主义、唯美主义等),后者的思想资源则是西方哲学美学。作为一种宣言式论述,"五四"文学自主论并不关注持论的根据性分析,而大都是一种立场的表态,因此,这些论述对理解文学的自主性问题并无实质性推进。客观地说,这些论述的理论价值远未达到王国维的水平,只是到了30年代的朱光潜那里,对文学自主性问题的理论思考与表达才有所进展。

由于对文学自主论的学理依据缺乏深入的了解(不像王国维),更由于中国史无文学自主的现实经验(不像西方现代艺术家),因此,"五四"时期的文学自主论者大多是摇摆不定的。当他们面对西方文学自主论的述说时,会觉得很有道理;而当他们回到中国的现实时,又觉得文学工具论更有理由。郭沫若就说:"就创作方面主张时,当持唯美主义;就鉴赏方面而言时,当持功利主义。"他们试图将"为人生"和"为艺术"调和起来,但他们并不清楚,潜在的现实功利立场最终会否定艺术自主的核心:现实超越性。20年代中期之后,创造社和文学研究会的大多数成员迅速转向文学工具论就是一个见证。

总起来看,政治与艺术的双重现代性追求构成了"五四"时期新文学理论的内在张力与冲突,它导致了新文学理论作为"工具论"与"自主论"的悖论式存在。"五四"新文学理论这种双重现代性追求,影响到整个20世纪中国文学艺术及其理论的发展走向,它是我们深入反省20世纪中国文学革命的重要路标,也是我们今天及在未来世纪中必须面对、并力求圆满解决的一个重要的学术理论问题。

注释:

①⑨ 胡适《陈独秀与文学革命》,见《胡适学术文集·新文学运动》,中华书局1998年版,第192页,188页。
②㉟ 胡适《文学改良刍议》,见《胡适学术文集·新文学运动》,第20页,第28页。
③④⑬ 陈独秀《文学革命论》,见《独秀文存》,安徽人民出版社1987年版,第95—96页,第98页,97页。
⑤ 陈独秀《旧思想与国体问题》,见《独秀文存》,第103页。
⑥ 陈独秀《宪法与孔教》,见《独秀文存》,第79页。

⑦ 格里德《胡适与中国的文艺复兴》,江苏人民出版社1995年版,第97页。
⑧ 胡适《答伯秋与傅斯棱两先生》,见《胡适文集》,北京大学出版社1998年版,第370页。
⑩ 林毓生《中国意识的危机——"五四"时期激烈的反传统主义》,贵州人民出版社1988年版,第45页。
⑪ 李大钊《〈晨钟〉之使命》,见《晨钟报》创刊号,1916年8月15日。
⑫ 参见金观涛、刘青峰《开放中的变迁》一书的第五章和第六章,香港中文大学出版社1993年版。
⑭ 陈独秀《答胡适之》,见《独秀文存》,第636页。
⑮ 陈独秀《答曾毅书》,见《独秀文存》,第681页。
⑯ 陈独秀《学术独立》,见《独秀文存》,第552页。
⑰㉑㉜㊲㊳㊵㊶㊷㊸㊹㊿⓺ 胡适《〈中国新文学大系〉第一集导言》,见《胡适学术文集·新文学运动》,第244页,第254页,第254—255页,第247页,第249页,第239页,第254—255页,第255—256页,第256页,第257页,第258页,第258页。
⑱㉒㉔㉝㊱ 胡适《建设的文学革命论》,见《胡适学术文集·新文学运动》,第43页,第43页,第43页,第47页,第42页。
⑲ 胡适《答黄觉僧君〈折衷的文学革新论〉》,见《胡适学术文集·新文学运动》,第70页。
⑳ 胡适《死语与活语举例》,见《胡适学术文集·新文学运动》,第15页。
㉓ 胡适《什么是文学——答钱玄同》,见《胡适学术文集·新文学运动》,第87页。
㉕㉘㊷㊸ 胡适《五十年来中国之文学》,见《胡适学术文集·新文学运动》,第134页,第146—147页,第95页,第95—96页。
㉖ 胡适《觏庄对余新文学主张之非难》,见《胡适学术文集·新文学运动》,第9页。
㉗ 胡适《答朱经农》,见《胡适学术文集·新文学运动》,第61页。
㉙㉟ 胡适《四十年来的文学革命》,见《胡适学术文集·新文学运动》,第309页,第309—310页。
㉚㉛ 胡适《寄陈独秀》,见《胡适学术文集·新文学运动》,第17页。
㊴ 胡适《逼上梁山》,见《胡适学术文集·新文学运动》,第200页。
㊵ 胡适《新文学运动之意义》,见《胡适学术文集·新文学运动》,第175页。
㊹㊾ 周作人《思想革命》,见《理性与人道——周作人文选》,上海远东出版社1994年版,第7页,第6—7页。
㊶㊷㊳㊴㊵㊶㊷㊸㊹ 周作人《人的文学》,见《中国文论选》现代卷(上),江苏文艺出版社1996年版,第105页,第106页,第107页,第108页,第108页,

第 108 页,第 109 页。

㉕㊱ 胡适《易卜生主义》,见《中国文论选》现代卷(上),第 72 页,第 74 页。

㊶ 周作人《〈自己的园地〉自序二》,见《理性与人道——周作人文选》,第 217—218 页。

原载《文艺研究》2000 年第 1 期

乐黛云

鲁迅的《破恶声论》及其现代性

鲁迅的《破恶声论》以"迅行"的笔名发表于 1908 年 12 月出版的《河南》杂志第 8 期。《河南》杂志是中国留日学生创办的、宣传反清革命的综合性刊物,1907 年(清光绪 33 年)创刊于东京,主编名武人,《发刊之旨趣》由朱宣所作。主要刊登的文章有:《平民的国家》(作者鸿飞)、《二十世纪之黄河》(作者裴谷)、《指南公传奇》(作者虞民)、《巾帼魂传奇》(佚名)等。原拟为月刊,但后来并未按月出版。《河南》杂志目前已很难找到,阿英在他编写的《辛亥革命书征》中说,他所见到的,只有 5 期。

1901 年《辛丑条约》签订之后至辛亥革命(1911)的 10 年间,到日本留学的中国学生达数千人,其中多数倾向于反清革命。他们出版了许多革命书报,其中十多种杂志是先后由各省留日同乡会或以各省留日同人名义出版的,内容上也偏重各省当时的政治、社会和文化问题,并从事科学的启蒙宣传,如《浙江潮》、《江苏》、《汉声》、《洞庭波》、《云南》、《四川》等。

鲁迅于 1902 年 4 月到达日本,同年 11 月,许寿裳、陶成章等即在东京组织了百余人的浙江同乡会,并出版了《浙江潮》月刊。鲁迅写的《中国地质略论》、翻译的《斯巴达之魂》、《地底旅行》的一部分都发表在 1903 年的《浙江潮》上。鲁迅在日本完成的几篇重要论文则陆续发表于后来的《河南》杂志,如《人之历史》发表于 1907 年 12 月,第 1 期,《摩罗诗力说》发表于 1908 年 2、3 月,第 2、3 期,《科学史教篇》发表于 1908 年 6 月,第 5 期,《文化偏至论》发表于 1908 年 8 月,第 7 期。

《破恶声论》约 7000 千字,虽未写完,却是集大成之作,它是鲁迅留居日本7年来思考的结晶,是他在《文化偏至论》和其他文章的基础上对中国文化社会改革问题更进一步深思熟虑的结果。

何为"恶声"?

"破恶声"是本篇的主旨。何为"恶声"?这得从鲁迅在《文化偏至论》中已经提出"掊物质,排众数"的主张说起。所谓"掊物质"是反对"诸凡事物无不质化,灵明日以亏蚀,旨趣流于平庸,人惟客观之物质世界是趋,而主观之内面精神,乃舍置不之一省。重其外,放其内,取其质,遗其神,林林众生,物欲来蔽,使性灵之光,愈益就于黯淡"。鲁迅认为这就是"19世纪文明之通弊",必须加以掊击。"排众数"的"众数"在《文化偏至论》中是指三部分人:一类是"垂微饵以冀鲸鲵"的巨奸,"将借新文明之名,以大遂其私欲者";另一类是"宝赤菽以为玄珠"的"盲子",他们对自己大声疾呼的东西还不了解,就自以为得了人生真谛,借众凌寡;还有一类则是将"陈旧于殊方"的"迁流偏至之物""举而纳之中国,馨香顶礼"。这三种人合起来,就是鲁迅所说的"庸众"。在《破恶声论》中,鲁迅进一步将这些"庸众"分为两类:一类是"出接异域之文物者……效其好尚语言,峨冠短服而步乎大衢,与西人一握为笑……";另一类是"居内而沐新思潮者,亦胥争提国人之耳,厉声而呼,示以二十世纪之国民当做何状"。①对于这两种人,"聆之者"都是"蔑弗首肯,尽力任事惟恐后";加以"日鼓舞之以报章,间协助之以书籍",于是"事权言议,悉归奔走干进之徒"。鲁迅指出,这些人都是"掣维新之衣,用蔽其自私之体"。例如:"为匠者,乃颂斧斤而谓国弱于农人之有耒耜;事猎者则扬剑铳而曰民困于渔父之宝网罟;倘其游行欧土,偏学制女子束腰道具之术以归,则再拜贞虫而谓之文明,且昌言不纤腰者为野蛮矣。"

总而言之,这些"庸众"所发之声都是"恶声"。鲁迅说,这样的"恶声""纵唱者万千,和者亿兆,亦决不足破人界之荒凉,而鸩毒日投,益以速中国之隳败"。这种"恶声"往往是"万喙同鸣,鸣又不揆诸心,仅从人而发,若机栝,林籁也,鸟声也。恶浊扰攘,不若此也。此其增悲,盖视寂寞,且亦甚矣"!

在《破恶声论》中,鲁迅进一步对两种当时比较流行的"恶声"

作了深入分析：一种是甚嚣尘上的"汝其为国民"说，"慑以不如是则亡中国"；另一种是人云亦云的"汝其为世界人"，"慑以不如是则畔（叛）文明"。

自梁启超提出"国民"这一概念以来，它一直是二十世纪头十年"万喙同鸣"的中心之一。1905年，汪兆铭在刚创刊的《民报》第一期就曾发表《民族的国民》一文，鼓吹"立宪"，提出颠覆"六千年来之君权专制"，建立"民族主义"和"国民主义"的国家。他认为：专制国家的国民只是"奴隶而已"，而"立宪国之国民"才是独立自由的。他认为对于国民来说，"自其个人的方面观之，则独立自由，无所服从。自其对国家的方面观之，则以一部对于全部，而有权利义务，此国民之真谛也"。鲁迅早在《文化偏至论》中就对"金铁立宪"者，痛加挞伐。他对于"立宪"的结论是："古之临民者，一独夫也；由今之道，且顿变为千万无赖之尤，民不堪命矣，与兴国究何与焉？"在《破恶声论》中，鲁迅更进一步指出："以独制众者，古，而众或反离；以众虐独者，今，而不许其抵拒！"其结果是"以多数（扰攘之庸众）临天下而暴独特者！"人们都"不敢自别异"，只能"泯于大群，如掩诸色以晦黑。假不随驶，乃即以大群为鞭箠，攻击迫拶，俾之摩騂"。在这样的情况下，有什么自由可言呢？因此，鲁迅在《破恶声论》中说："众倡言自由，而自由之憔悴孤虚实莫甚焉！"

鲁迅提出"汝其为世界人"的问题是有其针对性的。1907年6月，吴稚晖、李石曾等人在巴黎创办了《新世纪》周刊，宣扬无政府主义，声称人类将于二十世纪开始走向大同，国家、民族和语言界限都将消除，"万国新语"（即世界语）将成为世界惟一的语言，国籍、民族将不再重要，人们都将成为"世界人"。鲁迅在《破恶声论》中指出这种"同文字"、"弃祖国"、"尚齐一"并以不如此"将不足生存于二十世纪"相威胁的主张，其实质和"国民说"一样，都是灭裂个性，压制少数的理论。《新世纪》是一个宣传无政府主义的刊物。在其第一期发表的《新世纪之革命》一文中，强调新世纪的革命思想是"扫除一切政府，纯正自由；废官止禄，无有私利；弃名绝利，专尚公理"。在其长篇连载的《普及革命》（第15、17、18、20、23期）一文中，署名"民"的作者全面提出了反法律、反赋税、反对传统、国粹、宗教、迷信等各个方面的主张。1908年，章太炎等人曾在《民报》上发起反击，《新世纪》亦有所回应，形成了关于无政府主义的一次小小的论战,《破恶声论》可以说也参与了这次论战。《新世纪》周刊共出121期,1910年5月停刊。

心声与内曜

鲁迅在《破恶声论》中说:"吾未绝大冀于方来,则思聆知者之心声而相观其内曜。内曜者,破黮暗者也,心声者,离诈伪者也。有是,乃如雷霆发于孟春而百卉为之萌动,曙色东作,深夜逝矣。"鲁迅当时仍然对未来怀着坚定的信心。他认为希望就在于首先出现少数"不和众嚣,独具我见之士",他们以自己的智慧,"洞瞩幽隐",绝不人云亦云,他们遵循自己的信念,奋然前行,"举世誉之而不加劝,举世毁之而不加沮","惟所信是诣"。鲁迅心目中的这类人就是像尼采、易卜生那样"据其所信,力抗时俗,示主观之极致"、"意力绝世"、"多力善斗,即忤万众不慑之强者"(《文化偏至论》)。在这个基础上,鲁迅于《破恶声论》中又提出"白心"和"神思"两个概念。"白心"和"神思"都出自中国传统文化。

"白心"出自《庄子·天下》篇:"不累于俗,不饰于物;不苟于人,不忮于众……以此白心,古之道术有在于是者"。"白心"就是以"不累"、"不饰"、"不苟"、"不忮"的态度,直白其心。鲁迅说:"顾蒙幪面,而不能白心,则神气恶浊,每感人而令之病"。"白心"也就是直白的心声,如奥古斯丁、托尔斯泰、卢梭等人的直白之书,鲁迅赞美说:"伟哉其自忏之书,心声之洋溢者也。"因此,鲁迅强调:"善国善天下,吾愿先闻其白心。"鲁迅所说的"白心"就是"不累于俗,不饰于物;不苟于人,不忮于众"的至精至诚的心声。惟有这样的真心发出的心声,才能明"人生之意义",而使"个性不至沉沦于浊水"。

"神思"出自《文心雕龙》,指的是"观古今于须臾,抚四海于一瞬"的内在而真诚的丰富的想像力。在《文化偏至论》中,鲁迅曾将尼采等人所代表的"崇奉主观"、"张皇意力"尊崇独创的一派定名为"新神思宗",这里"神思"一词所蕴涵的,是强力意志、创造性想象力和主观战斗精神等涵义。在《摩罗诗力说》中,鲁迅认为作为"心声"的诗歌就产生于"古民神思,接天然之閟宫,冥契万有,与之灵会"之时。这里所说的神思专指与万物相冥合的神秘的想像力。

《破恶声论》五次谈到"神思",都是指"朴素之民"自由自在的不受任何约束和指使的创造性想象。如说"夫神话之作,本于古民,睹天物之奇觚,则逞神思而施之以神化",又说"夫龙之为物,本吾古民神思所创造"等。

"白心"和"神思"结合在一起,就能发出出自内心的精诚之声。这种"心声""披心而嗷,其声昭明",可以"烛幽暗以天光,发国人之内曜"。"内曜"即内心的智慧之光,这种国人之"内曜"一旦被启发出来,就可以使"古国胜民,素为吾志士鄙夷不足道者,咸入自觉之境"。于是,"人各有己,不随风波,中国亦以立"(《文化偏至论》)。当然,能发出这种"心声"的,首先只能是少数"思虑、学术志行大都博大渊邃、勇猛坚贞,纵迕时人不惧"的"首唱之士"。虽然为数不多,但有了他们,就会如"留独弦于藁梧,仰孤星于秋昊",给人们带来希望,他们的存在会逐渐唤起"群之大觉",而做到"人各有己"。鲁迅在《文化偏至论》和《摩罗诗力说》中已经提出"张灵明"、"任个人"的主张,他认为救国之道"首在立人,人立而后凡事举,若其道术,乃必尊个性而张精神","只有国人之自觉至而个性张","沙聚之邦"才能"由是转为人国","人国既建,乃始雄厉无前,屹然独见于天下"。这就是青年鲁迅的最高理想。

迷信与伪士

自戊戌政变(1898)至辛亥革命(1911)这段时期,有关宗教问题的讨论曾经颇为热烈,这和西方的影响也是分不开的。当时很多改革者都认为重视宗教对西方文化的发展起了很大作用,而不重宗教正是中国传统文化的重要缺陷。改革者谭嗣同在他的《仁学》中就很强调宗教能给人"以慰藉而启悟之",可以使人对人生意义、归宿,对过去、现在、未来求得一种了解,使人有所系属和归依。康有为、梁启超、谭嗣同等改革家都很重视发挥宗教的稳定社会的功能。1906年起,章太炎也很推崇宗教的意义。他和陶成章等人一起提出"用宗教发起信心"、"以增进国民道德"的宗教救国论。在他主讲的国学讲习班上,佛典被列为重要的课程之一,并大力鼓励学生学佛。青年鲁迅在章太炎的影响下,也对宗教,特别是佛学和民间宗教怀着浓厚的兴趣。

《破恶声论》用相当多的篇幅讨论了宗教问题,其中可能有些部分是直接针对1907年9—11月连载于《新世纪》的长篇论文《普及革命》中的有关宗教的一些论点的。例如《普及革命》强调宗教"束缚人之思想,阻碍人之进步,使人信仰,使人服从者也。信仰则迷信生,服从则奴性根……人民根器薄弱,智识幼稚,易受可惊、可欣、可羡、可怕之佛说、福音、儒论、神话,而淘汰磋磨于不知不觉之中……今世纪,科学日以发达,真理日以显明,当以正当的教育代宗教,以真理的科学破迷信,而不当以宗教代教育,替科学也。不知出此,而惟斤斤以宗教为补救之道,其谬误为何如哉。……宗教与科学适为反对。科学求真理,而宗教尚妄诞;科学重实验而宗教尚虚伪……有宗教,则革命不得普及;欲普及革命,不得不反对宗教。有宗教,则科学不得发达;欲发达科学,不得不反对宗教。"

鲁迅首先从宗教的来源谈到什么是迷信,他认为先民"见夫凄风烈雨,黑云如盘,奔电时作"就会产生一种"虔敬之感"及一种"形而上之需求","宗教即以萌蘖"。鲁迅说:"中国志士谓之'迷',吾则谓此乃向上之民欲离是有限相对之现世,以趣无限绝对之至上者也。人心必有所冯依,非信无以立,宗教之作,不可已矣。"况且,"破迷信者,于今为烈","破迷信"时时沸腾于"士人之口",但却从来没有人谈作为迷信的对立面的"正信"是什么?"正信不立,又乌从比校而知其迷妄也?"

其次,鲁迅认为中国的原始民间宗教以及由此派生而来的淳厚民俗和道德风尚都是十分美好的。中国以"普崇万物为文化本根……覆载(天地)为之首,而次及于万汇。凡一切睿知义理与邦国家族之制,无不据是为始基焉。效果所著大莫可名。以是而不轻旧乡,以是而不生阶级,他若虽一卉木竹石,视之均函有神秘性灵,玄义在中,不同凡品。其所崇爱之溥博,世未见其匹也"。遗憾的是,这些如歌如诗、美妙无比的灵性却被一帮"伪士"指斥为"迷信",甚至由此而长期形成的民风民俗也被横加指责。鲁迅说:"朴素之民,其心纯白,则劳作一岁,必求一扬其精神故农则年答大戬于天,自亦蒙庥而大酺,稍息心体,备更服劳",因而有赛会,有"举酒自劳"、"洁身酬神"之举。然而,就是这种极为合理的民风民俗也被那些志士认为是"丧财废时,奔走呼号,加以禁止,而钩其财帛为公用"!鲁迅愤慨地指出:"诗人朗咏以写心,虽暴主不相犯也,舞人屈伸以舒体,虽暴主不相犯也,农人之慰而志士犯之,则志士之祸烈于暴主也!"

第三,志士们反"迷信"最有力的武器是科学,鲁迅从三个层面对这个问题进行了分析。首先,他认为有些高喊科学的人,无非是假科学之名以谋私利:"科学为之被,利力实其心"。对于这种人,鲁迅认为"其可与庄语乎,直唾之耳"。其次,他认为有些人把科学看得太简单了。这些自以为"奉科学为圭臬之辈,稍耳物质之说,即曰:磷,元素之一也,不为鬼火;略翻生理之书,即曰:人体,细胞所合成也,安有灵魂?"这类人"知识未能周,常以至浅而多谬者解释万事,不思事理神閟变化,决不为理科入门一册之所范围"。再次,鲁迅认为科学是人类神思创造之物,神话和宗教也是人类神思创造之物,它们之间本来是相通的。正如鲁迅写于1907年的《科学史教篇》的结论所说:"科学者,神圣之光,照世界者也。可以遏末流而生感动。时泰,则为人性之光,时危,则由其灵感,生整理者如加尔诺(Carnot),生强者强于拿破仑之战将云。"可见科学和宗教神话一样,都是人类自由精神创造的产物。志士们将宗教神话诬为迷信,强调其与科学势不两立,正显示了那些"精神窒塞,惟肤薄之功利是尚"的志士们的私心和愚蠢。因此,鲁迅大声疾呼:"伪士当去,迷信可存,今日之急也。""伪士",当然就是指前面所说的那些"志士"。

《破恶声论》与现代性

《破恶声论》虽然是一篇未完成的著作,但却相当全面地总结了鲁迅在日本留学7年的思想发展和成果。鲁迅在日本的时期正值明治35年至明治42年,经过明治维新,经过中日战争(1894)和日俄战争(1904)的胜利,这时的日本已进入一个相当发达的资本主义社会,同时,资本主义的弊害也已暴露无余。鲁迅这一时期的思想就是以"矫十九世纪文明之弊害"为出发点的。

鲁迅对于当时占主流地位的各种资本主义的改革方略都进行了相当彻底的否定:"将以富有为文明欤,则犹太遗黎,性长居奇,欧人之善贾者,莫与伦比,然其民之遭遇何如矣?将以路矿为文明欤,则五十年来,非、澳二洲莫不兴铁路矿事,顾此二洲土著之文化何如矣？将以众治为文明矣，则西班牙、波托牙二国立宪且久，顾其国之情状又何如也？"(《文化偏至论》)更其严重的是，这样发展的结果是"诸凡事物无不质化，灵明日以亏蚀，旨趣流于平庸，人惟客观之物质世界是趋，而主观之内面精神，乃舍置不之一省。重其外，放其内，取其质，遗其神，林林众生，物欲来蔽，社会憔悴，进步以停，于是一切诈伪罪恶，蔑弗乘之而萌，使性灵之光，愈益就于暗淡；十九世纪文明一面通弊，盖如此矣"(《文化偏至论》)。这些精彩的论述在《破恶声论》中得到了简要的总结。

正是这种对资本主义的深刻批判使鲁迅和现代主义紧密地联系在一起。事实上，鲁迅所追求的自由和独立创造的思想从一开始就是资本主义经济冲动和现代文化发展的共同根源。在经济活动中，它体现为奋力开拓，追求最大利润的个人主义；在文化方面，它体现为"不受约束的自我"。尽管两者在抗击封建传统时曾站在一条战线，但很快就生成为一种尖锐的敌对关系。这种敌对关系首先表现为经济领域所要求的组织形式同现代文化所标榜的自我实现规范之间的断裂。也就是说资产阶级无止境的贪欲，使生产越来越组织化、官僚化，生产者个人被贬低到不值一提的地位，这与崇尚自由独创的现代文化——现代主义形成了无法调和的冲突。丹尼尔·贝尔(Daniel Bell)说："我把现代主义看成是瓦解资产阶级世界观的专门工具。最近半个世纪以来，它正逐步取得文化领域中的霸权地位。"② 另一位研究现代性的思想家欧文·豪(Irving Howe)则认为现代主义"存在于对流行方式的反叛之中，它是对正统秩序的永不减退的愤怒攻击"③。青年鲁迅正是以他"对正统秩序(资本主义秩序)的永不减退的愤怒攻击"成为现代主义的先觉者。

在《破恶声论》中，鲁迅把他在《文化偏至论》等几篇文章中对"任个人、排众数"的提倡，和对"同是者是，独是者非，以多数临天下而暴独特者"的看法归结为"以独制众者，古，而众或反离；以众虐独者，今，而不许其抵拒"。鲁迅的意思是：过去的封建独裁，一人专政，老百姓过不下去了，还可以造反；而今以多数为幌子的所谓"众治"对个人的迫害，则更难于抵拒，连造反也难于组织！

现代主义与此相反，它坚持自我的绝对专断，强调人不受任何限制，迫切寻求对众人的超越。鲁迅提出的"神思"和"白心"给中国传统的文化话语注入了现代主义的内容。如前所述,《破恶声论》中的"神思"和"白心"都是指不受任何干扰,出自内心的自由创造的想象力。这种想象力只存在于"厥心纯白"的"朴素之民",即"气禀未失之农人"中间,"求之于士大夫","则戛戛乎难得矣"。因为他们"为稻粱折腰","躯壳虽存,灵觉且失",早已失去自由创造的能力。如果将鲁迅所呼唤的"心声"和"内曜"与"神思"和"白心"结合起来看,就可以发现鲁迅所寄予希望的正是尼采式的少数"精神界之战士"的强烈意志和主体精神以及他们使"朴素之民"的"神思"和"白心"得到发扬的可能性。这就和现代主义的"自我无限精神"和"意志的胜利"血脉相连,其目的则是启"群之大觉","建立人国"的东方理想和内涵。

《破恶声论》以很多篇幅讨论了宗教问题。在这些讨论中,最值得注意的有以下三点:第一、鲁迅认为民间宗教(伪士斥为迷信者)、民俗、神话都是出于"朴素之民"发自内心的真诚的自由(繇己)精神活动,这种精神活动是多种多样的,不应受到任何人的干扰和压制。第二、鲁迅拒斥一切自上而下的、排他的宗教。他对这类"正信教宗"深恶痛绝,指责那些所谓"破迷信之志士"实则是"敕定正信教宗之健仆"而已。第三、鲁迅强调信仰是不可能强迫的。他指出"今者更将创天下古今未闻之事:定宗教以强中国人之信奉",如此"心夺于人,信不繇己",只可能产生危害社会的"伪士"。

鲁迅关于宗教的这些思想虽然还不是十分明确,但仍可看出它是和宗教观念的现代性相连的。按照卢曼(N. Luhmann)在《宗教的功能》中所说的,宗教之社会功能的现代转型在于:传统的宗教有系统整合的功能;而现代的宗教的功能则并非是系统整合的。刘小枫认为:"宗教的现代化即世俗化、私人化、多元化,它们表明,要想重构传统式的、具有普遍有效性之意义——价值共识,很可能只是乌托邦或卢曼所谓的怀旧梦。"④ 在这种状况下,宗教日益私人化,也就是更加个体化和主体化。这种私人化或个体化和主体化的后面是平等理念、意义知识多元化的内在支撑。鲁迅关于宗教的世俗化、私人化、多元化的议论也是和他一贯的"建立人国"的思想一脉相通的。

在《破恶声论》中,鲁迅并不是在一种二元对立的方式中来谈中外、古今的关系的,他始终致力于在世界最新发展的脉络中来考察中国文化从古至今所存在的各种问题,因此他能跻身于世界思想发展的最前沿,而使自己的讨论充满着现代色彩。

注释:

① 本篇引文凡未注明出处者,皆出于《破恶声论》,见《鲁迅全集补遗续编》(增订本),唐弢编,上海出版公司出版1952年版。
② 丹尼尔·贝尔《资本主义文化矛盾》,赵一凡等译,三联书店1992年版,第31页。
③ 欧文·豪《文学和艺术中的现代思想》,纽约:地平线出版社1967年版,第13页。
④ 刘小枫《现代社会理论绪论——现代性与现代中国》,牛津大学出版社1996年版,第467页。

原载《中国文化研究》1999年第1期

张钊贻

鲁迅与尼采反"现代性"的契合

两种现代性

鲁迅和尼采表面上左右不相容,但在思想上却有很多共通之处,①而部分的共通处还有共同的历史文化根源。例如反"现代性"(modernity)就是其中之一。

"现代性"是个复杂的社会文化现象,历来众说纷纭,归纳起来可有两种颇为不同的看法:第一种是指西方文明史上一个阶段的"现代性",即由资本主义带来的科技进步、工业革命以及因此引起的一切经济社会变革,此处不妨称之为"实用现代性";另一种则是文化、美学上的"现代性",它以追求文学艺术的创新和进步为鹄的,与浪漫主义思潮有颇密切的关系。②浪漫主义思潮的崛起,在于反对古典主义所设下的种种神圣不可侵犯的、僵死不变的框框,扩而大之,即反对一切社会成规定见。③"文化现代性"可以说是继承和体现了浪漫主义这种解放性的特征。虽然这两种"现代性"在对抗专制禁锢、追求新的更美好的社会时,曾一度并肩前进,互相影响,但到19世纪上半叶便反目成仇。"实用现代性"所体现的机械功利主义,竭力追求效率,以物质生产和消费为中心,将社会生活高度组织起来,严重威胁人的精神生活和独立个性,也就是威胁到文化艺术赖以生存发展的基础,"实用现代性"因而遭到"文化现代性"的抨击。本文所谓鲁迅与尼采的反"现代性"也就是指他们从"文化现代性"的立场上对"实用现代性"的批判,而重点探讨这批判在社会政治层面上的契合。

文化与国家的对立

尼采著作中有不少地方批判这种"实用现代性",但最能体现在社会与政治层面上的,莫过于所谓"反政治"(antipolitical)的立场。"反政治"原是用来批评那些坚持神权和僧侣政治,而反对世俗政治体制的人。而世俗政治体制,主要是指政党政治和议会民主制。到了19世纪末,举凡威胁到这种政治体制自主性的,都可以被责为"反政治"。尼采参与过瓦格纳(Richard Wagner)的文化运动,这个运动就被认为是以歌剧介入政治,因而是"反政治"的。④尼采本人也曾自称是"反政治"的。⑤不过,这里必须指出,尼采的"反政治"与其他保守的"反政治"态度不同。

首先,从狭窄的历史背景看,尼采所反的是俾斯麦(Otto von Bismarck)的政治。尼采的一生可以说是与俾斯麦时代相始终(俾斯麦上台时尼采17岁,俾斯麦下台后一年他精神失常)。俾斯麦时代也就是德国实现统一的时代。德国统一原为1848年革命的目标,是外争自主、内争自由的自然趋势,一直是民族自由主义运动的理想,并曾获年轻尼采的同情。⑥值得注意的是,尽管尼采多次抨击民族主义,但他并不反对争取独立自主的民族主义运动。但俾斯麦的统一,却是将德国各邦统一在普鲁士的专制统治之下,各邦不但争不到自由,连原来保持自身固有特色的自主权都被剥夺。面对这种统一,民族自由主义亦从此分裂而衰落。⑦因此,尼采的"反政治",所反的是俾斯麦与普鲁士的专制政治。正由于尼采对第二帝国的批评态度,尼采思想传播的初期,主要是在各种激进运动,诸如无政府主义、妇女解放、社会主义等运动中找到听众,⑧难怪有史家称他为俾斯麦时代的叛逆者。⑨

尼采"反政治"的观点突出表现为文化与国家的对立,并从文化角度批判国家。早在导致德国统一的普法战争胜利时,尼采就在《非摩登的思考》(Unzeitgemässe Betrachtungen)中警告说,德意志帝国的胜利只为德国文化带来害处:政治势力的扩大只意味着文化的萎缩⑩。在《偶像薄暮》(Götzen-Dämmerung)中,尼采进一步指出:

文化与国家……是对立的。"文化国家"(Kultur-Staat)仅仅是个摩登想法。前者靠对方养活,靠损害对方以繁荣。所有文化上伟大的时代,都是政治衰落的时代:文化上伟大的,一直以来都是非政治的,甚至是反政治的。⑪

在《查拉图斯特拉如是说》(Also Sprach Zarathustra)里,他也说过:国家之所终,才会有"并非多余的人类",才可能冒出"超人的彩虹与桥梁"。⑫

国家与文化的对抗,其实并不局限在当时德国的专制制度,从较宽的历史背景看,俾斯麦时代也是德国大规模工业化,真正走上现代社会的时代。尼采的"反政治",因而并非仅仅是针对第二帝国的专制制度,同时也指向现代政治。我们不妨再看看他对现代政治制度的批判。对尼采来说,现代的民主制度(包括社会主义理想),强将不同的人按相同的标准来对待和衡量,硬将超群突出的人压在水平线上,结果也还是一种专制独裁:群众的专制。⑬在这专制的群众背后,还有一股强大的物质力量,即经济力量,对文化造成威胁。尼采认为,文化依赖人们的精神生活而存在和发展,但精神生活却被现代紧张的政治经济生活的压力挤掉了。⑭要而言之,尼采的"反政治"其实已超出了国家政治问题,而指向更为广阔的社会问题。贝格曼(Peter Bergmann)指出,尼采的"反政治"是反对"现代化企图控制社会生活所有方面的进侵性势力"。⑮尼采的批判,实际上已触及现代社会制度的核心问题。他所抨击的现代社会专制独裁及其蕴含的反文化特性,实际上就是现代社会赖以运作的、以利润和效率为准绳的标准化、组织化、制度化、官僚化……一言以蔽之:与理性并无必然联系的"理性化"的产物。⑯这一切也正是"实用的现代性"在社会政治方面的表现。

对鲁迅曲折的影响

鲁迅与尼采这种"反现代性"的契合,突出地表现在他留日期间发表的文章里,尤其是《文化偏至论》和《摩罗诗力说》两篇。鲁迅在文章里鲜明地反对议会(多数人的专制)和庸俗的物质主义、宣扬天才并强调主观精神。若用他自己的话来概括,他这时期的思想就是"掊物质而张灵明,任个人而排众数"⑰,与尼采在《非摩登的思考》中所表述的观点很相似。鲁迅认为,那些物质主义和庸众都是19世纪文明"偏至"的结果,必须借新兴的理想主义与个人主义来纠正,而方法是提倡文学和文化批评(尤其是"抗俗")。很明显,鲁迅已触及前述两种"现代性"对抗的问题。而他引为同道、借以解决问题的药方,正是尼采"反政治"的思想。但由于两人历史背景的差异(中国是被侵略国),鲁迅强调了由诗人及文化批判者构成的"精神界之战士"所促进的民族解放运动。尼采虽多次抨击民族主义,但那是另一种。对于这种民族主义,已如前述,尼采是并不反对的。

鲁迅与尼采在思想上的契合,其实是有一定基础的。例如鲁迅早期喜好的欧洲浪漫主义文学,就原是尼采反"现代性"的源泉之一。他的老师章太炎当时正好鼓吹了一阵子无政府主义,也应当对他的"反政治"思想有所影响。再者,中国自"自强运动"起,也开始了"现代化",也面临"现代性"的一些问题。不过,尼采对鲁迅的"反政治"还有更为直接的影响,而且这种影响,很能够反映出鲁迅与尼采自身和他们历史背景中更具普遍性的相通之处。

在1901年鲁迅赴日前,日本知识界发生了一场所谓"美的生活"的论争,触发了尼采对日本影响的第一个浪潮。⑱论战的主角是后来被称为"日本尼采"的高山樗牛和登张竹风。高山樗牛原也热衷于浪漫主义文学,甲午战争后一度是狂热的国粹主义者,后来又逐步对政治和民族主义失望,而转向尼采的个人主义。自1889年开始,他对日本经济急剧发展所带来的各种社会问题,尤其是精神价值丧失与物质享乐主义盛行,进行了激烈的批判。高山樗牛面对的问题,很明显跟普法战争后德国面临的问题相似。甲午战争也是日本加剧现代化的转机。1901年,高山樗牛在《作为文明批评者的文学家》中援引尼采思想作为他对文明、社会批评的理论基础。同年8月,高山樗牛发表挑起论战的《美的生活论》,这篇文章其实没谈尼采,是登张竹风后来为文点出他与尼采的契合,才使论争的焦点转移到尼采上。

值得注意的是,登张竹风在论战前夕发表了一篇《弗里德里西·尼采论》,比较系统地介绍尼采。登张的长文其实是由勃兰兑斯(George Brandes)《尼采:论贵族急进主义》前两节改写而成,⑲

而勃兰兑斯的这两节论文,又是他读尼采《非摩登的思考》的撮要。尼采的文章本来是对"现代性"的"反政治"的批判,经过勃兰兑斯他们的"折射",就更突出了文化批判的方面。鲁迅留日初期有一本日文的"尼采传"流通,从有关情况判断,应该是登张竹风的《尼采与二诗人》,里面收有《弗里德里西·尼采论》。换言之,尼采《非摩登的思考》中的"反政治"思想,通过勃兰兑斯和登张竹风而传到鲁迅。

文艺与政治的歧途

尼采"反政治"的主张,对鲁迅后期的思想仍有很强烈的影响,如在《文艺与政治的歧途》(1927)一文中,他提到跟两种"现代性"的冲突非常接近的观点。鲁迅说:

> 文艺和政治时时在冲突之中;文艺和革命原不是相反的,两者之间,倒有不安于现状的同一。惟政治是要维持现状,自然和不安于现状的文艺处在不同的方向。……政治想维系现状使它统一,文艺催促社会进化使它渐渐分离;文艺虽使社会分裂,但是社会这样才进步起来。文艺既然是政治家的眼中钉,那就不免被挤出去。[20]

作家、艺术家以其特别敏感的本性,洞察社会隐忧,预见未来改革,进而提出种种警告和批评,这不但叫政客头痛,也使安于现状的大众不得安宁,因而为整个社会所憎恨,更是与社会对立,与大众对立。

我们知道,鲁迅后期支持共产党的革命运动,但他的"反政治"观点并未改变。说后期的鲁迅是共产主义战士,比共产党人更"革命",固然离奇,但他的"反政治"也不能说与共产主义敌对。共产主义所反对的资本主义制度正是"实用现代性"的集中表现,而共产主义的一些激进主张,诸如消灭国家、改变金钱对人的操纵、人的解放等等,其实也继承了一些"文化现代性"的观点。事实上,从尼采到马克思主义,鲁迅也不是本世纪惟一的例子。高尔基(Maxim Gorky)和德国一些表现主义文艺家,亦走过相似的路。[21]

不过,鲁迅对共产革命也不是毫无保留的。因为他知道,"即共了产,文学家还是站不住脚","理想和现实不一致,这是注定的命运……"㉒。这种命运表明,文学家的理想超越共产主义理想;而共产革命胜利也还是建立一个现代制度,而现代制度本质上也还是"实用现代性"的产物。以此推论,鲁迅之转向共产党,只是由于形势促成。当时中国为强邻所迫,国且不保,遑论文化?鲁迅于是退而求其次,支持一种在他看来比较合理可行的政治革命运动,也是很自然的事。正因为是退而求其次,他也并未改变对共产革命的保留态度。我们可以从后期鲁迅《非攻》和《理水》两篇历史小说的结尾,隐约看到这种与其说是悲剧,毋宁说是清醒冷静的现实态度。

《非攻》和《理水》多少是借古喻(讽)今的作品,墨子的反战与大禹治水,可能是暗喻中国"脊梁"的抗日和共产党救国,如果我们接受这种观点,那么,当外患消除,革命者登上统治地位后,情况会怎么样呢?墨子不但没人感谢,反而一返国就被搜检了两回:

> 走近都城,又遇到募捐救国队,募去了破包袱;到得南关外,又遭着大雨,……被两个执戈的巡兵赶开了,淋得一身湿……

> ……禹爷自从回京以后,态度也改变一点了……所以市面仍旧不很受影响,不多久,商人们就又说禹爷的行为真该学……终于太平到连百兽都会跳舞,凤凰也飞来凑热闹了。㉓

商人的得意,在国家名义下巧立名目的合法掠夺(募捐救国队),只按规章不顾人的官僚制度(赶开墨子的巡兵),如此种种,正是他在《文化偏至论》和《文艺与政治的歧途》中抨击的物质主义、麻木不仁的庸众和只顾维持现状的政治的形象表现。而这也是尼采批判的"现代性"。

结 束 语

如果说,鲁迅的"反政治"是要"革"掉物质主义和大众的庸俗性,那是不准确的,因为他知道这不可能。《非攻》和《理水》的结尾表达了鲁迅面对它们的无奈,就正如韦伯(Max Weber)对官僚主义的无奈一样(韦伯也受过尼采影响)。㉔但无奈的承受并不等于甘心接受。非反不可,屡反不衰,这是"精神界之战士"的本性;而反尽管反,终归无效,却是文艺家的"命运"。这其实也是"文化现代性"对抗"实用现代性"的命运。文化的追求从来只是少数人的事,而这个世界却属于大众。尼采深知此理,他提出的"爱命运"(amor fati),不能说与此无关。爱这种"命运",知其不可为而为之,知其不可为仍非为不可,这种"精神界之战士"、"超人"、文艺家、思想家对社会的永恒对抗和批判,正是鲁迅和尼采所揭示的中国和世界文化的前景和困境,也是他们思想生命力之所在。

毛泽东曾说,"鲁迅的方向,就是中华民族新文化的方向",若从两种"现代性"的角度看,这是很精彩的见解。可惜,这对维持"现状"有碍,于一些官方的解释便罔顾语义,硬将这句"向前看"的话改成"向后看",把指示未来的"方向"变成回顾过去的"道路",㉕好像中华民族新文化只能循已死的鲁迅的足迹而止于某个"至善"的终点。这一改,实际上把鲁迅思想的活力阉割掉,也把中华民族新文化的活力阉割掉。然而,这恐怕也正是"文化现代性"的另一命运,虽然操刀者并不一定来自政府。

注释:

① 参看拙著《尼采与鲁迅思想发展》(香港:青文书屋 1987 版),及拙文"Lu Xun and Nietzsche:Influence and Affinity after 1927", *Journal of Oriental Society of Australia*, vols. 18 & 19, pp. 3—25.

② Matei Calinescu, *Five Faces of Modernity*, Durham: Duke University Press, 1987, pp. 41—46.

③ Jacques Barzun, *Classic, Romantic and Modern*, The University of Chicago Press, 1961, pp. 36—44.

④⑥⑮ Press Bergmann, Nietzsche: *The Last Anti-Politcal German*, Bloomington: Indiana University Press, 1987, pp. 2—3; 40, 47—48; 3.

⑤ *Ecce Homo*, I: 3; *Basic Writings of Nietzsche*, tr. and edited by Walter Kaufman New York: Random House, 1968, P. 204. *Basic Writings of Nietzsche* 以下简称 BWN。现时通行英译本保留了尼采自称是"最后一个反政治的德国人"那句话,但尼采在最后修改本上把那段话换掉。见 M.

Montinari, "Einneuer Abschnitt in Nietzsches Ecce Homo", *Nietzscher lesen*, Berlin: Walter de Cruyter, 1982, pp. 121—23. 虽然如此，但尼采在其他地方用过"反政治"一语，因此本文仍沿用如故。

⑦ Hans Koln, *The Mind of Germany*, New York: Harper Torchbooks, 1960, pp. 168—88.

⑧ R. Hinton Thomas, *Nietzsche in German Politics and Society* 1890—1918, Oxford: Manchester University Press, 1983. 尼采对第二帝国的批评，见 Twilight of the Idols, 8:1, in *The Portable Nietzsche*, tr. and edited by Walter Kaufman, Harmondsworth: Penguin Books, 1978, pp. 505—506. *The Portable Nietzsche* 以下简称 PN。

⑨ Colo Mann, *The History of Germany Since* 1789, tr. by Marian Jackson, Harmondsworth: Penguin Books, 1974, pp. 396—403.

⑩ *Untimely Meditations*, I:1, tr. R. J. Hollingdale, Cambridge University Press, 1983, pp. 3—6. 近有学者欲突出其反"现代性"而将书命译为：*Unmodern Observations* (New Haven: Yale Nniversity Press, 1990), 本文亦随之。

⑪ *Twilight of the Idols*, 8:4; PN, P. 509.

⑫ *Thus Spoke Zarathustra*, I:11; PN, P. 163.

⑬ *Beyond Good and Evil*, 242; BWN, pp. 366—67. Human, *All-Too-Human* tr. R. J. Hollingdale, II:2, 230, Cambridge University Press, 1986, P. 369. 当然，这里必须指出，尼采是站在少数天才、文学艺术家、哲学家等从事细致精神劳动的人的立场上考虑的。

⑭ *Daybreak*, §179, tr. by R. J. Hollingdale, Cambridge Uniersity Press, 1986, pp. 107—108.

⑯ 关于"理性化"对社会的压迫，参考 P. L. Berger et al, *The Homeless Mind*, Harmondsworth: Penguin Books, 1977, pp. 163—65.

⑰ 《文化偏至论》，《鲁迅全集》，卷一。《鲁迅全集》以下简称《全集》。王富仁正确指出，鲁迅所排的"众数"其实是商人等资产阶级的"市民"，亦即"现代"社会的人。见其《尼采与鲁迅前期思想》，《文学评论丛刊》第 17 辑（1983），第 260—87 页。

⑱ 关于尼采在日本，本文主要参考 R. S. Petralia, "*Nietzsche in Meiji Japan*", unpublished Ph. D. dissertation, Washington University, 1981.

⑲ 杉田弘子《ニーチ工解释の资料的研究》，《国语と国文学》，vol. 4, no. 5, pp. 26—34. 所引勃兰兑斯的文章即 "Friedrich Nietzsche: Eine Abhandlung über aristokratischen Radicalismus"(1889).

⑳㉒《全集》，卷七，第 113—119 页。

㉑ See M. L. Loe, "Gorky and Nietzsche: The Quest for a Russian Superman", in B. G. Rosenthal(ed), *Nietzsche in Russia*, Princeton University Press, 1986, pp. 251—73; Seth Taylor, Left-Wing Nietzscheans: *The Politics of German Expressionism* 1910—1920, Berlin: Walter de Gruyter, 1990, pp. 89—116.

㉓ 参阅《全集》,卷二,第 464、386 页。

㉔ 据称,韦伯在一些理论问题上企图融汇尼采与马克思的观点,参考 H. H. Gerth and C. W. Mills, *From Max Weber: Essays in Sociology*, New York: A Galaxy Book 1958, pp. 61—62. 此处说韦伯的"无奈"是指他也理解到官僚制度"日常化"的危险,会僵化甚至窒息社会活力,因而企求"克里斯马"型社会运动给予平衡。官僚制度与"克里斯马"型社会运动的对立,其实与两种"现代性"及鲁迅文艺与政治的对立是相通的。大禹的改变,就有"日常化"的味道。

㉕ 《新民主主义论》,《毛泽东选集》,第二卷,北京:人民出版社 1966 版,第 658 页。官方英译"The Road He Took Was the Very Road of China's New National Culture", *Selected Works of Mao Tse-tung* II, Peking: Foreign Languages Press, 1985, P. 372.

原载《鲁迅研究月刊》1996 年第 6 期

张旭东

后现代主义与中国现代性

　　90年代以来海内外知识界就中国的"后现代"问题进行了持续的讨论,构成"新时期"之后中国思想文化的一个热点。本文无意对这场尚未充分展开的讨论和争论作任何总结。因篇幅所限,也不拟对"后现代性"或"后现代主义"这样的基本概念作详细的说明。在此,我只想从一个表面问题入手,谈谈"后现代"与"中国"这两个符号之间的相关性和矛盾,进而探讨"后现代主义"与中国现代性的深层关系。

　　首先我想对以下讨论的前提作一点说明。第一,从"近代"到"现代",从"现代"到"当代"的历史阶段论在不同的社会条件下有极为不同的含义。在此我们关注的不是中国史范围内的具体分期,而是全球范围内从"现代性"到"后现代性",从"现代主义"到"后现代主义"范式的整体性变化。这当然是一个极为庞大、复杂的历史问题和理论问题,但这并不妨碍我们从宏观上大致把握住问题的要旨。英国文学理论家伊格尔顿(Terry Eagleton)在其新著《后现代主义的假象》(*Illusions of Postmodernism*)中简明扼要地归纳了"后现代性"和"后现代主义"的特征,他写道:

　　　　后现代性是一种思想风格,它置疑客观真理、理性、同一性和客观性这样的经典概念,置疑普遍进步或人类解放,不信任任何单一的理论框架、大叙事、或终极性解释。与这些启蒙时代的规范相左,后现代性认为世界充满偶然性、没有一个坚实的基础,是多样化、不稳定的;在它看来,这个世界没有一个预定的蓝图,而是由许许多多彼此不相连的文化系统和解释系统组成……

他指出,这种思潮的"物质基础"是"资本主义的新形式",诸如瞬息万变的、非中心化的技术领域,消费社会和文化工业;这种新的物质环境造成了传统的制造业被服务业、金融业和信息产业取代,也促成了传统的以阶级为核心的政治领域向各式各样的(基于族裔、性别、社区等的)"身份认同的政治"转化。与此相应:

> 后现代主义则是反映这种时代变化的文化风格。它无深度,无中心,漂移不定,自我指涉;它是游戏性的,往往从别处借来观念和意象加以折中调和;它是多元主义的艺术,它无视高雅文化和通俗文化的划分,也模糊了艺术与日常生活的界线。

诸如此类的对"后现代"和"后现代主义"的概括性描述早已不是什么新东西了。但我们必须承认,这种基于当代发达资本主义社会的经济和文化现实的理论话语,是任何有关"后现代主义"讨论的知识论上的出发点,尽管我们只能在具体的中国社会经济文化现实中寻找"中国后现代"的定义。伊格尔顿说他无意在"后现代性"和"后现代主义"之间划出严格的界限。事实上,后现代主义的国际话语(包括中文世界的有关讨论)从来都是借助两者间概念上的模糊性跨越种种现实的限制而进入问题的。不妨说,后现代话语的具体性和抽象性、统一性和多样性赋予它某种"普遍性",尽管该理论本身是以反普遍性起家的。英国马克思主义史学家霍布斯邦(Eric J. Hobsbawm)在《极端的时代:1914 至 1919 的世界史》中对后现代的普遍思潮作了如下总结:

> 形形色色的"后现代主义"有一个共同点,它们都对客观现实的存在持根本的怀疑论态度,它们不相信人类能通过理性手段达到对现实的一致的理解。它们都有激烈的相对主义倾向。在它们看来,一个被科学技术彻底改造了的世界立足于某种世界的本质,而有关进步的意识形态则是这种本质的反映,后现代主义认为这两种对立的思想前提构成了这种世

界本质的基础,而它们要对这种本质提出挑战。

我要作的第二点说明是,后现代主义思潮在其西方的原生态环境中的含义在非西方或"衍生态环境"里会产生种种变异,带来复杂的社会、政治、文化和意识形态暗示和影响。由于我们下面还要集中讨论中国后现代问题,在此我只想引一段旅美日本文学理论家酒井直树(Naoki Sakai)在一篇谈日本后现代文化的文章的开场白:

> 前现代—现代—后现代的序列暗示了一种时间顺序,我们必须记住,这个秩序从来都是同现代世界的地缘政治构造结合在一起的。现在众所周知的是,这种秩序基本上是19世纪的历史框架,人们通过这个框架来理解民族、文化、传统和种族在这个系统里的位置。"后现代"作为这个序列的最后一项是最近才出现的,但"前现代"和"现代"的在历史和地缘政治上配对组合却早已成为知识话语的主要的组织手段之一。因此,这个谜一样的第三者的出现所证明的也许不是一个阶段到另一个阶段的转移,而是我们话语范式的变化;这种变化的结果是,我们以往认为是不容置疑的历史—地缘政治秩序,即前现代—现代的秩序,变得越来越成问题了。

酒井的哲学语言虽然抽象,但却明确地指出了这个"越来越成问题"的认识论等级秩序的历史条件,那就是19世纪帝国主义、殖民主义和种族主义世界体系。基于这样的历史记忆,"后现代"就不仅仅是"现代性普遍历史"的昙花一现的新时尚,而是从西学内部和当代日常生活现实两方面提供了一个反思我们自身现代化进程及其哲学前提的机会。酒井对"后现代"问题的理解在非西方知识分子当中是有代表性的,因为对这些知识分子来说,现代化的历史同时也是一部被某种外来势力和影响压迫、征服、同化、改造的历史,是一个融入由西方经济、政治、军事和文化主导和支配的世界格局的痛苦过程。酒井的话还提醒我们,从现代主义到后现代主义的过渡并不意味着物质世界里的霸权格局的根本改变,更不意味着"现代性"的终结(曾在太平洋战争期间提出"近代的超克"、到头来却在战后的废墟上重作"现代性"的小学生的日本知识分子，对此也许有特殊的体会）。它只是说，我们对"现代"、"自我"和"他人"的理解，我们对未来的想象，都可以放在这个新的历史背景和思想背景上来看。这在世界史和文化史的层面上暗示了后现代主义话语的潜在的解放性。

  第三点说明是我对中国后现代问题的历史界定的一些想法。我赞同把中国后现代问题放在中国和世界近代史的长时段中考察，在这个意义上，后现代性和后现代主义的激进的价值相对主义、认识论上的反本质主义和文化上的折中主义本身并不天然具有历史合理性。相反，任何"超越现代性"的努力必须考虑到自身立场同这个历史长时段中尚未解决的问题的关系。否则，中国后现代就会从当代中国社会思想文化的脉络中游离出去。另一方面，我想强调中国现代性本身的特殊性：它并不是对19世纪世界秩序的臣服，而是对它的反抗。以辛亥、"五四"为起点的中国现代史本身就是对"近代"世界秩序的激烈反抗，是对中国19世纪下半叶以来的"近代化"努力的批判的超越。可以说，中国现代性经验的"近代化"部分（相当于日本明治维新时代"文明开化"的现代化意识形态）本身就包含着一个悖论，因为它是以对近代工业、军事、和宪政体系的追求来抵抗和吸收以西方殖民主义和帝国主义为核心的近代世界格局。这个悖论的"解决"就是中国现代性的激进化。

  没有人能够否认，到目前为止，中国现代性的集大成者和最高形态是中国革命和中国社会主义国家体制；其历史意义在于大众通过社会革命而成为历史的主体。从人的解放这个启蒙价值观的角度看，中国革命无疑构成了法国大革命和俄国革命以来的现代性普遍历史的又一里程碑。但从人的自由和"从（物质）匮乏中解脱出来"的现代性理想的角度看，中国革命和社会主义现代性却始终面对物质生产、技术革命、消费和日常生活领域的巨大压力。"改革开放"的"新时期"于是不仅成为中国社会主义现代性迟到的"理性化"阶段，更在物质积累和社会生活的"世俗化"层面上为中国现代性的新阶段做好了铺垫。在这个意义上，中国现代性从来都具有某种与生俱来的"后现代性"。更严格地讲，我们可以说中国古代文明的巨大的连贯性和相对的自足性使中国人本能地把

"现代"理解为一种阶段性的、暂时的规范。也就是说,在接受现代性的洗礼的同时,中国知识分子和民间社会都会自觉不自觉地带着一种对"现代之后"的想象和期待——在这个"现代之后"的世界,现代不再是外在的、异己的、强加的"时代要求",而是多元化的生活世界的自得其所。这个把现代性无所不包的体系视为某种历史、文化和主体的异化阶段(哪怕是必要的异化)的集体无意识把中国现代性的"自在自为"的形态同"后现代"视野融合在一起。这种"过去"和"未来"在"现在"的时空里交汇,它造成的历史思想构造是中国"后现代"问题的蕴含所在。

中国现代性历史经验内部的这些不同阶段表明,这个过程既包括了对前现代—现代—后现代的社会进化论的超越,又在某些方面成为这种"现代化"意识形态的自觉或不自觉的信徒(比如对苏联式工业化的迷信,或对美国式自由市场经济的迷信)。在下面的讨论里,"中国后现代"的历史的大前提是社会主义工业化和政治一体化,而其更为直接的社会政治条件则是改革开放二十年来的物质文化积累和意识形态沉淀。它的问题性与当代中国所面临的各个方面的转型、机遇和挑战息息相通,命运与共。换句话说,中国后现代主义作为一种文化风格脱胎于"新时期"的人道主义和现代主义话语。而由于80年代在中国当代史上的特定的"反历史"姿态("新时期"本身就是一个意识形态的发明),"走出新时期"的口号也就包含了回到历史,回到传统(这个"传统"已不是"传统与现代"的二元对立中的那个"落后"和"停滞"的代名词),回到具体的中国人(而不是种种现代化的乌托邦),回到一个正在形成中的生活世界的新思路。

在进入"后现代"问题之际,我想首先在"中国后现代"和"后现代在中国"之间作一相对严格的概念上的区分,尽管实际中往往难以避免两者之间的交叉和借用。

"后现代在中国"在我看来指的是中国学者(特别是外国文学、文化理论界的学者)对西方"后现代主义"文艺作品、思潮和理论表述的移译。引申出去,它也包括知识界和新闻界对当代西方和东亚"后工业社会"(或曰"信息社会"、"消费社会")生产、生活方式和社会、文化、心理结构的一般性介绍和描述。而作为特定的思想文化、审美和意识形态倾向,这种"话语引进"首先是中国 80 年代"现代主义"思潮的延续。因为不但"现代"和"后现代"在一般观念史和社会史内部有其连续性,而且"后现代"话语系统的中国移植者们在相当程度上是在有意无意地继续"新时期"文化的未竟事业。那就是向当代西方寻求理论上的灵感与能量,争取中国和西方发达资本主义社会之间话语上的同步化或"接轨"。在此意义上,后现代主义理论在中国(同在其文化原生环境一样)是学院派的精英话语,只在小圈子里流通。在社会分化和分工日益明确的今天,这种精英话语的局限性并不等于它没有任何现象界的"真实性"。它在物质世界里的对应物(但未必是对等物)便是 90 年代中国都市空间里的"全球化"飞地,比如豪华酒店、购物中心、乡村俱乐部和各种昂贵的娱乐消费方式场所。更重要的是,作为一种当代中国社会的意识形态和社会想象,"后现代在中国"美学上的兴奋点和社会政治视野是同对中国经济日益融入国际市场的期待和信心分不开的。在这个意义上,"后现代主义"和"后现代性"这样的符号资本可视为中国经济和文化的不均衡发展同全球资本主义乌托邦之间的一个游移不定的连接点。

"后现代主义"国际话语在中国登陆的滩头阵地虽在文化领域,但其社会经济基础却是资本、信息和市场的多极化和跨国化,是生产方式、消费和社会结构的深刻变动。而中国社会的极度不均衡性往往使得任何来自上层建筑领域和消费领域的时尚变化显得缺乏历史根基和常识上的说服力。但如果以此为理由将后现代在中国贬为无稽之谈,则忽视了全球范围内的"后现代状况"(利奥塔)对发展中国家和社会主义社会带来的新的挑战和机遇,忽视了全球性的后现代文化环境对消费大众和社会个人产生的深刻影响。打个简单的比方,一个特区打工妹固然不因为唱一晚卡拉 OK 就"后现代"了,但无论她的物质要求和精神渴望如何与"现代化"与"现代性"息息相关,她个人生活和社会生活的环境已不是 19 世纪或 20 世纪上半叶,而是由 20 世纪末的国际经济、政治关系决定。也就是说,"后现代"在中国始于改革年代中国知识分子对外部世界的感知,而终将落实于更多的中国人在当前对自身历史境遇和文化可能性的意识和探测。这样,问题也就从"后现代在中国"转化到"中国后现代"。

与前面的问题相比,"中国后现代"是一个模糊得多、但同时也远富于理论潜力和创造性的范畴。它的基本问题是把当代中国不但视为世界性"后现代"历史阶段及其文化的消费者,同时也视为这种边界和内涵都不确定的历史变动的参与者和新社会文化形态的生产者。由于当代中国的历史境遇和文化可能性成为问题的核心,"后现代主义"或"后现代性"就不再是一个西方中心论的观念,也不再是一个历史目的论的观念。鉴于西方中心论和历史目的论正是"现代性"思维范式的两个基本特性,我们不妨假定,探索中国经济、社会、文化自主性和创造性的努力同"后现代"一般观念之间存在着理论亲和力。在实践上,中国的经济改革(比如不同所有制的混合,市场与国家间的重叠,乡镇企业)、政治体制(比如"一国两制"、基层民主选举)、社会形态、文学艺术风格都突破了经典现代性形态的框架,处于一种混乱而微妙的无名之境。因此我们可以说,在当代中国,严格的、技术性较强的后现代主义理论话语基本上是西方理论的寄生物,因为这套理论体系的具体分析对象是西方的。其犀利的理论运作(比如现在在西方几乎已经家喻户晓的"解构"),无论怎样"反传统",都牢牢地吸附在西方思想观念的历史地形上(比如从柏拉图到尼采的形而上学传统;启蒙运动和法国大革命;实证科学,等等)。这并不是说这套理论在中国就没有用武之地。事实上,中国有大量的文艺作品和文化现象,即便按最拘泥的西方学院式定义,也符合"后现代"的戴帽标准。从新闻层面和学术层面上描述各个门类中的"中国后现代主义"从来都不是什么难事。事实上,更值得中国批评家分析的不是当代中国的文学艺术创造如何借鉴了西方文艺的风格和潮流,而是这些在西方转瞬即逝的风格和潮流如何通过在中国文本里的转世而获得了其前世所未有的历史性。这种历史性并不来自抽象的观念和审美自律性,而是来自当代中国具体的经济、政治、社会、文化现实。我们要追问的不是理论概念体系与现象界的机械对应,也不是作为权宜之计的概念的借调,而是现象和理论,或实验和理论间的有机的、辩证的关系。毕竟中国人谈后现代主义,不是为了满足这套理论话语的内在欲望,而是要对当前中国社会文化作出有效的分析,对自己所处的历史空间具备反思和批判的能力。

一旦我们的视线转向中国的具体现实,我们就会感到后现代主义理论的抽象性甚至空洞性。然而,这种抽象性、空洞性和不确定性也许正是我们探讨"中国后现代"的切实出发点。因为在中国,"后现代"首先是一套来自西方的话语系统。它所指涉的全球性的经济、政治、社会和文化状况同中国当前的社会变化有着错综复杂的关系,但这种关系并不都是直接的、透明的。它们必然要经受中国现代性的特殊经验和既成体制的筛选和制约。在此,中国革命和社会主义不仅仅是全球资本主义体系的"不均衡发展"的结果,同时还是对这种霸权体系的抵抗和挑战。其次,后现代主义全面置疑以西方为中心的"现代化"(工业化、都市化)和"现代性"(启蒙、理性化、民族国家等),更对帝国主义、殖民主义、男性中心主义这些内在于西方资本主义历史的价值观念体系大加挞伐,但这种当代西方知识分子针对现代西方传统的批判并不能代替中国(或任何非西方)知识分子自身的文化、政治和意识形态立场,更不能被当作思考本国社会经济政治文化前途的现成答案。因此,在中国语境中,"后现代主义"目前只能是一个过渡性的、开放的、蓄意的"能指"符号;因为它的"所指"是某种延宕已久但却悬而未决的集体经验的分化和再组合。在那个激发想象的"后"字前面,是一部沉重的百年史;贯穿这部历史的主题是革命、国家、大众、现代化。

这也就是说,中国后现代谈的不是什么东西已经过去了,而是什么东西随着一系列严峻刻板、"放之四海皆准"的教条、定律、规范、标准、等级和历史阶段论的动摇或失效而出现在我们的视野中。在此,超越现代性自身体制上和观念上的禁锢和异化倾向成为中国现代性(或者说后现代性)出场的必要前提。中国后现代包含的不是"历史业已终结"或"一切新事物早已被试过"这样的世纪末的消极颓废和玩世不恭,而是一种对正待展开的历史的期待,一种对"此地此刻"的投入,是对民族主体性和个人创造性的信心。在这一层意义上,中国后现代是中国百年来现代性努力的继承,是对中国的社会、政治、文化和历史连续性(而非断裂性)的肯定。"凡是现实的都是合理的;凡是合理的都是现实的",黑格尔这句狡黠的历史哲学命题,似乎正可以拿来形容中国后现代与当今中国和世界现实的既合作又冲突、既认同又颠覆的关系。(于是中国后现代不可避免地受到来自"左"与"右"两方面的指责。这在下面还会谈到。)但无可否认的是,中国后现代并不仅仅是思辨的产物(其有代表性的发言人大多不是理论或西方哲学出身,而是来自当代文学评论和大众文化研究领域,这同 80 年代"文化热"的情形适成鲜明对照),而是对急剧变化着的中国社会文化生活的一种反应。

目前,中国后现代的理论表述也许还失于粗疏,但它却传达出一个重要的社会价值观和文化取向上的变化:中国社会财富和个人自由的逐渐增加,全球资本、生产和消费的"多中心化"和中国社会主义国家的继续存在使得普通的中国人第一次感到,要过好日子并不一定要变成西方人。在中国进入"小康社会"之际,中国大众消费文化的兴起在国家与社会、日常生活领域和精英文化领域、公共空间与私人空间、中国国内主流意识形态与国际资本主义社会主流意识形态之间造成了一个新的文化空间和意识形态中介面。它既是一个交流层,也是一个防火带;更重要的是,它的种种表象和话语为当代中国人提供了一个个人想象和集体自我形象的氛围。这个氛围既是商品化和全球化的产物,又反过来在商品和国际资本及其意识形态充斥的物质现实中为个人和集体经验的特殊性创造出一个呼吸的缝隙。

从中国当代文化史的角度看,这个在 90 年代商业化条件下出现的新的文化空间是继 80 年代"现代主义"哲学话语和形式实验之后的又一整体性、范式性变化。"新时期"知识话语的"半自律性"虽然有强烈的现代主义、国际主义倾向,但它的政治经济学基础和社会意识形态前提却来自国家推动的改革,或不如说来自改革中的国家体制。尽管国家权力系统和知识分子阶层之间存在着矛盾,有时甚至形成激烈冲突,但两个精英集团的相互依赖却是根本性的。它是 80 年代社会共识的基础。如果暂时撇开两者间的利益和意识形态的差异(这种差异往往被似是而非地描绘成"左与右"、"官方与民间"的冲突),那么 90 年代中国社会文化的根本冲突并不是"左与右"的对垒(这多多少少是精英知识分子自怜自爱的想象),而是现代性精英集团(国家权力及依附于它的知识分子群体)同兴起于市场和日常生活领域的无名的消费大众之间的紧张关系。中国后现代文化是反精英的大众文化。精英知识分子本能地在其中看到了"国家"的影子,但这只不过表明,在当代中国,"市场"本来就是在国家的计划、引导和保护下形成的(而这并不是中国或社会主义独有的现象;在现代世界资本主义市场的发展过程中这样例子比比皆是)。而从现代国家理论和社会学理论的角度看,消费大众及其文化同国家的直接认同是当代民主的商业化社会的一般特征。美国就是一个最突出的例子。在这个意义上,中国后现代主义客观上提出了当代中国的文化民主问题。这个问题在毛泽东提倡革命的大众文化之后就被搁置起来。今天,它在世俗化、日常生活领域、社区意识、个人主义、商品、消费、文化工业、全球化意识形态的上下文里重新浮现出来。这既是一个严肃的问题,也具有一层历史的反讽意味。

在此,问题不是消费大众及其雏形文化领域同国家的一般关系,而是这种文化认同潜在地依附于什么样的国家。于是乎中国后现代主义讨论最终变成了一个社会政治问题。大众文化和娱乐工业内在的肯定现实、复制现实的特性与中国社会主义国家体制的重叠无疑给"中国后现代主义"涂上了一层政治色彩。有意思的是,在中国的急进自由主义者眼中,中国后现代主义是一种"新保守主义"。但这样的"保守主义"定义反过来暴露出中国的"自由主义"者在市场化、私有化和认同全球资本主义乌托邦等问题上的激进的"全盘革命"立场。对于这种立场而言,任何同现实调和,置疑绝对真理(比如"绝对市场"的福音),或试图从现实和过去的经验中找出合理因素的努力都必然是"保守"的,因为新的"历史必然性"早已表明,只有一条路通罗马,那就是自由市场外加议会民主(只是在后一点上中国的"自由派"对"新权威主义"依然恋恋不舍)。在此,一切"反总体论"、"反大叙事"、"反理想主义"的姿态都让位于一种新的独断论:任何对"现代性普遍真理"(这不过是"新古典主义经济学"的哲学护身符)的怀疑都是不允许的,因为它们会把中国带回"文革",带回黑暗。

然而对中国现代性历史经验的具体分析表明,现代性在中国从来不是铁板一块,而是充满了内部的矛盾、多重性和异质性,包含着不同形态、不同阶段;它们之间本身有着错综复杂的、尚未解决的矛盾。中国后现代主义的历史定位取决于它与中国现代性的哪一个特殊阶段和特殊形态形成特殊的紧张关系和传承关系。换句话说,在中国,任何"后现代"立场必须阐明自己"后"的是哪一个"现代",哪一家"现代",怎么个"后"法,"后"的前面是什么,"后"了之后又要往哪儿走。以19世纪西方殖民主义、帝国主义及其认识论体系为靶子的"后现代"与力图摆脱20世纪中国"从'五四'到'文革'的恶梦"（周蕾）的"后现代"是无法兼容于同一个"后现代主义"的理论框架里的。同样，以"新时期"人道主义和现代主义话语为"文化弑父"对象的"后现代"与矛头对准社会主义"官方话语"的"后现代"在趣味上不会投机。试图借"后现代"的西风弘扬"东方文化"的"后现代"与立志沿"全球化大趋势"顺流而下的"后现代国际主义"更是风马牛不相及。

然而，日益明显的国内矛盾和国际间竞争和利益冲突让越来越多的中国人认识到，一切都在变化中，世上本没有永恒的真理；中国的问题没有谁可以开出万灵的药方，中国的未来只能由生存在这片土地上的人用自己的智慧和不懈的努力换来。"从来就没有救世主，"这句《国际歌》里的唱词本是现代性的世俗化启蒙观念的代表性口号（西方历史上的共产主义者从来都是启蒙主义信徒和现代性的鼓吹者），但大多数中国人却好像注定要在"后现代"的天空下真正领会到它的含义。这从反面提醒我们，"中国后现代"这个问题的出现本身就包含了双重的历史意味：它一方面表明"现代性"过程在中国还远没有完成，还将以不同的形式反复地回到我们面前；另一方面，它也暗示，中国现代性一定程度上的展开正是"中国后现代"问题的客观条件；而在此条件下出场的"中国后现代"必然包含了对现代性经典理论的再思考和"重读"；必然包括对现代性的客观现实的反省和批判。对中国后现代的初步分析和把握必须在中国现代性和现代主义传统内部探讨"后现代"与其历史前提之间的关系。而对中国后现代的价值判断必然涉及对当代中国社会，特别是对中国社会主义现代性的政治经济学分析。这将是另一篇文章的题目了。

1999年10月，纽约

原载《读书》1999年第12期

陈晓明

后现代：精英与大众的混战

"后"字所引起的误解

现在，对"后"的迷恋与恐惧正在学术界争相蔓延。在各种名词（甚至动词）前面加上"后"的前缀，已经变成一部分人的职业爱好，却让另一些人痛苦不堪，以为词汇学的末日行将到来。人们大声疾呼，恶语相加，最常见当然也是最违背常识的指责无非是说：中国还不够"现代"，"后现代"就臭了街。这当然是夸大其词的说法，所谓后现代研究在当今中国不过几滴零星小雨，它却引起如此普遍的恐慌和诋毁，却也可见它的潜能。这是一个文化通货膨胀的时代，后现代的"通货膨胀"似乎也不可避免。当然，后现代也不是所罗门的瓶子放出的文化妖孽，完全失控而不可规范。事实上，"后"并不仅仅是舶来品，它在当今中国尤其有生长的土壤——日常生活和流行文化的普遍"后现代化"，人们对此却视而不见，装聋作哑。对"后"的抗拒和指责恰恰来自据说是最具有文化创造精神的知识精英，而"后"们也不见得在文化中间如鱼得水。"后"穿梭于精英与大众之间，而后现代变成这样一个领域：精英与大众都在这里扮鬼脸。

"后"是一个最容易被误解的词，通常认为它仅仅表示了在后工业文明时代的时间界限，而这正是引起误解的症结所在。"后"固然标明了"在……之后"，但它更重要的意思在于描述一种空间性的错位状况，不同时间的东西被堆放在同一个空间或平面中；它揭示了与先前经验存在某些细微的差别，或是某种歪斜的、扭曲的、拼贴的、过分的以及失真的状态。它表明人们已经无法在习惯的和常规的意义上去描述或理解某些事物,无法给予明确的界定而又不得不作出区别。它通常是中性的,但它时常也有戏谑的意味。以这样一种眼光来看"后",则没有必要把"后"与经济发展水平简单混为一谈,第三世界或发展中国家也有可能出现"后"。例如,被推为后现代标本的60年代美国实验小说,就捧经济欠发达的拉美的小说(如博尔赫斯、马尔克斯的小说)为范本,而后者也被公认为后现代小说。如此看来也就没有理由坚持认为当今中国不可能有后现代的东西存在。

后现代研究的反精英特征

后现代在中国出笼,率先基于理论的引介与先锋派研究,这两方面的话题都带有很强的精英色彩,这使人们以为后现代是一些高深莫测的理论难题。实际上,后现代包含五花八门的文化现象,它广泛涉及哲学、文学创作、文学批评、流行艺术、行为艺术、大众娱乐、影视传媒等等诸多领域。早期的后现代研究偏向于先锋派的实验,晚近的研究则更多转向大众文化。据说当今的后现代大师,如杰姆逊、哈贝马斯、利奥塔、纽曼等人尤为关注大众文化。德里达则时常与搞建筑的为伍,弄些莫名其妙的几何图形以表示大师非同凡响的反潮流精神。对大众文化的关注可能是受了福柯的影响,福柯就是通过对一些边缘性和日常性材料的发掘,道人所未道,而成为"法兰西最后一位大师"。这也表明后现代研究的反精英特征。当然,"反精英"是相对的,不过是区别于传统和现代主义的立场和姿态,这些"反精英"的人物也日益变成这个时代的精英分子。

所谓先锋文化的后现代性,主要是指那种反现代性的文化策略,有意识地对传统及现代主义进行解构。在艺术方面经常采取仿古手法,看上去是在复古,其实是对现代主义进行戏弄,当然也是对"古典"的损坏。巴思、巴塞尔姆和品钦等人都玩过仿古手法,而在后现代建筑方面这种做法则更常见。就一般的理论意义而言,后现代策略主要表现在打破统一的中心、破除完整的结构、拒绝历史的连续性,并且不愿意把人看成是历史和现存的主体、放弃超越性的价值观念等等。而大众文化的后现代性,则是指与传统经典文化完全不同的流行文化。它显然是后工业化社会的产物,文化不再被少数精英垄断,也不再是精神的导引或心智的陶冶,而仅仅是快乐的满足和一次消费行为的完成。早在1957年,英国画家理查德·汉弥尔顿归结流行艺术的显著特征如下:

普及的(为广大群众设计的),短暂的,低廉的,大量生产的,年轻的(对象是青年),浮夸的,性感的,骗人的玩意儿,有魅力的,大企业式的。五六十年代的流行艺术某种意义上也是带有激进实验倾向的先锋艺术——早期流行艺术以其反现代性特征、反中产阶级趣味而走向大众。随着实验性的常规化,所谓的先锋性也就荡然无存,它也就日益变成工业化(以及后工业化)社会批量制作的娱乐文化,或是消费社会的文化快餐。

西方60年代激进的批评家们热衷于鼓吹填平鸿沟,越过界限,鼓吹大众文化不过是反资本主义意识形态的一种策略。它为左派知识分子提供了政治与专业混为一谈的空间。激进的知识分子乐于作出与大众同歌共舞的姿态,菲德勒、巴特等人甚至在《花花公子》杂志开过专栏。那些颇为莫测高深的激进理论,在反对资产阶级意识形态方面,自以为与流行艺术殊途同归。当流行艺术成为资本主义文化工业的一部分时,那些被称之为后现代的激进理论,在解构资产阶级意识形态与掩饰精英主义立场两方面都显得捉襟见肘。填平鸿沟显然不是激进理论的成就,而是文化扩张的必然结果。后现代批评尽管放低了姿态,也一再表示了它区别现代主义的反精英主义立场,但是后现代批评在理论上无法抛弃它的积极意义。正如查尔斯·纽曼所说:"'后现代主义'蕴含一种对经过电子技术的渗透而在战后美国达到顶峰的原子化的、麻木冷淡的大众文化的理性抨击。"这种"抨击"的立场,对文化的虚假和浮华进行冷嘲热讽,使后现代理论和批评还是难以完全抹去精英化的色彩。因而,既不能认为后现代批评没有任何立场,也无须指责后现代批评偶尔还拖着一点精英主义的尾巴。应该承认,后现代批评把那种自以为是的精英主义倾向削减到最低限度——"后现代文学创建者凭自己的艰辛努力获得了多元性,并准备放弃把自己的意识作为一种人类的规范的打算"(纽曼语)。

因此,所谓大众文化的"后现代性",显然是后现代理论阐释的结果,不过是后现代视野观看到的文化景观。后现代理论如何才具有历史客观的有效性,也就是说大众文化的后现代性在多大程度上不会过分显得是理论的强加,这就有必要把大众文化描述为"历史之手"操作的后现代景观,它是历史叙述的后现代文本。先锋派意义上的后现代文本,乃是个人有意识反历史神话,解构权威话语的语言制作物;大众文化则是历史无意识的产物,它那种散乱的、无中心的、拼贴的、无深度的、大量复制的文化代码——如果就其纯粹的形式而言,与后现代理论指认的后现代文本相去未远。随着文化扩张的进一步推进,那些所谓的先锋派艺术、高雅艺术或严肃艺术,都难逃商品化的厄运。它的"先锋性"、"高雅性"和"严肃性"等等特征都不得不依靠商业之后指认,甚至经常不过是商业主义的行销术语,60年代,美国那些激进的批评家不是悲叹"小说已经死亡"吗?七八十年代美国批评界自称为"批评的黄金时代",它除了加工第三世界的文化资源,已经对本土的创作少有理论冲动。古典时代和现代主义式的大师创作,早已被后工业文明的文化扩张吞没,剩下的不过是一群畅销书职业写手。所谓"纯文学"这种说法,在后工业文明时代,不过是痴人说梦。也许是这个时代教育程度普遍较高;也许是阅读习惯不再追求准确性和完整性的意义;或许是人们见多不怪,任何花样翻新的东西都不足为奇。总之晚期资本主义社会的文化鸿沟已经被填平,传统的文化等级制度业已崩溃,文化的经典形式和经典意义也被损毁。这是值得庆幸还是令人沮丧?

当今中国大众文化的"后现代性"及其与精英主义立场的冲突

我们当然不能说当今中国已经进入后工业化时代,但是也无可否认当今中国不乏后工业文明的诸多因子——它们在某种程度上引发中国社会的感觉方式和行为方式的变化。80年代以来,中国社会逐步走向市场化,与之相应出现一个初具规模的市民社会。大众文化既与现代化程度相关,也与市民社会的价值观念相联。当今中国的大众文化显然不是从传统社会脱胎而来,它更重要的母本在港台娱乐界。它最初进入中国大陆,以轻音乐打头阵,缠绵悱恻的男欢女爱,给长期被剥夺个人情感的中国民众以切实的安慰。它与知识分子倡导的人性、个性和思想解放不谋而合,或者说它寄生于知识分子的话语之下。80年代后期,随着知识分子的启蒙地位的丧失，民众奉行经济实用主义价值观念而远离知识分子，大众文化当然也挣脱知识分子的话语权力而成为纯粹消费性的文化。现在，这个由港台引导的大众文化露出了它不伦不类的面目，它那拼凑的和浮夸的本性。它那散乱的、错位的、似是而非的、名实不符的形式或内容，恰如"历史之手"写作的后现代文本。当今中国的大众文化（娱乐文化）与汉弥尔顿认定的"流行艺术"的那些特征如出一辙，只不过它带着社会主义初级阶段的特色而具有深入人心的奇怪效果。

对大众文化进行抨击，已经成为一部分固执精英主义立场的知识分子的职业爱好。这既是根源于知识的好恶，也是出于特定的意识形态立场。80年代后期以来，知识分子阵营发生分化，不仅仅以政治为标志划分为两大群落，而且迅速以文化形态和专业领域分裂为多个部落。随着政治实践功能的弱化，文化部落的对立上升为主要冲突，而最主要的冲突当推持精英主义立场的知识分子，与支配大众文化的那些"大腕"的对抗。这种冲突目前还是以潜在的和间离的方式进行。90年代的中国文化完全由一群"大腕"控制，知识分子被挤到社会边缘地带。这些所谓的"大腕"自以为是，以嘲弄知识分子为乐趣，以粗制滥造而自豪，因钱袋饱满而自负。这使一部分知识精英怒不可遏，他们惊呼文化溃败、道德沦丧，要重建精英文化，重返启蒙主体的历史位置。城门失火，殃及池鱼，对"大腕"们的恐惧和抨击，转移到知识领域，却又变成对后现代主义的攻击，重返启蒙主体的愿望转化为对知识或话语权力的争夺。

后现代知识并不是什么异端邪说，也不是什么灵丹妙药。后现代知识正如利奥塔所说的那样："……它增强我们对于差异的敏感，促进我们对不可通约事物的宽容能力。它的原则不是专家的同一推理，而是发明家的谬误推理。"在这个价值多元的时代，固执精英主义的立场可能十分困难。"大腕"们固然可恶，然而我们很久以来维护的那些观念就不容置疑么？真的就那么神圣，那么接近绝对真理么？"对于任何向人们证明现实主义严谨性的信仰，科学都将会'笑歪了自己的胡子'。"（利奥塔语）

1994年1月20日于望京斋

原载《东方》1994年第3期

李欧梵

现代性的构建：
流行出版业的作用与意义

一

中国的现代性，是和一种新的时间和历史的直线演进意识紧密相关的，这种意识本身来自中国人对社会达尔文进化概念的接受，而进化论则是世纪之交时，因严复和梁启超的翻译而流行起来的。在这个新的时间表里，今和古成了对立的价值标准，新的重点落在"今"上，"今"被视为"一个至关重要的时刻，它将和过去断裂，并接续上一个辉煌的未来"①。这种新的时间体认方式自然是从西方现代性的后启蒙传统中"习得"的话语，而这个被知识分子所包装的现代性后启蒙传统正日益受到后现代理论家的激烈批判，批判他们建立在人类理性和进步信仰上的专断的且天然的"自说自话"倾向。我们还可以进一步说，正是这同样的后启蒙遗产激励着殖民帝国的扩张部署，尤其是英国，而其中的一个政治副产品就是现代民族国家的产生。不过，一旦这种遗产被移植到中国，它便为中国语义学添加了一个新维度：事实上，"新"这个字成了一连串新组合词的关键合成部分，借此来界定生活中方方面面的质变。从晚清"维新运动"中似"新政"这样的制度命名到"新学"，到梁启超著名的"新民"观和"五四"口号"新文化"、"新文学"等。20 年代有两个名词广为流行，它们是"时代"和"新时代"，出自日文"jid-ai"。这种生活在一个新时代的感觉，正如"五四"领袖陈独秀所大肆宣扬的，界定了现代性的精神风貌。到 20 世纪初，另一个日文术语"文明"②（日文 bunmei）被引入中国，并开始和"东方"、"西方"这样的词语相组,成为"五四"最常见的词汇,用以表达二分的、对立的"东"、"西"文明之范畴。其暗中假定了活跃的进步标志着"西方文明",而这进步之为可能,是因了本雅明·史华慈所谓的"浮士德—普罗米修斯"的血统引导着西方国家不断去赢取财富和权力。③

史华慈关于严复的开拓性研究没有涵盖中国流行出版业中这些新的价值和思想范畴的迅速扩散。在商务的《申报》和《东方杂志》这样的报刊上,这些新词汇成了绝大多数文章的普遍特色。因此到 20 年代,在精神和物质的所有层面上,人们就普遍地把"现代性"等同于"西方文明"了。虽然《东方杂志》和另外几家杂志的保守或温和的评论员担忧西方文明会因为第一次世界大战而破产,但几乎所有持激进信念的知识分子都依然是以上所述的现代性的坚定信徒。上海无疑是这种现代性观念下的"文化产品"的创制中心,一个集中了最大多数报纸和出版社的城市。事实上,这些报社、出版社都聚集在福州路一带不大的一块地方。另外值得注意的是,最早采用西历的是《申报》,该报最初由西人创办,1872 年开始在头版并列标注农历和西历。不过,一直要到 1899 年,自梁启超声言他的旅美日记已采用西历时,"时间意识"才真正发生转换。梁以他一贯的精英立场作了上述的宣布,另外,他还说他自己已经从一个"乡人"变成了一个"世界人",而他用西历是为了跟上统一时间度量的普遍潮流。④像是巧合一般,梁宣布他离开横滨赴夏威夷的日期定于 1899 年 12 月 19 日,恰是新世纪的前夕! 到 20 年代,如果不是更早的话,商业月份牌已经成了上海烟业公司和都会日常生活装备的流行广告媒介。

中国的民族性正是在这样一个"合时"的背景下被"想像"的。安德森(Benedict Anderson)那本广被征引的著作令我们相信,一个"民族"在成为一个政治现实前,首先是一个"被想像的社区"。这个新"社区"本身即基于"同时"这个概念,并"藉时间上的巧合来标记,由钟表和日历来度量。"⑤代表这个"想像性社区"的技术媒介,按安德森的说法,是出版文化的两种形式——报纸和小说——先是在 18 和 19 世纪的欧洲兴盛起来。⑥不过,安德森没有非常深入地描述这两种形式被用于想象民族的复杂过程(除了引用了两篇菲律宾小说)。另一个理论家哈贝马斯(Jürgen Habermas)同样指出了为英法"公共领域"的形成卓有贡献的期刊和沙龙的紧密联系。⑦但安德森和哈贝马斯都没能够完美地联结这两个现象:民族性和公共领域。在我看来,这恰好构成了世纪之交中国知识分子的"症结"。其时,知识分子和作家在他们试着界定一个新的读者群时,都企图想像一个民族(或国家)新"村"(但还不是民族国家)。⑧他们试图描画中国新景观的大致轮廓,并将之传达给他们的读者,那新近涌现的大量的报刊读者,以及新学校和新学院里的学生。但这样的一个景观也止于"景观",一种想象性的,常基于视像的对一个中国"新世界"的呼唤,并非强有力的知识分子话语或政治体系。换言之,这种景观想象是先于民族构建和制度化而行的。在中国,现代性带着它所有的含糊性还是成了这种景观的主导风貌,就像即使没有韦伯式的对"合理化"和"解魔"的关心,"工具理性"的实际运作还是不可避免地会出现。

因此,我认为在中国,作为"想象性社区"的民族之所以成为可能,不光是像梁启超这样的精英知识分子倡言了新概念和新价值,更重要的还在于"流行"出版业的影响。出版上的这些商业投资都是以引进"新知"现代性的"文本"资源,以"东方杂志"和"小说月报"为通行期刊中的典范之名义展开的。在某种意义上,它们堪比罗伯特·达东(Robert Darnton)所描述的18世纪法国的"启蒙业务",其时"哲学"观念借着出版和销售网络而得以传播,变得流行而活跃。⑨然而,以推广新文化和教育的名义在中国发行的书籍是相当廉价的,它们不过是新式学校里学生的辅助读物,或是那些失学者的读本。简言之,从一开始,中国的现代性就是被展望和制造为一种文化的"启蒙",而"启蒙"一词系出传统教育实践中,小童从他的老师那儿习得的第一课。因此,这个术语在现代性的民族大计中披上了新知"启智"的新涵义也就不足为怪了。

在本文中,显然我不可能对"启蒙工业"作整体检讨,我将集中讨论商务印书馆的教科书生产,聚焦于商务的头号期刊《东方杂志》的广告上,以此在现代出版文化这个鲜为人涉足的领域上投上新的光照。⑩在展开我的论述前,也许有必要简单地讲一下有关这份杂志的情况。

《东方杂志》可以被视为是一份在商务支持下面向都市读者的"中层"刊物,创办于1904年,系月刊,后改为半月刊,一直发行到

1948年，每期销量曾高达15000。⑪其中目录显示了它不拘一格的品质，包括新闻报导，政论，文化批评以及翻译和专论。这份杂志"万花筒"般的内容可能会使它缺乏鲜明的特色，但其中却也包含了它的目的和吸引力。在高层次上，这个杂志制订了以下三个目的：研究学理，启发思想和矫正习俗——此系它的真实功能；在世俗层面上，它就像是杂货店：货色多样碎杂，鲜有昂贵罕见的，却又都是日常必需。有文为杂志界的将来制订了三个其他目标：当知世界大势；当适应现在时事；而最重要的是，当以切于人生实用为主。⑫在跟上"世界大势"这个方向上，《东方杂志》对欧战是相当关注的，刊登了不少照片、大事记、文章和翻译。还辟了大量篇幅来探讨战后欧洲的政治、知识分子和文化思潮，并相当注重对民族主义和社会主义（特别是1919年后关于后者）的探讨。该杂志的编辑和重要作者因为意识到西方知识的持续冲击，他们也摸索出一个温和的立场，以寻求西方现代性和他们认为依然有用的中国传统之间的调和。

在1915年到1920年间，该杂志有多卷篇幅涉及了科学和技术这些主题。大量的文章描述了用于欧战的新武器，尤其是潜水艇和可驾驶的轻气球（系晚清小说以来对水底和空中机械的持续幻想）。但该杂志也刊登了相当学术性的文章来谈进化论，论弗洛伊德梦的解析是一种科学的形式，以及早先塑造和改变人类生活的各种机械发明：不光是电报、电车、电话和汽车，还包括打字机、留声机和电影。所有这些文章——有些系从英、美和日的流行杂志和教科书上转译的——都暗含了他们持续地迷恋晚清话语中的四个现代技术范畴（声、光、化、电），这种话语后来又活跃于茅盾的小说《子夜》里。不过同时，杂志里的有些文章也显得忧心忡忡：如果说现代文明的胜利是不可避免的，那他们认为中国人不管如何，都需要慎思谨行。因此在该杂志表面的妥协而温和的态度下，对西方现代性所带来的文明，隐藏着某种暧昧和矛盾感，如果不是说焦虑感的话；而具反讽意味的是，这种西方文明还得感激该杂志对它的成功引介。

尽管《东方杂志》是商务出版的期刊中的"头号舰艇"，它还是跟商务旗下的另外8家刊物争夺读者。有一个广告是这样排列商务9大杂志的：《东方杂志》、《教育杂志》、《学生杂志》、《少儿杂志》、《妇女杂志》、《英文杂志》、《英文周刊》、《小说月报》和《农学杂志》。它们有一个共同目标和章程:简言之,它们是向读者提供在他们的日常生活中有实用价值的知识。这9份杂志的出版也代表了对这些实用知识的新的分类方法:《东方杂志》的涵盖面是最综合性的,从政治、文学、科学、商业、新闻,到百科治学;而其他杂志显然都各有其特殊的读者要迎合:教师、新学校体制的大学和中学生、年轻人、妇女、农学院的学生,最有意思的是那些在学校体制外的"自学"读者。《小说月报》作为商务唯一的文学期刊,本意是面向这些"自学者"的。在另一个关于《小说月报》的整页篇幅的广告中,还提到了内容的选编"足以解颐家庭新智尤切日用为居家者必读",这个居家者从各个方面而言都应该指的是都市妇女。⑬所以,"鸳蝴小说"这种流行文类功效卓越也就不足为奇! 不过,娱乐也没有脱离其目的的严肃性:"新知"或"新知识"和"常识"这些词在这些广告上满眼皆是。即便是那两份英文杂志也带上了实用目的,它们在里面提供"如何做"课程,包括作文、语法、翻译和书信课程以及"简单"的文学读物。它们也和字典规划(韦氏字典)相配合,⑭和商务赞助的学校以及宾夕法尼亚的一家美国公司相合作。

为和商务杂志所持目的相协调,妇女问题也被视为一个教育任务。《妇女杂志》便被设计为女学的帮手。这个转型时期的妇女教育史相当重要,值得长篇专论,而不该由我在这儿要而言之。不过,值得注意的是,该杂志的广告和文章显然强调了一种现代特质。另有一个广告是关于1916年出版的《妇女杂志》的"巨大改进",上面醒目地提到了它的主编:无锡朱胡彬夏女士,这位现代女性在东京的一所女子学校受了教育,然后前往美国继续读了7年书,获威尔斯利的学士学位,并在康奈尔有研究经历。⑮这份杂志的广告标志着文化资本的转换:晚清改良运动的主要推动人多是不识洋文的学者和官员,他们得依靠译文,而那些译文绝大多数系出日文;但新一代的精英知识分子则多半是受过西方教育的,有些人还是在海外为《东方杂志》撰稿的,而他们就读过的国家和学院名也总是醒目地和他们的名字连在一起(香港和台湾的有些杂志至今还在使用这种编辑称呼)。

《东方杂志》有一系列的文章是谈西方大学的,尤其是美国大学;它也专载或从其他报刊转载有关中国大学的记述,包括北大的课程。但商务教育事业的主要目标和市场,就其广告手法而言,还是小学和中学教育。《东方杂志》,从其创办的 1897 年到约 40 年后停刊,几乎每期都充塞了各类教科书的广告,清楚反映了针对国家教育政策和法规的狂热的出版活动。因此我们可以很放心地断言,商务在教育体系的现代化过程中扮演了主要角色:自 1905 年取消科举后,这成了一项填补民族需要的巨大工程。

商务不是出版教科书的第一家印书馆:两个小一点的公司文明和广智,在约 1903 年前就出版过一套由四个无锡教师写的教科书。⑯他们把那套书称为"蒙学读本",也即在传统观念里的"懵懂"的小儿需要由道德教材(按孔子训谕)来为他们发蒙,这种"蒙学"也就接续上了"启蒙"的观念,亦即"启发蒙昧",也就是"启蒙"。到 1903 年,商务开始他自己的教科书事业后,便大刀阔斧先后创办了一家新的印刷厂,雇佣了三名日本顾问,并任命了一个由高凤谦领导、由蒋维乔计划的编委,编辑杜亚泉负责编订科学教科书;⑰自此,商务和他的主要竞争对手中华书局一起,开始左右教科书市场。

商务为新建的共和国也热情地做了广告:在《东方杂志》黑体刊登了 1911 年武昌起义大事记,并附有详情记述,另外还出版了 13 册照片和图片,并发行了 300 多张明信片!自然,在 1912 年,商务在新推出的那套教科书上相应地题写了"共和国教科书"。《东方杂志》上的广告是由下述的庄严宣告开场的:

> 民国成立政体共和教育方针随以变动……教育部第七条通令将小学用各种教科书分别修订凡共和国民应具之知识与夫此次革命之原委皆详细叙入以养成完全共和国民。⑱

共和国的公民——国民——因此也就正式地进入了新的教科书。商务还特发了一本《共和国民读本》,显然是对原来《立宪国民读本》("立宪"指的是 1910—1911 年的晚清宪治时期)的改造。它也成了崭新的小学教科书的一个主题。"修身",这是从前现代的儒教初阶里沿袭的一个术语。新的教科书不仅包括主要教程像国文、笔算、历史、地理和英语,也推广到一系列其他科目:珠算、唱歌、体育、书法、缝纫、科学、农学、商学和手工(供低年级)。在历史科目下,有中国史、东亚史、西洋史;地理科有本国地理、外国地理和自然人文地理。此外,还有植物、生物、采矿、生理、物理、化学、算术、几何、三角、代数、通用体育、军事训练和其他等等。⑲这是一个令人深有印象的目录,显然它也旨在普及一套同样让人留有印象的课程。

我在这里不是要讨论教科书或是课程内容,倒是想弄明白,一个出版公司是如何通过集体努力,成功地完成了其自定的"启蒙"任务。他们的努力也帮助了共和政府的民族建构。无疑,为新国民教育制订教科书是政府的优先议程,诚如教育部早在1912年就颁布的一套通用教育临时纲领所规定的。原先的"学堂"名被改为"学校",低年级允许联合教育;古文阅读以及清朝的一些法规都被废止。⑳此外,还特别设立了两个部门来编纂和审查教科书。当然,此类工作在清朝就已开始了,但新的大纲对教科书的制订,以及考试和审定的程序做了一些特殊说明。㉑商务利用这个新政府政策,在他们的教科书广告上套印着教育审定章,以及教育部对某些课文的评价。所引用的评价多是从实用特质出发:比如,"取材精到,分类清楚;可资小学高年级自然科学使用"。但偶尔也会有稍带意识形态的词和句子进来:"用词清晰简洁,包含活泼趣味,尤适国民的知识和道德修养"(指的是"简明国文教科书")。所有这些努力都是朝着一个驾驭一切的目标,即教育的任务是把国民培训成好公民。

如何来正确地培训新国民呢?教育部颁布的法令也几经修改。1912年的条令似乎是聚焦于实用教育(小学课程必须包括手工、体育和珠算等);而1914年的条令——折射着当时总统、保守军阀袁世凯的权势——则重新确立了经文课以尊孔言,并特颁命令要求教育课程必须"重本国特殊国民性"。㉒到1919年,文学革命后的两年,教育部正式颁布了在小学一、二年级的教科书中使用"语体文"和"新式标点符号"的命令。㉓

因为时局的混乱,我们也不可能确证出版公司是否严格执行了政策上的这些变动。作为最大出版社的商务可能发展出了他自己的教育观,它虽然不和政府法令相抵触,但可能已超越了指定课程。商务的广告给我们的印象是他的教科书不仅是为了供给学校课程,也是为课程外活动提供的;有些书显然是针对校外的都会文化范畴的。对于"外界"的需求,商务似乎尤为关注儿童和青少年,为他们出版了大量的寓言、翻译小说、图画书、卡通、彩色明信片、地图、简单的小学生"如何做"算术、游戏和玩具书。这些显然反映了商务的商业举措,以此抓住都市市场的新部分——孩子(以及他们的母亲)。而同时,教程外的出版物也早就超越了学校体系的局限,进入了因为谋生而失学的都市成人世界中。在我看来,正是在都市社会的这个公众范围里,商务的"启蒙"任务扮演了主角,在政府政策的意识形态局限外,提供了一幅现代性景观。

但如何来提供使社会的每一个成员都能获得的基本知识呢?除了学校教科书,商务还推出了两套著名的"文库":"东方文库"(1923—1924)和"万有文库"(1929—1934)。"东方文库"收有《东方杂志》上的一些主要文章(以及未刊载过的其他论文和翻译),共计120多册(小册子开本),显然是旨在巩固新知。文库的作者都赫赫有名,包括学院和非学院的知识分子,这一长串名单代表了不同的背景和立场。书的主题和标题(多系翻译)更是让人印象深刻,涵盖了极其广阔的视角。我在这里就主题粗略地分类如下:文学(19个标题)、哲学(17)、科学(13)、社会(9)、经济(7)、政治(6)、异国(6)、外交(6)、历史(5)、地理(5)、艺术(5)、妇女(5)、文化(4)、心理(3)、法律(3)、学术(3)、教育(3)、军事(2)、移民(2)、新闻、语言、天文、宗教和医学(各1册)。㉔这种排次只给我们一个大体印象,看不出书的特殊内容。但它似乎揭示了这套文库对人文(文学和哲学)的重视,然后是自然和社科。相当一部分标题是有关外交和异国的(12)。文学标题中,有6册是外国小说集:英美的、法国的、俄国的、欧洲的、日本的和印度的(泰戈尔作品集)。但更有意思的是那些主题各异的其他标题。稍举一例,比如杜亚泉写的小册子名曰《处世哲学》,其实是源出叔本华的日译本。这本书和其他书一齐收在一个盒子里(第32—50册),其余论著包括新闻、东西方文化批评、中国社会和文化、伦理、心理、当代哲学(主要是论杜威的)、伯格森和奥伊铿、克鲁泡特金、甘地主义、战争哲学、卢梭的两本散文集和一本论科学原理的册子。

但即便如此,"东方文库"较之她的姐妹文库"万有文库",又是相形见绌。商务策划"万有"的野心更大,想把它至少办成一个现代图书馆。这显然是主编王云五着手编辑"万有"两大文库的指导思想,每一系列都至少包括 1000 册书。这样,任何一个新建的图书馆都可以最经济、最系统的方式,方便地建立起其基本收藏;现代印刷节约开支可达最经济,而基于王先生自己的四角系统建立的新的索引体系可以做到最系统。㉕这可能是共和国时期在界定和传播知识上最具野心的努力了。

从王的谈丛书计划之缘起的自序中,可以看出他的基本设计是传统丛书的套路,但他自觉有必要在《国学基本丛书》里加入相当数量的新书丛。这些新书丛包括《百科小丛书》、《新时代史地丛书》,以及单独的农、工、商丛书和师范学校教育、数学、医学、体育等丛书,这些都是旨在成为"学科帮手"的。㉖当王开始编第二集时,他更进一步扩大了西文翻译和"国学"的书丛,但在学科丛书上,他是另外加进了两辑:《科学小丛书》和《现代问题丛书》;王承认后者的编纂是一项更复杂的工程,因为"国内外在这方面的出版都鲜有先例"。㉗

浏览一下这两集的丛书目录就足以揭示一些问题了。第一集的编委以王云五为主编,下另有 12 个编辑。在序言的结尾,王也感谢了这样一些"朋友"的帮助,全都是鼎鼎大名的知识分子,像蔡元培、胡适、李石曾、吴稚晖、杨杏佛等。他们制订了四个基本目的作为他们的编辑方针:(甲)以人生必要的学识,灌输于一般读书界;(乙)所收书籍,以必要者为准;(丙)全书系统分明,各科完备,有互相发明之效,无彼此重复之嫌;(丁)以最廉之价将各科必备之书,供给于图书馆或私人藏书者。凡中等以下学校,或中等学生,小学教师等购此文库全部,即成立一规模初备之图书馆。㉘为方便购书,他们聪明地设计了一张邮购订单(可分期付款)附在一本书目简介的小册子后。很显然,这种浩大的工程是远远盖过教科书计划的,因为它的野心是要把"人生必要的学识"灌输给出版市场所创造的读者群。

这个工程以其自身的方式自然堪比法国的百科全书派和他们的传播者。㉙但它们在"分类"的体系和内容上却有关键的不同。让我们先把 400 册的"国学"(第一集 100 册,第二集 300 册)放置一边,来看一下题为"世界名著"的 250 册译著(第一集 100,二集 150)和 200 册的"自然科学"以及 50 册的"现代问题",这共 500 册书也许可称为"西学"。即使瞥上一眼,这些目录也是令人难忘的。

第一集的译著分了 15 类,如下所列:哲学、心理学、社会学、政治科学、经济学、法律、教育、自然科学、英美文学、法国文学、德国文学、俄国文学、他国文学、历史、地理等。

在第二集中,西文译著的标题分以下几类:文化和文化史,哲学(培根、莱布尼兹、孔德、尼采),心理学,逻辑(亚里士多德的"逻辑学"),伦理学,社会学(杜肯海姆、摩根、马尔塞斯),统计学,政治学(卢梭的"社约论"、莫尔的"乌托邦"),国际与外交,经济和财政,法律,军事,教育,工业,家庭和婚姻,科学概论,算学,生物科学,物理,应用科学(比第一集的分类更专门),文学概论,民族文学总集(包括日本、印度、美国、英国、德国、法国、意大利、西班牙、俄国、波兰、丹麦、匈牙利、挪威、瑞典、罗马尼亚),民族文学个人集(卡莱里、萨克雷、夏洛蒂·勃朗特、J. M. 巴瑞、晋可沃特、哈代、高尔斯华绥、霍桑、欧亨利、弗兰克、威顿开德、J. 弗瑞泰戈、史笃姆、左拉、罗曼·罗兰、巴尔扎克、奥古塔夫、密拉别、保尔杰拉第、法朗士、安德瑞福、陀斯妥耶夫斯基、高尔基、但丁、厄吕派兹、索福克勒斯、阿史克勒斯、奈特、汉姆森、塞克威兹克、易班尼兹、K. 帕拉马斯),地理游记,传记(关于拿破仑、俾斯麦、冯·亨德堡和托尔斯泰的,J. M. 密尔"自传"、爱迪生、安德鲁卡尼奇的"自传"),史表,欧美历史,亚洲历史。

我们还可以在上述书目中再加上第二集中的 200 本"自然科学",它们由下列 10 类组成:科学概论、天文学、物理学、化学、生物学、地质学、植物学、动物学、人类学、著名科学家传记等。几乎所有这些书都系译作,而它们本身在整个文库中已占了很大的比例。此外,我们也得加上第一集中"小百科"丛书中的 70 本"自然科学"和 30 本"应用科学"方面的书籍。因此这两集中光和科学相关(不计工业、统计学和心理学这些方面的)的标题就有 336 个,和"国学"丛书差不多。如果在此之上再加上译著中的有关标题,那天平无疑会倾向于"科学"方面的丛书。也许大部分的科学著作都和现代生活的实用性相关(可资比较的是,有关"纯"科学的标题都明显是属教科书范畴的)。这是不足为奇的,因为这套文库的本质和目标都是务实的。

其实和本书最终相关的是第二集"现代问题"类里的 50 本。但什么可以被界定为"现代问题"呢(什么是本身即有"问题"的)?

从第二集的目录里，我们发现它们可以分两类：中国（24个问题）和外国（26个问题）。光是这串书单就已经说明了民族主义这种说法是在"流行"想像中被建构被分类的。因为是商务的背景，我们不会期望这种说法带有太激进的革命性。但中国方面的问题倒都是清楚地直指最近构建起来的民族国家，也即是：宪法、地方自治政府、农村重建、土地、水利、交通、财政、税收、国际贸易、棉、丝、茶叶、义务教育、成人教育、妇女、劳工、领事裁判权、收复东北、开发西北、蒙古、西藏、中日关系、中苏关系和海外华人。这些问题显示了人们首先考虑的是社会和经济的发展，而领土和外交事务似乎也颇受关注。后者清楚地体现在后半部分和"世界"相关的各种书名上：和日本、苏联、美国、印度及菲律宾的关系都是问题的焦点。但是最受瞩目的还是国际事务，其中问题的核心是民族联盟的改革、国际裁判权、民族自决，以及军事武器、粮食、燃料、失业、移民、货币法规、优生、麻醉药的销售和"合理化"。总之，这些书一起构成了一个政治语境，反映了两次世界大战之间的国际形势，以及新共和国作为一个新民族所要面对的领土主权和国家发展。

不过，如果把这些问题和中国共产党的革命计划——在同期（1929—1934），共产党活动从城市转入了乡村——相比较，那很显然，"50个现代问题"里找不到某些基本的革命"前提"：城市无产阶级问题、工人罢工、社会主义理论和革命文学，还有最重要的农民和他们的革命潜力问题。这种区别揭示的不仅是政治方向的不同（王云五的编委是由温和派和保守派组成的），也反映了城市和乡村"想象"的鸿沟。换言之，整套文库既是基于城市，也是为城市读者而设计的。它之所以值得我们的注意正是因为它提供了一个中国现代性想象的主要知识基础。而至少，上面的书单详尽地解释了共和国初期的新知识的各类组成是怎么样的。

我也希望我以商务为焦点的论述还表达了另一层意思：一种商业事务是如何从基于教科书生产的教育事业演进到了基于杂志和文库的文化事业。它们一起构成了某种现代的时空轨道线：引介新知识无疑是受让中国跟上世界这种欲望的激励，而同时，它们也通过为国家和"国民"提供知识资源而支持了民族建构。不过，"国民"的定义在这里依然是含糊的，折射着梁启超早期所宣扬的民族主义——一桩未竟的知识分子事业，试图通过革新人民的头脑和精神使他们成为"新民"。而从梁到陈独秀和鲁迅的这些精英知识分子——可能还追随某种儒家先例——他们强调的依然是如何来培养民众的知识和精神"内核";而不那么精英的知识分子可能就没有这么强烈的道德冲击,他们更感兴趣的是通过传播,普及知识给"新民",借此在都市社会滋养一种新时代的"气氛"。

二

我在探讨都市现代性的策略是基于这样的一种假设:不同于传统知识分子历史中的精英做法,只讨论个别思想家的基本观点,文化史家的任务是要探索我们所说的"文化想象"。因为"文化想象"本身可以被界定为集体感知的轮廓和源于文化产品的意味,我们就必须同时抗拒两头阐释策略,即这种文化产品的社会和体制语境,以及构建和交流这种想象的形式。换言之,我们不能忽略"表面",意象和风格并不一定进入深层思维,但它们必然召唤出一种集体"想象"。在我看来,"现代性"既是概念也是想象,即核心又表面。我把这"概念"部分留给其他学者,我在此打算大胆地通过"解读"报刊上的大量图片和广告把我的笔墨都放到"表面"上。本此目的,我打算在另一份杂志的材料上进行分析,那是一份画报,名《良友画报》(1926—1945),它是现代中国持续最久的一份大型画报。在我切入画报进行分析前,我先简要地介绍一下这个文化事业的背景;尽管良友的规模比商务小得多,但在中国的现代出版史上和在"营造"中国现代性中却扮演着同样重要的角色。

良友图书印刷公司1925年创办于上海,明显步了商务后尘。创办人伍联德是个事业商,他一度为商务工作,所以后来能为他自己的杂志招揽著名文坛人士像赵家璧、郑伯奇、马国良和周瘦鹃当他的编辑。借着《良友画报》当招牌,良友迅速开拓了一个画报市场,并创办了一些其他流行杂志。以商务为例,他们也出版丛书和文库,其中最著名的是"良友文学丛书"、"良友文库"和"中国新文学大系",这最后一套确实成了中国现代文学学生的"良友"。[30]在扩大公司的一则广告上,良友夸耀自己是"出版领域的新时代之创造",因为他们是首家以摄影见长的出版公司。同时良友也赞助了6本杂志的出版:除了《良友画报》,还有一本电影月刊《银星》,此系第一本电影刊物;一本献给现代女性的杂志《近代妇女》;一本关于艺术的周刊《艺术界》,由四位"颓废"美学家主编:朱应鹏、张若谷、傅彦长和徐蔚南;一个世界体育季刊《体育世界》。这些杂志的标题表明了良友公司的主要商业方向:艺术和娱乐。由此这个杂志在满足都会需求上是不言而喻的,但同时也很可能这种都会需求是被杂志本身创造出来的。

乍一看,《良友画报》就以其大开本,让读者深有印象。对一份画报而言,它包含了相当重的文字份量,但其引人之处显然还在于那些图片。在每期封面上,都是一幅温雅的现代女性肖像,下属她的芳名。

我不准备讨论这些封面女性是否仅是商品"货物",旨在挑逗男性欲望。相反,我认为组成这份杂志读者群的妇女和年轻学生要比成年男性多。作为读者大众的"良友",杂志不可能为着挑逗好色者,而是要维持一个好名声以确保其大销量。但"良友"的良好声誉不是通过知识刺激或学术深度达到的,而是借着一种朋友般的亲切姿态做到的。开首几期的编者志就显然给读者这个印象:该杂志是希望成为读者日常生活的亲密伙伴。在第三期(1926年4月15日)上,编辑以"良友之神"的口吻在首页这样致读者:

> 而第二期(1926年3月15日)的"编者按"则把《良友》的涵义推广到了那些潜在读者更日常的生活方式中去了。㉛

光把这些视为编者的智巧未免过于简单,因为在这些字词后面同时潜藏着一种有意识的倾向和一个文化语境。就像《东方杂志》和《万有文库》的编辑利用了人们对新知识的明显需求,《良友画报》的编辑敏感到大众在日常生活层面可能需求一种新的都会生活方式,于是对此作了探索。很自然,这种需求由画报来满足是更合适的。有必要比较一下这份杂志和它的晚清先驱《点石斋画报》,后者是此类传媒大众化的先声。在晚清的知识语境里,全部由传统画(无照片)组成的《点石斋画报》在内容上要更"奇幻",但它也是以"描画"世界奇迹的方式达到传递新知识和启蒙的目的。到《良友画报》创办之际,知识上的任务已由商务完成。至少在上海,现代性,正如它的译音"摩登"所示,已成了风行的都会生活方式。因此《良友画报》开创了画报业的第二阶段——用以反映"摩登"生活的都市口味——因 30 年代早期起开办的大量电影杂志而变得更加魅力四射。正因为有这些联系，我更为关注《良友》中的女性和青年页，因我相信它们讲述了有关中国现代性的另一个故事。

　　女性不仅为"良友"的封面平添魅力，她们也占据了杂志内容的中心位置；《良友》的前后几页全是照片，其他照片或插图，包括漫画则和文字交织一处。我们可以想象当时一个"典型"读者拿到一本《良友》的阅读程序：先看封面，然后在读文章前把画页浏览一遍。这样他/她就能在心里轻易地将这些画面串在一起。封面女子显然引领读者的：她的表情和穿着建立了最初的表面印象，这印象是和杂志里的其他图片相联的。

　　我认为时尚意识只在有关女性时髦的照片和图片中起很小的作用（当时还没有时装模特，也没有模特儿这种职业）。相反，这是一种对穿着本身的意识，它提供了进入中上阶层都会女性生活的新感知领域的线索。我相信它描画出了一系列的家居和公共空间，而那些"穿着美丽的女性"类型就在这些空间里生活、活动：从卧室到舞厅，从客厅到电影院到百货公司。因此也就不奇怪穿着意识演进到 1930 年就会带来室内装潢意识。

　　从这些照片看，女性的世界依然是在家里和孩子在一起，虽然这已是一个现代空间。事实上，这种家庭关系——女性和她们的孩子——几乎是所有的广告中最为常见的意象了。乍一看，这些家居照片似乎是和早期的"五四"话语相矛盾的，因为"五四"鼓励的是被解放的娜拉形象——离开传统家庭去开创独立生活的独立女性。不过，我还是认为这并不一定说明了它是一个从前期的激进主义的保守后撤。从《良友画报》我们可以看出它是围绕女性的新角色进行"叙述"的，这些新型女性居于一个现代婚姻家庭里，而她们的家庭又总交织着演进着的都会资产阶级生活方式的方方面面。不过，诚如这些广告所示，女性的新角色依然是在家庭里，而她的家庭已被形形色色的现代便利和内部设计弄得面目一新。家庭内景现在是完全"公开化"，而其本身也成了一个公共议题。如《良友画报》上无数的照片和文章所示，新家庭生活的公共话语开始大力关注身体健康和家庭卫生。对儿童的重视更是见诸于该期杂志上的很多裸体婴儿照片。

我在前面提到,这份杂志致力于保持一种健康的可敬性和"良友"气氛可能是源于他们意识到有无数的流行小报蝇刊定位于声色犬马,这种时尚在电影杂志出来取代这些杂志后就从出版界消失了。但实际上,名妓文化并没有从现代中国文学里退隐:只是她们的"公众形象"被更现代更令人尊敬的女性照片和画像代替了。因此不管是把女性身体置换成一件艺术品(西式的),还是把她转换成健康的载体,并标志着一种新话语的开始,但这新话语正因为其源头是早期的名妓杂志而变得问题重重,因为其时的女性身体确实是有一个市场价的。但像《良友画报》这样的杂志因为塑造的完全是新女性,所以在女性身体上倾入了全新的涵义和伦理价值。这些画中或照片上的女性并不贫穷,或说至少她们不是来自贫穷家庭。而当她们出现在一个现代家庭的内景里时,她们体现的是完全不同的一种生活方式。因为她们的身体是依附于一个新"人"的:按艾尔文的逻辑,她们的新居室是她们可以安身的地方,就像她们的"出身"和"身份"一样被有意禀赋了一层资产阶级的财富和可敬性的"糖衣"。因此时髦——穿着的风格——成了文化中的现代因素,而中国文化其实向无这类传统,除了偶有某种形式(按艾尔文的说法,"看来主要是发型和化妆")。

从一个时髦女性像到一个裸体女郎的转换,对于"过渡"时期的读者来说,自然会引发他们更深层的焦虑,因为裸女身体画像在传统中国文化里只有在春宫画里才会大量出现。春宫画的发明和现代报刊对它的采用另有一个摹仿的维度:裸体人像就像是真人。这种新的"认识震惊"会在当时普通的读者那里激起各种各样的"误读"——几乎都是出于一种男性注视和欲望,因此也导致了对女性的物化和商品化——这是当下的女性主义和后殖民理论的一个常见视野。但是如果有些(甚至多数的)读者是女性,那又怎样呢?而且如果杂志里的裸体女像是和中外领袖、体育大事和好莱坞明星的照片相杂一处的,那又如何呢?这里的问题就不止于是女性身体问题了;我认为这里的女性身体展示已成了和日常现代性相关的一种新的公众话语。

日常生活中的问题在文化研究领域里已受到了相当的理论关注,因为首先,它直接诉诸现代性和后现代性的(西方)文化问题。㉜前面提到,在 20 世纪早期的中文语境里,这个主题因为出版媒介的介入而逐渐成了一种"被想象出来的现实"。里面所塑造的日常生活因此又现代又都会,不再是传统的、不变的了。如果审视一下这种的日常生活方式的基本内容,我们就会发现它在很大程度上是由物质文化"征候学"所营建且控取的。这个物质世界的轮廓可以再次借着杂志中的广告而被描画出来,如桂格麦片、宝华干牛奶、高露洁牙膏和高露洁肥皂粉。这些产品早已功用性地填满了一个家庭的早晨运作:用牙膏刷牙,麦片和牛奶当早餐,昨日的衣服用肥皂粉洗涤。由此我们从广告所得,轻易地为一个现代家庭的日用和享受重列一张表:东方贸易有限公司出产的煮饭电炉,上海煤气有限公司的自来火炉,照相机,摄影店 Agfa 胶卷和柯达 Even Ready 电池,留声机和录音机(Pathe 和 RCA)。尽管还没电话以及钢笔。第七期上的永安百货香港分店的广告是一个简洁的镶拼画面:康克令钢笔(一个着西服的男士在使用它),各种花式的棉衣,天鹅牌丝袜和棉袜,Pilsner Art Export 啤酒,以及一份《良友画报》。对一个现代家庭的内内外外日常享用来说,这些东西可说是齐全了。

到 30 年代早期,《良友画报》上已营建了关于都会现代性的一整套"想象"。有越来越多的照片来展现这个都会的各种迷人之处。1934 年第 87 期上有两页的上海照片,以英文标题名"Outline Shanghai"(上海轮廓),而其中文标题则更具揭示性:"这就是上海:声、光和电"。另有照片呈现上海著名的百货大楼、饭店、舞厅、影院(以及著名影星)和女性。1934 年 85 期上还登载了一个照片镶拼图,上有中英文标题:"Intoxicated Shanghai"和"都会的刺激",图上有爵士乐队,一幢新的 22 层摩天大楼,赛马和赛狗场景,King Kong 的电影海报,还有两幅并列的场景是表现裸脚的一队女郎运动式的姿势和卡巴莱舞姿。㉝居中的是一个年轻中国女子,穿着时髦的开衩很高的旗袍,坐姿诱人。因恐这些照片会被认为太具挑逗性,《良友画报》很有自我批评意识地在后来的一期中刊登了另一组照片,取名"人行道上的上海"以表现这个都市的另外几面:旧书刊摊子、价格平和的为文盲读写书信的职业代笔、四个在街上呆看女子像的男人、报摊、一捆低廉的钢笔、两个男人和一个男孩在读一本旧的连环画,而乞丐把一封信打开放在地上给路人看。㉞这些照片组合在一起产生了一种很有意思的自我指涉:这份杂志所赖以存身的城市先是被赞赏一番,然后又被批评一顿,似乎要借此表明,包藏在这些照片里的想像性的现代性不过是以一种巧妙的排印拼凑出来的梦幻;但同时,这些照片的摹仿意图似乎又暗示了这个梦幻也是取材于现实的。不管《良友画报》杂志多么煞费苦心地来呈现上海的另一面,正是这种现代梦幻开始作用于读者的流行想象。而有必要讲述《良友画报》的故事也正是在于它有意识地为现代性做广告,借此帮助了上海都会文化的构建。由此它不仅标志了现代中国报刊史上意义深远的一章,也在呈现中国现代本身的进程上迈出了历史性的一步。

三

在一系列的有关现代性的商业广告中,我最后留下来要讨论的一种,而且或许是最重要的一种,是为日常操作提供重要计时方式的商业月份牌。

商业月份牌最初是从西方资本主义引入的一种广告噱头,主要是英美烟草、药物、化妆品、织物和石油公司。早在10年代,英美烟草公司就引进了胶版印刷机,成立了他们自己的广告部,并创办了一所纯粹培养商业艺术家的美术学校。但它的统领立即受到了本土企业家的挑战,尤其是中法药房和大世界游乐场创办人黄楚九。黄以独特的眼光发现了杭州画家郑曼陀的艺术天才,便提拔了郑。㉟由此郑和他的弟子所绘的月份牌成了竞相追逐的东西,而因此一种融合传统中国画技法和现代设计(有时以艺饰风作框架)及用品的新的商业美术传统就这样确立了。二三十年代,月份牌广告画达到了其鼎盛期。

商业月份牌的基本组成是一样的:长方形的类似传统中国画的框架,最底下是日历;月份牌的最上面印着广告产品的生产商名:主要是香烟和药物。在某种程度上,月份牌是我所讨论过的一些主要因素的完美总和:不光是广告上所见的现代性之外表,还有和画中女性相关的附属意义。事实上,《良友画报》的封面女子和月份牌女郎在时尚、姿势、脸部和背景特征上都惊人地相似。它们也揭示了其绘画技法——虽然显然和传统毛笔画及民间艺术(比如年画)有关——已染上了某些创新色彩。这种新时尚因郑曼陀、他的朋友和弟子而得以流行起来。郑的一种特殊技法是人物的面部先擦上一点"炭精粉",然后敷染水彩,以此达到柔和的墨韵。这种"时装仕女图"成了最具代表性的"月份牌"广告画,而敏感的观众和收藏人甚而会感到"曼陀画里的人,眼睛会跟人走"。㊱

　　让我试图来解读自己拥有的一张月份牌上的这样一个"女子"。㊲这张月份牌属于相对传统的那种类型,做的是哈德门香烟的广告。其绘画技法是1930年的特殊"擦笔淡彩画",这种技法由民初画家郑曼陀最早使用。㊳在这个特殊的例子里,这个女郎的身体没有像有些长画面的需要而被拉长。她临水而坐,水上有一对天鹅游过;画的右上方和右下方画着传统风格的草和枝丫。这整个画面似乎是要把我们引离开现代现实。在我看来,它也令人想起"鸳蝴派"小说的情境;而那对天鹅则更是一种视觉参照,隐喻性地指涉"鸳鸯"。这种常见的"传统"风格对香烟的明显外国出身(英国)是一种低调处理。尽管,为了突出商品,这香烟的包装是红色的。当我们注视着这画中的女郎,我们发现尽管她的服饰是传统的——她穿着简单而有品味的浅色旗袍,是当时相当流行的"满族裁式"——她身上还是带着非常现代的特质使她区别于那些杂志封面上的无数传统女子。比如,她别在襟上的一朵非常大的花触目地粉红,不仅和她旗袍的浅色湖绿(相间了很细的金色条子)形成对照,而且也同时带出并低调处理了常见的美学原色(红和绿)的关联。那花的醒目位置自然也指涉了她本人,由此令人想起那熟稔的对女性的诗性比喻:"一枝花"——一朵孤寂的(褪了)芬芳的花,带着模糊的激情,因可怜和悲哀而变得酸苦的激情。到底她佩戴什么花? 玫瑰,牡丹还是(令人想起诗句"一枝梨花春带雨")梨花? 事实上,电影女星在当时经常是这些商业月份牌的模特(另一个著名影星的例子是李丽华,她为女性常用的"阴丹士林布"的广告画摆了姿势)。㊴电影女星在屏幕上是被展示的客体,但她们无疑在单独的观看者身上激起了"主体性"的视觉冲击。使好月份牌区别于平庸之作的正是在于套路和新奇、真实和梦幻的组合。我猜测月份牌上的女子是决定顾客选择的关键因素(就像当时和现在的习俗一样,如果这选择不是由公司作为新年礼物给出的话),而烟草公司的"传奇"声誉也许也会和他们所招贴、所设的偶像女子有关。因此画中的女子就像香烟一样成了商品。⑩

但这张月份牌的真正作用,也就是其中"文本"的真正"内容"是日历本身,它被安排在下方,用极其艺饰化的风格镶饰边框。而这张月份牌和我的论述直接相关还在于它使用了两种现代纪元法:左边是西历的1930年,右边写着"中华民国十九年"。整个年度以月份计,再又用星期分。这样传统的农历也进入了月份牌。我不清楚这种月份纪年法是何时通用的,但其文化意蕴却是如何强调都不为过。不光是因为这种通用月历同时引入了两种纪年(中国的和西方的,都显然是现代的);而且这两种纪年结合起来用一种现代的时间表表达了传统的时间。月/星期/日这种分期显然是又西方又现代的,它规则了中国市民的日常生活;农历中的有些节气标志在月份栏上,也许是为着提醒人们仍需执行某些重要的仪式,或是表明有些仍在使用的仪式;这样它以一种"运期预告"的形式警示了现代的都会市民要把他们的现代日期等同于神圣的运期表:哪一天适宜哪种仪式?所有这些都成了我们今天使用的中国日历的基本特征。但其创制应该得到恰切的评价,因我认为时间——以及日历系统——正是现代性所赖以构建的基础。这也是安德森书中的潜在命题,即民族主义只有在时间观念根本变更后才能被想象:民族的"想象的社区"起源于"同构的、架空的时间观念,其同时性如其所显示的,即为横亘的交叉的时间,这时间不是由预计和满足,而是由时间的巧合来标记的,以钟表和日历来计算。"⑪把安德森的理论用之于都会上海,我们几乎可以说,我所描述的"想象性社区"的日常生活也是由钟表(在上海跑马厅大楼上有个很大的钟)和日历来计算的。

注释:

① 李欧梵《现代性的追求:反思中国现代文学和思想中的新意识方式》,见 Paul A. Cohen 和 Merle Goldman 编《跨文化幻想:献给本雅明·史华慈的文章》,剑桥:哈佛东亚专号,1990,第 110—111 页。

② 关于该词,见刘禾《跨语际实践:文学、民族文化和翻译的现代性 中国,1900—1937》的附录 D,"偿还文字债:出自中国古文的 Kanji 词",斯坦福大学出版社,1966,第 308 页。

③ 本雅明·史华慈《追求财富和权力》,剑桥:哈佛大学出版社,1964,第 238—239 页。

④ 任公(梁启超)《汉漫录》,见《清议报》,第 35 期,1899,第 2275—2278 页。
⑤ Benedict Anderson《想象的社区》,纽约:Verson,1991。
⑥ 同上。
⑦ Jürgen Habermas《公共领域的结构转型》,剑桥:麻省理工出版社,第 40—41,50—51 页。
⑧ 但这个哈贝马斯的"公共领域"不同,因为中国和 18 世纪欧洲的前提不一样。因此我不认为中国有公共领域或公民社会。不过,读者"群"还是开创了"公共空间"这个概念,以及"都市空间",它可能会在都市社会的框架里构筑一个"半公共领域"。但即便如此,哈贝马斯见诸于 18 世纪法国沙龙和英国酒吧、杂志上的典型表征并不见诸于中国。
⑨ Robert Darton《启蒙业务:百科全书的出版史》,剑桥:哈佛大学出版社,1968。
⑩ 在西方学术界,对《东方杂志》和商务印书馆都有专门的学术研究,因此我不再介绍它们的背景。关于商务的综合研究,见 Jean-Pierre Drege 的《上海的商务印书馆,1897—1949》,巴黎:Institute des hautes etudes chinoises,法国学院,1978。参见极有价值的纪念集:《商务印书馆 90 年》,北京:商务印书馆 1987 年版。
⑪ 马学新,曹均伟等编《上海文化源流辞典》,上海:上海社会科学院出版社 1992 年版,第 199 页。
⑫ 景藏《今后杂志界之职务》,见《东方杂志》,16 卷 7 期,1919 年 7 月,第 3—5 页。
⑬ 《东方杂志》,8 卷 1 期,1911 年 3 月,第 38 页。
⑭ 显然英汉字典需求量很大,而商务不得不竭尽所能在市场上击败其他的出版社。绝大多数的字典都系英、日字典的拼凑之作。而为了出版《英汉韦氏大学字典》,商务不得不因原出版商的起诉而赔了相当一笔钱。见谢菊曾《十里洋场的侧影》,第 50 页。
⑮ 事实上朱女士只是名义上的主编,执行主编是一位男士,王蕴章,商务的一个馆员,他在名义上向她咨询,也以她的名义发表一些文章。见谢菊曾,第 38 页。
⑯ 见《教科书之发刊概况》,见张静庐编《中国近代出版史料初编》,中华书局 1957 年版,第 220 页。
⑰ 同上,第 228 页。和日本的关系被证明是一件祸福夹杂的事;商务后来废止了日本顾问。这也许是,尽管没有记载,为什么日本在 1932 年 1 月 28 日空袭时,要轰炸并捣毁商务的印刷厂和其他几幢大楼。
⑱ 该宣告和关于照片和明信片的广告见《东方杂志》,1911 年 11 月,8 卷 11 期。

⑲《中国近代出版史料初编》,第243—44页。
⑳《中国教育大系》,第2页,第2221—2222页。
㉑《中国近代出版史料初编》,第242—243页。
㉒ 同上,第246页。
㉓ 同上,第221页。
㉔ 在此谨向我的学生陈建华致谢,他帮我做了上述统计,并提供了其他的研究协助。
㉕ 王云五《万有文库第一二集印行缘起》,见《中国现代出版史料初编》,第290—291页。Drege讨论过王云五的重组努力(Drege,89—94),在其附录部分,有一个商务发行的期刊,丛书和字典目录(185—198),但没有教科书目录。
㉖ 同上,第290—291页。
㉗ 同上,第293—294页。
㉘《万有文库编译凡例》,见《万有文库第一集一千种目录》,第2页。
㉙ 注意到这种相似性的是李石曾,当时的一个著名知识分子,据说他钦佩两个历史人物:纪晓岚,清时《四库全书》的编者,和狄德罗,法国的百科全书派哲学家。见钱化佛和郑逸梅《三十年来之上海》,上海:上海书店1984年版,系1946年重印本,第46—47页。
㉚《上海文化源流辞典》,上海社会科学院出版社1992年版,第379页。有关"中国新文学的梗概"分析详见刘禾,第214—238页。
㉛《良友画报》。
㉜ 比如Henri Lefebvre的《现代世界的日常生活》,Sacha Rabinovitch译,New Brunswick & London:Tramsaction出版社,1990。但Lefebvre的诠释方式对本书所处理的中国材料来说太当代也太西化。
㉝《良友画报》,85期,1934,第14—5页。
㉞ 同上,103期,1935,第34—35页。我要感谢我的学生Ezra Block向我提供这些照片,他在哈佛的学年论文(1996年6月),也是做的《良友画报》:《模拟现代性:30年代的〈良友画报〉》。
㉟ 张燕风《老月份牌广告画》,台北:汉生杂志1994年版,上卷,第65页。
㊱ 蔡振华、范振家《月份牌》,见叶树平、郑祖安编《百年上海滩》,上海画报出版社1990年版,第120—122页。
㊲ 此系郑树森送给我的礼物,他在香港购得此画。这张月份牌的照片收在《老月份牌广告画》里,上卷,第18页。很显然,一种对旧艺术品的大规模怀旧席卷香港、台湾和中国大陆。
㊳《老月份牌广告画》,上卷,第10页。
㊴ 同上,上卷,第42页。

㊵ 纽约大学的 Francesca Dal Lago 的硕士论文也是做的这个题目。和我的"保守"而平静的解读相反,她说这个月份牌上的女子是个"新女性",她看上去似乎道德松懈;因此她的形象是和妾或高等妓女相联的。见她的论文:《摩登之表和表摩登:30年代上海月份牌里作为商品的"新女性"》,论文在纽约艺术学院的"中日的视觉艺术和现代性"座谈会上宣读,1996年10月26日。

㊶ 安德森《想像的社区》,第30页。

原载《开放时代》1995年第5期

高远东

"现代"如何"拿来"

——以中国文学现代性的确立途径为讨论中心

现代或现代性是一个令人感到困惑和复杂的问题,对于中国人而言,它不仅意味着时间意义上的"古今之变",而且意味着空间意义上的"中西之争";不仅涉及历史的事实,而且涉及制约未来取向的价值。再加上现代或现代性的历史曾多少受制于现代人自己设计的无数方案,呈现一种由人类理性地因而是自觉地创造的假象,而这些假象与事实的混合更助成了人们理解现代、思考现代性问题的种种混乱。"现代的终结"这一话题虽源于70年代西方的"后现代"理论,但真正赋予其历史内容的却在80年代末、90年代初东西冷战体制的崩溃——曾经是20世纪"现代"之核心思想、体制的资本主义和社会主义等既有意识形态丧失了领导、构筑人类社会的力量,"现代"本身从理论到实践似乎都千疮百孔,显露了严重的局限性。在中国,人们在意识上经历了80年代对现代或现代性的乐观信仰,开始卷入90年代由于社会和文化转型而形成的矛盾和问题之中,开始尝到了抛弃社会主义后资本主义的文化苦果。这一切都在促使人们重新思考"现代"问题,因为对于我们的世界而言,与其说"现代"已经完结,不如说其实正处于由它造成的矛盾的旋涡之中。当然,我所说的"现代"并非教科书中概述的纲领和教条,而是植根于"现代"固有的矛盾被历史化了的多样性的实践。现代中国文学处于"古今"断裂和"中西"交汇的复杂条件下追求现代化,其主体性的确立途径似可作为全球化时代的文学标本,供人们考察、争论,作一种知识的探讨。

本文题目中"拿来"一词取自鲁迅的"拿来主义",意指一种基于文化主体性立场的接受外来文化的方式,主要想探讨中国文学之现代主体性确立的条件,关注文化主权的确立方法,试图对鲁迅的"拿来主义"在全球化时代的意义进行理解。需要说明的是,我仍持一种普遍主义的"现代"观,这与目前盛行的文化民族主义的"现代"观在很多地方正好针锋相对。我以为,对于广大的第三世界,所谓"现代"仍是一个未完成的历史进程,如何确立走向"现代"的不同途径和方法,如何在追求"现代"和克服"现代"的难局中完成本土文化主体性的建构,仍是一个迫切需要解决和有待广泛借鉴的问题。

毫无疑问,正如日本竹内好《中国的近代和日本的近代》①一文所说,东洋的近代是欧洲强迫的结果。尽管早在宋代,中国已有了类似欧洲"市民社会"的现象;到明代,所谓"市民文学"已相当发达,甚至影响到日本江户时代的文学;在思想上黄宗羲、王夫之等人也产生了颇类似17、18世纪欧洲启蒙思想的成果,中国史学界也曾讨论过明代的"资本主义萌芽"问题,但无论如何也不能断定,今天东洋的局面——诸如资本主义生产方式、社会制度、文化矛盾等现代的统治根源于那段遥远的历史。也就是说,我们不能讨论东洋能否独立地发展出"现代"这个反历史的假问题。对于欧洲而言,"现代"的发生是一个近乎自然的过程,植根于其自身的社会、文化、意识之结构的运动之中,受着其内在矛盾的制约。大致来说,它与欧洲资本主义的发生是同步的,我们可以把它视为欧洲社会、文化、意识的自我解放和自我实现。尽管我们也知道,在欧洲,在不同的领域和不同的时期,被指为"现代性"的东西是极其不同甚至相互矛盾的,但它作为现代之为现代的本质仍贯穿着一种普遍的精神,具有显著的不同于以往的特征。根据竹内好的看法,"所谓近代,乃是欧洲在其从封建性中获得解放的过程中(就生产力而言是资本的自由发生,就人而言是独立平等的人格的建立)发现其不同于封建性的属性,而置于历史的记录中自我欣赏的自我认识"。根据J.哈贝马斯的看法,欧洲的现代性发生于中世纪宗教和形而上学的旧有世界观的崩溃,是一个M.韦伯所谓"理性化"的过程——以天赋而自足的理性为普遍依据和价值准则,旧有世界观(宗教和形而上学)逐渐分化为三个自主的领域:即科学、道德和艺术,并在18世纪启蒙主义那里获得较完善的知识形态,成为一个"包括发展客观的科学,普遍的道德和法律,具备内在逻辑的自主性的艺术"的理论"计划"(project)②。当然,在这一"计划"中,最重要的特征在于须在人类活动的不同领域统统贯彻基于理性自觉的主体的自由。为了实现这一目标,正如中国学者汪晖所描述的,"在社会领域,需要建立由法律保障的追求自己利益的合理空间;在个人领域,需要建立伦理的主体以促成道德的自我实现;在公共领域,则需要建立能够自由表示个人意见的公共文化机制,以监督社会和政治权力;在政治领域,则需要建立人参与实现政治意志形成过程的平等权利;在国际关系中,则有现代民族国家的主权的确立;在艺术领域,则有艺术的自主性的实现,等等。"③在这些以实现主体的自由或人的解放为特征的现代方案内部,并非处处协调一致,而是充满了矛盾和紧张,"尤其体现于资本主义的政治经济的世俗化过程与文学艺术对这个过程的尖锐批判之间"。这也就是哈贝马斯所说的两种现代性,即文化的现代性和美学的现代性。借用汪晖的说法,如果说前者表现了人们对于进步的信仰、对于科学技术的信心、对于市场机制和行政机构的信任、对于理性力量和主体自由的崇拜,那么后者却具有强烈的反资本主义世俗化的倾向,这不仅在19世纪末到20世纪的现代主义文学和艺术中,而且在早于它的19世纪欧洲浪漫主义和现实主义文学和艺术中,皆有非常突出的表现。甚至可以说,几乎伴随资本主义发展全过程的谋求改造和取代资本主义的社会主义运动,其精神与这种美学的现代性不无联系。

刚才说过,现代或现代性是伴随资本主义的发生而发生的,又伴随资本主义的扩张向全世界传播和扩散。到底是什么原因促使它这样做?是资本的意志?是投机冒险心理?还是清教徒的天国使命?这且不去管它,反正与现代的性格有关。不过,当这种扩张越出了欧洲的疆域,现代的福祉性格却发生了变化:对于欧洲是自我解放和自我实现、代表着理性的胜利和进步的"现代",对于包括东洋在内的广大非欧洲地区却成为一种灾难。这不只是因为它最初采取了殖民主义的可耻和野蛮的形式,更深刻的原因在于,它从19世纪中叶起,在广大非欧洲地区引发了一系列持续的文化主体性危机,无论中国的天朝体制还是印度的亚细亚方式,都不能再作为人类学意义上的文化独立自主地存在,只能作为西方文化的从属文化而存在,这种情况至今仍在第三世界延续着。为什么现代的福祉性格会发生变化？为什么现代的统治不但未能促成类似西方的成果,反而导致葛兰西(Gramsci)所谓"臣属"(subalternity)现象的出现,即所谓"在专制的情况下必然从结构上发展的智力卑下和顺从遵守的习惯和品质,尤其存在于受到殖民化的经验之中",第三世界因此丧失文化创造和文化生产的能力。美国的马克思主义批评家 F. 詹姆逊把原因归结于"文化帝国主义"的"文化政治学"中,认为对于第一世界和第三世界的不同现代性,"黑格尔对奴隶和奴隶主的关系所作的熟悉的分析,仍然是区别两种文化逻辑的最有效和最戏剧化的分析",而第三世界的现代文化只有在"与第一世界文化帝国主义的生死搏斗中"才能生存和发展。④这可能很有道理,如果仅仅把其"搏斗"的性质当作隐喻来理解的话。但若我们立足于非欧洲的第三世界立场,对此问题是否能够提供一种不同于欧美第一世界之自我批判良知的思路或答案呢？

　　当现代带着自我实现的意志来到东洋,理所当然地会遭遇到抵抗,呈现"后进文化"且战且退的尊严。这种抵抗自然既是时间的也是空间的,既是"古今之战"又是"东西之争",相争的结果自然是东洋的败北——或者换而言之,是东洋诸国陷入了持续的文化主体性危机之中,其文化身份的认同出现了问题——而败北后的东洋自然不可避免地卷入"现代"的漩涡之中,如何重建新的文化主体、确立新的文化自我成为需要面对的问题。日本以其一贯的耿直和急性子,直截了当地从意识到制度、生产方式等方面开始其"脱亚入欧"的历程,并由于勤奋的优等生的文化性格和注重模仿的文化应变机制,在东洋各国率先完成了向现代的"转向"。据竹内好的意见,这种现代的"转向"是一种向外的、无媒介的、未经文化主体的自我否定和深刻抵抗的"奴隶"性的表现,因而日本的现代文化不是生产性的,不能体现文化自我的主权。也就是说,它不仅未曾摆脱对于欧洲的"臣属",反而欣然傲然于"优越感和劣等感并存这种缺乏主体性的奴隶感情"中。而中国的"现代"之路则相对要艰难和复杂得多,由于长期处于东洋的中心并曾在文化上发挥一种支配性的影响,其基于强烈的主权性格而产生的文化抵抗以及这种抵抗之强烈和持久的程度,在"现代"的东渐过程中、在欧洲与非欧洲文化的交通史上都极为少见,以至于需要花费几代人的时间和生命,在不断的挫折和不断的革命中完成对于传统的破坏和扬弃。竹内好是带着肯定的意向谈论中国的这种"抵抗"的。在他看来，真正的东洋的现代只能产生于进行抵抗的文化之中，甚至如义和团这样的野蛮运动的意义也不可低估。中国的不同"现代"方案诸如洋务派的"中体西用"、改良派的变法维新、革命派的共和制乃至后来的共产主义革命因此都带上了一种光辉，尤其是文化上的受挫和抵抗更具有了与众不同的意义。由此竹内好提到了鲁迅，在他看来"回心型"响应"现代"的中国方式的代表。

所谓"回心"，在汉语中并无确切的对应词，竹内好是把它作为"转向"的反义词来理解和应用的："转向"既然代表面临文化挑战时一种结构性的适应机制，一种外在指向的、毋须内在的自我"抵抗"的成为"现代"的方法；"回心"则指面临文化转变挑战时一种内在响应的方式，一种不断以抵抗为媒介而导致的文化自我的更新。竹内好基于批判的立场反省日本的"现代化"经验，认为日本的文化自我未曾以主体的姿态介入"现代"进程，而只是简单地把现代视为"被给予之物"而不断地弃旧取新，从而陷入了喜新厌旧的循环之中。竹内好以为，在这种情形中日本作为文化主体并未与"现代"发生真正的关系，因而也就无法借助西洋文化的冲击而形成自己的历史。但鲁迅及以鲁迅为代表的中国则不然，鲁迅式回应的最可贵之处在于代表了东洋进入世界现代史的主体的真实性。在竹内好看来，既然东洋的"现代"是后发的，那么鲁迅的"挣扎"——对于自身主体的一种否定性的固守与再造，一种主体进入而又扬弃异质文化和自我的精神革命的过程——其丰富的感受性和内在的"抵抗"就必然导致一种真正的东洋的"近代"的发生，从而铸造出真正属于自己的历史，一种伴随着深刻的精神变革内容而非简单的外在"转向"的现代史。

我要指出的是，无论是竹内好的强调在文化上反抗西方的"鲁迅论"，还是F.詹姆逊《处于跨国资本主义时代的第三世界文学》中作为第三世界文化代表的"鲁迅论"，鲁迅的意义都被不同程度地误解了。就是说，以鲁迅为代表的"五四"启蒙主义性质的文化生产的意义被编织到一种民族主义的文化反抗逻辑中去理解，从而受到了歪曲。就竹内好的理解而言，其在欧洲与东洋的对比中基于文化本位反省现代性的视角极易掩盖一些真正的问题。我们知道，鲁迅的方向、鲁迅式的文化生产隐含着近代以来中国和西方文化交往的历史性进步,即中国人对于西方现代文明从"船坚炮利"的物质层面到"商贾国会"的制度层面再到思想文化的意识层面之层层递进的认识,其思考完全是在诸如国际化、适者生存、进步、民族国家、科学、理性、文明等一系列西欧优越的概念中展开的,这其实也就是"现代"的展开。从文化主权的角度看,虽然接受这些价值不免于"臣属"的尴尬,但实际上它并非一个单纯的价值或权力问题,而在很大程度上涵盖着中国社会和文化进步的事实,因此才有"五四"时期的"全盘性反传统主义"的合理性。在鲁迅等人看来,"国粹"及其所体现的涉及身份认证的文化主体性,如果无涉于甚至有碍于人的生存、温饱和发展的话,其值得保存、捍卫的理由则是不充分的。也就是说,在他们的"现代"思路中,为国粹主义所重的文化身份认证问题并非最重要的,比它更重要的是人的生存、温饱和发展问题;是否抛弃传统并不重要,重要的是这种抛弃肯定了什么价值。众所周知,鲁迅在日本留学时期也曾从古洋两个方向寻找重建现代中华主体性的资源,像其用周秦古文译《域外小说集》,从异域"窃火"给中国可谓其形象的例证,但在"五四"时期乃至30年代,却一直孜孜于对传统之不遗余力的批判,极力抨击其排外的蛮性和媚外的奴性。鲁迅宁愿作一个文化战士,但把手中"抵抗"的投枪却更多指向了"国粹"而非外来现代文化——鲁迅文化生产的原则完全不是民族主义,而是超越乃至反民族主义的;不是为文化而文化的文化本位主义,而是为人的发展而文化的"人本"立场。实际上,其关于文化主体性建构的方案早为人所熟知,这就是"拿来主义",也是现代中国文学的主体性建构原则。

那么,这种主张全面学习西方的"拿来主义"是否会因接受西方思想、文化、制度而导致对于西方的"臣属"呢?或者如近来流行思想所称,由于西方知识存在一种"殖民"体制而导致其丧失本民族的文化生产能力呢?我想,以鲁迅为代表的现代中国文学不至于支持这一论断,而是恰恰相反,表明只有全面掌握和广泛接受"西方"的现代文化,第三世界才能真正掌握自己的命运,才能抵抗剥夺本土文化主体性的殖民化。为什么面向西方的开放不一定必然导致本土文化的"臣属",反倒可能促生真正的民族文化主体性呢?我想其中涉及文化或知识主权的确立原则及如何转移的问题。

我认为,在现代或现代性的世界化——"西学东渐"的过程中,所谓"文化的殖民体制"或"知识的殖民体制"的存在并非必然。第三世界是否会丧失文化生产的能力,现代性理论是否会成为西方征服世界的意识形态,世界能否为它所征服,这些问题主要取决于第三世界自身是否具备回应、转化和反控制的资源和能力。据我所知,文化主权的确立与近代知识主体的生成有关,而目前能够促使第三世界产生这种能力的资源仍存在于第一世界所生产的知识和文化中,倘若过于强调"现代"之属于西方地缘政治的那部分特征,并不利于非欧洲国家自己的进步。在我看来,知识或文化的主权不同于民族国家的主权,前者诉诸普遍性而后者往往为利益的诉求,前者为观念的而后者关涉实在的人,所以谁占有或掌握了它,谁就具有了运用它、支配它或让它为自己服务的权力。由于对其中道理未作深究,我无法就其中的知识——权力机制作精微的分析,只想举例说明一下。一个例子是翻译,知识从本原语言进入译体语言,其意义不可避免地要随新的语言的历史环境变化,在一定条件下被挪用,这时,其本有的知识——权力关系已被使用者所重构,而原有知识的主体性也随之转移到了译体语言的使用者那里。另一个例子是现代化的日本方式,即竹内好所谓"转向"的问题。就文化主体性的建构而言,回应"现代"到底是"回心型"好还是"转向型"好,其优劣诚然值得一辩,但即使在不加抵抗地进行一丝不苟的虚心学习、模仿的"转向型"现代化方式中,主体性的丧失似乎也是杞人忧天——当源于西方的现代之思想、文化、制度在日本生根,"现代"实践所内涵的价值及其权力也就随之发生了转移,我想今天没有人会认为日本较之西方是个缺乏文化主体性的国家吧。道理大概在于,当"现代"呈排山倒海之势而来,而你并未具备主体地进行文化"抵抗"的实力和意愿,在此时唤醒响应巨变的民族文化的应急机制——通过虚心的学习、认真的移植顺应这一变化——就不能说是一种坏的选择。也许我们更应关心"转向型"甚至"殖民化"的现代化方式之通过学习和模仿如何逐渐养成其文化创造性的问题。秘诀当然在于现代的普遍性和传统的本土性的结合,只有先成为"现代的",才能再考虑怎样才是"自己的现代"的问题。其实"转向型"的回应"现代"方式并非仅限于日本,即使在竹内好所谓"回心型"回应"现代"的中国,它也是非常重要的一种文化选择，也是非常强大的一种力量。在文学上，如果说鲁迅可称为"回心型"的响应"现代"的代表，那么郭沫若等创造社同人则可称为中国的"转向型"回应"现代"的代表，这是两种不同的文化精神，两者虽有深浅的差别，却并不涉及文化主权的得失问题。第三个例子是 20 世纪后半期的世界文学格局，当西方文学随现代扩散到世界各地，正如韩国文学批评家全炯俊所描述的，"非西洋地域国家之现代文学的形成，不论是移植西洋文学，还是采纳西洋文学，还是与西洋文学主体性的相互作用"，终于导致 20 世纪末世界文学的新格局，这就是"西洋文学的主导性减弱了，非西洋地域文学的地位向上，有时非西洋文学对于世界文学潮流起了主导的作用"⑤。为什么会这样？这难道不是因为非西洋国家自身的努力，通过虚心的学习而"青出于蓝而胜于蓝"，并证明了文化主权在学习中是可以转移的道理吗？其实例子还可以举出很多，譬如中国之接受马克思主义，韩国朝鲜时代之接受儒家伦理学，乃至现代中国文学之向西方文学学习，恐怕都很难说从这些外来思想或文学中接受了什么"殖民体制"。

　　历史地看，东洋的现代或现代性之路是多元的：中国大陆的"回心型"、日本的"转向型"、韩国和台湾的"反殖民统治型"、香港的"殖民化的现代化"，分别植根于各自的历史和文化，各有其特征，这些内容正好构成了东洋现代性的丰富性，轻言哪一种方式的优劣是我所不能接受的，重要的是应着眼于自身的历史和现实。在当今的所有现实中，也许最躲不开的现实就是咄咄逼人的全球化问题。很多人常常误解，以为全球化只是在冷战结束后才出现，才成为值得重视的问题。其实它早在"现代"跨越欧洲疆域向其他地区挺进之时就开始了，当今世界经济的一体化既隐含着资本的意志，也受惠于现代进程中不同文化、不同价值、不同民族生活的交汇融合。只有在基本价值趋同的条件下，不同文化才能真正分享相互的差异和获致其主体的利益和尊严。当今的世界正处于一个迫切需要交流和沟通的时代，对于中国而言，"现代"的完成类似一种文化自尊与生命动力之间的跷跷板游戏，能否自主地"拿来"始终更取决于勇气和力量而非面子和智慧。当然，也曾有过以隔绝代替交流的特殊年代，像中国六七十年代由毛泽东思想主导的"文化大革命"，局限于主人——奴隶的逻辑思考东西方诸关系，单纯强调第三世界的"反抗"为克服"现代"之压迫的方法,此举在为千万人带来尊严的同时,却丧失了解决交流、沟通乃至发展问题的基本能力。因此,经由几乎是无政府式的尊严展示后,最终还是得回到"五四"模塑的文化基础和发展方向上进行未竟的事业,以争取一种在广泛的交流和沟通基础上形成的平等、互重的文化创造空间——"拿来主义",这也正是全球化时代文化生产的一般条件。只有在这样的国际文化关系中,才可指望哈贝马斯所谓"相互主体性"的文化进步格局的形成。最后,我想以鲁迅《拿来主义》中的那段名言结束这篇言不及义的"中国现代论"。那时的语境宛如当今,文化创造仍由中西古今的大坐标构成基本条件,涉及传统、创造、现代人及其活动的对话性等内容。其文曰:

> 总之,我们要拿来。我们要或使用,或存放,或毁灭。那么,主人是新主人,宅子也就会成为新宅子。然而首先要这人沉着,勇猛,有辨别,不自私。没有拿来的,人不能自成为新人,没有拿来的,文艺不能自成为新文艺。⑥

注释:
① 竹内好《中国的近代日本的近代——以鲁迅为线索》,见《现代中国论》,河出书房1951年9月版,友人申正浩提供译文。
② J.哈贝马斯《现代性:一个未完成的计划》,见王岳川、尚水编《后现代主义文化与美学》,北京大学出版社1992年2月版。
③ 汪晖《我们是如何成为"现代"的》,见《中国现代文学研究丛刊》1996年第1期。
④ F.詹姆逊《处于跨国资本主义时代的第三世界文学》(张京媛译),《当代电影》1989年第4期。
⑤ 全炯俊《"20世纪中国文学论"批判》,见韩国《中国现代文学》1996年第11期。
⑥《拿来主义》,《鲁迅全集》第6卷第40页,人民文学出版社1981年版。

1996年12月写于Seoul湖岩会馆
1999年7月10日改毕于磨砖居

原载《鲁迅研究月刊》2000年第7期

杨春时

文学的现代性与中国现代文学

我和宋剑华的《论 20 世纪中国文学的近代性》一文,引发了一场关于 20 世纪中国文学的性质的讨论。这场讨论的核心是文学的现代性问题,因为现代性是判断现代文学的根本标准。对于文学的现代性问题,国内学术界至今没有展开充分的讨论,这种理论上的缺失使对 20 世纪中国文学性质的判断失去准的。综观近来发表的与我们商榷的文章,由于没有弄清文学的现代性,造成了争论的盲目性。在这种情况下,我们必须首先探讨文学的现代性问题,然后才能科学地判定 20 世纪中国文学的性质和划定中国文学史的现代分期。

在考察文学的现代性之前,应该先考察作为一般概念的现代性,而在此之前我们先对通行的近代与现代概念加以考察。在《论 20 世纪中国文学的近代性》一文中,我们使用了近代概念,用以说明 20 世纪中国文学的前现代性。但近代概念并不是世界公认的,它是苏联的史学概念。英文中没有近代与现代之分,modern 一词指 16 世纪以来的欧洲历史。西方历史分期为古代、中世纪、现代,modern 就指这个"现代"。中文有时译作现代(指十月革命以后),有时译作"近代"(指文艺复兴至十月革命期间),这并不符合本意,而是按照苏联历史分期的曲解。苏联历史学认为,十月革命开辟了人类历史的新纪元,因此把十月革命以后的历史称为现代,俄文为 новейшее время,意为最新时代;而把文艺复兴至十月革命前的历史称作近代,俄文为 новое время,意为新时代。显然,近代与现代之分,是依据一种意识形态标准,而不是依据历史发展水平。中国解放以后,沿用了苏联的历史分期,以"五四"运动为界,划分近代与现代,因为"五四"运动被看作是十月革命在中国的反响,它开辟了中国新民主主义革命的历史新阶段。这样,鸦片战争至"五四"运动前为中国近代史,"五四"运动以后为中国现代史。显然,这种历史分期也依据意识形态标准,而不是依据历史发展水平。历史分期应依据以生产力为基础的社会发展总体水平,而不能仅仅依据政治革命标准。对文学而言,这种历史分期更不合理。中国文学史分期也以"五四"运动为界,把鸦片战争至"五四"运动前划入近代文学史,把"五四"运动以后划为现代文学史。这种历史分期的荒谬性是显而易见的,它不是依据文学发展的历史水平,而是以政治革命史代替文学史,因而不符合中国文学的实际。考虑到近代概念本身的不合理性,我们可以不使用这个概念,而采用世界通行的现代概念,用以判断20世纪中国文学的性质。

我们先探讨一般意义上的现代性。现代性与现代化概念相关。现代化是一个社会学概念,它指对传统社会的根本变革,包括发达的市场经济和工业化,政治的民主化以及相应的文化变革。现代性则是一个哲学性的概念,它指一种不同于古典时代的新的生活方式,它被一种理性精神所支配。这种现代理性包括工具理性(科学)和人文理性(自我价值)。这就是说,理性精神成为现代性的核心。这种理性精神引导欧洲走出古典时代,进入现代社会。可以说,理性精神的统治是现代社会的标志。

现代性是一种理性精神,这是否意味着文学的现代性也是一种理性精神呢?并非如此,而且恰恰相反。文学的现代性不是对现代性即理性的认同、肯定,而是对现代性即理性的超越、否定,这是由文学的性质决定的。文学虽然离不开社会现实,并且与一般文化相联系,但文学不是现实的反映、复制,不是一般文化的等价物,它的性质不是由它们决定的。文学有两个基本层面:一个是现实层面,在这个领域文学受制于社会、文化;一个是超现实的审美层面,在这个领域文学以其审美意义超越社会、文化,文学成为社会、文化的异质因素,它以自由的名义批判现实。审美层面是文学的最高层次,因此审美意义是文学的本质。这就是说,当社会、文化获得了现代性之后,文学并不肯定这种历史进程,它在现代化过程中洞察了人性的异化,自由的丧失,因而它反抗理性的统治,批判现代化和现代性。通过这种对理性的批判,文学捍卫了人的自由,并为人揭示了生存的真义。只有当文学达到这种历史水准时,它才获得了文学的现代性,才属于现代文学的范畴。历来许多论者没有区别开社会现代性与文学的现代性,把理性精神当作现代文学的标志,从而造成对文学史判断的失误。

正因为文学的现代性与社会的现代性之间的不一致性,现代文学史与社会现代史之间并不同步。社会现代史意味着对理性精神的肯定,而文学的现代史则意味着对理性精神的否定,后者要比前者来得晚一些。并不是现代史一开始,文学就获得了现代性,就开始了现代文学史。只有当现代社会走向成熟,理性的弊病充分暴露,才发展了其否定力量,这就是现代文学。欧洲从16世纪就开始进入现代史,但现代文学史并不是从16世纪开始,因为此时文学尚未获得现代性。文艺复兴时期文学并没有批判理性和现代化,而是在呼唤理性和现代化,它以人文理性反抗宗教蒙昧。17世纪古典主义文学更是尊崇理性,把社会责任提到至高无上的地位。启蒙文学以自由作为人的理性本质。19世纪浪漫主义、现实主义文学开始批判现代化带来的弊病,以人道主义来反抗社会对人的压抑。这就是说19世纪文学并没有否定理性,反而借助理性(人道主义)来救治社会弊病,对现代化的批判并没有导致对理性的信念的丧失。只是从20世纪开始,特别是一次大战以后,现代资本主义的弊端才充分显露,理性对人的桎梏变得不能忍受,才出现了非理性的现代主义思潮。现代主义控诉资本主义现代化带来的异化,反抗理性对人的摧残,表达对生存意义遗失的迷惘、恐惧和荒诞感。现代主义文学从内容到形式都非理性化了,它标志着文学现代性的确立。这就是说,从世界范围看,现代文学史不是从16世纪开始,而是从20世纪开始。文艺复兴至19世纪的文学还不是真正的现代文学,只是由古典到现代的过渡阶段。

现代文学或文学的现代性除了非理性这一根本特征外,还有其他一些派生的特征。

第一,文学独立。古典时代文学依附于意识形态(在欧洲是宗教,在中国是礼教),未获独立,文学充当一种教化工具,审美本质未充分实现。现代文学摆脱意识形态控制(当然不是说不受意识形态影响),甩掉了社会功利主义的重负,独立地承担起审美批判的职能,成为现代人领悟生存意义的手段。这意味着文学的审美本质获得充分实现。另一方面,由于市场经济的发展,俗文学的消遣娱乐功能充分发挥,它从另一个角度瓦解了意识形态对文学的控制。19世纪末和20世纪初产生的唯美主义、表现主义首先抛弃了理性主义,以后新小说、荒诞派、存在主义文学等进一步非理性化,文学与正统意识形态发生对抗,成为独立的批判武器,也成为现代人超越现实、实现精神自由的特殊生存方式。

第二,反传统。古典文学带有保守性,形成了经典规范。现代文学则以反传统、打破规范为宗旨,这是现代文学的非理性所致。古典文学的理性内容和形式规范都被打破,现代文学形成了全新的叙事方式,意识流、心理时空、内心独白、多元叙事等使文学的面目全非。而且,现代主义并没有把新的模式固定化,它不断形成新的流派,不断自我否定,传统不断被否定。

第三,世界文学。古典文学带有封闭性,未形成世界文学体系。现代文学打破民族文学界限,各民族文学充分交流、融合,形成了统一的文学思潮和世界文学体系。文艺复兴至19世纪末,文学的世界化已经开始,在欧洲形成了统一的文学思潮。但这种世界化并不充分,它还只限于欧洲。只是到了20世纪,才扩展到欧洲以外的国家,真正的世界文学才逐渐形成。20世纪世界文学形成了同步发展的趋势,欧美文学与发展中国家文学的历史差距正在缩小,逐步趋向于形成统一的文学思潮。这个趋势还在继续。

第四,文学主体的现代化并形成雅文学与俗文学的分流。古典文学的主体是传统知识阶层(欧洲的贵族,中国的士大夫)和民间群众,由此形成了古典雅文学和民间文学。现代社会产生了城市知识分子和市民大众,他们成为现代文学的主体,由此也形成了现代雅文学与俗文学各自分流、发展。雅文学充分发展文学的审美价值,满足知识分子的超越性追求,走向高雅、精致化。俗文学以其消遣娱乐性适应市场经济,满足市民大众的休闲需求,走向通俗化、趣味化。同时,俗文学摆脱卑微地位,成为文学的主体部分。

以上是对文学的现代性和现代文学的特征的考察。据此,我们可以对20世纪中国文学史进行考察。

首先遇到的问题是中国现代史发端问题。如果抛弃苏联的近代、现代分期,而采用世界公认的古代、现代(中国无中世纪,故用二分法)分期,那么就应该把鸦片战争作为中国现代史的开端。中国的古代社会是被外来力量打破的,这与欧洲文艺复兴借助古希腊、罗马文化传统不同。鸦片战争打破了封闭的封建中国,强行引进西方文化,把中国纳入世界史进程。鸦片战争后,中国由不自觉到自觉地开始了现代化进程,洋务运动、戊戌变法和辛亥革命、"五四"新文化运动,从经济到政治到文化,取法西方,全面进行了现代化的实验。由于中国传统文化中缺乏现代性的萌芽,现代化只能借助西方文化。鸦片战争以来,西方现代理性精神("五四"时期归纳为科学与民主)成为中国现代化的基本动力。因此,鸦片战争就成为中国现代史的开端。

这是否意味着中国现代文学史也从鸦片战争开端,从而20世纪中国文学也就成为现代文学史了呢?当然不是这样,因为这一阶段文学并没有获得现代性。我们已经证明,文学的现代性以对理性的批判为前提,而整个20世纪中国文学的主流并没有批判现代理性,反而受理性支配。这表明,20世纪中国文学具有前现代性质,它还不能算作现代文学史,而只是由古典到现代的过渡阶段。

19世纪末至20世纪初,传统文学走向衰落,一些文学思想家企图借鉴和吸收西方文学思潮和文学思想,实现中国文学的现代化。于是就发动了"三大革命",即诗界革命、文界革命和小说界革命。由于当时对西方文学所知不多,介绍既少,对传统理性没有加以批判,所以这种汇通中西文学的现代化努力没有成功。中西文学初次对话努力的失败,导致"五四"运动对传统文学的全面反叛和全盘西化。

"五四"文学革命激烈反对古典文学传统,全面输入欧洲文学思潮,以期完成中国文学的现代化。但是,这场文学革命是在科学、民主的旗帜下进行的,也就是说在理性的旗帜下进行的,它呼唤、宣传理性精神,批判迷信和专制,而没有批判、反抗理性,因为当时理性还是救国救民的神圣之物。从文学自身看,它以人道主义为旗帜,引进欧洲19世纪的浪漫主义、现实主义思潮,反对中国文学的古典主义传统。浪漫主义、现实主义还不是现代文学思潮,它们未摆脱理性精神。"五四"文学对欧洲20世纪的现代主义未予重视,它的非理性倾向使"五四"文学难于接受。这表明,"五四"文学尚未获得现代性,还不能算作现代文学史的开端。

"五四"以后,中国文学发展方向发生根本性转变,它由西化转向苏化,即抛弃了西方人文理性和浪漫主义、现实主义思潮,引进苏联政治理性和"社会主义现实主义"(即新古典主义)思潮。由"革命文学"发端,到"左翼文学"、"抗战文学"和建国以后的文学,直至"文革"文学,中国文学受到政治理性的强力支配,阶级性、意识形态性成为文学的本质,"文艺从属于政治"、"文艺为政治服务"乃至"文艺是无产阶级专政的工具"等成为不可怀疑的信条。"文革"中产生的"样板戏"以其突出的理性化模式,使古典主义借尸还魂。

新时期文学开始批判苏联政治理性主义,恢复"五四"时期的人文理性,人性、人道主义、主体性成为文学的灵魂,而"五四"的现实主义传统得到恢复,新古典主义被否定。尽管结束了政治理性主义的统治,但新时期文学仍未获得现代性,因为它仍然受制于人文理性,文学为人道主义欢呼,它并没有批判、反抗理性精神。与"五四"文学相似,新时期人文理性作为中国现代化的动力,具有无可怀疑的进步性、神圣性,历史还没有把对它的批判提到日程上来。

"五四"以后,也曾出现过现代主义文学流派,主要是三十年代的现代派和新时期的先锋文学,但它们从来没有成为文学主潮,三十年代现代主义在抗战中被主流"现实主义"(苏联社会主义现实主义的变体)融化掉,而新时期现代主义不成熟,也无法与主流现实主义相抗衡。这表明非理性并没有成为决定 20 世纪中国文学的主导倾向。

同样,20 世纪中国文学也不具备现代文学的其他一些特征,如文学独立、反传统、世界文学以及现代文学主体等。

文学独立曾经是"五四"文学的口号。"五四"文学反对文以载道的传统文学观,主张文学独立,但它并没有彻底实践这一主张,因为它反对的是封建之道,而不反对并且主张文学载启蒙之道,不管创造社的"为艺术而艺术"还是文学研究会的"为人生的艺术",实际上都是在人道主义指导下,以文学为启蒙武器,为救国新民而奋斗。"五四"文学并没有真正抛弃社会功利主义,它与欧洲唯美主义的"为艺术而艺术"本质上不同。因此,才有"五四"以后文学的政治理性化转变。

"五四"以后,苏联的政治功利主义文学观支配了文坛,文学载上了政治之道,成为革命宣传的工具,文学独立的思想受到批判,"文艺从属于政治"、"文艺为政治服务"的信条得到普遍承认。这种趋势一直延续到"文革"结束。

新时期文学批判了"从属论",文学获得了较大的独立性。新时期文学从狭隘的政治功利主义下解放出来,但它并没有真正走向独立,因为它还没有摆脱直接的社会功利目的,它还没有更多地关注超越现实的生存意义问题。总之,20世纪中国文学还是功利主义支配下的文学,建设现代民族国家的历史任务迫使文学充当了它的工具。

反传统是"五四"文学的特色,但它并不彻底。"五四"文学反对古典主义,但它借助的工具是欧洲19世纪浪漫主义、现实主义,而且主要是现实主义。浪漫主义、现实主义虽然超越古典主义,但它们未摆脱理性倾向,因而不能彻底反叛古典主义。尤其现实主义与古典主义同源于古希腊、罗马传统,文学模式一脉相传。作为源于希伯来传统的浪漫主义未成为"五四"文学的主流,以后也未得到延续发展。这就导致对古典主义传统反叛不彻底。尤其是现代主义没有在"五四"文学中得到发展,只有现代主义的非理性倾向才能彻底冲击古典主义的理性化传统,现代主义的弱小造成了对古典主义批判不力,才有"五四"以后新古典主义的兴起,古典传统的死灰复燃。这种向传统的回归,在"文革"中达到极点,"样板戏"创作经验,"三突出"原则,成为古典主义模式的拙劣翻版,而且更陈腐、更僵化。

新时期文学批判新古典主义,开始向现代文学转型,但主流仍是现实主义,现代主义仍为支流。先锋文学反传统的试验虽然取得了一些成果,但并未成为普遍潮流。

综观20世纪中国文学,虽然已经向西方文学撷取了新的思想和形式,使中国文学偏离古典传统,面貌发生了很大变化,但总体上说,对传统的延续、继承多于对传统的变革、反叛。20世纪中国文学主流在一些基本方面与传统文学一脉相承,如社会化主题(关注社会问题而不是个体命运或个体生存体验)、理性化思想(道德或政治宣传)、理性化人物、传统叙事方式、大团圆结局等。这表明反传统尚未成为20世纪中国文学的主导倾向。

世界文学也是"五四"文学革命的口号。"五四"文学打破保守封闭的古典传统,向世界文学开放,引进欧洲文学思潮,反对文学上的华夏中心主义。但是,"五四"文学并未实现"充分世界化"(胡适语),因为它虽然主张全面西化,但引进的是欧洲19世纪文学思潮(浪漫主义、现实主义),而冷落了20世纪现代主义,这就造成了"五四"文学与世界文学的历史差距。"五四"以后,苏化代替西化,主流文学拒斥西方文学,仅向苏联文学开放,这种半封闭倾向持续到60年代,至"文革"中批判"封、资、修文艺",走向对世界文学的全面封闭,致使中国文学走向绝境。新时期文学恢复向世界开放,大量引进世界文学新思潮,但主要仍为现实主义,现代主义未成为主潮,这表明中国文学未与世界同步发展,它未完全融合于世界文学之中。

"五四"文学开始更换文学主体,传统的士大夫文学(贵族文学传统薄弱)让位于新兴的城市知识分子的文学。"五四"新文学反对贵族文学、士大夫文学,提倡平民文学,主要是城市知识分子的雅文学。而对新兴的商品化的俗文学,"五四"文学采取了排斥态度,这意味着大众没有成为俗文学的主体。这种倾向一直延续到以后(如对鸳鸯蝴蝶派、礼拜六派的排斥)。"革命文学"以后,普罗文学、大众文学、工农兵文学取代平民文学,工农大众取代城市知识分子成为文学主体,但是,工农大众只是作为文学的教化对象而非真正的文学主体。这种文学既非雅文学,因为它以大众化、通俗化为宗旨;也非俗文学,因为它排斥商品化的俗文学。雅文学的审美品格和俗文学的消遣娱乐性都被排斥,而只有政治教化特征得到承认。这意味着知识分子和市民大众都失去了文学主体的地位,也意味着20世纪中国文学在数十年中没有完成雅俗分流的现代化任务,反而对现代雅文学和俗文学加以排斥。

新时期文学恢复了雅文学传统,城市知识分子成为文学主体。但俗文学仍然未获充分发展,没有得到应有承认。只是在90年代,由于市场经济的发展,才产生了商品化的俗文学,它迅速发展起来,冲击着雅文学,从而开始了现代雅文学与俗文学的分流。但是,这种分化刚刚开始,雅文学和俗文学都不够成熟,文学界对这种分化还不适应,如不久前展开的关于"人文精神"的讨论,就表现出对俗文学兴起的抵触。

通过以上考察,我们可以得出以下几点结论:

第一,现在通行的近代文学与现代文学的分期是不合理的。近代与现代的区分,是苏联历史观的产物,近代文学与现代文学的区分,更不符合文学自身的历史实际。

第二,20世纪中国文学并没有获得现代性,它不属于现代文学史范畴,而只是由古典向现代过渡的阶段。

第三,现代主义是现代文学的标志。由于中国社会现代化的进展、现代主义的发展,21世纪将开始中国文学的现代史。

原载《学术月刊》1998年第5期

何言宏

突围与限禁

——"文革"后文学现代性话语的历史起源研究之一

90年代以来,随着后现代主义思潮的导入,中国的思想文化界出现了一种整体性地解构20世纪中国知识分子启蒙话语的思想倾向,"人道主义"这一启蒙主义的主导性话语也被宣布走向"终结"①。作为"文革"后文学的历史起源,"伤痕"、"反思"小说中的人道主义话语由于其特有的结构与功能,以及人道主义话语及其言说主体所处身的特殊的历史语境,使得它在20世纪中国人道主义的话语历史中,具有特殊的复杂性及历史意义,因此,重新研究它的话语结构及话语功能,并且在当下的语境之中重新检讨,无疑是一种必要的历史清理。

我认为,"新时期"之初的"伤痕"、"反思"小说中的人道主义话语,正是知识分子在巨大的历史灾变之后的新的历史时期又一次力图建构自身话语体系的顽强努力,是知识分子话语试图超越极"左"的甚至是"新时期"的政治意识形态话语的"话语突围",它既是对中国现代知识分子话语传统的历史性承续,也是"文革"后知识分子话语的最初源起,②因此,它才具有着不容忽视的历史意义以及不可避免的历史局限。

"人道伦理"的重建

虽然人道主义决不仅仅意指着伦理观念,但是伦理观念毕竟又是人道主义的重要内容,而且,作为一种伦理观的人道主义又是"新时期"之初的国家意识形态所曾谨慎承认的,③因此,我们在研究"伤痕"、"反思"小说人道主义的话语构成时,首先便要研究其所试图重建的"人道伦理"。这种重建工作主要表现为两个方面,它在对"以阶级斗争为纲"的极"左"的"革命伦理"践踏"人道"进行控诉与反思的同时,也对"革命伦理"的迫压之下艰难生长着的"人道伦理"进行了张扬与赞美。

"人道伦理"之实现与遭受伤害往往首先体现在最为基本的人际关系之中,一大批"伤痕"、"反思"小说均都表现了"革命伦理"对于人际关系的伤害,并且试图以"人道伦理"来取代"革命伦理"从而建立新的人际关系。冯骥才的《啊!》表现了"文化大革命"当中人人自危的人际环境及其对人的性格心理的扭曲,莫伸的《窗口》则从"服务业"这一"窗口"透视了"'四人帮'将社会风气败坏了的那段时期",并且通过对"韩玉楠"这一形象的塑造,表达了"生活在一个团结互助的社会环境中"的社会渴望。④在《窗口》之中,"韩玉楠"良好的服务态度却被极"左"的"革命伦理"指认为是"思想认识模糊,不敢反潮流"、"政治不挂帅,走白专道路"和"对革命特有的秩序就是觉得不舒服"。在这里,作家所试图建立的"人道伦理"显然是极"左"的"革命伦理"的对比性存在。而陈建功的《辘轳把胡同9号》,则相当真切地书写了"人道伦理"对于"革命伦理"的历史性转换,书写了"革命伦理"所曾建立的伦理秩序的解体过程。"文化大革命"时期,在旧社会苦大仇深的锅炉工韩德来以其雄厚的政治资本,奠定了他在辘轳把胡同这一市民社会中的核心地位:

> 一九六九年,烧锅炉的韩德来竟然到工宣队去了。再往后呢,居然成了什么"代表"啦。进了中南海,据说,还在里面睡了一宿,又吃过了宴会。那是没错儿的,报纸上清清楚楚印着大名哪。了得吗?9号院儿里的人们,不,整个辘轳把儿胡同的人们顿时刮目相看了。韩德来和毛主席握手回来那次,愣一天一宿没洗手啊,及至进了院门儿,扯开嗓门儿就喊:"我跟毛主席握过手啦!"惹得院里院外,男男女女,老老少少跑出来和他握手——谁不巴望着沾点子仙气儿啊?

正是因为韩德来所具有的革命身份,特别是革命领袖在他的身上所曾注入的"革命仙气",使得整个9号院儿、以至于整个辘轳把儿胡同都"以东屋住的韩德来为荣",从而在9号小院建立了以韩德来作为中心的充分体现了"工人阶级当家作主"的革命化的伦理秩序。而且,韩德来还从这一中心位置源源不断地发布着诸如"咱工人不到大学去整治整治,怎么得了!"之类的"革命"话语,而"干过'伪事儿'"的旗人赫家夫妇和蒙昧无知、老实巴交的王双清夫妇等人便只有"恭候其侧"、"从头到尾,只字不漏"地洗耳恭听的"份儿",甚至对其"革命话语"发出"敢情"这样的附和也是需要冯寡妇一样的"革命身份"的,赫家夫妇和王双清夫妇自然"不够这个'份儿'"。

但是,随着社会历史的变迁,这样一种"革命化"的伦理秩序终于走向了解体,韩德来这一伦理中心也终于落得了个"门庭冷落车马稀"的局面,高度紧张、突出政治的"革命伦理"也为讲究吃穿、看重金钱和注重个人才智训练的"人道伦理"所取代,围绕着赫老太的"麻豆腐"、二臭的"摩托车"和"牛仔裤"、王双清的价值连城的"瓷瓶"的"众声喧哗",以及原先的"臭老九"张春元的被人"左一个'张老师'、右一个'张老师'"的尊称,形成了新的话语格局,在辘轳把胡同9号这样一个公共空间之中,充满着一种其乐融融的世俗性的"人道"话语,韩德来所曾占据的一元性的"革命"话语的中心地位不可避免地遭到了解构。实际上,他在后来的几近于沦落街头的"倒票"行为正可视为他对专制性的"革命伦理"的病态的、而且极富象征性的终将失败的梦寻。

表现"革命伦理"与"血亲伦理"之间的伦理冲突,是"伤痕"、"反思"小说的一个基本叙事模式。"伤痕"、"反思"小说控诉了"革命伦理"对于最为基本的"人道伦理"的"血亲伦理"的无情摧残,而作为重建"人道伦理"的一个基本方面,它也真切书写了深挚动人的人间亲情,表现了"人道伦理"的觉醒与胜利,而这也正是"伤痕"、"反思"小说获得广泛社会反响极为重要的伦理及情感基础。最为著名的"伤痕"小说卢新华的《伤痕》中的晓华与"叛徒妈妈"的划清界限和最终忏悔自不必说,而史铁生的《奶奶的星星》,对此却有着更为集中的表现。小说以饱含深情的叙事语调抒写了我对奶奶的深切怀念,文本的叙事进程实际上就是表现"我"在处理自己与具有"地主"身份的奶奶之间这一血亲关系时所曾依持的"伦理"立场的历史演进。幼年时期的"我"由于自己的懵懂无知,也由于"革命话语"对于纯真的童心的无法污染,所以,"我"对奶奶的"地主"身份毫无知察,"世界给我的第一个可怕的印象",是与奶奶的分离。随着"我"的童蒙初开以及对于"革命话语"的初步领略,"革命伦理"开始逐步进入了"我"的伦理意识之中,从而也在"我"的身上产生了深刻的伦理困境,即是在"我"处理自己与奶奶之间的关系时,是基于"革命伦理"将其视为"地主"阶级而与之"划清界限"并对其表达"仇恨",还是基于"血亲伦理"而将其视为"亲人"?这样一种伦理困境,导致了"我"与奶奶之间出现的疏远和尴尬。然而,强大的"血亲伦理"和建立其上的深厚的祖孙之情,"我"所目睹的"革命"的残酷和奶奶宽厚绵久的仁爱之心,以及"我"之思想能力的不断增强,终于彻底颠覆了在"我"的伦理意识之中稍得其逞的"革命伦理"。在作品的最后,作家也发出了人类的浩荡前行"不是靠的恨,而是靠的爱"这样的人道呐喊。

在"文化大革命"时期,"恋爱婚姻也是一种政治行为"(孔捷生:《姻缘》),"革命伦理"对于"人道伦理"的迫压更加严重地表现为它对"婚恋"关系的全面渗透,完全"把情爱的私人性格消解在国家社会革命的公共性格之中"。⑤"伤痕"、"反思"小说不仅控诉和批判了这种渗透与消解及其所导致的"人道悲剧",同时也书写了"人道伦理"对于"革命伦理"的勇敢抗争以及大量的建立于"人道伦理"之上的婚姻与爱情,而它们,却正是"文化大革命"这样一个"墓场上的鲜花"(肖平:《墓场与鲜花》,从维熙:《大墙下的红玉兰》),那个严酷年代的罗曼蒂克。

"伤痕"、"反思"小说揭示出,极"左"的"革命伦理"往往将男女爱情指认为"资产阶级的香风臭气"而加以摧残(韩少功《西望茅草地》中"我"和"小雨"的爱情),⑥爱情与婚姻的建立、解体以及重组,"革命伦理"均都起着决定性作用。在以阶级阵营作为划分标准的社会身份体系中,任何一个个体一旦具有了"落后"或"反动"的政治身份(如叶蔚林《蓝蓝的木兰溪》中的"右派崽子"肖志君、祝兴义《抱玉岩》中的"反动学术权威"之子沈岩、卢新华《伤痕》中的"叛徒"之女晓华、特别是雨煤的《啊,人》中的具有"地主"身份的肖淑兰与罗顺昌等),其爱与被爱的权利便将被剥夺,而且,那些向他们奉献爱情的人们也将被逐出"革命队伍"(如《蓝蓝的木兰溪》中的赵双环和《伤痕》中的苏小林)。所以,一旦婚姻或爱情中的一方获得了"反动"的政治身份,"革命伦理"便将质疑这种婚恋的合法性,其解体与否往往也就决定于具有"革命"身份者的"革命"坚定性,取决于他是依照"革命伦理"还是"人道伦理"来处理他们的婚恋关系。若取"革命伦理",则便会出现因为"革命者"的勇敢"决裂"和"划清界限"而导致的家庭破裂(如韦君宜《洗礼》中的贾漪和戴厚英《人啊,人!》中的赵振环);而若取"人道伦理",忠于自己的婚姻与爱情,则仍将导致严重的婚恋惨剧(如陈国凯的《我应该怎么办》)。陆文夫《献身》中的卢一民与唐琳夫妇为了显示对"革命伦理"的遵从而不得不忍痛离婚,而鲁彦周《天云山传奇》里的宋薇,也在"革命"的压力之下断绝了与"右派分子"罗群的恋爱关系……表现"革命伦理"凌驾于作为"人道伦理"的"爱情"之上并且对其造成严重摧残的小说,莫过于郑义的《枫》。在《枫》之中,分属"造总兵团"和"井冈山派"的李红钢和丹枫,由于各自都认为自己坚持了"毛主席的革命路线",在武斗中展开了生死决斗从而演出了惊心动魄而又令人胆寒的悲壮一幕。

实际上,在这样一个地狱般的历史处境之中,"人道伦理"并没有彻底地沉默与消隐,相反地,它对"革命伦理"的反抗倒更显示出了它的照穿黑暗的光芒,在很多"伤痕"、"反思"小说之中,我们都能够充分感受到这样一种灿烂的人道之光。正是通过对于饱受"革命伦理"的无情摧残的"爱情故事"的"历史讲述",它们实现了"人道伦理"对于"革命伦理"的话语颠覆。

"人权话语"的声张

著名的人道主义思想家科利斯·拉蒙特和保罗·库尔兹均曾指出,人道主义作为一种哲学、一种世界观与价值论,除了意指着伦理观念之外,还有着自己的社会政治诉求,而这,又是通过对基本人权的捍卫得以实现的。⑦而"伤痕"、"反思"小说正是通过对于极"左"的"革命政治"的揭露与批判,通过对人的基本权利、特别是人的"生命权"和"自由权"这样两个核心权利的声张,表达了对于更加正义的"人道政治"的严重关切。

"伤痕"、"反思"小说充分显示了极"左"的"革命政治"对于基本人权的"侵犯机制",这种机制的本质在于,为了实现"社会主义革命"以至于"共产主义未来"这样两个根本的"革命目的",社会大众被简单地划分为两个基本阵营,一是具有"革命"身份的"革命"的承担主体以及符合"未来"需要的"革命者"或"革命人民",二是具有"反革命"身份的必须接受"改造"甚至"镇压"(即对"生命权"的剥夺)的"地、富、反、坏、右"等等。就后者而言,他们自然没有基本的"自由权",不能"乱说乱动";但即使是前者,也不都有"自由"的权利,"革命"的统一意志要求他们放弃自己独立的思想和言说(以及行动),一旦其个体行为逸出了基本的"革命"规范,"革命"身份便将被剥夺,其个体的"人权状况"也将更加严重。

极"左"的"革命政治"对于"生命权"的侵犯表现在以下几个方面:

一、对于那些具有"反革命"身份的人,其肉体生命的存在也是"卑贱"的和无可足惜的,以"革命"的名义,他们的肉身存在可以被随时剥夺,《洗礼》中的祁原、冯骥才《铺花的歧路》中常鸣的母亲、《大墙下的红玉兰》中的葛翎和《如意》中的"资本家"可以被具有"革命"身份的"造反派"及"革命小将"打、斗致死。"革命政治"以对人间暴行的"革命性"指认("革命暴力"),从而使对"人"的生命权利的严重侵犯获得了充分的合法性;

二、对于那些具有"革命"身份的"革命者"来说,"生命权"的遭受侵犯并不表现为对于肉体生命的强制性伤害或者消灭,而是表现为另外一种方式,即是将"革命者"的"生命意义"纳入到宏大的"革命目的"之中,"革命"是生命意义唯一的显现场所,"生命"变成了"革命"的"献祭"或"牺牲",郑义的《枫》和赵振开的《波动》中武斗的牺牲品们便是这种类型的集中代表。在某种意义上,他们生命权的遭受侵犯有着更加强烈的悲剧色彩;

三、"革命政治"对于生命欲求的严重压抑是其跨越"革命者"与"反革命"两个身份序列的普遍行为。不光是"反革命"的食、色之性遭受压抑(如《绿化树》和《男人的一半是女人》),即使是"革命人民",其食、色之性也遭严重忽视(如陆文夫的《美食家》)。"禁欲主义",正是"革命政治"侵犯"生命权利"的一个重要方面。宗璞的小说《三生石》典型地体现了"革命政治"对于"生命权利"的侵犯与漠视,在小说之中,"革命政治"不仅绝不饶恕身患癌症的"反动"人物梅菩提,而且将批斗搞到了病房,甚至阻止了可能的有效治疗。

"伤痕"、"反思"小说所揭露的极"左"的"革命政治"所侵犯的作为人权之核心的"自由权",主要是人的生活方式的自由、经济自由和言论自由。

对于生气勃勃、丰富多彩而又充满活力的世俗生活的肯定与赞美,是人道主义以及相应的人权意识的重要关切。在中世纪的西方,由于宗教对于人的现世生活的否定与漠视,人们往往将自己的幸福寄托于"天堂"与"来世"。因此,作为这种观念的对比性话语,西方人道主义所肯定的人的幸福实际上是由"天堂"与"来世"重返"现世"。⑧极"左"的"革命政治"却是将人的幸福寄托于遥远的"共产主义未来"并且以此否弃人的现世生活、剥夺人的生活方式上的选择自由与个性色彩,现世的"人"不再是目的,而是手段,是必须奉献于"远大理想"的"革命工具",个人生活方式也是充分"革命化"的"机械划一"的,所以,"伤痕"、"反思"小说中的"人道主义"话语是将人的幸福由"未来"转至"现世",它在批判与反思人的"革命化"生存的同时肯定与赞美人的生活方式的充分自由,它所反叛的,仍然是一种现代性的世界观与生活观,因此,正是在这个意义上,我们认为"伤痕"、"反思"小说中的"人道主义"话语对于极"左"的"革命政治"的批判,仍然是现代性内部的话语冲突。

作为人的俗世幸福的重要标志以及基本人权的重要方面,个人生活方式如对自我形象的关注(衣着、打扮等)和对自我欲望的满足(如吃用、居住等)等方面的自由,"伤痕"、"反思"小说对此作了肯定性的描写,讲究的衣着、刻意的妆扮甚至饕餮之相已经不再仅仅是"反面人物"的标志,一些"正面人物"也开始以上述形象出现,如张抗抗《夏》中朗的"游泳衣"、张弦《被爱情遗忘的角落》中荒妹的"毛衣"、陈建功《辘轳把胡同9号》中市民们的"吃食"、二臭的"牛仔裤"与"摩托车"、陆文夫《井》中徐丽莎的"花格呢的短大衣"、《美食家》中朱自治的"好食"、甘铁生《聚会》中的"吃喝"、刘心武《如意》中金绮纹对衣着、吃用的讲究均不再被作为"封建"或"资产阶级生活方式"进行贬斥,而是作为对物质贫困和思想"左"倾进行批判的对比性存在。但是,当时的一切都带有社会转型之初的"早春"特点。"伤痕"、"反思"小说对于人的生活方式的自由权利的肯定却又是有限的,西装革履、"涂脂抹粉"仍然难得"伤痕"、"反思"小说的充分肯定,像刘心武早期的《穿米黄色风衣的青年》、张笑天的《公开的内参》、董会平的《寻找》这样的作品仍然将"风衣"、"珍珠霜"、"花露水"和"长头发"、"牛仔裤"、"跳舞"等作为堕落、放荡和精神空虚的重要标志进行指责。实际上,卢新华的《伤痕》中不甚引人注意的场景便在描绘人的生活方式的"自由"意识的初步觉醒的同时,反映了当时的社会(自然也包括作家)对此"自由"的有限承认。时维"1978年的春天"。除夕之夜,晓华乘车返沪:

> 晓华将目光从窗前收回……转身从挂在窗口的旧挎包里,掏出了一个小方镜。她掉过头来,让面庞罩在车厢里淡白的灯光下,映在方方的小镜里。
> 这是一张方正、白嫩、丰腴的面庞:端正的鼻梁,小巧的嘴唇,各自嵌在自己适中的部位上,下巴颏微微向前突起;淡黑的眉毛下,是一对深潭般的眸子,那间或的一滚,便泛起道道微波的闪光。
> 她从来没有这样仔细地审视过自己青春美丽的容貌。可是,看着看着,她却发现镜子里自己黑黑的眼珠上滚过了点点泪光。她神经质地一下子将小镜抱贴在自己胸口,慌张地环顾身旁,见人们都在这雾气腾腾的车厢里酣睡着,并没有人注意到自己刚才的举动,这才轻轻地舒出一口气,将小镜子重新放回挎包中。

"白嫩、丰腴的面庞"、"端正的鼻梁,小巧的嘴唇"等容貌特征、特别是在众目睽睽之下公开场合的揽镜自赏显然均属"文化大革命"时期对于"资产阶级臭小姐"的形象修辞,而在这里,作家却作了充分的肯定。小说《伤痕》不光是表现了晓华对于"人道伦理"的重新发现("'妈妈'这两个字,对于她已是何等地陌生,却又唤起她对生活多么热切的期望!"),同时也表现了她对长期失落了的"自我"的重新发现——"她从来没有这样仔细地审视过自己青春美丽的容貌"。但在另一方面,这里的一切却又带有鲜明的"早春"气息。本来,她对自我容颜的关注甚至在车厢里的揽镜自赏,都是一种最为基本的生活自由,而她,却为此而感到深深地自责。在这里,"晓华"与"众人"显然是分别隐喻了"自由的、合乎人道的生活方式"与"革命化的、千篇一律的生活方式",而晓华的"觉醒"与"众人的酣睡"又喻示了前者历史性的萌动和前景以及后者威势的衰失。然而,那毕竟还只是"1978年的春天",一切都刚刚开始,人的生活方式的自由还极为有限,所以,才会有晓华对于尚有"余威"的、有可能代表了"革命化的、千篇一律的生活方式"的"众人"的"恐惧"。可以说,"伤痕"、"反思"小说肯定了人的生活方式的基本自由,批判了极"左"的"革命政治"对于此项权利的粗暴干涉,但是,由于社会生活以及作家本身的历史局限,其对这一方面的基本人权的声张却又是有限的。

"伤痕"、"反思"小说对"革命政治"对于人的经济自由这一基本权利的侵犯所作的批判,主要表现在按照80年代前后中国共产党较为开放的经济政策来控诉和"反思"极"左"的"革命政治"及其相关的经济政策。很多的"伤痕"、"反思"小说均揭示出,在极"左"的"革命"时期,人们应有的经济自由均被"革命政治"指认为"封建"的或"资产阶级"的"私"的范畴予以剥夺。王老大(锦云、王毅:《笨人王老大》)、陈奂生(高晓声:《"漏斗户主"》)、朱源达(陆文夫:《小贩世家》)、白素(李宽定:《小家碧玉》)、胡玉音(古华:《芙蓉镇》)等人物均因各自的经济活动而遭"革命政治"不同程度的"伤害"。但是,由于1980年前后的经济政策远难相比于90年代在所有制等方面的巨大突破,所以,"伤痕"、"反思"小说关于经济自由的思考显然也严重地受限于前者,它根本不可能在所有制方面进行深入的反思,其所声张的人的经济自由方面的权利,主要还局限于人的"小买小卖"等日常经济活动的范畴。但也正因如此,才更加显示出极"左"的"革命政治"对于人的经济自由之侵犯程度的彻底性与严重性。

陆文夫的《小贩世家》深刻地揭示了极"左"的"革命政治"剥夺人的经济自由的深远用心及客观后果。小说所讲述的主要是"小贩世家"的最后一代传人朱源达跨越三个历史时期的经历。1949年以前,"小贩"这种历史悠久的"私"的象征由其祖辈传至朱源达这里,这种生活的穷苦与艰难,显然是毫无疑问的,但是由于未被"织"入国家的体制之中,自然亦有相应的个人自由。1949年以后,他却仍然游离于体制之外,作为"资本主义的小贩深夜游转在街头"。这样,随着"左"倾状况的日趋严重,这种经济自由终于在"文化大革命"中被作为"资本主义黑窝"捣毁,"革命政治"终于成功地完成了对于仅有的一点经济自由的剥夺,而以"下放"的方式将朱源达"逼入"或整合进坚硬的体制之中(虽然,他不过是处于体制之中最为卑微的下层)。"革命政治"在朱源达这里所实施的,实际上正如小说所指出的,是对"各种各样的个人努力"的"打击"。任何一种"个人努力"(包括个人的经济努力),一旦未曾被"革命政治"所整合,其合法性都将丧失。"革命政治"剥夺个人的"作为任何其他自由前提的经济自由"⑨的深远用心以及后果,即如哈耶克所说的:"在我们的经济追求中受控制意味着……我们将在每一件事情上都受到控制",⑩我们的消费及私人生活的权利实际上都将受到那些"社会的代表们"⑪的全面控制,自然,这即是整个社会的个人自由在某种程度上的严重丧失。而这在小说中也有着明显的表现,如"革命政治"通过对于朱源达经济自由的剥夺,同时也剥夺了整个社会经济关系及私人交往的自由。朱源达的经济自由在被指认为"资本主义"之后,"老高"便不再愿意与其发生除了对其进行"革命教育"之外的任何关系;"我从来不向朱源达买东西,也不许爱人和孩子去,认为买他的东西便是用行动支持了自发的资本主义",而"自从反右以来,我和差不多的人都怕作私下往来,以免惹出点什么事,有口难辩"。显然,"革命政治"不仅剥夺了人的经济自由,而且也以此剥夺了经济自由所必然伴生的人的"交往"自由。

拉蒙特曾将言论自由以及相应的民主视为人道主义的"生命线"。⑫"伤痕"、"反思"小说揭露和批判了极"左"的"革命政治"对于作为首要的基本人权的言论自由的严重侵犯,从私人谈话(《墓场与鲜花》)以及私人通信(《啊!》)之中的政治谈论,到公开进行的政见表达(汪浙成、温小钰《土壤》中辛启明的政治异议)和政治抗议(张贤亮《吉普赛人》、史铁生《法学教授及其夫人》及李陀《愿你听到这支歌》中的"四五运动"、《大墙下的红玉兰》中葛翎的以红玉兰作为象征的政见表达),都是这种侵犯的明显体现。"以言获罪",特别是因为文学艺术创作而"获罪"是极"左"的"革命"时期的重要特点。所以,"伤痕"、"反思"小说对此问题的表现也更为突出。像宗璞《三生石》中的梅菩提、王蒙《布礼》中的钟亦成、冯骥才《斗寒图》中的沈卓石、戴厚英《诗人之死》中的余子期和《人啊,人!》中的何荆夫、张洁《从森林里来的孩子》中的梁启明和李陀《愿你听到这支歌》中的杨柳等人均因创作"获罪"。从史铁生的《法学教授及其夫人》,我们可以看出极"左"的"革命政治"对于言论自由的"致罪机制"。在解教授和陈谜夫妇的儿子因在"四五运动"中的言论被捕之后,他们之间曾有一段关于言论自由认真讨论:

>解教授气愤地来回踱步:"宪法规定,人民有言论自由!有集会、游行的自由!这样抓人是违法的!"
>
>陈谜坐在角落里:"哎呀哎呀,啧啧啧……可言论自由、集会和游行的自由只给人民,不给敌人呀,你不也是这么说嘛"。
>
>解教授一愣,马上说:"我们的儿子不是人民吗?"
>
>"可自从他在天安门自由言论了之后、自由集会了之后,人家就不承认他是人民了,还给不给他言论的自由、集会和游行的也就很难说了"。
>
>"什么?"解教授完全愣住了。
>
>"唉,这孩子真不听话!用自由的言论把言论的自由给弄丢了,要不自由言论,本来他就可以永远言论自由,也就还是人民。……"

这里存在着一个相当荒诞的"致罪机制",即言论自由的实现是以事实上的没有言论自由作为前提条件的,一旦言论超越了"革命政治"的限制,言说者便将丢失"人民"的身份从而"获罪"。很显然,小说对极"左"的"革命政治"在政治层面上的反思已经揭露了其中政治性的"人民"话语对于作为个体的"人"的自由的严重压迫,从而质疑了"人民"话语本身的合法性。

"话语突围"的"限禁"

"伤痕"、"反思"小说以人道主义话语对于极"左"的"革命政治"和"革命伦理"的批判使其获得了不同于"五四"时期人道主义话语的独特意义与内涵,也相当鲜明地体现了知识分子以此作为起点建立自身话语体系进行"话语突围"的"初步"意图;而且,在"新时期"以来知识分子的话语历程中,亦有不可替代的源起意义。但是,也正因为这种意图是"初步"的而不具有足够的自觉,所以,"伤痕"、"反思"小说的"话语突围"便表现出一定的局限:

一方面,就"讲述话语的年代"这个角度来看,由于"话语突围"发生于"新时期"之初这样一个客观的历史空间之中,当时仍然具有"革命"本质(虽然已经不同于极"左"的"革命"内涵)的意识形态环境要求这种企图"突围"的人道主义话语仍然应属"革命话语";另一方面,就作家主体而言,由于许多"伤痕"、"反思"小说作家特别是其中的中年作家(包括"右派作家")具有坚定的"革命认同",这样,便导致了"话语突围"的深度只能局限在有限的范围之内。无论是文本意蕴的实际性质,还是作家非虚构性的理论言说,⑬除了极为个别的作家作品之外,"伤痕"、"反思"小说主导性的人道主义话语仍然属于"革命人道主义"话语。这种人道主义话语的"革命性",主要表现在两个方面:

第一,是其人道主义话语的"革命"前提使其对"革命"话语中的"阶级"话语以及"革命"话语本身虽然具有一定的挑战,但是这种挑战却又是极为有限的,绝大多数"伤痕"、"反思"小说所"发现"的遭受迫害的"人",都是作为"革命者"的,以及具有"人民"身份的"人",其人道主义话语所控诉的"革命政治"和"革命伦理",也被其指认为是极"左"(意指着"错误")的、或者是"冒充"的(即是指"反革命"的)"革命",这样,"伤痕"、"反思"小说中的人道主义话语与其所批判的"革命伦理"及"革命政治"的冲突便意味着是正确的或真正的"革命"(即包含了人道主义的"革命")与错误的或反动的"革命"(即"反革命")间的冲突,因此,这种"革命的人道主义"所具有的"革命"前提自然导致了它所缺少的对于"革命话语"本身的自我批判与自我反思,像雨果的《九三年》所表现的那种"绝对正确的人道主义"与"绝对正确的革命"之间的悲剧性冲突自然便难在"伤痕"、"反思"小说中出现;

第二,是这种人道主义话语之中"个人主义"话语的相对匮乏,很多论者均曾指出"五四"时期人道主义话语之个人主义内核,而在"新时期"之初的"伤痕"、"反思"小说之中,那些不仅仅是肯定作为类的存在的具有同一性的"人"的价值与尊严,而是在此基础上,在"个体"与作为"他者"的他人"及"群体"如"群众"、"阶级"、"人民"、"组织"等的冲突中,更加深入地肯定作为"个体"的"人"本身的价值与尊严的"个人主义"话语,与"五四"时期人道主义中的个人主义话语,以及与"伤痕"、"反思"小说人道主义话语中的"革命"

话语和作为类的、一般的"人"的话语相比,却是相对薄弱(并非是没有)的。所以,总体来说,"伤痕"、"反思"小说所表现的,基本上还是"人"的觉醒,而不是"个人"的觉醒。

虽然存在着上述局限,但在"伤痕"、"反思"小说全部的人道主义言说中,却有值得注意的两种现象:第一,部分的"伤痕"、"反思"小说仍然回荡着"个性"的或者"个人主义"的话语(如张抗抗的《夏》、《北极光》、孔捷生的《南方的岸》、赵振开的《波动》、靳凡的《公开的情书》及张辛欣的《我们这个年纪的梦》等)。青年时期对于个体自我命运的关注,特别是他们的身份认同对于"革命"身份的抛弃,使得这批属于"知青一代"的作家更多地关注着"个人",言说着"个性"的或"个人主义"的话语,从而也为"伤痕"、"反思"小说中的人道主义话语增加了"个人"的成分。由于"个人主义"具有库尔兹所曾指出的在人道主义中的核心地位,因此,我们应该充分估价这种成分的重要意义。第二,一些"伤痕"、"反思"小说(如张笑天的《离离原上草》、雨煤的《啊,人……》等)中的人道主义话语由于未曾纳入"革命"话语,这样,它便表现出对于"革命话语"之核心的"阶级"话语的超越,而"革命人道主义"的作品未能反思的极"左"的"革命"与20世纪"革命历史"(如"解放战争")间的内在联系,尤其是这些"革命"与"人道主义"的严重冲突便在它们这里得到了一定程度上的表现(如《离离原上草》及礼平的《晚霞消失的时候》)。但是,由于当时的国家意识形态仍然操持着"阶级"话语,这种"超阶级"的人道主义话语自然引起了它的强烈反应,于是,一场以此为主要对象的"清污"运动便所由生。

综上所述,"伤痕"、"反思"小说中的"人道主义"话语作为"文革"后知识分子的话语源起即最初的"话语突围",由于知识分子自身的主体意识以及意识形态等方面的"限禁",导致了其成功的有限性及其相对于后者的并不充分的独立性。我们自然应该注意这种独立性的"并不充分",但是,"文化大革命"以后以至于未来的知识分子话语体系的真正独立,正是从这种并不彻底的"突围"以及并不充分的"独立"之中,而且也只有以此作为起点并在新的历史语境之中不断吸收其合理的精神内核,才能得到真正的生长。

注释:

① 如张颐武的《理想主义的终结》、《生存游戏的水圈》,北京大学出版社 1994年 2 月版。

② "人道主义"思潮是在"文化大革命"以后的中国知识分子之中最早兴起的思想文化潮流,其在当时的影响要远远超出于文学界。

③ 胡乔木《人道主义和异化问题》,《胡乔木文集》第 2 卷,人民出版社 1993年 7 月版。

④ 莫伸《来自生活的〈窗口〉》,《中短篇小说获奖作者创作经验谈》,长江文艺出版社 1983 年 10 月版。该文还记载了"小说发表后,意外地受到读者的欢迎,并纷纷给我来信"的情况,这也充分说明了对于"人道伦理"的社会性渴望。

⑤ 刘再复语。李泽厚《世纪新梦》,安徽文艺出版社 1998 年 10 月版,第 374 页。

⑥ "文化大革命"时期极"左"思潮的重要文献《林彪同志委托江青同志召开的部队文艺工作座谈会纪要》在规定文学创作的题材选择时典型地体现了这种"革命伦理"观。"纪要"指责"有些作品,则专搞谈情说爱,低级趣味,说什么'爱'和'死'是永恒主题。这些都是资产阶级的、修正主义的东西,必须坚持反对"。

⑦ 科利斯·拉蒙特和保罗·库尔兹均自认为是自由主义的人道主义者并且据此提出了他们的人权观念和人道主义的政治主张。参见科利斯·拉蒙特《人道主义哲学》(华夏出版社 1990 年 7 月版)第六章第三节"人道主义与民主"、保罗·库尔兹《保卫世俗人道主义》(东方出版社 1996 年 4 月版)第六章"民主伦理学"及其《世俗人道主义与 Eupraxophy》一文,后者载《人道主义问题》(东方出版社 1997 年 10 月版)。

⑧ 即使是在当前,西方人道主义的主要论敌往往也是一些否弃世俗生活的宗教话语。科利斯·拉蒙特和保罗·库尔兹关于人道主义的经典著作《人道主义哲学》和《保卫世俗人道主义》均是与美国宗教界的"道德多数派"论争的产物。

⑨ 哈耶克《通往奴役之路》,中国社会科学出版社 1997 年 8 月版,第 98 页。

⑩ 同上,第 90 页。

⑪ 同上,第 91 页。

⑫ 同注⑦拉蒙特著,第 250 页。

⑬ 参见笔者《"右派作家"的"革命"认同》,《人文杂志》2000 年第 5 期。

⑭ 当时以阐扬"人道主义"话语著名的刘心武在谈到《如意》的创作时曾经指出:"目前阶段,我比较多的尝试,是通过写人生,来努力以革命人道主义的光芒照亮读者的心。……所以,我主张文学作品要大力阐扬革命的人

道主义。"刘心武《写在水仙花旁——复冯骥才同志》,《人民文学》1981年第6期。当时大部分人道主义的话语言说,都是在"革命"的范围之内进行的,如周扬、王若水、刘再复和戴厚英等人,只不过是各自的"革命人道主义"具有不同的"革命名分",如"马克思主义人道主义"、"社会主义人道主义"或"无产阶级人道主义"等等。

原载《文艺争鸣》2001年第4期

郭齐勇

现代性与传统的思考

"五四"新文化运动及其健将们的伟大历史功绩是永远不可磨灭的。然而如同历史上的一切思想家和思潮一样,其历史限制也是无可避免的。本文试图检讨一下启蒙思想家对待传统文化的偏颇与缺失,不当之处,尚祈专家指教。

一 单线进化与新旧二分

"五四"健将们的思想方法论与他们的前驱,上一个世纪之交的维新派、革命派有着直接的继承关系。单向直线进化论是他们批判传统的主要理论武器。在"三千年未有之大变局",即民族、政治、社会、文化全面危机的逼压之下,康有为、严复等盛倡进化论,以对应"亡国灭种"的困境。不断进化是"五四"精英的思想预设。他们对世界的进化抱有理想主义,认定进化普适于一切社会,由野蛮到文明,由宗教到科学。在潜意识中,他们坚信世界必然进化到乌托邦的胜境,而当时中国的政治、教育、伦理、法律、学术、礼俗,"无一非封建制度之遗",不可以适应生存于今世,不能不被淘汰。实际上文化与文化的进化是非常复杂的,各文明发展的道路不可能都一样,而是多线多向的,且进化本身亦涵盖了反复与跳跃,离异与回归,不可能那么笔直。限于当时的境况,"五四"主流思想家大多以西方近代文化的发展作为唯一的参照,以单线进化论的眼光和方法,以急躁、激进和功利的心态面对复杂多样的文化问题,把传统与现代、中国与西方绝对对立起来,以落后/进步的二分法,将东西之分视为古今之变,消解了中国文化与中国社会的特殊性,对本土诸文化精神资源大体上取激烈拒斥的立场,因而不可能做冷静、细致的疏导、转化工作。他们把复杂的文化现象作了简单化的处理,把当时政治、民俗、社会中的一切丑恶归之于传统。

我们当然不能以"应然"的方式去指责"五四"前辈。"五四"新文化运动发展之"实然"状况不是我们后辈可以假设或者可以说三道四的。他们所处的环境特别恶劣,不仅是内忧外患,尤其是启蒙所遇到的强大阻力,他们的矫枉过正其实也是被腐朽的政治势力和孔教喧嚣逼出来的。

其实康有为、梁启超、严复、宋恕、章太炎已开启了批判儒学正统的先河,但他们并不把矛头直指孔子。辛亥与"五四"的文化革新思潮,在思想与血脉谱系上都有一脉相承的关系。①陈独秀、蔡元培、吴虞、鲁迅即是这两时期的代表。到"五四"时期,对孔子攻击最烈的是易白沙、陈独秀、吴虞,其次是胡适、鲁迅、李大钊。按胡适的解释,陈、吴等攻击孔子的依据是"孔子之道不合现代生活",儒家教条都是一些吃人的礼教和坑人的法律制度,而正因为"两千年吃人的礼教法制都挂着孔丘的招牌,故这块孔丘的招牌——无论是老店,是冒牌——不能不拿下来,捶碎,烧去!"②换言之,打倒孔家店,是从根本上扫除旧的礼教、法律、制度、风俗的需要。可见,批判传统文化的负面是中国文化内在的要求,还不仅仅是面对欧风美雨的冲击所作出的反应,但这种反应仍然是重要的面相。所谓东西文化问题的论战及全盘西化的主张,在一定意义上也是面对冲击的一种反应。

陈独秀指出:"欧洲输入之文化,与吾华固有之文化,其根本性质极端相反。数百年来,吾国扰攘不安之象,其由此两种文化相触接相冲突者,盖十居八九。"③他比较了东西民族根本的思想差异,痛斥东洋民族具有卑劣无耻之根性,应全面输入西方社会制度与平等人权等新信仰,彻底勇猛地与孔教所代表的传统决裂。胡适毫不客气地批评、嘲弄民族自大狂,指摘东方文明,热烈颂扬西洋文明,主张"往西走",以西方为楷模建构新的制度文明与精神价值。他说,"我们如果还想把这个国家整顿起来,如果还希望这个民族在世界上占一个地位——只有一条生路,就是我们自己要认错。我们必须承认我们自己百事不如人,不但物质机械上不如人,不但政治制度不如人,并且道德不如人,知识不如人,文学不如人,音乐不如人,艺术不如人,身体不如人。""肯认错了,才肯死心塌地去学人家。不要怕模仿,因为模仿是创造的必要预备工夫。不要怕丧失我们自己的民族文化,因为绝大多数人的惰性已尽够保守那旧文化了,用不着你们少年人去担心。你们的职务在进取不在保守。"④

陈、胡认为,在西方/中国、传统/中国、传统/现代两者之间,非此即彼,只能选择一种。郭湛波在30年代中期出版的《近五十年中国思想史》概述新文化运动时指出,当时的思想冲突,是工业资本社会思想与农业宗法封建思想的冲突。陈、胡等所做的主要工作,"一方破坏中国农业社会旧有思想,一方输入西洋工业资本社会之新思想。""中国农业宗法封建社会思想的代表,就是孔子……自从工业资本社会思想来到中国,所以首先攻击这笼罩二千余年的孔子学说思想。"⑤受到新文化运动熏陶的冯友兰,晚年写《三松堂自序》的时候说:"在五四运动时期,我对于东西文化问题,也感觉兴趣。后来逐渐认识到这不是一个东西的问题,而是一个古今的问题。一般人所说的东西之分,其实不过是古今之异……至于一般人所说的西洋文化,实际上是近代文化。所谓西化,应该说是近代化。"⑥

东西之分是不是古今之异呢?中西文化的差异是不是工业文明与农业文明的区别呢?以上论断显然只是部分真理,然并非全部真理。古今之异或工农业文明之分,只说明了文化的时代差异。中西或东西之分,更深层的应是民族性差异,是不同的民族童年生存方式引发的民族精神、气质、价值意识、思想与行为方式的区别。无论未来世界如何一体化,如何趋同,这些民族性的差别总是不会消失的。说到农业文明,它曾经是前工业社会最辉煌的文明,是工业文明的基础,在文化的各层面上,特别是制度、精神心理层面上,二者不可能截然断裂,而总是有着千丝万缕的联系的。

中国向现代的迈进经历了这一痛苦的反传统的阶段,付出了高昂的代价。林毓生指出,"五四"激烈的反传统是"全盘性"的或"总体论的","就我们所了解的社会和文化变迁而言,这种反崇拜偶像要求彻底摧毁过去一切的思想,在很多方面都是一种空前的历史现象。"⑦其所以如此,除了启蒙思想家无力在总体上拒斥中国传统的影响外,主要的思想原因是他们信仰进化论,执定中西、新旧的二元对峙,非此即彼。

同样是启蒙,即便是陈独秀垂青的法兰西启蒙,也并没有毁辱西方的文化传统,相反有的法国启蒙学者承认自己身受希腊、罗马和文艺复兴之赐。当拿破仑的马队把法国启蒙学者确立的科学、理性、自由、民主、真理、正义等"普遍价值"观念带到"保守""落后"的德国时,同样是启蒙思想家的赫尔德等人却提出"民族精神"的观念来保卫德意志文化传统。他们反对把法国文化变成"普遍形式",反对把世界文化同化于法国文化。他们认为,没有什么普遍的人类,只有特殊形式的人类;没有什么普遍价值与永恒的原则,只有区域性民族性的价值和偶发的原则,没有什么"一般文化",而只有"我的文化"。在这里,实现近代(现代)化并不意味着一定要否定传统文化,弘扬"时代精神"不一定意味着要拒斥"民族精神"。⑧

"五四"主流思想家为什么没有作出类似的德国赫尔德那样的理性思考?这是因为:第一,内忧外患造成了传统政治社会秩序的瓦解和文化基本秩序的崩溃。焦虑、恐慌、羞辱、愤怒,各种情绪充斥国中,而"传统的世界观与价值规范都已动摇而失去旧有的文化功能,无法把当时政治与社会危机所引发的各种激情和感触加以绳范、疏导与化解。因此政治与文化两种危机交织互动的结果是各种激情和感愤变得脱序、游离而泛滥,非常容易把当时人对各种问题与大小危机的回应弄得情绪化、极端化"。⑨急躁的心态,重情感甚于重理性,重态度甚于重思想,⑩确实是启蒙健将的一个偏失。第二,中国启蒙思想家把中西之分化约为古今之异,恰好是以西方现代化的普遍性和进化序列的阶段性为预设的。当然,他们当时没有别的参考系。他们"接受了主要来自西方的单向直线发展史观,认为历史是由过去通向理想的未来的具有目的性的发展",⑪因而迷信普遍,忽视特殊,鄙薄过去,憧憬未来,对新的前景怀着浪漫主义和理想主义的态度。他们当时不可能考虑到工业化、西方化所带来的人类与族类的诸多新的问题与危机。进一步,他们骨子里的传统大同理想被法兰西或俄罗斯的社会乌托邦理想所置换。而西式乌托邦所强调的历史必然性,启蒙运动以来作为强势意识形态的社会进化论等,往往成为暴力行为的合法性依据。历史必然性体现为对自然的法则的迷信。物竞天择,种族进化等等。乌托邦理论需要一种作为坏的、恶的存在的他者来见证自身理想的合法性。理想的社会就是好,好就在于好,传统的社会就是坏,坏就在于坏,这是一个对立的存在。至于有什么道理,不能问,不能想。

　　自由主义者、自诩为"五四后期人物"的殷海光晚年对"五四"以来影响甚巨、附和甚众的陈独秀的议论曾加以批评,指出"一种言论如因合于一时一地的情绪偏向和希望而形成了所谓'时代精神'而被普遍接受,那么错误的机会可能更多。这类'时代精神'式的言论,等到时过境迁,回顾起来,加以检讨或分析,往往发现是'时代的错误'。""我现在要问:如果说必欲倒孔才能实现民主,那么西方国邦必须扫灭基督教才能实现民主。但是,何以国邦实行民主和信奉基督教各不相伤呢?我现在又要问:如果说必欲反对旧文学和艺术才能提倡科学,那么现代西方国邦科学这样高度发达,是否同时停止究习古典文学和艺术了呢?"⑫殷指出,这种非此即彼、二元对立的思考在逻辑上完全不通。他又说:"也许有人说,基督教义与孔制不同。基督教义涵育着自由、平等和博爱,所以容易导出民主政治。孔制里没有这些东西,所以无从导出民主政治。因此,中国要建立民主,必须排除孔制,另辟途径。我现在要问:孔仁孟义,再加上墨氏兼爱,为什么一定不能导出民主?"⑬这个提示是很有意思的!中国近代没有走向民主政治的道路,原因十分复杂,但不能完全归咎于传统。

　　一个成功的现代化是有选择性的。它是一个双向的过程,即现代与传统的相互挑战、相互批评、相互适应。西方工业化以来的科技发展、物质文明、社会改革、制度建构和价值观念确有很多值得我们效法的层面,但需要筛选、扬弃。用好坏二元对立的价值观来看待传统,把它看成罪恶之渊薮或可以被抛弃的包袱,是太简单化,太意气用事了。文明的进化不可能没有积累和继承。各民族的现代化不可能只有一种模式。

二　科学至上与人文萎缩

　　晚清维新派和革命派思想家已经把西方科学由技、器的层面提升到道、理的层面,使之成为普遍的形而上的世界和价值观。

"五四"启蒙思想家的科学主义也是循此而来。1923年发生的科玄论战,要害是科学能不能代替哲学本体论,能不能代替民族精神信念与信仰。20年代以降,在逻辑方法与经验论基础上建立的科学主义实际上已宣告失败。

本世纪思想史积淀在我们的集体无意识中的一个"习焉不察"或"日用而不知"之事便是科学崇拜。"科学"、"科学性"在本世纪思想辞典中,在我们下意识层里已成为神圣的权威、抽象的符号,一种是非善恶的价值与判断,捍卫或挞伐某种东西的极其方便善巧的工具。本来,科学精神与科学方法是鼓励人们学会大胆怀疑、容忍批评以及怎么样去证实或证伪。科学启蒙派的初衷也是提倡敢于和善于认知,"事事求诸证实"、"一尊理性"、"拿证据来"。然而曾如胡适在科玄论战时所说:"这三十年来,有一个名词在国内几乎做到了无上尊严的地位;无论懂与不懂的人,无论守旧和维新的人,都不敢公然对它表示轻视或戏侮的态度,那个名词就是'科学'"⑭。"科学"之"主义化"或"中国化"的特点竟然畸变为无人敢批评科学。也就是说,作为常识或假说的某些东西方科学,尽管在科学史上具有有限性或相对的真理性,但传入中国后却被奉为圭臬,抽象成一种价值——信仰体系,建构成某种强势"意缔牢结"。人们真正感兴趣的已不是科学知识、理论、假说、方法本身,不是对它们进行验证,而是把它们当作救亡图存或其他实用目的的直接依据。一旦打上"科学"的标记,任何人就不敢再斗胆怀疑它、批评它。一旦科学被人当作某种政治口号或绝对真理顶礼膜拜的时候,就会走向反面,变成高度的毋庸置疑和高度的自我封闭,变成非科学或反科学的一种迷信,一种排他性。

这样,为知识而知识,为科学而科学的精神并不能扎根;摆脱蒙昧的,概念的明晰性、逻辑的谨严性、定量分析或系统层次分析的次序性等等起码的理性思考步骤仍然被混沌一体所包围。从需要出发,先定性定案,后找"材料",先下结论后再"论证",仍然是普遍通行的模式;理论研究总是等而下之的事。总之,科学形而上学化或主义化,看似最重视科学,实则是葬送科学。科学启蒙,发展科学,真正的科学救国,是扬弃传统科学,并把西方近代以来优秀的科学精神与科学方法渐渐濡化为国民的思维、行为方式,内化为国民素质。其最好方式是消解科学头上的灵光圈,还它以本来面目,不要拉着科学的大旗作虎皮。

本世纪思想史积淀在我们的集体无意识中的另一个"习焉不察"或"日用而不知"之事则是毁谤传统,是传统人文价值被视为进化、革命、现代化的障碍对立面,即所谓"封建主义遗毒"的等价物遭致彻底摧毁、批判、破除、打倒、唾弃。因此而造成人文精神的伤害和萎缩。世界上任何大的文化系统走向近代和现代的过程中,几乎没有遭逢中国文化这样全盘地革文化命的厄运。

我以为,这是"五四"以降中国启蒙思潮的又一条值得总结的经验教训。当下实际生活层面的腐败、僵化、保守、裙带风、官本位、一言堂、个性不张、人格异化等,究竟是否应当或者在何种意义上要由儒释道等传统精神文化负责,负多大的责,几乎很少有人具体分析。正像我们习惯于笼统地把"科学"这个字眼作为无所不包的、正确、进步的绝对价值加以崇拜一样,我们也习惯于笼统地、不加分析地把"传统文化"作为"肮脏的马厩"。这两个方面似乎都是"天经地义"的。今天某种全盘肯定、无限吹捧传统文化的趋向,与过去的全面批判则出于同样的思想方式,或同样是因为外在的浮面的需要或浅近直截的实用目的,与有分析地转进与保存深层的民族价值意识,了不相涉。

形而上本体是不可或缺的。一个社会,每个个体,如若失却了人文价值的支撑、维系与调节,其行为只能是无序的,起哄、赶潮、浮躁……人生的价值、意义何在?行为的根据何在?人与天地万物一体,天人之际与性命之原,神圣感、虔敬感、根源意识、终极托付,"天"、"道"、"理"、"命"、"心"、"性"、"仁"、"诚"、"良知",一个民族的文化精神,达到一定自觉时才升华出来的这些意识与哲学本体的范畴,决不是可有可无的奢侈品,更不是可以随意抛弃的垃圾。20世纪中国文化危机与思想危机的严重性,乃在于整个地践踏了这个民族源远流长的内在精神。黑格尔曾经说过,一个有文化的民族竟没有形而上学(玄学),就像一座装饰得富丽堂皇的庙宇没有至高至圣的神那样。他还说过,如果一个民族觉得它的国家法学、情思、风习和道德已变成无用时,是一种很可怪的事;那么,当一个民族失去了它的形而上学时,同样也是很可怪的。可惜的是,我们已经见怪不怪了!

科学主义崇拜,或"科学的人生观"当然不能代替民族精神的信念。如果将中国文化区的核心思想——"道"、"仁"等等轻描淡写地抹掉,我们这个社会,哪怕是进入现代,或所谓后现代,仍将缺乏一种维系社会人心、动员社会资源的主心骨、机制和力量,仍会出现本世纪不断出现的无序状态,亦不可能真正尊重人权与自由。离开我们民族长期形成的安身立命之道,人们只能扭曲、异化为泯灭了良知(甚至人性)的、金钱或权力拜物教的工具。在这个意义上,玄学本体论——中华民族的价值意识和根本理念是不能消解、不可替代的,科学技术、工具理性绝对代替不了。

蔡元培曾希望造成一个"文艺复兴"运动,傅斯年、罗家伦的《新潮》以文艺复兴自任,胡适晚年也认为"五四"是中国文艺复兴运动,但"五四"时期的重心在引进西方价值,尚没有深入发掘作为源头活水的先秦经子之学,尤其未对西学价值和中国传统核心价值做深入细致的分析转化工作。因此很难与欧洲"文艺复兴"运动相媲美。中西价值的接殖问题,现代化的科学、宇宙观念、社会观念、人生哲学、政治、经济、法律、伦理、道德之本土资源的发掘工作,仍是摆在我们面前的难题。

三　开发传统与创造转化

"五四"本来就是多元主义的时代,除主流思潮外,尚有不少非主流思潮作为补充。"五四"不是只有一个传统,不是只有一种思潮,而是有着交叉互动的不同思潮和传统。⑮具体到个别人物如杜亚泉(伧父)、梁漱溟等,都很难用保守主义或传统主义相概括。杜氏在胡适以前倡导科学与科学方法,是中国科学界的先驱,也是一位自由主义者。但他执掌《东方杂志》的笔政并在东西文化问题论战中与《新青年》陈独秀打笔仗时,被陈独秀扣上"妄图复辟"的帽子,被世人目为守旧者。他与陈的分歧不在政治批判而在伦理批判。传统礼教究竟如何评判?是不是仅仅用"吃人"二字可以概括?其中是否蕴含有民族精神、根本理念?农业社会产生的价值可不可以继承?有没有超越时空的成分?这都需要讨论。正如王元化先生在《杜亚泉文选》序言中所说,东方文化派或所谓调和论者杜亚泉、钱智修、陈嘉异等,主张以理性的态度评论东西文化,主张因革互用,同异相资,相互调和,转益相师,主张发掘可与西学接轨的传统资源,把西学融入传统文化,尤其强调淬砺固有的民族精神,其实都是有建设性的。(我看这是启蒙的题中应有之义,是启蒙学者应当做的工作。)他们并非没有认识到传统伦理道德的呆板僵硬和带给人们的黑暗冤抑,也不是对此无动于衷,漠然视之,更不是开倒车。他们对陈、胡的反传统提出异议,对"伦理的觉悟"提出挑战,根本上是要继承发展与时俱新的民族精神。王序并联系到梁漱溟、陈寅恪、晚年梁启超对传统伦理既批评更维护的态度,作出了一些冷静的思考。⑯至于昌明国粹、融化新知的"学衡"派,时下研究的文章更多。"五四"以降的文化保守主义者,大多在政治上不保守,价值上认同西学,甚至我们不难发现他们也都不同程度地受到进化论、科学主义、实证主义和疑古思潮的影响,但最终在文化理念和精神信仰之根本上主张回归传统,并更新、开发、推进传统。

  我们无意苛求"五四"前辈,只是希望当代人从不同视域总结经验教训。今天,我们以同情的理解的心态体认陈、胡当年的处境,肯定他们所开启的中国思想史的新的一页。在当时的氛围、语境中,身处西洋、东洋列强瓜分豆剖和黑暗政治、无耻政客及其帮凶挤压之下的中国启蒙思想家,认为传统是进步的阻碍,这是不奇怪的,可以理解的。以前梁启超骂传统也非常厉害。从认识上来说,人们当时只能到那一步。直至50年代,在西方,"现代化"首次列入社会科学议程时,传统还特别受苦受难。余英时说:"不幸的是,在20世纪,传统得到了相当负面的意义,通常被认为是和所有现代价值,诸如理性、进步、自由、尤其是和革命相对立的。从历史上来说,这种对传统的负面观点有其来自启蒙时代的渊源。大体而言,启蒙思想家认为任何传统都是人类进步的阻碍。近代实证主义,尤其是它的极端形式——唯科学主义,都与传统为敌……在早期,去掉传统糟粕几乎被当作现代化的一个先决条件。然而,当现代化过程的经验研究渐渐成熟后,传统的真正价值才被缓慢但坚定地再发现……到了七八十年代,传统与现代之间的建设性关系已经稳定地建立起来。"⑰也就是说,在西方学界,也只是到了70年代以后,对传统的理解才渐趋平正、健康,传统不再被认为是僵死的过去,它仍然可以并正在现代社会中成为正面的和积极的活跃因素。

文明的创造离不开传统,创新就建立在活的、发荣滋长的传统之上。林毓生主张创造性地转化中国文化传统中的符号与价值系统,使之变成有利于变迁的种子,保持文化的认同。他强调创新,强调"需要精密与深刻地了解"西方文化与我们自己的文化的传统,"在这个深刻了解交互影响的过程中产生了与传统辩证的连续性,在这种辩证的连续性中产生了对传统的转化,在这种转化中产生了我们过去所没有的新东西,同时这种新东西却与传统有辩证地衔接。"⑱这一主张正是对"五四"启蒙思潮作出反省后得出的,在今天的中国思想界获得极大的反响。

　　"五四"主流思潮得之在启蒙,失之在认识传统的维度不够,因而亦影响了前者的生根和深化。其实不妨放开思路和心量,促进各思潮交叉互动。例如政治自由主义与文化保守主义就有不少契合之点。二者之关系,"大量者用之即同,小机者执之即异"。总之必须克服文化运动幼稚病,扩充启蒙内涵,改善启蒙心态。

　　从严复、谭嗣同到胡适、吴稚晖,中国早期自由主义者的基本趋向是拒绝本民族的资源,以为真能全面排旧,全面取新。殷海光大半生认定传统道德与民主政治、自由精神完全不相容,晚年转而肯定。"孔仁孟义"是中国实现民主自由的根基,并提出了应深思"中国的传统和西方的自由主义要如何沟通"的问题。⑲我认为,就自由主义者必须具有的独立的批评能力和精神,必须具有的道德勇气、担当精神而言,就自由、理性、正义、友爱、宽容、人格独立与尊严等自由主义的基本价值而言,就民主政治所需要的公共空间、道德社群而言,就消极自由层面的分权、制衡、监督机制和积极自由层面的道德主体性而言,儒家和传统诸家都有可供转化沟通的丰富的精神资源。⑳

　　今天,人们已经认识到,现代化的道路是多样的,现代性是多元的,现代与传统是不能截然分开的,现代化不是只有西方唯一的模式可供参考,各民族都有自己特色的现代化道路与模式,并从自身资源中开发出自己的现代性。现代性、启蒙价值本身的内涵是十分丰富的,与地域、民族的文化有密切的关联。现代性与民族性、普遍性与特殊性是有张力的统一。调动民族的精神资源,积极参与自身的现代化是非常重要的。通过批判传统的负面,通过创造性的诠释,继承传统的睿智,克服工业化、现代化之引发的天、地、人、物、我的相互疏离即异的等等病痛,护持人的尊严、人的精神信念、人的宗教体验,反思并促进现代化的健康发展,是人文知识分子的责任。反省与超越"五四",正是对"五四"和启蒙思想家最好的纪念,最大的尊重。

注释:

① 详见陈万雄《五四新文化的源流》第五章,北京三联书店1997年1月版。
②③ 胡适《吴虞文录序》,《晨报》副刊,1921年6月21日。
④ 胡适《介绍我自己的思想》,《胡适哲学思想资料选》(上),华东师范大学出版社1981年2月版,第344—345页。
⑤ 郭湛波《近五十年中国思想史》,山东人民出版社1997年3月版,第80、78页。
⑥ 冯友兰《三松堂自序》,1984年12月版,第256页。
⑦ 林毓生《中国意识的危机》(增订再版本),贵州人民出版社1988年1月版,第6页。
⑧ 参见郭齐勇《文化学概论》,湖北人民出版社1990年版第300页。
⑨ 张灏《中国近百年来的革命思想道路》,《开放时代》(广州),1999年1、2月号(总第126期),第41—42页。
⑩ 1919至1920年间,蒋梦麟与杜亚泉辩论思想与态度问题,蒋说"新思想是一个态度,这一态度是向那进化一方面走,抱这个态度的人视吾国向来的生活是不满的,向来的思想是不能得知识上充分愉快的。"杜亚泉批评蒋氏以对待新思想的态度为出发点,以感情、意志为思想之原动力的说法,指出这将使理性成为情感的奴隶。参见王元化《杜亚泉文选》,华东师大出版社1993年10月版,序言,第6—7页,又见该文选所收蒋、杜二人之《何谓新思想》,第418—426页。
⑪ 张灏《中国近百年来的革命思想道路》,《开放时代》(广州),1999年1、2月号(总第126期),第41—42页。
⑫⑬ 殷海光《学术与思想》(三),台北:桂冠图书公司1990年3月版,第1314—1315页。
⑭ 胡适《科学与人生观》序,《胡适哲学思想资料选》(上),第282页。
⑮ 拙文《试论五四与后五四时期的文化保守主义思潮》(载《历史的反响》,香港中文大学中国文化研究所与香港三联书店1990年5月版)曾论述了这一问题。
⑯ 参见王元化《杜亚泉文选》序,《杜亚泉文选》,华东师大出版社1993年10月版。
⑰ 余英时《历史女神的新文化动向与亚洲传统的再发现》,《九洲学刊》,香

港,1992年第五卷第二期。
⑱ 林毓生《中国传统的创造性转化》,北京:三联书店,1987年版,第63—64页。
⑲ 殷海光最后的话语,见陈鼓应编《春蚕吐丝》增订版,台北:远景出版社1979年2月再版本,第70页。
⑳ 参见拙文《殷海光晚年的思想转向及其文化义蕴》,《原道》第5辑,贵州人民出版社1999年4月第1版。

原载《开放时代》1999年第5期

涂险峰

当代文学批评中的"现代性终结"话语质疑

在当代文学批评界,常常可以见到这样的观点和论述:从 80 年代后期到 90 年代,中国文学发生了深刻的变化,这种变化可以简单描述为从现代性、现代性危机到后现代性的转化。也就是说,从 80 年代到 90 年代,文学的现代性走向终结,而被所谓后现代性所代替。

无疑,从 80 年代到 90 年代,中国文学发生了某种相当引人注目的变化,这已是不争的事实。然而,这是否就意味着现代性的终结和后现代的来临?它们究竟是文学发展中不可逆转的总体趋势,是创作主体的刻意追求,抑或只是批评家的某种阐释策略?它们是文学艺术的审美走向的部分变迁,还是整个社会文化发展的时代大潮?显然,这都牵涉到我们对一个时期文学的整体判断以及对中国文学未来走向的自觉把握。

现代性是世界范围内人类文明的近世转换在结构和形态上所体现的基本品格样式。现代性问题的重要性,在它与近代性和后现代性的双重张力结构中呈现出来,成为颇为热闹和充满争议的当代话题。其中,争论的焦点往往集中于现代性与后现代性之间。两者关系错综复杂,不易简单界定。现代性和后现代性既冲突又一致的特性使我们有理由将其既视为两种异质精神,也可视为一脉相承的同一精神的不同体现。荷兰学者佛克马指出:试图强调其连续性的研究者"可以设计出能够支持这种思想的分析方法。同样,试图强调这两种潮流的断裂的学者也可以用不同的分析方法,并得到相反的,但也同样带有偏见的结论。这两种研究的相对价值是可以确立的,只要考虑到它们的不同抽象水平"。① 截取层面不同,抽象水平各异,是导致学术界在现代性与后现代问题上众说纷纭莫衷一是的原因之一。在这种情况下,我们没有必要因纠缠于抽象的概念之争而忽视本文论域内更为重要的问题,即:在当代中国的具体文化语境中,现代性意味着什么?当代文学中的现代性终结话语能否成立?我们应如何看待这种批评言述?笔者将带着这样的问题意识,对当代文学的现代性终结话语进行一一检视。

现代性终结话语之一:
启蒙思想和拯救意识的幻灭

20世纪中国文学从"五四"时期以来,一直处在现代性诉求之中。现代性贯穿整个历程。这种文学充满了民族解放、人类解放、阶级解放和个性解放等"宏大叙事"。有的学者也认为中国文学从对国民性的探讨到新时期的伤痕、寻根文学,充满"民族寓言"的整体话语。启蒙主义、拯救精神的现代性提供了终极的价值和梦想。②然而却又认为在90年代,告别现代性的神话已成为写作的重要潮流。知识分子不仅不再成为话语的中心,而且对以往的启蒙神话和自身的启蒙功能以及文化身份均产生怀疑。③这被解释成现代性宏大叙事走向终结的标志。有的论者以陆文夫的《享福》为例加以说明。主人公刘一川发现老太太过着拉煤生活,儿子、儿媳经济条件较好,便打抱不平,最后老太太不再拉煤却很快死去。论者认为这是现代性拯救话语虚幻性的表达,④并举出许多作品,如刘恒的《苍河白日梦》,王安忆的《纪实与虚构》、《叔叔的故事》,刘心武的《风过耳》等加以说明。然而它们是否就意味着现代性启蒙叙事的结束?其实作品可作多种阐释。就以《享福》为例,也可理解为尊重主体精神的个体性之意,或对简单从经济出发的阶级拯救论的怀疑,而强调应从人的精神层面来拯救。如法国女思想家薇依就是从这种怀疑走向基督教的拯救论的。⑤这篇小说只证明相对于物质财富状态的精神价值的作用。若硬要从中解读出启蒙理想的虚幻性和现代性的破灭,则只能把作品当作某种"宏大"象征和寓言。同时还应看到,对某种拯救话语的置疑不一定导向对一切拯救话语的否定。《苍河白日梦》中曹二少爷兴办火柴厂的事业及其破产,也被象征性地解作以光明和希望唤醒沉睡者的启蒙理想及其失败。⑥若依现代性终结论者的观点,将"民族寓言"的宏大叙事视为现代性的鲜明标志,那么此处赋予寻常的火柴厂经营事件以宏大的象征意义,便构成新的民族寓言,于是,所谓反民族寓言、反宏大叙事的作品却又成了最典型的寓言和宏大叙事之作,亦即现代性的又一表现。

在西文中,现代一词最早具有模仿古代之义,后来逐渐摆脱此义,而强调与古代不同,与未来同在,并获得某种自足性。⑦因此,西方现代性在哈贝马斯等人那儿意味着某种以自身为依据的自足的演化和衍展模式,也有人以"成熟性"(maturity)来描绘。中国的启蒙主义从一开始就不幸地缺乏这种自足性,始终处于依附西方的不成熟状态,始终尚未完成。有的学者在论新时期文学时指出,启蒙构成了 80 年代以来的基本语境,但作为功能的启蒙与作为内质的启蒙应有所区别。各种西方思潮,无论启蒙还是非启蒙、反启蒙,无论现代性还是后现代性,都作为吸纳的对象,承担启蒙功能。⑧表述中的反启蒙的后现代话语,实质上也具有一定的启蒙作用。因此,它的存在不仅不能说明现代性已经终结,恰说明启蒙现代性依然是未来文学建构的需要。

由此我们看到,被当作反民族寓言、反宏大叙事的作品又构成了新的宏大叙事的象征文本,而瓦解颠覆启蒙主义的各种思潮仍未脱离其启蒙功能,从这种文学现象出发如何能推出当代文学现代性结束的论断?又如何进一步将其当作整个文化乃至社会的后现代性的表征?何况还有大量其他追求的作品,如民族史诗《白鹿原》以及张炜、张承志等人的神圣追求。因此,反启蒙、反寓言、反宏大叙事的现代性终结话语,并不能终结当代文学的现代性。

现代性终结话语之二:
主体的解构和深度叙事的消失

对于 80 年代后期到 90 年代出现的先锋小说、实验小说,现代性终结论者要么将其直接视为后现代主义作品,要么当作现代主义向后现代主义的过渡,其论证目的在于说明:伴随先锋小说、实验小说的兴起,现代性走向终结,⑨因这些小说表现出主体解构和深度模式消失等特征。马原、孙甘露等作家的创作,确实具有某些不同于以往的趋向。他们的实验小说对主人公身份、作者的可信性、语言与现实的同构关系、故事的因果性、逻辑性均发生怀疑。作品有意打破真实性幻觉,暴露技巧,暴露创作过程,由主人公亲自指出自身的虚幻性,因而具有元小说的解构特征。在后现代批评视野中,这些作品的解构作用可从两方面加以阐释,一是从本体上对人的主体性的怀疑,二是对传统叙事方式的消解。然而如果从前一角度来解读这些"后现代作品"的哲学意味,则仍在使用现代主义的解读策略,即象征、寓言和深度模式,也就无法完成后现代批评家所赋予的解构现代性的任务。如果仅从后者着眼,那么后现代创作的意义仅在于提供一种有别于现代主义和其他以往创作的样式,则其价值在很大程度上依赖于与现代性创作的比照。无论从哪方面看,先锋小说、实验小说至多表现出持后现代理念者对现代性的主观怀疑和试图消解现代性的一厢情愿的努力,并不能达到终结现代性的目的。事实上,后现代主义只有将自己扮演成对现代性的超越,才能获得合法性。正由于作品的深度模式、完整结构、叙事幻觉、作家的主体性等均已成为文学传统,已建立起自己的主流地位,后现代主义才在对它们的消解和拆除中,在构成与现代性的二元对立的张力结构中凸现自己存在的意义和价值。从这个意义上讲,现代性的存在,恰是后现代主义价值实现的内在需求,这是后现代论者常常忽视的一个问题。

  现代性终结论者常将现代性叙事当作某种虚幻性、欺骗性、神话性的存在,而自己则通过拆穿其"虚幻性"而体现某种求真意志。他们使用 X 光般的透视之目,穿透和拆解世界的"深度层次",但世界本来就存在深度、层次和遮蔽,才构成其丰富多样性。艾略特说"人类不能承受太多的真实"(见《四个四重奏》),如果人人戴上解构的 X 光镜,都如庖丁一样"目无全牛",看到的无疑将是一个骷髅的世界。从某种意义上说,对虚构、理想、宏大叙事和深度模式的需要,对非真实的需要,亦构成了另一种真实。现代性终结论者无视这种真实情态的需求,与其求真意志自相矛盾,也体现出其真实性的狭隘。

现代性终结话语之三：
大众商品文化的冲击和实用精神的泛滥

西方后现代文学艺术被西方学者形容为"跨越界限，填平鸿沟"的艺术（费德勒语）即消解和打破各种界限，如艺术家与作品和观众，艺术品与创作行为和欣赏行为，艺术与非艺术等。高雅艺术与大众通俗艺术的界限只是其中之一。90年代中国大众文化形成潮流，文学创作中商品炒作现象越演越烈。如《废都》中的文人风浪和性描写，故弄玄虚的删字声明，出版之前的大肆广告宣传，常被批评家视为商品文化渗透的典型。世俗文化、商品文化、大众文化的崛起，在现代性终结论者眼中，也被当作中国文学现代性结束、后现代来临的标志，形成又一种现代性终结话语。

我以为虽不能否定商业化的普遍渗透，但从文学的传播方式来鉴定其商业化和后现代性，是很不充分的。对此，有必要作一划分：第一，从文学的外部流通和操作方式来看；第二，从文学内容及其价值观念和雅俗程度来判断。

就前者而言，文学作为一种艺术生产，其商品特性古已有之，并非这个时代的新产物。但外部手段并不能决定其内质，决不能认为被炒的世界文学名著或《围城》等是通俗文学。性描写也向来不是通俗文学的专利，否则，《尤利西斯》也可列入通俗文学的行列。当诺曼·梅勒说"20世纪给文学冒险家留下的只有性的领域了"⑩时，他显然也不是在谈论通俗文学。

如果涉及后者，情形稍显复杂。那么内容的雅俗不分（包括深度模式的消失）、价值观念的商品化是否可作为现代性终结的表征呢？有批评家为"弘扬"后现代性时将"新状态"小说与新写实主义作过对比。在他看来，新写实主义虽然表现生活的原生态，但至少采用一种俯视众生的视角，与所表现的对象保持距离，这种眼光本身就具有批判性和反思性。在这个意义上，与表现国民性的启蒙文学并无区别。而在新状态小说中，作家与表现对象之间距离消失了，这是后现代的体现。⑪笔者认为，新状态小说在一定程度上认同当代商品文化的现实情态，探索商品现实中人的生存状态和精神状态，其特色和成就不可抹煞，但是，批评家若由此发掘出所谓从现代性向后现代的巨大转型,则不免过甚其词。且不说新状态文学能否代表当代文学主导趋势,也不用说它的批判距离是否真的全然失落,即使仅就认同现实而言,也不可简单视为后现代性。持后现代论的利奥塔在批评哈贝马斯的交往理性时认为交往求同是专制的表现,而后现代精神就在于求异性、多元性。循同此理,如果宣布后现代已到来,大众商业文化势不可挡,那么文学的内容和价值就应认同此种单一趋势,这样的要求只能是更大限度的"求同",这似乎已与上述所谓后现代性背道而驰。

有趣的是,当年法兰克福学派的代表霍克海默和阿多诺在批判启蒙主义的欺骗时的理由就是指责其造成人们对现实失去批判距离,⑫现在同样反启蒙主义的后现代话语恰对"无批判"、"无距离"的叙事啧啧称道,其中讽刺意味不言而喻。有人将后现代主义称为保守主义,原因之一就在于此。

或许文化的商业化不可避免,大众媒介的进一步发展和娱乐手段的多样化,会使精英文学失去更多读者,然而尽管如此,也不意味着文学的现代性已经结束。若真如利奥塔等人所说,多元时代的来临不可逆转,那么,在整个文化格局中各种价值取向的叙事文本和批评话语更应是异质并存的。诚然,商品化的冲击必对部分作家现实心态和创作心态发生影响,但是,即使某些作家全然接受商品价值观和实用价值观,也不等于他们一定要制造认同商品价值和否定现代性的文本。问题的复杂性还在于,市场并不只青睐简单迎合现有流行倾向的商品。有些"特立独行"之作很可能是以反媚俗的姿态出现的隐秘的媚俗。商品化的现实并不必然排斥体现非商品化价值和现代性价值的文本操作,更无法迫使每个作家在创作上认同商业实用价值。面对多元文化格局,个人主体选择的作用尤其不可忽视。从这个角度来看,由商品文化现象出发的文学现代性终结论,不过是褊狭的环境决定论的老调重弹。

现代性终结话语之四:价值狂欢和文本游戏

从80年代末到90年代,一批作家创作了相当多的狂欢化写作文本,通过滑稽嬉闹、荒诞随意的叙事对传统的严肃崇高的"宏大叙事"进行戏拟,或曰解构。王朔的《千万别把我当人》中,当前中国文化景观与义和团的故事七拼八凑,于闹剧中消解民族精神和传统价值。刘震云的《故乡相处流传》写清朝事件时,加入"八个洋人""发了八个巡航导弹"等,这些作品,也被"现代性终结"论者当作现代性结束的表征。⑬确实,狂欢性、游戏性常被视为后现代的基本特性之一。美国理论家哈桑对后现代特征的概括中就有此项。⑭然而哈桑的概括过于宽泛,几乎无所不包。我们知道,游戏说源于维特根斯坦的比喻,即将话语比做游戏。但他强调的是规则,而非随意性。至于狂欢理论,最有权威的论述当属巴赫金。但我们不应忘记巴氏理论的主要阐释对象:拉伯雷和陀思妥耶夫斯基,⑮两位与后现代不相干的作家。事实上,狂欢文化源于更为古老的民间原始巫术,⑯至少我们可在古希腊喜剧和古罗马小说中看到这种狂欢性。

　　狂欢本身所包含的文化意蕴和思想内涵十分复杂。狂欢构成一种乌托邦氛围,其中民主化、自由化达到极致,一切界限和等级秩序均被打破,人的意志获得空前解放。然而我们不应忽视其另一面,狂欢仍有共同的游戏规则作基础。谁要在其中严肃认真,就会被嘲笑、压制、排斥,这种嘲笑和排斥本身则是严肃的,并常常含有恶意,⑰甚至包含暴力冲动。近年有俄国学者指出其与恐怖主义的联系,其中个体消失而群体永恒,个人毫无意义,可被随意替代。⑱真正的狂欢是一种整体性的乌托邦,这至少与后现代精神并不一致。此外,弗洛姆从心理学角度指出,狂欢是孤独个体的交流冲动,动机上是求同的,⑲这与哈贝马斯的现代性交往理论也可互相参照。

　　文学中的狂欢精神与昆德拉所说的小说精神颇为相似。这是一种相对精神,人们陶醉于对非此即彼的价值判断的延宕中。⑳美国哲学家罗蒂在论欧洲哲学时,批评海德格尔从哲学史溯源有囊括一切的整体化倾向,而肯定了昆德拉的小说精神。㉑无论我们是否接受罗蒂的哲学终结论和后哲学文化理论,至少不能由此推出文学现代性结束,后现代来临的结论。正如昆德拉所说,他所继承的这种小说精神,是塞万提斯的遗产。㉒从欧洲小说的源头,从塞万提斯、拉伯雷,经狄德罗、斯特恩等人延续下来。如果我们承认昆德拉的观点正确的话,那么,相对性、游戏狂欢精神作为小说的基本精神和整体精神自始至终存在于世,并非什么后现代精神。

如果我们将其仅仅当作一家之言,看到狂欢精神只是文学的局部精神,也无法将其与后现代划等号,或当作现代性结束的标志。它始终与严肃崇高精神相对立而并存。《堂·吉诃德》既被世人当作"最逗笑的书",也被称为"最令人伤心的故事",因而兼有最可笑与最悲壮的成分。这种统一性也许在后世发生了某种程度的分裂,然而其间的相互张力和彼此消长的钟摆运动却延续至今。在专制秩序森严的时代,狂欢精神被当作异端受到排斥和压制,然而在一个瓦解一切的价值崩溃时代,严肃崇高精神又被嘲笑和裁判,正如乌纳穆诺所说,嘲笑也构成了"现代宗教裁判所"。㉓两种精神的对立,在中国当代文学中表现为张炜、张承志与王朔等的对峙。它们之间谁也无法结束谁。毋宁说两者恰是相互依赖、相反相成的。对立两极中的一极一时盛行或占上风,并不意味着划时代的巨大转型。将当代文学中的狂欢游戏倾向当作现代性结束、后现代来临的表征,只能是现代性终结论者的又一理论误区。

对现代性终结话语的反思

中国当代文学界的现代性终结论者在夸大 80 年代和 90 年代文学的差异性并以现代性的终结和后现代的来临作为基本标志,进一步将当代文学划分为新时期和后新时期。因此,现代性终结论也构成了"后新时期"说的理论基础。然而,这种理论在阐释 90 年代某些重要文学现象时却不免捉襟见肘,比如,对《白鹿原》的评价和定位便是如此。

面对这部 90 年代中国文坛骤然崛起并产生广泛影响的长篇力作,现代性终结论遇到巨大的阐释困难。事实上,这些论者也不能否定《白鹿原》的整体性民族寓言构成了现代性的经典范本。但这样一部在被称为"后新时期"、"后现代"的 90 年代问世的现代性文本,又被一意孤行的现代性终结论者称作"现代性的最后展现"。于是,在他们眼中,不仅反启蒙、反整体性民族寓言之作被当作现代性终结的标志,那些极力表现"现代性"而获得巨大成功的作品,也因其"集大成"而同样被视为现代性终结的象征。㉔在他们的意识中,现代性既已被判处死刑,无论它多么鲜活和辉煌,都只能是行尸走肉或回光返照。

指出这种理论的漏洞并非难事,但仅有这一点仍然不够。我们还应看到此类批评话语对文学创作的影响和对批评的"完形"作用。佛克马指出:"文学研究,特别是当代文学研究,与天文学迥然不同,一方面,学者必须在某种程度上依靠别人创立的术语,因为那些术语已经构成了他试图研究的文学实体;另一方面,他的研究结果最终又会影响文学传播的实体。"㉕中国当代文学创作和批评也已置身于后现代言述影响之下。不难想像后现代论者反复进行"某某时代已经终结,某某时代已经来临"的言说对创作和批评趋向会起什么样的作用。这种状况使得对后现代话语的严肃分析更加不可或缺。

由于我们的研究反过来会对研究实体造成影响,那么,后现代性在中国是否存在、是否有其存活繁盛的适宜土壤的实体性问题就必须转化为一个价值取向问题,即后现代性是否应取代现代性而成为当今主流趋势。不同批评家可能带着各自的价值立场参与后现代言述,形成多元主义的批评格局。然而现代性终结论者对现代性死亡的武断宣判,对一个时代已结束、一个时代将来临的过于自信的预言("到了……的时候了"这种叙述方式意味着个体意识和个人选择的不存在,因为大势所趋,势所必然),是否也在无形之中使用了"整体论"论述?若果真如此,已越出其后现代价值立场,而他们对此却缺乏应有的反省,因此对其进行批评不仅是文学研究的需要,也是后现代理论弥缝自身矛盾自圆其说的需要。同时,批评现代性终结论的言述,也需要进行某种自我定位。

我们对于后现代论述不应一概否定或置之不理,也不能无条件地接受,而应在保持一定距离的前提下参与批评言述。首先,我们反对现代性终结的独断判决,但应具有后现代的问题意识;其次,在批判之中应带有强烈的对话意识,使现代性言述和后现代性言述始终保持一定的对话张力;再次,应有超越意识。后现代话语在当代具有极大的弥散性,因此,在研究后现代和现代性问题时很容易陷入话语迷宫,丧失批评意识而无法切入后现代表象背后更深层面。然而,中国的现代性终结论者却缺乏这种必要的批评距离和反思意识。他们的理论话语乃是西方后现代理论在中国文化语境中的直接延伸。由于中国文学现代性终结论的话语资源均出自西方后现代理论,为了比较透彻地分析评价现代性终结论,有必要对作为其理论预设和逻辑前提的后现代理论本身进行更为细致的考察。

带着批评眼光来审视后现代理论,不难发现这种理论内部存在的诸多悖论。

悖论之一:反对阐释与阐释的不可避免。在苏姗·桑塔格等批评家看来,后现代主义是反对阐释的。在这一点上与吁请解释的现代主义断然决裂。然而后现代批评又不可避免落入解释的窠臼。是否可被解释,能否从中挖掘出深度含义,仅由作品决定吗?康德说,以某种方式解读,连菜谱也能读出形而上意味。同样,后现代作品是否会被当作现代主义来解读其深层意蕴,也不取决于作者或作品本文。对习惯于传统理解范式或现代主义解读方式的读者来说,要体验和理解作品的"后现代性",离开后现代批评阐释是很难想象的。更为奇怪的是,中国的后现代论者却偏爱使用实为现代主义的阐释方法来发掘中国的"后现代"文本的反启蒙、反现代性的富有象征性的"微言大义",这除了具有某种反讽意味之外,还揭示出后现代理论在阐释与反对阐释问题上难以克服的内在悖论。

悖论之二:表达与不可表达。后现代主义以本体论代替现代主义的认识论,在利奥塔看来,它致力于其自身的两难性来揭示不可表现之物,传达出强烈的不可表现之感,[26]然而矛盾之处在于,真正的对不可表达的认同便是停止表达。但后现代所作出的一切努力都在于去表达"不可表达"这一意思,这本身亦构成一种表达。因此其本体论又回到对某种单一认识论的确定。

悖论之三:游戏性与真理性。后现代理论与哲学的语言学转向有密切关系。在一个话语膨胀的时代,理论的真理性让位于其游戏性。然而,后现代理论一方面消解一切真实与虚幻之区别,强调批评语言的游戏狂欢性质;另一方面,又以不断揭露"启蒙神话"的"虚幻性",消解"深度模式"的"迷幻"而体现出某种求真意态。

悖论之四:反主观性与极度主观性。有的论者如沃森从后现代主义中看到某种反主观性,"在他们看来,外部世界和主体(自然、客体和别人)须在其全然客观的状态下回复其整体的不可探测性,必须停止像过去在现代主义中那样,作为作家主体意识的一部分。"[27]然而由于世界的不可探测和充满偶然性,那么一切皆成为

可能,"人们可以自由自发地对待经验"。后现代主义兼有极度反主观性与极度主观性,兼有冷漠的隔绝与狂热地卷入的双重性。㉘

悖论之五:对现实的激进批判与全然认同。后现代主义一方面采取颠覆解构的批评策略,立足于亚文化和反文化立场来对现实进行激进批评;另一方面,它又消解批判主体自身,抹平一切界限,认可世界的断裂,而无意修补,最大限度地认同现实。否定一切、颠覆一切的激进色彩与包容一切、涵盖一切的认同,也构成其内在矛盾。

悖论之六:多元论与一元论。后现代反对现代性的整体主义和宏大叙事,而主张消解中心,提倡多元主义。然而在它抹杀一切界限,消解一切差别之时,又不可避免走向混沌的一元论和熵的极大值,正如卡林内斯库所指出,它对现代性的批判实际上不过是对一种新的包含一切并解释一切的一元论的寻求,而解构主义只不过是一种"否定的和激进的不可知论一元论",这种否定性的一元论用来"排他性地达到颠覆和瓦解整一之目的,而不去实现对众多的肯定"。㉙

悖论之七:共时性和历时性。后现代论者强调以后现代的共时性取代现代性的历时性,把历时性当作现代性的标志,然而后现代概念在与现代性的张力结构中,本身就是一个历时性概念。

后现代理论的诸多悖论,是在西方后现代批评讨论中逐步彰显出来的。西方多数学者和国内部分后现代研究者对这些悖论并不避讳,然而中国文学现代性终结论者对此却鲜有全面论述,缺乏必要的自我反省与批判。他们往往只注意或强调了后现代理论话语的矛盾悖论两极中的一极或部分特征,而作出中国文学现代性结束的粗率结论。这种现象不能简单归结为其学养不足,对西学了解不够,我们还应看到其中包含的批评策略。只有进一步分析其批评策略,才能对中国的后现代论述何以陷入这种极端性与片面性有一个比较全面的认识。

有的学者指出,中国的后现代批评策略实为一种在"现代性焦虑"支配驱动下的"时间神话"。这仍是中国文学"现代化"过程中依附西方的体现。为了争取话语权,便在对西方文学发展的简单线性理解模式中将西方流派次第引进,后现代主义便作为对现代主义进行超越的更为"新潮"的艺术样式被大量引入。㉚这是后现代批评为自身合法性寻求动力和依据的阐释策略之一。这种看法不无道理。

　　此外,笔者认为,后现代论述中还隐含着另一个重要的阐释策略,即后现代暗示着反专制的民主平等意识。在后现代论述中,现代性、整体性被轻易等同于求同性和专制主义,而后现代则以多元主义、自由主义和民主主义自命。然而这种策略的逻辑前提仍需反思。首先,将整体性、求同意识等同于专制主义,缺乏起码的逻辑依据;其次,后现代主义也不必然等于多元主义。如前所述,后现代完全可以导致桑塔格所说的感觉一元主义,也可形成技术媒介一元特征,或混沌一元论,或卡林内斯库所谓"否定的未来一元论";㉛再次,后现代主义消解一切,包括人的主体性,并不能实现真正的多元平等。

　　多元格局是当代文学批评的正当合理和必然要求,然而并不能狭隘地将这种格局就理解为后现代性。如前所述,后现代主义完全可能是一元论的。我们所主张的批评的多元主义意味着两个层面的开放性:一是在共时层面上对各种理论批评话语的开放,现代性话语、后现代话语,乃至古典话语皆有一席之地;二是在历时性层面对未来的开放。狭隘的后现代主义、现代性终结论给人一种末世之感。无止境的解构和无节制的话语膨胀,否定一切又杂糅一切的无所不包的混沌,终结一切的批评话语,具有强烈的末世论意味,并与 20 世纪即将结束的世纪末之感交织在一起。笔者以为,当代文学批评仍应坚持历史的观点,应对 21 世纪充满各种可能性的未来开放,反对短视的末世论和终结论。正如一种理论和文学现象往往可在遥远的过去找到源头,任何一种理论也不会轻易结束。即使现代性在当代某一时期的批评视野中一度受到冷落,即使它在将来某时的批评话语中进一步衰弱式微,也不意味着它寿终正寝、一去不回,正如米哈伊尔·巴赫金所言:任何理论话语都有它的复活节。

注释:
①㉕㉖㉗㉘㉙㉛ 佛克马等编《走向后现代主义》,北京大学出版社 1991 年版,第 4,6,39—40,23,51,41,42 页。
②③④⑥⑨⑪⑬㉔ 张颐武《从现代性到后现代性》,广西教育出版社 1997 年

版,第 98,103,104,264,100,120—121,106—107,307—308 页。
⑤ 见刘小枫《走向十字架上的真》,上海三联书店 1995 年版,第 169 页以下。
⑦ 盛宁《人文困惑与反思》,三联书店 1997 年版,第 11—13 页。
⑧㉚ 张清华《中国当代先锋文学思潮论》,江苏文艺出版社 1997 年版,第 4,16—18 页。
⑩ 转引自松原新一等《战后日本文学史、年表》,上海译文出版社 1983 年版,第 538 页。
⑫ 霍克海默、阿多尔诺《启蒙辩证法》,重庆出版社 1990 年版。
⑭ 哈桑《后现代景观中的多元论》,见王岳川等编《后现代文化与美学》北京大学出版社 1992 年版,第 129 页。
⑮ 巴赫金《陀思妥耶夫斯基诗学问题》,三联书店 1988 年版,另见《巴赫金文论选》,中国社会科学出版社 1996 年版。
⑯ 董小英《再登巴比伦塔》,三联书店 1994 年版,第 243 页。
⑰ 陆建德《麻雀啁啾》,三联书店 1996 年版,第 312—313 页。
⑱ Caryl Emerson, "The Russians Reclaim Bakhtin," *Comparative Literature*, Vo14, No4, 1992, Eugene: University of Oregon.
⑲ 弗洛姆《为自己的人》,三联书店 1988 年版,第 239—240 页。
⑳㉒ 昆德拉《小说的艺术》,作家出版社 1993 年版,《被忽视的塞万提斯的遗文》一文。
㉑ *Culture and Modemity*, Edited by Eliot Deutsch, Honolulu: University of Hawaii Press, 1991.
㉓ 乌纳穆诺《生命的悲剧意识》,上海文学杂志社 1986 年(内部发行),第 156 页。

原载《文学评论》1999 年第 1 期

刘海斌

论"现代性"在现代
文学研究中的阐释有限性

怎样对现代文学进行阐释才是有效的?在确定自我关注对象后,文学研究者可以通过不同的理论选择,设置种种对于文本的阐释框架。因此,一部现代文学史可以写成人物形象史、叙事特征史、文化史乃至文艺斗争史、阶级斗争史,但不管是什么史,它首先都必须面临一个对历史本文整体特征进行判定的问题。

翻翻七十余年来的现代文学史著作,其历史叙事虽各有偏重,但其书名却往往不是标以"新文学"就是冠以"现代文学"开头,鲜有例外。由此我们不难体悟到:"新"、"现代"乃是几代文学工作者对于"五四"以来白话文学性质的共同承认,它们实际早已成为现代文学研究的潜在元话语。

对这个元话语稍作语义分析我们即可发现,"新"与"旧"相对,"现代"与"古典"相对,它既是一个历时性的价值判断又是一个共时性的状态揭示,"新"的原因乃是由于"现代",因此,一部"五四"以来的文学史,就是一部传统民族文学接受外来刺激后进行现代化转型的历史。

但是,这种貌似明晰的历史表述却仍然有疑问的存在。

如果把"现代性"定义为"现代化的本质精神"的话,那么人们要追问的是:相对于西方的"现代性"理解,则中国的"现代性"内涵是什么?作为审美意识形态的中国现代文学,其"现代性"特质又体现在哪些地方?

应该说,以陈独秀、胡适、周作人为代表的知识分子没有也不可能对新文学的"现代性"做一个全面而准确的规范,只是在对于传统文学的整体性否定中,他们从"文学改良"到"文学革命",从

"国语的文学—文学的国语"到"人的文学"、"平民文学",一步步地完善着新文学的"现代性"建构。至于这种建构有没有最终完成,完成得怎么样,则是一个仁者见仁、智者说智的问题。

　　从"五四"到三四十年代,几代知识分子虽然对传统文学进行了激烈攻击,但已如一个人不可能拔着自己的头发使自己跳出地球一样,新文学创作仍无法摆脱传统的巨大阴影。以胡适的《尝试集》来说,其中诗歌文白夹杂,从用词、句型到押韵、意象仍难脱旧诗的痕迹。如果我们承认《尝试集》是现代文学史上第一部白话诗别集的话,那么这部连胡适也自称为"小大脚"的诗集中有多大成分是现代的?百分之三十?百分之五十?百分之七十?白话的运用、审美的体验要达到什么样的境地才算现代?对后两个问题,在公认的现代文学作品中,我们很容易举出一些例子来质疑:新文学开创者周作人的散文不乏名士气息,"语言大师、文体大师"沈从文的"湘西世界"飘散着庄禅意味,其他如许地山小说里的佛学旨趣、张爱玲小说中的红楼情结,则其中审美的现代意蕴又何在?而为现代文学史所普遍排斥的鸳鸯蝴蝶派小说,其表现出来的商品经济意识、恋爱自由意识、人格平等意识、私人空间意识,却都是文学革命以来所倡导人的"现代性"的重要表现。如果把这种对以文学形式的"现代性"作为文学现代性主要标志的质疑再推远一点的话,那么我们可以看鲁迅的文言小说《怀旧》,捷克汉学家普实克曾从叙事方面令人信服地指出《怀旧》是中国现代文学的先声,然而,我们又有哪部现代文学史对此表示过足够的重视呢?

　　作为理论特性,"现代性"的生成有赖于文学本文"现代化"的实际历史进程。在这个进程的最初,传统文学是以种种落后性为参照背景而凸显五四文学"现代性"的种种特征的,这些特征可表述为:以白话为文学语言、叙事手法的变异、文学观念的创新等等;但当我们说到二三十年代文学的"现代性"时,则显然不仅仅是指它相对于传统文学的上述差别(如果还是这种差别的话,就意味着文学发展的停滞),在更大意义上,它体现的是相对于"五四"文学的更"现代"的价值,如从"人的文学"进展到"普罗文学"、"左翼文学",象征诗派的兴起,现代派小说的成立等等。无疑,这种观察又是把"五四"文学推到"古典"这个背景位置上去了。"革命、革革命、革革革命、革革革革革命……",按照这种文学进化论的逻辑,则势必得出只有"现代派"文学才是现代性最强的文学的结论。当20世纪后半期西方出现更"现代"的"后现代主义"文学,"反本质写作"、"解构一切",彻底颠覆了文学的"现代性神话"时,那我们的"现代性"又何去何从呢?正是在这里,"现代性"陷入了理论上的否定循环。

事实上,长期以来,我们谈论现代性都是在以下两个层面上加以展开的:一是以1917年以来现代文学整体的革命性相对于传统文学整体的保守性的对比;一是在1917年以来的现代文学内部,以为人生派、乡土写实派、社会剖析派等为代表的雅文学的前卫性相对于鸳鸯蝴蝶派、海派文学等为代表的俗文学的滞后性的对比。但是,"现代性"既然在"反叛—模仿—反叛"中游移不定,那么它也必然难以给出一种稳定的文学价值评判标准;而我们的问题恰恰在于:在尚未对"现代性"这一概念的基本内涵与外延进行清晰界定之前,我们对这两种现代性一直是混杂而用的,并且在相当大程度上,早已先验地宣判了这两组文学比较对象的谁优谁劣。

新时期以来,随着研究者们对文学现代化进程的日益重视,现代文学研究无论是在研究的深度、广度还是在追求学术的独立品格上都取得了前所未有的进展。以鲁迅研究为例,一旦把鲁迅从一个"革命战士"向一个"现代知识者"进行考察重点的转换,我们就惊异地发现:在思想、文化、艺术等各个领域,鲁迅都有着我们远未认识到的丰富、复杂、深邃的意义,对这种种意义的积极探寻,则导致了一个全新的鲁迅的展现。而从鲁迅研究的历史性转换出发,更是带动了整个学科全方位的跃迁。可见,一个重大理论视点的转移,对于学科建设的促进作用是何其巨大。但学科之所以发展,正因为其理论是常新的、多元的,如果在学科建设上过于强调"现代性"品格,乃至达到要以一个内涵与外延尚属众说纷纭的"现代性"概念来确定一门学科的理论归属、研究方法的地步,这是否又走向了一种理论迷信,或者说,也是一种学术不成熟的表现?

严格说来,学术并无中外古今的区别,现代文学具有现代性,却并不意味着现代文学研究就必然要有现代性。在现代文学史料的掌握、梳理上,多学学清代乾嘉学派的考据、实证方法仍不无裨益;在文学批评中,借用"风骨"、"神韵"、"境象"等古典文论范畴,也许能更有助于我们对现代文学某些特定情状的把握。从具体研究看,面对一个文本,批评家感受的首先是文本的固有特征,根据这种特征对自我理论预设进行更换、调整后,才设置出具有一定合理性的阐释框架进行批评活动,而不是在此之前就去凭空要求阐释必须具备现代性。再者,什么是现代文学研究的"现代性"?对于这个问题,恐怕我们也难以做出准确的回答。因为不管是旨在研究中弘扬理性主义,还是强调发挥研究的主体性或者观念方法上的时代性、新颖性,这其实都是任何一个学科建设所必有的基础条件,以此并不足以构成现代文学研究的独有特色。

很明显,任何一种理论都有其阐释的有限性,承认这一点,我们才能理智地看到一种理论在文学研究上的独到之处及其视野盲区。考虑到审美生成的复杂性、读者期待视野的变异性,任何一部文学史都不应该提供一种关于文学的最终价值判断,承认有所不能、有所空白,才可以扬己所长,才可以在某些问题上长驱直入,对文学进行较为深入、准确的阐释。从上述立场出发,"现代性"当然可以作为现代文学的一种解释话语而存在,但在未能充分表明自我的唯一合法性之前,它就不该剥夺其他解释话语的生存权利。在新时期以来的现代文学研究中,"现代性"作为一个万能的能指,占领了过分广大的空间,其引起的文学评价标准的混乱、文学史写作的混乱,至今仍妨碍着我们对20世纪文学本体的深层次进入。

对于现在的中国来说,要清楚谈论"现代性"问题似乎还太难;毕竟,我们整个社会还处在向"现代"前行的宏大进程之中。研究者的这种当下处境,一方面固然使我们很容易地就发现许多富有现实活力和启示意义的学术命题;另一方面,由于"现代"作为中心话语还牢固地占据着我们的头脑,潜在地影响着我们的价值判断,也难免会使人产生"不识庐山真面目,只缘身在此山中"的认识障碍。因此,作为一个真正的研究者,能否具有一种长远的、冷静的历史眼光,超脱一些,不急于下判断,理智地探讨一些诸如"传统与现代"、"民族与世界"等具有整体性、根本性的命题,则对于现代文学学科建设来说,幸莫大焉。

原载《中国现代文学研究丛刊》1997年第4期

何家栋

后现代派如何挪用现代性话语

——评"经济民主"和"文化民主"

进入 90 年代以来,一些风头正健的青年学人热衷于议论现代性的危机,鼓吹"后现代"、"后殖民"理论。他们一方面宣布人权、自由是"现代性所创造的""虚幻的""拯救意识"和"臣属的""普遍性"话语;一方面又对同属于现代性话语的"民主"进行了"挪用",大谈所谓"经济民主"和"文化民主",例如崔之元在《读书》和《二十一世纪》上发表了多篇有关"经济民主"的文章,又如张颐武在《中国社会科学季刊》(1997 年春夏季卷)宣称"一种新的文化民主……业已崛起",但是对于政治民主的议论却甚为寂寥。这是一种值得人们深思的学术现象。"经济民主"和"文化民主"的确切含义是什么,它们与政治民主的关系是什么,它们是对"当下"的"认真分析"还是乌托邦建构,它们对生活中的人们以及鼓吹者本人又有什么现实意义,想必不止是学界中人才感兴趣的问题。

民主属于政治领域

从古至今,从中到西,民主都是政治领域的一个范畴。《辞海》对于"民主"的释义:"原意指人民的权力。民主用于国家形式,即成为一种国家制度。与'专制'相对立,民主不仅指政体,首先指国体,指哪个阶级掌握国家政权,对内实行民主制,对其敌对阶级实行专政。"再看《布莱克威尔政治学百科全书》"民主"词条:"古老的政治用词,意指民治的政府,源于古希腊语 demos(民众的)统治。在现代用法中,它可以指人民政府或人民主权,代议制政府及直接参与政府;甚至可以指(不太确切的)共和制或立宪制政府,也就是说法治政府。"《简明不列颠百科全书》对于"民主"的解释较为宽泛:"字面上的意思是人民当家作主,但现代使用这个词时,有以下几种不同含义:1. 由全体公民按多数裁决程序直接行使政治决定权的政府形式,通常称为直接民主;2. 公民不是亲自而是通过由他们选举并向他们负责的代表行使政治决定权的政府形式,称为代议制民主;3. 在以保障全体公民享有某些个人或集体权利(如言论自由和宗教信仰自由等)为目的的宪法约束范围内,行使多数人权力的政府形式(通常也是代议制民主),称为自由民主或立宪民主;4. 任何一种旨在缩小社会经济差别(特别是由于私人财产分配不均而产生的社会经济差别)的政治或社会体制。即使政治制度从前三种的任何一种含义看不是民主的,最后这种民主仍可称为社会民主或经济民主。"从上文不难看出,这一词条的作者在把民主的第四个义项与前三项并列时,是很勉强的,只不过是承认存在这样一种语言实践,尽管在这种语言中民主的语义与其他人截然相反。至于"文化民主",在现有的辞典和百科全书中尚无踪迹。

政治领域也就是公共领域。孙中山说,政治就是众人之事。政治领域的决策,关系到众人的公共利益,即使你没有参与决策,也会受其影响;即使你不同意决定,也要服从,否则就会受到强制。因此,民主政治主张公共领域的事要由众人来管,主权属于人民,决策服从多数。而经济领域与文化领域,在传统上都属于私人领域。古希腊思想家把家庭(household, oikos)和政治(politics, polis)分得很清楚,黑格尔则把市民社会与国家分为两截。民主是政治与国家范畴的概念。在家庭范围内,很少有事情是夫妻与子女通过举手表决来决定的。在市场范围内,价格是由所有的消费者与生产者,或者按边际学派的说法,是由最后一个进入市场者决定的,而不是根据多数人的意志决定的。根据传统观念,政治与经济关系到国计民生,而文化生活则是私人的业余活动和闲暇消遣,不仅国家不应干预,即使在家庭内部也难求统一。同样难以想象的是,一部学术著作的价值应当由占人口多数的非专业人士来评价,或者由他们来决定是否允许发表。在私人领域中,最重要的一个概念是自由。《简明不列颠百科全书》中民主的第二种含义与第三种含义是有区别的。代议制民主将民主置于至高无上的地位,自由民主或者立宪民主则把民主限定在不侵害自由的范围内。现在人们通常所说的西方民主,都是指自由民主或者立宪民主。

在现代社会中,由于分工的发展,人们之间相互依赖和影响的程度愈来愈大,公共领域与私人领域的划分也不像从前那样清楚了。进入 20 世纪以后,政府对于经济的干预已经成为家常便饭。即使是在把保护言论自由的宪法第一条修正案奉为圭臬的美国,克林顿政府和国会也通过法律形式推动 V—芯片的安装,使得父母能够决定其子女应当观看什么样的电视节目。但是,这些仅证明了奉行民主原则的公共领域对私人领域的不断侵蚀,并不表明私人领域也应当同样遵循民主原则。也就是说,在上述事例中起作用的仍然是政治民主,而不是"经济民主"和"文化民主"。

崔之元所说的"经济民主",包括两个层次的含义:"在宏观上,'经济民主'论旨在将现代民主国家的理论原则——'人民主权'——贯彻到经济领域,使各项经济制度安排依据大多数人民的利益而建立和调整。在微观上,'经济民主'论旨在促进企业内部贯彻后福特主义的民主管理,依靠劳动者的创造性来达到经济效率的提高。"在宏观层次,崔之元的核心论点是,人们的宪法权利——尤其是产权——并非是从自由概念中逻辑地导出,而是由政治民主和法制的过程历史地界定的。在微观层次,崔之元的"经济民主"就是"后福特主义"原则,"即时或无库存生产",以及他极力赞誉的"鞍钢宪法"。即使我们完全赞同他的观点,赞同用政治民主去限制和调整经济自由,赞同"后福特主义",也没有必要给它们戴上一顶"经济民主"的高帽,因为毕竟在大部分经济领域奉行的是等价交换原则而不是民主原则。

张颐武对于"文化民主"言之不详,他只是说:"后现代提供了有力的文化实践上的依据,一种多元多向的文化,一种新的文化民主,一种无限的选择性业已崛起。"多元多向的文化,人们通常称之为文化自由,乍一看去,似乎完全无法理解为什么要引出"文化民主"这样一个新的概念。

当然,我们并不一般地反对人们在语言运用上的自由。尽管语言是约定俗成的,言语行为太自由了就达不到与人交流的目的;但是在另一方面,语言也是不断发展的,误用可以变成正统,创新可以变成常规。在这里,我们只是想要提醒人们注意,滥用或泛化一个概念,往往是消解它的一种策略。

互补还是消解

人们通常认为,政治民主、经济自由、文化多元是互相补充的,共同构成自由民主价值观的核心。也有人指出,政治、经济、文化三个领域既是互补的,也存在着机制断裂。例如丹尼尔·贝尔就在《资本主义文化矛盾》一书中说:"我认为最好把现代社会当作不协调的复合体,它由社会结构(主要是技术——经济部门)、政治与文化三个独立领域相加而成,……三个领域各自拥有相互矛盾的轴心原则:掌管经济的是效益原则,决定政治运转的是平等原则,而引导文化的是自我实现(或自我满足)原则。"他强调的是不存在凌驾于三个领域之上的统一原则。如果我们同意以上的看法,就不应当以民主原则一统天下。那么,"经济民主"、"文化民主"究竟是什么意思,它们与政治民主之间又是什么关系呢?这取决于在怎样的一种语境中来使用这些言词。

崔之元在与别人合写的文章中,肯定"政治民主和经济民主应该齐头并进";在他自己的文章中,则把"经济民主"放在第一位,主张"以经济民主和政治民主为指导思想,寻求各种制度创新的机会"。把谁放在前面,并不是无关紧要的。首先,崔之元决定采纳"经济民主"这个提法,就像是给自己贴上了赞同《简明不列颠百科全书》中第四种民主含义的标签,而且,他也确实表示过,只有当"社会主义消除了人与人之间的严重的经济不平等之后",才谈得上真正的民主。如果不首先消除经济不平等,甚至以"让少数人先富起来"为名扩大经济不平等,政治民主或者是不可能的,或者是虚假的。对此,正统马克思主义者已经有过许多论述。其次,崔之元反对"制度拜物教",反对将具体的制度安排等同于抽象理念。因此,他一方面肯定以民主理念为指导思想,一方面又否定"政党政治"之类的民主制度,主张在"党的一元化"领导下"扩大制度创新的想象力空间"。

根据常理,张颐武不应觉察不到文化多元、文化自由与"文化民主"之间内在的紧张,但他仍要鼓吹"文化民主",显然是有其深意所在。张颐武是以"后殖民"、"后现代"的探索者自居的,但是他似乎没有发现或者发现了也不愿承认在"后殖民"与"后现代"之间同样存在着内在的紧张关系。出于"后殖民"的立场,必须否定"一种全球性的文化权力所创造的"有关中国文化的"知识",将话语权力夺回到中国人自己手中,以向世界展示一种本土性的有关中国文化的真正的知识。然而,出于"后现代"的立场,所谓"中国文化",所谓"真正的知识"都属于"现代性的观念",都在解构之列。彻底的"后现代主义"者是不承认作为整体的文化的,他们只承认文化的某些碎片。为了挽救"后殖民"的合法性,必须对"后现代主义"打一些折扣,变全面解构为部分解构,这时候,"文化民主"就派上了用场。谁也不能否认,中国文化是由精英文化和大众文化共同组成的,二者内部又有不同的流派和倾向。为了让世界尊重中国文化,首先面临的问题就是在"众声喧哗"中确定中国文化的合法代表,如果不将民主原则从政治领域"挪用"到文化领域,仅仅作为一家之言的"后殖民"话语在为"中国文化"辩护时就无法显得底气十足。

中国现在还没有公民表决,但已经有了民意测验。据媒体披露的某些民意测验结果:中国的多数民众对于政治民主不感兴趣,对于西方的人权外交甚表不满。且不论其抽样是否科学,结论是否可靠,但张颐武显然认为,这就是"当下""中国文化"的合法代表。外国人如果表示怀疑,其言论就必然是在"冷战后"的全球化体系中"表现中国的'它性'的特殊商品","对中国市场进行调控及对于贸易进行控制的筹码"。中国的文化精英如果像80年代那样继续追求"'走向世界'的宏大目标"和具有普遍意义的"现代性话语",坚持对民众进行"启蒙"和"引导",企图保持知识分子的超越地位,"重返在90年代业已失落的话语中心的位置",那就"恰恰显示了""与西方的文化霸权之间的不可分割的同构与共生关系","具有异常强烈的'臣属'的特征","表现出最为充分的'后殖民性'"。上述借助"文化民主"对于"当下""中国文化"的"后殖民"解释是很吓人的,你要追求"现代性话语",就是在西方文化霸权面前俯首称臣;你不想落里通外国的嫌疑,就得让自己的思想服从大腕们所揭示和解释的"文化民主",让他们操纵你的喜怒哀乐。它在学理上也是说不通的,如果用以分析30年代的中国文化,则阿Q比鲁迅更有资格充当那个时代中国文化的代表。

文化与民主确实有着密不可分的联系,但不是以民主的方式或者说少数服从多数的方式来决定中国文化的当下状态与未来前途，而是说，自由、博爱、人权这些"元宪法"的政治文化的底蕴关系到民主制度的命运：它能否建立或者能否巩固。

经历了希特勒通过民主方式上台实行法西斯主义专政的人间惨剧后，民主理论在历史实践中通过洗礼而获得新生。《简明不列颠百科全书》对于民主第二种含义与第三种含义的区分表达了当代西方对民主的再认识。多数统治已经不再是民主理论的关键词。波普指出，早在两千多年前，柏拉图就提出了"自由的悖论"，柏拉图在批评民主以及对僭主的出现的叙述中暗含地提出了如下问题：如果人民的意志是他们不应该自己统治，而应该由一个僭主来统治，这又如何呢？柏拉图提示，自由的人可以行使他的绝对自由，起先是蔑视法律，最后是蔑视自由本身，并吵吵嚷嚷地要求一个僭主。本世纪三四十年代，当这种历史情势真正出现时，波普认为，需要对传统的民主学说进行改造。他说："我心中的这个学说并不出自所谓多数统治固有的善良和正当，而是出自专制的卑劣；或者更确切地说，它在于如下的决定或采纳如下的建议：要避免和反抗专制。我们可以区分两种类型的政府。第一种类型所包括的政府是可以不采取流血的办法而采取例如普选的办法来更换的那些政府；这就是说，社会建构提供一些手段使被统治者可以罢免统治者，而社会传统又保证这些建构不容易被当权者所破坏。第二种类型所包括的政府是被统治者若不通过成功的革命就不能加以更换的那些政府，这就是说，它们在绝大多数情况下是根本不能除掉的。我建议，'民主'这个词是第一种类型的简略代号，而'专制'或'独裁'是第二种类型的简略代号。""如果我们采用我建议的这两个代号，那么，现在我们就可以把创造、发展和保护一些政治建构以防止专制称之为民主政策的原则。这个原则并不意味着我们能够加以发展的这种建构必定是毫无缺点的或万无一失的，或者能够保证民主政府所采取的政策必定是正确的、好的或明智的——或者甚至必定比仁慈的专制所采取的政策更好或更明智。（既然我们没有作出这类断定，那么就避免了民主的悖论）。然而，我们可以说，我们采取这个民主原则，意味着我们相信，即使民主国家采取了坏的政策也比屈从于哪怕是明智的或仁慈的专制统治更为可取（因为在民主国家中我们能够进行和平改革）。这样看来,民主学说的根据不是多数统治原则;毋宁说,诸如普遍选举和代议政府等各种民主控制的平等主义方法应被视为经过考虑的,在广泛地存在着对专制的不信任传统中的一个合理而有效的防止专制的建构;这些建构永远需要改进,并且为它们自己的改进提供各种方法。"当代意义上的多数统治并不真正意味着由多数人作出重大决策并进行治理,政治家与行政官僚等统治精英在民主制度中同样是不可缺少的,但是,民主政治确实意味着每一个人都可以自由发表对统治者的看法,获得多数人的赞同后就有机会改变犯错误的政府。

波普明确指出:"民主不能提供理性。"政治理性是历史经验总结和哲学思索的结晶。政治文化的进步离不开知识精英的探索,理性文化的普及离不开知识精英的启蒙。如果没有洛克、孟德斯鸠、卢梭、杰斐逊、麦迪逊等哲人的睿智,并不会从天上掉下来一个西方民主。如果以"文化民主"为依据消解掉中国知识精英民主启蒙的意义与价值,也就是铲除了中国建立民主制度的政治文化根基。当然,假若坚持彻底的文化相对主义立场,鉴于民主是西方舶来品,没有民主,则对于中国本土文化也没有一丝一毫的损失。但是张颐武只是半吊子的文化相对主义者,他还舍不得丢掉"民主"这一类的字眼,他还需要"通过对西方理论的'挪用'获得""对当下中国交织杂糅(hybridity)的语境的'状态'的新把握"。

背离现实的"狂躁"

张颐武喜欢嘲讽中国知识精英的"巨型话语"、"宏大话语"、"伟大叙事"、"狂躁的大话"、"幻觉和臆想"、"乌托邦式的超越意识"。如果"当下"的"中国文化"真的与民主、人权无缘,知识分子的民主启蒙与民主设计自然难逃"乌托邦"的嫌疑。然而在另一方面,张颐武与崔之元一样,都喜欢谈论"无限的选择性"、"制度形态的无限性"。思想史的常识告诉我们,保守主义、自由主义都对人的"有限理性"抱怀疑态度,而对"无限可能性"的追求和向往,恰恰是理想主义或乌托邦主义的显著特征。因此人们有理由提出疑问:到底是政治民主,还是"经济民主"和"文化民主"是乌托邦。

崔之元为"经济民主"提供的一个样板是"鞍钢宪法"。1960

年3月20日,毛泽东在鞍山钢铁公司《关于工业战线上大搞技术革新和技术革命的报告》上批示:"鞍钢宪法在远东、在中国出现了"。其具体内容是"两参一改三结合",即干部参加劳动,工人参加管理;改革不合理的规章制度;工程技术人员、管理者和工人在生产实践和技术革新中相结合。历史告诉我们,鞍钢宪法在当时只是一张乌托邦蓝图,现实中的企业制度是党委领导、书记挂帅。连同崔之元推崇备至的"南街模式",都是属于这种"外圆内方"的样板。正如1966年的"五七指示"为人们描绘了把全国办成人人学工、学农、学军、学文化的毛泽东思想大学校的美好图景,而"文化大革命"中各地纷纷开办的却是"毛泽东思想学习班",即关押千百万"牛鬼蛇神"对其实行"群众专政"的大小"牛棚"。

崔之元还让人们到毛泽东的"文化大革命"理论中去发掘制度创新的源泉。他说:"'文化大革命'最终以悲剧告终。但是,这并不意味着毛的'文革'理论中不包含对正统马列的重大超越,更不意味着'大民主'——广大劳动人民的经济民主与政治民主——是可望而不可及的。'大民主'是毛的未竟事业,是他政治遗产中最值得我们重视的部分。"应当说,这更是一幅经过篡改的乌托邦图景。毛在1956年11月召开的中共八届二中全会小组长会议上的发言说得很清楚:"人民内部的问题和党内问题的解决的方法,不是采用大民主而是采用小民主。要知道,在人民方面来说,历史上一切大的民主运动,都是用来反对阶级敌人的。"毛一生都没有改变这一观点,他在"文革"中搞"大民主"与在"反右"中搞"大民主"一样,都是针对敌人的——一个是对"右派",另一个是对"走资派"和"一切牛鬼蛇神"。敌我意识与法治社会是互不相容的。

根据崔之元让"经济民主"与"鞍钢宪法"和"大民主"攀亲的举动,以及他对当下中国经济制度创新的憧憬,可以对他的"经济民主"作出一个初步的诊断:扭曲历史,脱离现实。

首先,如果把"经济民主"理解为微观层面的工人参与管理,那么这种理论对于当下陷于困境中的国有企业不会有多大帮助。因为稍有经济实践经验的人都知道,国有企业现在的主要问题在于市场经营而不是内部管理,任何否定和贬低企业家作用的理论都无助于国有企业的改造。自熊彼特以来的企业家理论认为,企业家不仅是生产的组织者与管理者,而且是市场的开拓者和创造者,也是技术革命的主要推动者，"是经济生活中作出主要决策的人"。至于崔之元特别推崇的股份合作制，张晓山等最近撰文，通过几年来对农村股份合作企业所进行的问卷调查和案例研究，并结合分析股份合作制方面的其他资料，他们得出以下结论：第一，在股份合作企业中，大股东控股型和股东经营型占多数，它们都是股份制导向；少数企业为均股型，其中仍有很大一部分实质上还是股份制导向的企业，合作性质突出的企业为数很少。第二，均股型企业所形成的财产权利均等是民主管理的基础，但这种均等亦给企业的发展制造了障碍。这种股份合作制改造并不能真正调动起职工的积极性，使职工具有主人翁意识，也无法解决"免费搭车"的问题，其结果往往是新一轮的"大锅饭"。第三，与上述结论相联系，农村股份合作制改革的实质，不是解决企业普通职工积极性的问题，而是解决经理人员（企业家）积极性的问题。经营者及管理阶层在企业中持大股成为一种必然的趋势，这种现象具有经济合理性，但也在不同程度上削弱了股份合作企业的合作性质（《改革》，1997年第6期）。综上所述，假若用"经济民主"消解掉企业家的突出作用及其人力资本的特殊价值，势必会妨碍当前市场经济的建设，并遏制其内在创新的活力。

其次，如果把"经济民主"解释为宏观层面的经济平等，那就必须通过政治民主的途径才能实现，而绝不能寄希望于"大民主"一类的乌托邦（"文革"中的"大民主"实为"个人独裁"，与政治民主没有任何关系）。在诸如印度尼西亚那样的国家，任何一个大型建筑项目都要由苏哈托总统的儿子或女儿染指10%至20%的份额，这种经济上的不公平是缺乏"经济民主"造成的，还是缺少政治民主所致，人们不难得出自己的结论。

张颐武没有给出"文化民主"的定义，但有一些与此相关的论述。他说："文化的话语支配者已由知识分子转向了'大众'。文化已由知识分子引导型转向了由大众引导型。"由此看来，在"后新时期"，大众已经取得与知识分子平起平坐的地位，甚至更进一步成了话语支配者。可是在另一个地方，他又说："这些变化的结果是文化支配者的转移。这种转移带来了一个新的群体的产生。这一群体经常被人们称作'腕'，也可以称之为'后知识分子'。"因为他们占据文化话语中心位置，但又放弃了昔日知识分子'启蒙'和'代言'的文化功能。他们能够精确地把握和控制大众的趣味和无意识,因而是可靠的文化资本的投入的保证,他们不代表民众'说'出真理,而是为大众所热衷的'流行'文化的代表,他们把消费性作为文化存在的前提。""他们是大众的'文化英雄'。他们在给大众提供娱乐的同时,也获得了对大众的影响力,他们既是取悦潮流的人,但又是潮流的创造者。因此,他们站在文化的中心自由地嬉戏……"张颐武在百般揶揄知识分子"重返中心"努力的同时,对于"后知识分子"占据文化话语中心位置却给予了肯定至少是默许。这就是说,文化权力并没有从知识分子转向大众,而是从知识分子转向了"后知识分子",即从文化精英中的一个群体转向了另一个群体,与"文化民主"实不相干。尽管给"腕"们戴上了"后知识分子"的桂冠,但是与"后新时期"取代"新时期"不同,"后知识分子"取代知识分子并不是一个历史规律。一般地说,在市场经济与民主制度的条件下,知识分子与文化"大腕"完全可以在文化权力场中共存共荣,相得益彰,而前者始终是文化创新的源头活水,是社会与时代的文化典范。至于"当下""中国文化"的状况,只能被视为一个特例,是一部分文化精英与统治精英"共谋"的结果。

民主的一个基本含义是平等。如果说真正的政治平等可望而不可及,那么经济平等就更难以实现,文化平等则是一个纯粹的乌托邦。在政治上,至少可以使每一个选民拥有与他人平等的选举权;在经济上,也还可以通过财政手段进行收入再分配,使穷人获得实惠;在文化上,人们甚至不知道应当如何对平等进行测量。即使普及了基础教育,人们在文化资本的占有和文化消费的品味上仍不可同日而语,更不可能在文化创新上享有均等的机会。文化这个概念,不仅意味着即时的文化生产与消费,而且意味着长久的文化积累与传承,在后一种意义上,就更谈不上什么"文化民主"了。因此,如果把"经济民主"与"文化民主"作为"政治民主"的前提条件,就等于把它的实行推迟到遥遥无期的未来。

如果说"文化民主"不能在一种文化内部实行,那么在文化与文化之间能否实行呢?从抽象的价值角度说,每一种文化都应当是平等的,都有其不可替代的生存价值。但是从现实的角度说,竞争乃是文化的生存方式。现在世界上有几千种语言,每一种语言都代表着一种文化,但是每年都有一种以上的语言和文化在消失。

联合国有近两百个会员国,却只有六种工作语言,其中占优势的语种是英语和法语,而在因特网上,则几乎是英语的一统天下。如果要使所有的语言和文化都平起平坐,或至少能够维持生存,必须有人为此承担经济上的代价,而联合国现在连维持六种工作语言都有困难,作为其财政主要负担者的美国国会已经不大肯掏腰包了。中国文化虽然还没有面临生死存亡的关头,但同样要靠激发内部活力来力争上游,而不能靠"文化民主"机制的保护来苟求生存。60年代,拉美国家高举反对经济殖民主义的旗帜抗拒经济全球化进程,结果在国际经济竞争中落在了东亚的后面。同样,如果中国在90年代以反对文化殖民主义的名义拒绝国际文化交流,拒绝按照国际规划参与文化竞争,势必进一步削弱中国文化潜在的竞争力,在一体化的全球文化中愈来愈成为远离中心的边缘文化。从表面上看,"后殖民"的鼓吹者似乎是反抗"全球性文化权力"的勇士,但是如果他们真的要将"文化民主"的主张付诸实施,就只能求助于某种国际或国内的政治权力,用政治权力来限制文化权力,用强制性分配和保护措施来代替自然的文化竞争与融合。这样一来,就从天上的乌托邦幻境跌落到地面的现实政治中,"文化民主"与文化自由的内在冲突也得以显露无遗。

为谁代言　为谁守望

张颐武说:"在中国的现代性话语中,知识分子……是为民众说出真理的人,他掌握语言并成为没有表达权力与能力的群众的代言人,他受民众的委托来表达民众的意志。"而在"后现代"话语中,"幻想的'代言人'的神圣角色被解构了",取而代之的是"一个守望者的新的身份","这个守望者在认识和把握时代时,首先反思自己"。但是,这种代言人与守望者的二分,仍然逃不脱"现代性话语"的惯习,不过是编造了一个新的神话。张颐武本人就没有完成从"代言人"到"守望者"的角色转化。当他从"后现代"话语转向"后殖民"话语时,"当下""中国文化"代言人的姿态便跃然纸上。崔之元在阐述他的"经济民主"时,显然也是以"广大劳动人民"的代言人自居。一般地说,无论古代、现代还是"后现代",只要是真正意义上的知识分子,恐怕都难以逃脱代言的使命。"后殖民"大师赛义德便直言不讳地说,真正的知识分子应该是弱势集团的代言人,对社会主流文化持批评态度。他所喜欢用的一个术语是"批判意识",与张颐武的"守望"显然不同,而后者在"守望"中国文化与世界文化的互动时,也并没有遵循自己所规定的"首先反思"的行为准则。

二分法虽然很俗气,但是在"后现代主义"发明一种"后现代"逻辑之前,人们说话写文章却离不开它。下面要引入的,还是一种有关知识分子的二分法。笔者认为,知识分子有两种主要的使命:发现真理与抨击非正义。为了发现真理,就必须提出某些具有普遍性的假设,也就是说,要为"群众"、"民众"、"大众"代言,更准确地说,是为所有的人或每一个人代言。为了批判社会不公正、非正义的现象,则往往要选择一个特殊的立场,为特定的社会集团代言。有人说,社会的强势集团多乐于提倡普遍性、统一性、一体性,弱势集团则倾向于鼓吹多元性和相对性,口号的背后是社会力量之间的争斗。这话不是没有道理,但把它用于知识分子,则过于偏颇,有失公允。一名知识分子可以同时担负起两种使命,也可以侧重其一,不论你侧重哪一方面,都不应当把选择不同的知识分子视为冤家对头。

当今的社会科学可以大致划分为"实证的"社会科学与"规范的"社会科学。汪丁丁指出,实证经济学(也可以推广到所有的实证社会科学)有两个基本预设。第一个基本预设是"不确定性假设"。一是大自然的变动,称为"环境不确定性";二是人类行为的不确定性,称为"行为不确定性"。第二个基本预设是"连续性假设",无数不确定的行为可以构成一条连续的行为曲线,它的最重要的推论是:"可观测的行为一定是均衡的行为模式。"因为均衡正是稳定性的另一种表述方式,具有某种稳定性的行为才是可观测的。但是,对于"规范的"社会科学来说,这两条基本预设是不能成立的。如果不借助于行为的确定性,不给特定的人群贴上类型标签,规范社会学便无法定义社会阶级,文化人类学也无法概括任何一种文化样式。马克思主义经济学认为,在无产阶级与资产阶级之间是没有共同语言的,二者的行为方式截然不同,存在着一条不可逾越的阶级本质的鸿沟,自然也就谈不上阶级之间的均衡状态。实证社会科学事先考虑到环境与行为的可变性,是为了扩大自己的适用范围,提高自己的解释能力;假定人类行为的连续性,是为了尽可能地作出普遍性的陈述,避免成为单纯的类型学与案例学。在这里,无法对两种社会科学进行评判,只想指出一点,追求普遍性是学者的最高理想,将其作为"宏大话语"加以嘲讽,或作为对"文化霸权"的"臣属"姿态加以谴责,是不公正的。

　　无论"实证的"还是"规范的"社会科学,都是对现实生活的一种理论抽象,它们不能代替活生生的大千世界,更不能据以约束或限制每一个人的选择。改革开放前的几十年中,尽管工农联盟的口号震天响,但作为一个具体的农民,最盼望的还不是给予一个严格封闭起来的农民阶级的政治高帽或者"经济民主",而是冲破户口制度的藩篱,获得择业自由与迁徙自由,享受城里人的那种生活。"文化民主"论者建议采取与"国际文化霸权"抗争的行为策略,力图以此提高他们所钟爱的"中国文化"在世界上的话语权力;但作为一个具体的中国人,更可能采取的行为策略是突破老祖宗或某些学者对"中国文化"的限定,做一个会讲外国话的中国人,通过自己的现实选择,既增进切身利益,又拓宽中国文化的底蕴,用外国语言文字中蕴藏的文化财富去扩充中国人的文化宝库。现在,世界上有许多民族已经是"双语"或"多语"民族,本土语言已经不再是这些民族文化的最主要的特征,这些民族的大多数人也决不会为了追求本土文化的纯洁性和文化的世界排名而牺牲自己的"双语"优势。归根结底,任何一种社会科学都应当以人为本位,以个人为着眼点,为具体的、实实在在的人服务。这也正是中国知识分子"祈求""人文精神"与文化"普遍性"的出发点。

　　生活是具体的,理论是抽象的;生活是变动不定的,理论总要有相对固定的形态。生活中的个人或群体是灵活反应、富于弹性的,理论家或代言人却往往是僵硬的、固执的,倾向于把社会角色的某些特征凝固化、永恒化。人们对此不必惊讶,因为后者有自己特殊的生存策略与生存方式。理论不极端便没有特色,代言人偏爱自己的理论建构胜过对现实人群的利益与愿望的关怀,是由于其中有自己的利益所在。赛义德为弱势的东方文化"代言",却在强势的西方文化的主流学术殿堂中占据了一席之地。前苏联东欧国家的执政党为工人阶级"代言"了几十年,却把自己变成了一个高踞于人民大众之上的特权阶级。因此,仅仅根据抽象的言词,根据"代言人"的自我表白,不足以判定一种理论究竟是在为谁代言,为谁守望。

在西方国家,具有道义感的知识分子通常侧重为社会弱势团体代言,那里的弱势团体大多是少数人群,如少数民族、残疾者、同性恋者等。在我们这里,知识分子继续为"大众"代言却并不过时,因为"大众"还没有通过政治民主机制使自己从多数人群上升为强势团体,成为谁都不敢忽视的政治力量,他们眼看着钱权交易的少数人肆无忌惮地损害公众利益却又无可奈何。站在人民大众的立场上,"当下"中国的知识分子应当坚持不懈地对民众进行民主"启蒙"和"引导",继续担当起"没有表达权力与能力的群众的代言人"的神圣使命。

* 本文所引崔之元语见:《二十一世纪》1994年8月号,《香港社会科学学报》1996年春季号,《读书》1996年第3期、第7期,1997年第4期。本文所引张颐武语见:《二十一世纪》1995年4月号,《中国社会科学季刊》1997年春夏季卷,张颐武与谢冕合著《大转型——后新时期文化研究》,黑龙江教育出版社1995年版。

原载《战略与管理》1998年第2期